SV

Friederike Mayröcker
Gesammelte Prosa
1949-1975

Suhrkamp Verlag

Erste Auflage 1989

Nachweise am Schluß des Bandes
Druck: MZ-Verlagsdruckerei GmbH, Memmingen
Printed in Germany

Gesammelte Prosa
1949-1975

Inhalt

I. Larifari. Ein konfuses Buch

Ansätze

Während ich ein kleines Blatt, das ich aus einem Notizbuch gerissen habe, in meine Schreibmaschine einspanne (es darf kein großes Blatt sein, sonst wird zu viel erwartet; auch soll es lieber nicht weiß sein: es verlangt, voll beschrieben zu werden, und gerade das erscheint mir am Anfang immer unerreichbar), sehe ich, wie der Schatten der Dahlie sich auf ihm bewegt. Ich habe das Verlangen, etwas zu schreiben, aber ich weiß im Grunde gar nichts, über das ich schreiben könnte; bestenfalls noch über meine Reise nach England, aber ich fürchte mich davor, einen Reisebericht zu beginnen; ich lese selbst keinen. Vielleicht könnte man von dem kleinen Mädchen in der Straßenbahn erzählen, das auf dem Schoß der Mutter saß, rotblond, zart, mit einem winzigen Gesichtchen, das schon die Spuren der Armut trug. Der Vater gegenüber, ebenso zart, nicht mehr jung, las halblaut die Zeitung. Die Mutter hatte ein Gesicht wie die Frauen auf alten Bildern: da geht alles Leben von innen nach außen in Strahlen, wie hier dem Kinde zu; in Liebe, Sorge, Verschwendung. Die Haare fielen ihr in blonden Strähnen zu beiden Seiten des Gesichts nieder, und als wir an einer Kirche vorbeikamen, machte sie das Kreuzzeichen. Oder ich könnte über das schöne Maisfeld schreiben, das aus dem Tal wuchs wie in einer Welle, oder über die Schönheit der Stadt vom Berg aus. (Nur an einer Stelle bereute ich, die Geschichten in der Übersetzung zu lesen, nämlich dort, wo im Original ein paar deutsche Worte stehen. Ich erinnere mich des Eindrucks, den mir eine Zeile in deutscher Sprache mitten in einem englischen Gedicht gemacht hatte; das hatte ich hier versäumt.)
Ich könnte erzählen, wie gern ich in Gesichtern lese, mit viel mehr Hingabe als in Büchern, wie gern ich Fenster anschaue, hindurchblicke in den Raum, mich gleichsetze mit den Bewohnern dieses Raumes, ihre Geschichte ein paar Sekunden lebe, in Sekunden die möglichen Stationen ihres Lebens überblicke, ihnen nachträume, währende ich weitergehe. Ich könnte über das seltsame Gefühl schreiben, das einen begleitet, wenn etwas Unangenehmes bevorsteht, eine ärztliche Untersuchung, eine Arbeit, die man nicht zu bewältigen glaubt, ein Kampf mit der eigenen Starrsinnigkeit, die Notwendigkeit, ohne Scheu eine Tatsache zu bekennen, eine Ope-

ration; mit dem seltsamen Gefühl: wie wird alles nachher sein, wie wird dieses Wesen (das ich bin) sich bewährt haben, welche Empfindungen, Gedanken, werden es beherrschen, welche neuen Ausblicke werden sich ihm bieten, danach? Und: wird es überhaupt einen solchen Augenblick des überwundenen Schmerzes, der überstandenen Plagen geben? Oder wird man wieder vor dem riesigen Berg stehen, ohne eingelassen zu werden? Was wird sein, wenn ich aus der Narkose erwache? Alles wird sein, wie es war, oder: wir fangen noch einmal an; ich muß noch einmal operieren, oder: sie haben noch nicht begonnen; es ist alles noch vor mir, die Angst, die Angst vor dem Schmerz, der Schmerz, die Erwartung des Unvorstellbaren. Man könnte über die vielerlei Arten der Unrast schreiben, oder über den Ärger, den man empfindet, wenn das Gedächtnis versagt.

Oder wie seltsam es ist, im Neubau, der uns die Abendsonne wegnimmt, jemanden auf der Maschine schreiben zu hören.

Wer schreibt am Sonntagnachmittag, was schreibt dieser Mensch? Einen Brief? Überträgt er Tagebuchblätter ins reine? Hört er in den Pausen zwischen den Anschlägen meine Maschine? Oder hat er einen rascheren Fluß der Rede als ich?

Ich höre sein Klopfen fast jeden Augenblick, weil ich so oft unterbreche, um zu erfahren, ob es da drüben noch weitergeht.

Schöner Garten

Schöner Garten schöner Träume

Durch die Seitengänge dieses Gartens bin ich oft gegangen. Manchmal vom dritten Bezirk in den vierten, das heißt also, bergauf und über die Steintreppe, wo wir als Kinder spielten. Zwischen einer Doppelstiege sind Steinplatten in einer Schräge gelegt, und alle Kinderspiele, die dort gespielt werden, gipfeln in dem einzigartigen Versuch, ohne Hilfe jene Schräge aufwärts zu gehen, oder auch abwärts zu laufen, was gilt schon ein wundes Knie, ein verbeulter Kopf! Weiter unten der Irrgarten für Mädchenträume, erstes Wehgefühl, frühes Sinnen. Oder die einsamen Wanderungen an Spätsommernachmittagen, an den Sphinxen vorbei, die beschnittene Laubwand zur Linken. »Warum sind Sie traurig? Ist Ihnen etwas zugestoßen?«, Begegnungen mit Freunden, eine Bank in der Sonne, vorüber an den müßigen Gartenbesuchern, die Fontänen sprühen, ja es ist wieder Frühling, aber von jeder Bank schauen einen fünf Augenpaare an: unangenehmes Gefühl: die Strumpfnaht sitzt nicht, die Absätze an den Schuhen sind nicht tadellos, ob man meine vorgeneigte Haltung bemerkt, wohin soll ich im Vorübergehen schauen, vielleicht gibt es hier Leute, die mich kennen, nichts von mir halten, über mich spotten, mich auslachen, was macht man eigentlich mit den Armen und mit den Händen? Endlich an der Steintreppe. Hier sind die Allegorien der zwölf Monate, die ich sehr gern habe. Zu dreien stehen sie oberhalb der Stiege und zeigen, was sie mitbringen: die Jagd und die Lese, den Karneval und die Früchte.
Selten benütze ich den jenseitigen Gang; er ist schattig und einsam. Obwohl ich die Menschen auf der andern Seite fürchte, suche ich sie auf. Beide Seitenwege münden im oberen Teil des Parks in jenen wunderschönen weiten Platz, eine Stätte früher Eindrücke: der Blick auf den Teich, eine geahnte Bläue des leise gekräuselten Wassers, ein Schwan, das große schmiedeeiserne Tor; nicht der Gang dorthin, nur die Erwartung hinzukommen. Jetzt sind es die steinernen Rosse mit den fliehenden Mähnen zu beiden Seiten des Schlosses, die mich vor allem erfreuen.
Schöner Garten schöner Träume: Belvedere.

Kirche zur heiligen Thekla

Von der kleinen Anhöhe einer benachbarten Gasse aus wirkt die sonst eher unansehnliche Kirche seltsam neu, eindringlich in den Formen. Kräftig gelb wie Herbstlaub, aber verschleiert mit Nebel. Der ruhige gelbe Quader liegt in einer niegeschauten Schönheit vor mir. Die Verästelungen der kahlen schwarzen Baumkronen berühren das Kirchendach. Die Linden sind in einer schütteren Allee vor der Kirchenwand. Je mehr ich mich nähere, desto rascher entzaubert sich das Bild. Aus großer Nähe erkenne ich im mäßig hohen Turm das schadhafte Gebälk und die Glocke, die nur sonntags läutet.

Jacquingasse

Wenn du von oben mündest, mag es sein, daß du noch das Bündel Eiszapfen siehst am ersten Giebel, dann bist du eingelassen. Wohl kommst du nicht gleich von den Spitzen aus kaltem Blau hinweg, aber es eilen stille vernehmliche Töne zu dir, wie kleine Wellen, die gegen den Nachen schlagen. Und du schaukelst hinein. Die verschlossenen Tore tun sich auf, schwarz und schwer, und hinter ihnen ist Schnee und alter Herbst im Gesträuch. Es ist ein einziger grüner Himmel da, der sich allmählich blaugrün vertieft. Man fühlt die Brüchigkeit der hohen Balkone und wie sie hinüberschauen in den Botanischen Garten. Das kannst du nur spüren, wenn du die Ruder einlegst und schweigst. Ein paar Kanäle zweigen am unteren Rand ab. Wenn du dort einbiegst, grüßen dich noch eine Weile die weißen Wipfel.

Wann, wann schenkst du mir wieder

Was, was habe ich getan; die Lichter der Stadt beginnen zu tanzen im leichten Dunst des September, und mein Finger fährt den schönen Kreis nach: Riesenrad, immer wieder von allen Hügeln aus, und die langen Brücken; und der Geschmack Sehnsucht auf der Zunge vergeht nicht, die Gaslaternen machen mich traurig.
Ich will nicht, ich will nicht bei lebendigem Leib den Engerlingen vorgeworfen werden, während du dich winkend aus dem Fenster beugst. Ich schaue lieber nicht mehr zurück, sonst muß ich womög-

lich mit ansehen, wie du dich herabstürzt, während die plötzlich aus allen Verstecken unseres seltsamen Haushalts auftauchenden Wekkeruhren in einer überaus lärmenden Art zu ticken anfangen und damit fortfahren, was mich an das Atmen erinnert, und ich bekomme gleich darauf Atembeschwerden, während ich einen Mann mit einer Tasche sehe, wie Ärzte sie meistens mit sich führen, walzenförmig und länglich. Was tut er sonntags, er hat eine blaugeschlagene Gesichtshälfte.
Was, was tut man sonntags; man geht in eine Kirche, meistens zu Mittag, fährt Straßenbahn, wandert, erreicht plötzlich die neue Jahreszeit. Gestern erreichte ich sie am frühen Abend. Es roch nach ihr, und das war erstaunlich. Es machte mich noch schwermütiger. Ich ließ die blinden Kinder vorbeiziehen, die mit den Pfadfindern scherzten; ich las mütterliche Liebe in einem Gesicht über dem kranken weinenden Kind und in den Händen, die das Kind liebkosten. Da war ein Stoppelfeld, und quer über das Feld ging ein Jäger. Sein Hund lief voraus. Der Jäger pfeift irgendeine Melodie, die du kennst, aber doch nicht nachsingen könntest, sie ist nicht leicht zu umreißen, dann siehst du ihn hinter den Schlehdornzweigen, und er ist schon ein weites Stück von dir entfernt, immer noch vor sich hin pfeifend; auf einmal ist das, was ohne deine Beine laufen kann, hinter ihm her und fragt: was für ein Lied war das? Und er sagt: das war das Lied vom Alleinsein, über das man froh geworden ist.
Wann, wann schenkst du mir wieder eine Wegwarte?

Von der Reichsbrücke aus

Spätabends über dem Strom. Über die Brüstung gebeugt, wird man zu strömendem Wasser. Man wird Wasser, das immer fließt, auch bei Nacht, immer zugleich unterhalb dieser Brücke und dort, bei der ersten Laterne. Bei der ersten Laterne schlägt man ans Ufer. Ja, dieser Strom ist wie ein einziges unendlich vielwelliges Wesen mit einer Stimme. Und jetzt in dieser Stunde, die Luft ist unbeweglich und kühl, die Nacht beginnend, ist es, als schlüge einem dieses strömende Wesen mit seinem riesenhaften Herzen ganz nah ans Ohr, und man beginnt zu lauschen. Flußabwärts die vielen Laternen, wie Leuchttürme am rechten Ufer. Dort, wo die Laternen ins Wasser leuchten, wird es wie Silber. Von einer Laterne zur andern geht der Blick, von einem Streifen Silber zum andern. (O wie gedankenvoll

macht eine solche Nacht. O Erinnerungen.) Der Blick geht zur Mitte des Stromes und in die Weite, und ich empfinde Schrecken: wie ein Gebirge dem Strömen aufgesetzt, wuchtet es grau und undurchdringlich: der ferne Strom, der ungestalte, ungreifbare, nie erreichbare, wundersame, geliebte, der hier und dort fließende, in den Himmel ragende Strom!
Sieh, es ist längst Nacht geworden.

Kritzendorfer Abend

Kühler Abend, und ein Sturm reißt sich sichtbar aus den Wolken, so daß silberne Stücke Gewölk über den Strom ziehen. Der Strom ist wie die Ostsee: kühne Wellenschläge gegen das Ufer. Hier die Rosenbäume, hellrosa und dunkelrosa. Ich stecke eine halb aufgeblühte Rose an. Es ist still in unserer kleinen Gesellschaft geworden, und einige fallen in rascheren Schritt. Wie mit vielen Flügeln fliege ich voraus, und es braust in mir wie von stürzenden Wassern. Der Himmel schwimmt in zarten Farben. Die große gehauchte Wucht von Licht und Wasser; die silbergrauen Weiden rauschen. Vorn singen sie ein fröhliches Lied, das fehl am Platz ist. Könnt ihr nicht die traurigen und schönen Möwenlieder hören, über dem Strom?

Riederberg

Wenn du wie ich im Herzen des Riederbergs säßest, glaubtest du auch, es ziehen blaue und weiße und rote brausende Riesen mit Flügeln von Staubwolken immer engere tosendere Kreise um dich. Kaum siehst du den Himmel. Wie du dem rasenden Reigen mit deinem Blick nachgehst, daß du wie er kreisend und schwankend wirst, findest du jäh und rätselhaft ein Ausruhen in jenem Paar: er fährt sie so langsam, daß du annehmen mußt, der Wagen bewege sich nicht; er fährt sie so sanft und gestillt, als sei es tiefe Mitternacht, so versunken in sie, als besinne er sich einer Entfernten. Sie halten endlich in F. (Ich habe Nacht mitgebracht, ein Stück Nacht, ein paar Sterne, den Duft blühender Weinstöcke; das genügt.)

Neunkirchner Allee

Der Motor dröhnt. Abendwärts fliegen wir. Durch die hängende Robinienallee, und hinter uns Schwall und summende Gesänge. Ich liege einen Augenblick lang in deinem Arm, eingesunken, selig. Wir sind ein Stern, der ruhend rast, mit einem Schweif aus Tönen. Durch den Himmel, voll Hochwolken und Glanz, über Gräber und Mohnblumen, Ebenen mit spitzen Kirchtürmen, hinein in das blutrote Auge Sonnenuntergang.

Bei mir

Bei mir

In jenen süßen warmen Zustand von Benommenheit versetzt, empfinde ich es als Gewaltsamkeit, den Raum zu verlassen, die zum Überdruß bekannten Straßen zu queren, um zu deinem Haus zu kommen. Man sollte einen kleinen fliegenden Teppich besitzen, und man müßte jederzeit ohne Behinderung dorthin gelangen können, wo man zu sein wünscht. So aber bleibt es an diesem Nachmittag dabei, daß ich nur in Gedanken dreimal um Straßenecken biege, das holprige Pflaster unter meinen Sohlen verwünsche, vier Stockwerke hoch steige und an deine Tür klopfe. Ja, es hat geklopft, ich bin es.

Sie beugt sich tief zu mir nieder und schaut mich aus freundlichen braunen Augen an. Sie hat Mitgefühl und Herzlichkeit im Blick. Bei kaum einem andern Menschen fühle ich so viel ehrliche Teilnahme und Geneigtheit in der Frage: wie geht's dir?

Heute träumte mir, ich hätte mich an dich gelehnt in einem Gefühl weiträumiger Freundschaft, und sie war so groß: Vertrauen, Zuneigung, Sehnsucht, Liebe, Gemeinschaft der Gedanken, Geborgenheit. Wenn ich morgens oder nachmittags erwache oder nach einer Vorführung wieder zu mir selbst komme, ist mein erstes Gefühl immer: o, was habe ich nun versäumt; besser: worauf habe ich vorübergehend vergessen; oder: was für unangenehme Dinge haben mir diese Stunden hinausgeschoben; was war doch da Lästiges, das mich vorher erwartet hat; oder: wohin, in welche Wirklichkeit muß ich jetzt gehen; was ist immer noch da, was wird immer da sein und drohen, nicht durch Träume zu tilgen, nicht durch Berauschung. So bin ich in jeder kleinen, ja kleinsten Freude gespannt, geplagt selbst im Schlaf.

Man sieht schon überall Vergißmeinnicht zum Verkauf. Ich möchte sie gern jemand schenken oder lieber welche geschenkt bekommen. Sich selbst Blumen schenken macht traurig.
Ein Sträußchen Vergißmeinnicht so lichtblau und rundherum grün.

Aber ist es denn wichtig, daß ich schreibe, frage ich mich, ist es nicht besser, die schönen Bilder bleiben bei mir, kann ich denn jemals ein Herz finden, zu dem meine Bilder kommen wie lang erwartete Gäste? Bist du dieses Herz?

Ich sah einen Mann vor mir sitzen, der hatte auf seinen Knien eine Schachtel, darauf stand: Die Seerosen blühen. Darunter war noch eine Zeile, aber ich konnte sie nicht mehr lesen, weil ich aussteigen mußte. Als ich mich zu ihm umdrehte, sah er mich an, als ob er meine Frage nicht ganz verstanden hätte.

Sonntags lasse ich mich immer ein wenig zurechtrichten von ihm. Es tut gut, sich hinzusetzen und zuzuhören, wie man es als Kind getan hat. Er trifft genau dorthin, wo ich es nötig habe. Er nimmt mich mit auf seinen Flug, und er bekehrt mich jedes Mal. Freilich nur auf die Dauer seines Zuspruchs oder ein wenig darüber hinaus. Ich liebe sein mächtiges Auge und das Lächeln um Mund und Wange.

Mittags in der Straßenbahn. Heute ist eine andere Welt! Alle Menschen sind in ihrer Einmaligkeit wichtig und voll Geschichte: ein junger Mann an einem breiten Fenster, nach einer Mahlzeit, vielleicht mit Plänen für die Zukunft; die zerstörte Kirche in der Schwarzspanierstraße, schwarze tödliche Zugluft, da drin leben müssen, ein Kind zur Welt bringen; das Graue Haus in der Lastenstraße, surrend hält ein Lieferwagen vor dem Tor, die Verladetür wird aufgerissen, ein paar Bündel Akten herausgeworfen. Verurteilungen, Gerechtigkeit und der Zeitbegriff. Man geht im grauen Kittel zu zweien, dahinter ein Wachebeamter, das Reden hat man beinah verlernt. Was denken die Leute von uns, gut, daß man nicht allein gehen muß. Der Polizist macht eine Bemerkung, die scherzhaft wirken soll (schließlich hat man keine Angst, daß die vier ausreißen), die grauen Männer versuchen zu lächeln, es gelingt nicht ganz, aber sie schwenken die Unterarme ein wenig; vor dem Messepalast steht ein Kiosk: komm, hier sieht uns niemand! Wie ein Falter fliegt sie auf und voraus, und er folgt ihr; ob die Dinge nicht doch Gefühl haben: da ist dieser Kaffeehausgarten an der Ecke, und gerade hier bei diesem Gittertor weiß ich: es spürt etwas!

Der Flug der Vögel! Schön seid ihr, wenn ihr auffliegt und schwebt und abwärts zielt, so dicht wie Pfeile.

Frühmorgens im Regen: ich sehe zwei Kinder. Ein größeres mit langen Zöpfen, und an seiner Hand ein kleines Mädchen. Sie gehen langsam, als ob die Sonne scheine. Vor einem großen Baum bleiben sie stehen und schauen zu ihm hinauf. Sie haben keine Eile, und sie sind dem Regen nicht bös. Während sie sich entfernen, lautlos wie Gestalten aus einem Märchen, lächle ich ihnen nach und schließe sie in mein Lieben ein.

Er erzählt mir in einer ruhigen Stunde, daß sie wie Geschwister leben. Das erwachsene Mädchen mag daran schuld sein. Bruder und Schwester. Nur manchmal, morgens, wenn er das Haus verlassen hat, kann man sie, ein wenig wie die rosenwangige Danae Klimts, eingeschmiegt in die noch warme offene Bettstatt ihres Mannes finden, schon angekleidet; hingegeben im Schlaf.

Der Himmel blaut. Es regnet sanfte Blätter, und sie schwanken nieder. Aber der Himmel blaut. Die grünen Türme sind wie wehrhafte Helme, es ist ein Grün, das einem mitten ins Herz geht, kühn, vollendet, nahe dem Grünspangrün. Während nirgends die Sonne zu sehen ist, aber überall ihr Abglanz, bewegt sich die Straße herauf, gerade in der Mitte zwischen der Doppelspur der Geleise, ein Handwagen, mit alten Truhen und Kasten beladen. Ein Mensch und ein Hund sind das Gespann. Sie fahren ihn sichtlich schwer herauf, der kleine struppige Köter mit der hängenden Zunge und dem gesenkten Kopf richtet immer wieder den Blick auf den großen Mann an seiner Seite, und es ist eine wirkliche Frage, die er fragt: ist es für dich auch so schwer? Seine Augen sind tiefschwarz und voll Gefühl.

Friedhof

Als ich vom Montmartre kam und die schönen französischen R noch im Ohr hatte, dachte ich: wenn er so säße, daß sein aufgerichteter Oberkörper zu dem dahinter liegenden Fensterrahmen eine Gerade bildete, ergäbe sich daraus die Gestalt eines Kreuzes. Aber ich lag in seinen Armen und hörte seinem Schlaf zu. Die Decke

blätterte ab, und die Risse schauten aus wie Gesichter mit riesigen Nasen, oder Frauenkörper. Die Tapete an der Wand war voll von rosa Pferdeköpfen im Profil, mit einem Sonnenauge aus Gold. Seine Hand rührt sich im Schlaf, und sein Arm schlingt sich um meinen Hals. Ich sage zu seiner Hand, die einen leiseren Schlaf als der übrige Körper hat: verzeih, daß ich wache, während du schläfst. Aber ich habe viele Fehler gemacht; da schläft man nicht gut. Einer davon ist, daß ich meine Großtante, die Rentnerin, in große Angst versetze, wenn ich einmal vor dem Schlafengehen vergesse, die eiserne Türkette vorzuhängen. Sie überwintert wie eine Haselmaus, zusammen mit einem Petroleumofen; ich werde sie erst im Frühjahr wieder sehen; sie wird beunruhigt sein wegen der Kette, und ob die Fenster zu sind.
Ich legte meinen Körper hin und ging weg. Das muß geübt sein, es gelingt nicht aufs erste.
Während der Wagen anfuhr und weiterfuhr, ohne daß der Wagenführer etwas merkte, wollte ich abspringen: auf der rechten Straßenseite gab es nämlich eine alte Windmühle, mit dünnen Armen; sie war so verzweifelt, daß sie immer kleiner wurde; sie schlug mit den Armen umher, verfing sich mit den Armen im Tragriemen ihres Rucksacks, kauerte elend am Straßenrand; wie konnte ich zu ihr.
Alles Vorläufige erstarrt zu Endgültigkeit.
Haben die Schmerzen deines Körpers aufgehört, wirst du etwas suchen, das dich schmerzt, ohne dein Nervensystem anzugreifen.
Daß du einmal über den edlen Bau einer Stirn erschüttert warst, zählt nicht mehr. Du bist darüber hinweg. Auch über Worte. Auch über Töne. Auch über Dinge, Fetischist.
Sieh die Welt! Riecht sie nicht nach Weihrauch und Tannen? Diese Welt mit der Rosenranke; diese Welt mit den verlorenen Schätzen. Übermorgen ist Allerseelen.

Auf Flügeln des Gesanges

Auf Flügeln des Gesanges.
Gehört dieser Steckkamm vielleicht Ihnen, fragte der kleine Herr Ober im Stadtcafé die alte Dame, die gestikulierend an einem Marmortischchen sitzt, und dabei macht er eine tiefe Verbeugung, so daß er noch kleiner wird.
Nein, sagt sie, und wendet sich ihrer Gesprächspartnerin wieder zu.

Der Boxer liegt zu ihren Füßen, keucht, streckt die Zunge hoch und schnuppert.
Freilich, ob es wichtig ist, daß die alten Damen Karten spielen, oder ob es wichtiger ist, daß sie Karten spielen, während ein junger Dichter vor dem Kaffeehaus mit seinem Freund ein Treffen fixiert, um eine Schreibmaschine zu borgen, damit er einmal alles über diese alten Damen aufschreiben kann; wer weiß; aber auf jeden Fall ist es schön.
Auf Flügeln des Gesanges.
Sie hatte eine sehr schöne Stimme, ungeschult, wie ihr Vater behauptete. Er freute sich über seine Tochter und daß wir ihren Gesang schätzten. In der englischen Übersetzung, mit großer Stille vorgetragen; es raubte mir die Zurückhaltung; dieses wunderbare Lied brachte mich in mein Land zurück, das ich doch nur auf ein paar Tage verlassen hatte, machte dieses Land unersetzbar, tauchte es in eine Verzauberung, entrückte es; mit ausgebreiteten Armen steht man, das Herz füllt sich mit Wehmut; man möchte ausbrechen, fortstürmen, heimfliegen. Ein paar Töne und ein paar Worte, in der Verkleidung der fremden Sprache genügen, um jenes tatsächliche ungreifbare Etwas heraufzubeschwören, das man allgemein mit: Heimat, Zuhause, Österreich, oder: Festland, Wien, Musik, oder Gottweißwie, benennt.

Was ich auch immer sage

Was ich auch immer sage, es ist nicht endgültig gesagt, und ihr sollt deshalb auch nicht vorwurfsvoll feststellen: hier und dort hast du dich über dieselbe Sache anders ausgesprochen.
So behaupte ich also am heutigen Tage, daß ich mich nicht nach den Palmenhainen Italiens sehne, aber daß ich noch einmal die seltsam geformten Alleebäume Südwestenglands sehen möchte: hochwipfelige Bäume mit schlanken Stämmen, die so französisch anmuten. Einmal sah ich ähnliche Baumformen auf einem Gemälde, das eine französische Landschaft darstellte. Gern würde ich noch einmal den Klang der Glocken von St. Martin's-in-the-Field hören. Noch einmal die Ankunft auf Victoria Station erleben: wir bahnen uns in einem riesigen Autobus durch den nach allen Richtungen auseinanderlaufenden Verkehr im Bahnhof einen Weg, da steht eine dunkle Irene Forsyte, edelster Wuchs, von den zarten Fesseln her hochra-

gend, untadelig bis in die wundervoll geschwungenen Brauen: England! Mehr England als die Kreidefelsen vom Meer aus oder die schreienden Möwen, ganz nah bei der Landung in Dover. England: Weißbrotschnitten essende junge Frau auf dem mattglänzenden Lederfauteuil in der National Gallery. (Was hetzt mich durch alle Galerien und Museen? Was bleibt? Zwei Auferstehungsbilder, die Ophelia im Teich.)
Ihr sollt mir auch keine unvermuteten Fragen stellen, keine direkten Fragen. Die Frage wird so groß vor meinem Auge, daß ich nichts mehr sehen kann als sie und daß ich umstellt bin von ihr, ohne einen Ausweg (in eine Antwort) zu finden.
Ihr sollt mich auch nicht durch Liebe verpflichten.
Werft lieber mit Steinen nach mir.
Ich brauche euch, ihr Erde und blaues Auge, ihr Hand und Fuß, ihr Tisch und Fenster, Brot, Wein, Gerät, Wort, Glocke, Nachtlager, Freund, Vater und Mutter, Mann, Fremdling, Kind, Schlange.
Ich brauche euch, ich liebe euch, laßt euch meine Liebe gefallen, sie geht haarscharf an euch vorbei, aber das merkt ihr nur selten. Eigentlich liebe ich nur mich, in allen euren Gestalten.
Verpflichtet mich zu nichts, ich will frei sein.
Frei, um Schmerzen zu haben, um zu betrügen, um sentimental zu sein, um mich bewußt unfrei zu fühlen, frei zum Weinen, zum Fürchten, frei um zu schweigen oder zu sprechen, zu schlafen und zu trinken, wann es mir gefällt, frei, um feig zu sein und tollkühn, frei, sein eigener Komplize zu sein, frei genug, sich selbst Handschellen anzulegen, frei um Reime zu machen, ungelenke Reime und Reimpaare, und dabei schwimmt man vor Rührung davon, es ist so schön, zum erstenmal zu reimen. Der Reiz ist unwiderstehlich.

Bruchstücke

Er sagte zu ihr, mach dir nichts draus. Sie sollte sich nicht darüber schämen, daß sie seine Socken nicht stopfte. Sie achtete nicht darauf, ob ihre Wäsche geflickt war: sie schrieb Geschichten, und er liebte seine Frau. Wenn sie zärtlich gestimmt war, stopfte sie ihm einen Socken (sie wählte immer ein solches Paar, bei dem nur ein Socken schadhaft war). Sie stopfte mit Hingabe. Das rührte ihn mehr als ein Versuch, ihm ein schmackhaftes Mahl zu bereiten.

Man konnte ihm die Blumen nicht in die Wohnung bringen lassen, überlegte sie nachher. Aber es war dämmrig im Hausflur, und ich hätte so tun können, als suchte ich einen bestimmten Mieter auf der Namenstafel mit den Türnummern. Dabei, überlegte sie weiter, hätte ich das Sträußchen Margeriten aufbinden, die Blüten vom Stengel brechen und die Köpfchen unter der Namenstafel aufstreuen können wie einen Teppich, wie einen kleinen Fußabstreifer; oder ein Kränzchen an die Türschnalle seiner Wohnung; oder eine rosa glacierte Namenstagstorte vors Haus bestellt: wenn er kommt, steckt sie ihm einer zu.

Wie er singt, sagt das alte Fräulein andächtig, und sie hält lauschend den Kopf zur Seite. Der Kanarienvogel schreit laut in dem winzigen Kabinett. Die Stores mit den Klöppelspitzen und den handgestickten Rosetten geben eine hübsche verstaubte Kulisse ab, vor der der gelbe Kavalier agiert.

Er sah aus wie ein gesundes Kind. Aber dann machte er Zeichen, und die Mutter sprach ihm das Wort: nachhause laut vor; er gab es stark verändert wieder; da horchten sie alle auf; er rannte durch den stumm gewordenen Straßenbahnwagen; da schauten sie alle die Mutter an; er rannte auf seinen Freund zu, der am anderen Ende des Wagens neben seiner Mutter saß; sie waren alle verlegen; sie schauten alle hin und wieder weg; die beiden Kinder fielen sich um den Hals. Die Mutter des ersten Buben sagte zur Mutter des zweiten, so laut, daß alle sich schämten: er fragt, wo die Anita ist.

Wie von Eiskristallen starrt sein wilder dichter grauer Bart. Darin versteckt sich ein kleines altes Gesicht, nur die Augen sind voll Licht. Er stellt einige leere Flaschen in verschiedenen Größen auf den Ladentisch und lächelt die Verkäuferin an, wie einer, der scherzen will. In so viele Flaschen? fragt sie erstaunt. Ja, wissen Sie, so kann ich ihn besser verstecken.

Du bist beinahe ein Engel, sagt er durchs Telephon. Und er findet diejenigen Worte nicht, die seine Freude übersetzen könnten. Er hat das Fräulein Tausendschön getroffen, um sieben Uhr bei der Haltestelle, und er staunt darüber, daß sie jeden Morgen ein wenig schöner ist. Sie hat langes blondes Haar, rötlichblond vielleicht, vergißmeinnichtblaue Augen und ein Gesichtchen wie eine matte Perle. Sie scheint sanftmütig und klug zu sein. Heute morgen stiegen sie gemeinsam in die Straßenbahn ein. Heute morgen fuhren sie gemeinsam nach Wolkersdorf (oder Wolkendorf? Dorf bei den Wolken, wo die Engel zu Hause sind?).

Als ich mich umdrehte, merkte ich, daß das graue Licht durchs Fenster kam. Es war sehr dämmrig im Wartezimmer. Ich saß in einem Polsterstuhl und erwartete das Öffnen der Tür zum Ordinationszimmer. Ich hatte Angst vor dem Gedanken, den die Ärztin haben mußte, sobald sie mich gesehen hatte. (Das ist die Patientin A mit dem Wanderausschlag, mit der verlagerten Bauchspeicheldrüse, mit dem erschlafften Herzmuskel.) Die Gesichter neben mir und gegenüber sind wie Luftballons an langen Messingstäben. Die Angst hat die Gesichter aufgetrieben und die Körper verringert. Wenn ich von einem Gesicht zum andern schaue, genieße ich das Gefühl einer Art Freude darüber, daß sich jedes dieser Gesichter bewußt ist, wie es im Augenblick der Unruhe und Ängstlichkeit aussieht. Jetzt stehe ich vor der Tür, jetzt werde ich eingelassen sein. Hinter der Tür geht ein Schritt, auf, ab, ordnet, reinigt, versetzt sich in den nächsten Fall, daneben: morgen Dienst bis acht, dann das Kind, vielleicht wird Mumps daraus: die nächste Patientin, bitte.

Ich eile durch die Stadt. Sonntag, am Spätnachmittag. Ich eile, weil ich mich schäme, in dieser langsamen Menge, die wie eine Welle Zufriedenheit ist von der Annagasse bis zur Wollzeile, langsam mitzugehen, als wollte ich diesen sanften wollüstigen Takt annehmen und selbst danach tanzen. Wie könnte ich tanzen, so ganz allein. Ich eile, als fürchte ich, irgendwohin zu spät zu kommen. Ich lasse mich abdrängen, zähle unterwegs die Schillinge in meiner Geldbörse, da sind drei Schillinge und ein paar Zehngroschenstücke. Für einen Schilling heiße Maroni, für den zweiten eine Rippe Schokolade (für meine Nichte Karoline), für den Rest einen Fahrschein. Da kreuzt Erasmus meinen Weg. Bevor ich so nah bin, daß ich ihn grüßen muß, weiche ich aus. Ich befürchte nämlich, er könnte mir meine Verlegenheit darüber ansehen, daß ich nicht wie die andern langsam gehe, so, wie es mir eigentlich gefallen würde. Er zieht den Hut und verschwindet. Er hat die gleiche Kopfhaltung wie mein liebster Schüler, denke ich; und wenn er einen Gedanken ausdrücken will, macht er kaum wahrnehmbare unbeholfene Bewegungen mit dem Hals und den Unterarmen, so als mühe er sich, kleine lästige Insekten abzuwehren.

Als wir ans offene Hoffenster traten, sahen wir unten, im entfernteren der beiden Höfe, einen Bettler, der sich wand und verrenkte, während er gereimte Verse deklamierte. Eine solche Art von Darbietung hatte ich nie vorher bei Bettlern erlebt. Aus furchtsamen und blutgeränderten Augen richtete er den Blick während des Sprechens zu den geöffneten Fenstern, wo ein paar Leute standen. Dann verbeugte er sich nach allen Seiten, sein krummer Rücken wurde noch krummer. Er verbeugte sich wie jemand, der sich eben seiner Rolle auf der Bühne entledigt hatte, ein wenig ängstlich und erwartungsvoll, ob es gefallen habe.

Wirf dein Herz

Sie hatten sich jahrelang heimlich geliebt, ohne Aussicht auf eine Möglichkeit, jemals ihre Liebe frei bekennen zu dürfen. Eines Tages lösten sich alle äußeren Schwierigkeiten, und es stand ihnen nichts mehr im Weg. Sie hätten einander auf der Stelle umarmen können, sie hätten eine Wohnung kaufen können, eine gemeinsame Reise machen, heiraten können.
Sie versuchten es, aber ihre Liebe gelang ihnen nicht mehr. Das ist eine traurige Geschichte.
Es könnte auch sein, daß du ein Dichter bist und jenen Gesang im Ohr hast, der dich ruhelos macht, ungerecht gegen deine Mutter, unduldsam gegen deinen Vater, gefühllos gegen deine Frau. Wie ein grimmiges Tier fällst du sie an, machst den Unschuldigen den Raum zum Atemschöpfen streitig, willst sie würgen oder verzaubern, um endlich allein zu sein: allein mit der Garbe Licht, die dich aus dem geliebten Aug traf, und der Pfeil sitzt mitten drin im Herzen, allein mit dem berauschenden Wort, das dich erreicht hat im Traum. Sollte es dir gelingen, auszubrechen, oder die geliebten Feinde in die Flucht zu schlagen, dann sieh dich vor, daß es dir nicht ergeht wie jenem Paar, das sich sehr liebhatte: wenn du sie alle getötet hast, wirst du allein sein. Wenn du allein bist, wirst du nicht mehr wagen, laut zu sprechen. Wenn du sprichst, ohne es zu wissen, wird dich dein Echo schrecken. Wirf dein Herz in den Staub, kleiner Dichter

vor den jungen Pappeln, wirf dein Herz in den Lichthof, erflehe Verzeihung von deinen geliebten Tyrannen; erflehe Vergebung dafür, daß du ein Dichter bist.

Mythologische Stücke

Paris

Der schläfrige Hirt liest die Kunde von den Himmeln ab wie von einem Spruchband, legt sich ins wehende Gras und wartet, hängt seinen Blick in die Einschnitte der Mulden, und, damit er nicht vorzeitig einschlafe, zwingt er sich, die winzige Herde seiner Schafe zu zählen, und immer wieder die veränderliche Schar der grauen schwirrenden Sperlinge. Glatt und sanft sinkt er in den Schlaf. Beim Erwachen wandeln die Göttlichen, noch nicht weit von ihm entfernt (aber das scheint nur so, sie wandeln schon weltenweit und nicht mehr erreichbar für ihn). Er macht Anstrengungen, ihnen nachzueilen, aber er ist bald wieder müde, nur seine Blicke holen sie ein, und er sieht sie, wie sie zu zweien gehen, ein erhabenes schrecklich abgewandtes Paar, und hinter ihnen, allein, zärtlich, still, fruchtbar: Aphrodite. Er liebt sie schon. Wie eine junge Birke ist sie, denkt er. Sie trägt in ihren Händen, knapp unter der rechten Brust, einen Apfel (aber das kann er nicht sehen, er begreift nur ihre gleichsam bergende Haltung und die rötliche Spur ihrer Haare).

Die Sphinx tötet

Sie hat Flügel wie ein Fürsprecher, riesige und runde. Wenn er sie von vorne betrachtet, er wagt es, weil er glaubt, daß sie mit halboffenen Augen träume, ist sie ein mächtiges Weib mit kindlich abstehenden Flechten, er denkt: was für ein Widersinn, mit sehr vollen beweglichen Wangen. Sie hebt die Lider und blickt mit einem wasserhellen Blick, der sich allmählich mit einer großen Träne füllt, die nicht austritt. So mit riesig angeschwelltem grünem Auge schaut sie ihn an, ihr hoher Hals, der in den breiten Nacken des Tiers verläuft und zugleich einstürzt in die Abgründe der warmen Brüste, hält das königliche Haupt. Während er gebannt wird durch ihren fast schon sprechenden Mund, geht hinter ihr die Nacht auf, blau, tief, mit Sternen und einem gelben Rand Horizont. Sie öffnet die Lippen, und ihre Augen sind jetzt bernsteingelb; wie er erschauert! Eine graue Falte zieht sich durch die gewölbte Stirn. Er lauscht, löst rasch und ängstlich den Rätselspruch und sinkt. Ihre Flanke rührt sich ein wenig. Wie ein einziger Ton geht der Mondschein durch den Himmel.

Die Sirenen des Odysseus

Bindet mich fest, sagte Odysseus zu seinen Gefährten, denn am Sonnenstand kann ich erkennen, daß die Sirenen nahen. Während er sprach, fühlte er jedoch große Beschämung. Denn sie hatten das Seil herbeigeholt, und es geschah nun schon die achtzehnte Woche immer dasselbe: um die fünfte Stunde mußten sie ihn binden. Er stellte sich mit einem Lächeln gegen den Mast seines Schiffes. Obwohl ihm die Getreuen angeboten hatten, seine Ohren mit Wachs zu ertauben, für die Zeit der singenden Frauen, verlangte er, jeden Tag alle Qualen neu zu empfangen. Bindet mich fest, rief er, schon kräuselt sich die Oberfläche des Meeres vom Tanzschritt ihrer Füße. Schon werden die Lüfte sanfter. Bindet mich! Die Töne kommen schon auf mich zu: o Lust des zerrissenen Fleisches, o Wollust der Peinigung. Singt, ihr Münder, o halbgeöffnete Engelsmünder, o wassergrüne Augen, Engelszungen. Ich will sein, wo es singt, wo es versunken aus wunderbaren Augen schaut, wo es mich einsingt, wo es mein Herz hochschlagen läßt. Bindet mich los, bindet mich los, hört ihr, bindet mich los, ihr Schurken, hört ihr, bindet mich los! Wie ein einziges mitleidvolles Wesen stehen die zehn Männer hinter ihm. Bewegungslos und mit geballten Fäusten.

Nausikaa

Nausikaa sagte nachts, als sie allein lag, zu dem fernen Odysseus: Odysseus, ich entbehre dich sehr. Als ich dich zum letztenmal sah, standest du mit dem Rücken zu mir. Ich schaute dich lange an, wie du dort vor den Wellen standest. Eigentlich stand ich knapp hinter dir, ich legte die Hand auf deinen Arm und sagte dabei: ich liebe dich, ich liebe dich. Da du aber mit deinen Gedanken schon bei Penelope warst (dein Blick übers Meer), konntest du mich nicht sprechen hören. Ich blieb am Fenster, aber ich versuchte, deine Augen einzufangen, und ich sagte zu dir, während ich schweigend am Fenster stand: versteh mich doch, Odysseus, ich habe dich geliebt wie deine Frau, es waren freilich nur wenige Tage, ich bin mit dir über die mondhellen Wiesen gegangen, ich bin mit dir an den Küsten gestanden, ich habe mit dir gelacht und gejubelt, ich kenne deinen Ruf, deinen Atemzug, ich weiß deine Gedanken und ich fühle, wie du fühlst. O Freund, ich entbehre dich sehr. Doch Odysseus schlief ohne Traum in der Heimat, und auch beim Erwachen fühlte er nichts. Er konnte sich nicht satt sehen am Anblick seines erwachsenen Sohnes, der ihm um vieles ähnlicher geworden war, und er fand in ihm die Züge seiner eigenen Jugend wieder. Auch fand er Penelope wieder, wie ein Land, das man früher, in ferner Zeit, geliebt hatte, und er genoß die Stille der heimatlichen Stätte, und es freute ihn, daß man ihn als klügsten, tapfersten und erfahrensten Mann schätzte. Es war alles sicher und wohlgesteuert, ruhig und ohne Verlangen. Selbst der Anblick der Sterne, der ihm früher mit großer Sehnsucht und Wehmut das Herz erfüllt hatte, ließ ihn nun unbewegt. Er war zufrieden, und er begann zu altern.

Das Labyrinth

Sie reicht ihm statt des Goldfadens ihr goldenes Haar, und er strähnt es ab, wie er durch die nichthallenden Gänge geht. Er erblickt den Minotaurus und erschlägt ihn nicht, aber er streicht mit der sonnigen Locke über den tierischen Leib, bis er sich bäumt und über das menschliche Auge, bis es bricht. Theseus läßt die Locke fallen: da hört er in diesen tauben Räumen wundersamen traurigen suchenden Gesang. Ariadne singt, über ihm, neben ihm, in ihm dröhnen die feuchten Wirbel ihrer Stimme. Er verlangt nach ihr mit der ganzen Kraft seines Herzens, zur gleichen Zeit weiß er, daß er sie nie erreichen wird.
Nachschrift aus dem zwanzigsten Jahrhundert:
Er findet sie mit verstümmeltem Haar, und sie geben sich einander hin. (Es bleibt ihnen sonst beinahe nichts zu tun übrig: sie wissen den Ausgang nicht mehr.)

Medea und Iason

Er kam ungern, weil er sich von einer Frau nicht helfen lassen wollte. Darum war er rauh und tat so, als verschenke er selbst etwas Kostbares. Als sie eingetreten war, sprach er zuerst nichts. Er begrüßte sie auch nicht. Später sagte er: »Mach keine Umschweife. Was bringst du?« Sie hielt ihr Zauberkästchen an die Brust gedrückt, und es war das erstemal in ihrem Leben, daß sie sich über ihre Zauberkräfte freute. Sie liebte diesen Mann, und sie würde alles für ihn tun. Während er sprach, erfaßte sie aber den Sinn seiner Worte nicht, auch nicht den harten Ton, sie vernahm nur mit einem höheren Ohr die Stimme Iasons, und diese Stimme klang ihr wunderbarer als das Rauschen des Meeres, mächtiger als die berstenden Gewitter, erregender als der Frühlingswind aus dem Süden. Freilich dachte sie alles das nicht über seine Stimme, sie fühlte vielmehr, daß ihr Herz sich in seiner Stimme schaukelte, und doch war ihr fast zum Weinen zumute. Sie hob ihren Blick und schaute ihn an. Er nötigte sie, näher zu kommen und die Zaubermittel vor ihm auszubreiten. Sie kam nahe zu ihm, und ihr Herz ging auf und ab, ängstlich und froh zugleich. Sie hatte ein kleines seliges Lächeln um die Lippen, und hätte sie sich in diesem Augenblick sehen können, sie wäre erstaunt gewesen über die Neuartigkeit ihres Gesichts. Ihm fiel das Lächeln nicht auf, auch beachtete er die süße Befangenheit ihrer Bewegungen nicht, er dachte nur daran, die Zaubermittel zu besitzen. Er sagte: »Gib« und hielt die Hand auf. Da erglühte sie in eiligem Eifer, leerte das Kästchen vor ihm aus, sie ahnte nichts davon, aber es sah aus, als wollte sie ihr Herz vor ihm ausschütten, wählte dann eine Salbe und die getrockneten Blätter zweier Krautarten und legte alles in das Kästchen zurück. Er nahm es, fuhr sich mit der Hand durchs Haar (ob er sich ein wenig schämte, alles ohne Dank hinzunehmen?), wandte sich zum Gehen. Sie blieb zurück und regte sich nicht. Kein Wort kam über ihre Lippen, alles sprach sie nur mit dem Herzen: »Iason, Iason, geh nicht fort von mir, nicht so, ohne Gruß, ohne mich anzusehen, gib mir wenigstens die Hand, Iason, ich liebe dich, o Iason, Iason ...« Iason eilte mit dem Kästchen zu seinen Gefährten und freute sich auf den Kampf. Es gab keine Stelle in ihm, die an Medea dachte.

Philemon und Baucis

Den Tod empfing das alte Paar so: in einer Nebelnacht ging ihnen alles menschliche Leben aus, und sie belaubten sich wie Bäume. Bei Philemon gelang die Verwandlung vollends. Baucis aber behielt die Fähigkeit, Gedanken und Gefühle zu haben.
Am Morgen nach jener Nacht dachte Baucis bei sich (nicht ohne zu fühlen, daß irgend etwas an der Substanz ihrer Gedanken sich geän-

dert haben müsse): süßes Heiligtum, ich bin fern von dir, ich sehe nicht mehr, ich höre nur das Rauschen meiner Blätter, meine Stimme ist ohne Klang, wenn ich Worte sagen will, kommt Wehklagen aus mir, meine Rede ist ein anhaltendes Schluchzen. Was meinen die Götter wohl damit, daß sie mich hierherstellen, verstümmelt an allen Sinnen. Ich rufe dich, mein schönes Besitztum, wehklagend, stöhnend, ohne Stimme und Ohr, ohne Blick. Mich dürstet nach dem Anblick deines sanften Gesichts. Ich bin voller Unrast und Zärtlichkeit; o laß mich deine wunderbaren Wangen liebkosen, laß mich die Hingabe deiner Lippen empfangen; o Götter, was habt ihr mir getan; warum nicht sterben an seiner Seite, o Götter, was habt ihr mir getan; ich bin verbannt in eine fremde Gestalt, ich höre den Wind rauschen, und ich gehe immer im Kreis, ohne mich zu bewegen. Wo früher die Beweglichkeit meiner Glieder war, ist kein Gefühl mehr. Ich bin in die Erde gerammt mit Endgültigkeit, und die Stürme gehen um meine Krone. O Götter, was habt ihr mir getan.

Orpheus und Eurydike

Sie scheinen ihm in ihren Bewegungen ohne Eile, in ihren Blicken beinahe langsam. Sie halten ihm die gepflegte Schönheit ihres Gartens hin, wenn er nach Eurydike verlangt. Erst, als er sie mit dröhnenden Gesängen beschwört, kommt es auf sie zu wie ein vages Bitten, und sie entlassen Eurydike und wünschen, sie möge wiederkehren. Sie ist schon so entfernt von ihm, sein Wesen tut ihr weh. Wie er ihren Namen sagt, hört sie den farbigen Klang der Erde. (Er vermochte nicht mehr zu sagen als diesen Namen: man glaubt, es war, weil auch ihn schon das ewige Maß angerührt hatte.) Und während sie immer höher steigen, er, behangen mit der leisen Freude ihres wiedergefundenen Namens, und der nichtgesprochenen Frage: weißt du noch? – sie, je weiter von der Unterwelt entfernt, um so ausgespannter, leidender – geschieht es, daß Eurydike, als er sich endlich doch nach ihr umdreht, mit einem schrecklichen Jubel zurückschnellt, blaß und gelöst.

»Schlaf sanft, mein Kind«

*»Schlaf sanft, mein Kind, schlaf sanft und schön,
mich dauert sehr, dich weinen sehn.«*

Die Tauben sind dahin. Die Gesichter sind voll Regen, viele sind unterwegs mit mir. Keines fragt mich: wohin? Die Tauben sind dahin. Der Regen, der Regen. Haben wir je einen solchen Regen gehabt, sagen die gleichgültigen Leute. Niemand fragt mich: wohin? Alles fällt nieder auf mich wie der Regen. Der Eingang ist hell. Der Pförtner rasselt mit vielen Schlüsseln. Ich steige; in der Stille des Hauses wohnt ein Ton, wie vermummt und sagt: komm. Ich komme. Du bist verwachsen mit diesem Ton und hörst kaum, daß die Tür geht. Der Raum ist erleuchtet. Du sagst: dein Mund ist kühl. Willst du hinübergehn? (Jetzt hängen die Tauben flatternd über dem Regen.) Nein, laß uns hier bleiben und tönen. Die große immergrüne Platane soll uns bergen. Der Regen, der Regen. Es wird viele Nächte lang regnen. Du lächelst. Komm. Die Lachen sind schwarz wie Weltmeere. Ich lag wach und hatte mein Herz offengelassen. Der Regen fiel mir ins Herz. Und jetzt sind es deine Augen. Bin ich dein Kind? Meine Stirn lehnt wartend an deiner Tür. Endlich ist alles süß.

Was gibt uns denn noch Aufschwung

Was gibt uns denn noch Aufschwung hier; vielleicht ein Kinderblick, die alt gewordene Wange des Freundes, das Aufleuchten eines fremden Fensters, und innen die fremden, aber geliebten Möbel und Bilder, die Stimmung in diesem plötzlich, wie auf eine dringende Bitte hin, sich enthüllenden Fenster; seltener Worte; Worte sagen nicht viel, aber ein Blick, der feuchte Rand eines Lids, der halbgeöffnete Mund, schon zum Sagen bereit, aber wieder sich schließend; denn manches sagt sich nicht. Es ist zuviel gesagt worden, und die Worte haben viel verloren von ihrem Sinn. Was denn gibt dem Hiersein noch Wesen; eine Hand, die liebt; das Lächeln aus den Augen der Mutter; das wortlose Lieben des Vaters; der sanfte sanftmütige Blick des traurig liebenden Mannes; die seltsamen Wolken am Abendhimmel: rot, grün, gezähnt, gehaucht, kalt.

Am siebenten Tage

Er war zugleich blauer Baum und ein Garten, der überall hinreichte. Er war dunkelblau und trug Früchte. Sie saß in seiner Schwere und wußte ihre Sinne an allen Rändern ihres Leibes. Sie hob nicht die Hand nach dem blaugrauen süßen Silber, aber ihr wollender Mund löste es ihr herab. Auch bargen die hellen Fluten des Haars herrliche Kräfte und die Tiefe der Augen. Ihre Augen hatten vielerlei Farben: einmal das samtige Braun, dann das warme dunkelnde Grau, ein üppiges Blau, das Blau des Triumphs, und das innige Hellblau des Himmels. Sie lächelte und verlangte. Bis der Umkreis des Paradieses demütig wurde und voll Gefühl. Voll ihrem Gefühl. Tiger schliefen, Hunde träumten, leise ruhte das Lamm, weich und mit Bangigkeit. Tönende Zebras wandelten wie gebannt im Kreis durch die trinkende Nacht. Wie eine große heiße Scheibe trug das Kamel seine Wucht.
Wie Frühtau fallen Schritte ein; am Saum seiner Locke hängt das Geschmeide der Lust.
O, das eilende Tagwerden duftet wie alle Wiesen. Die Sonne schmilzt in den Quellen.

Mao

Es begann so, daß er das Geläute jener Stimme vernahm, die seiner Frau gehörte, oder es schien ihm so. Er schaute noch einmal über den Rücken der Mauer, die er vom Turm aus verfolgen konnte, bis an den gelben Horizont. Sie war ein gewaltiges, herrliches, an die runde Erde geschmiegtes Tier; und er liebte sie sehr. Als er herabzusteigen begann, fiel gerade ein Sternbild in die südlichsten Zinnen ein. Unten war er wie Staub, er stöhnte empor zu ihr, er floh sie, er jagte und blickte zurück, lief lange und mit dem Wind, blickte wieder zurück und fand sie weit entfernt und mit traurigem Leib. Mitten in einem Reisfeld streckt er sich hin und schläft ein; er stärkt sich am traumlosen Schlaf; stürzt weiter; es brennt ihn aus. Er muß noch einmal rasten. Schon sieht er sein Haus, die schmale offene Tür und auf der Schwelle das geliebte Kind; von innen die sanft tönende Stimme Lis, hingegeben an ein Lied, das er nicht kennt. Statt einzutreten, sein Kind anzurühren und leise: Li zu sagen, bleibt er stehen und wendet die Stirn in die Richtung der Großen Mauer oder dorthin, wo er glaubt, daß sie ist, und geht zu ihr zurück.

Legende

Christophorus faltet seinen Traum zusammen. Er singt ein Lied mit vielen Pausen, wie draußen der Regen. Der Abend ist dunkelblau. Da tritt wie eine Flamme ein Knabe ein. Er strahlt über die Schwelle. Christophorus fällt ins Knie. Er fühlt, der Knabe ist schön, seine Stimme ist gut. Christophorus gehorcht: behutsam setzt er das große Licht auf seine Schultern und steigt in die Flut hinab. Aber sie schwillt mit den Nebeln um seine Brust; und der Knabe wiegt schwer. Wie sein eigenes Herz, wenn er traurig ist. Er reitet die Wellen, die sich wie mächtige Hengste bäumen. Das Kind auf seinen Schultern lastet wie Erz. Der Sturm peitscht. Endlich das Ufer: weiß. Wie ein Engel, der ihn empfängt.

O Engel Leonore

O Engel Leonore:
Es ist ein sehr vielfältiger Tag geworden. Zuerst meldete sich deine Stimme an. Sie war ein grünender Strauch, und das Laub rauschte an den Wänden. Ich war ein wenig erschrocken, als deine Stimme kam. Aber sie führte mich in eine neue Art der Traurigkeit. Als deine Stimme aufhörte, begann ich zu weinen. Eine Ahnung vom Totsein erreichte mich. Ich überlegte: wenn man tot ist, hört man auf, irgendwo zu sein. Die Stimme hört auf, der Körper hört auf, und das Herz. Und da ist eine Stille und ein kreisender Wirbel Staub. Wenn du das Herz eines nachbarlichen Menschen verwundest oder in eine Wüste aussetzt, hört dieses Herz auch auf, und es ist so, als hätte es sterben müssen. Vieles geschieht an uns Ahnungslosen.
Auf dem geteerten Dach der Glashütte liegt ein Kater und blickt mich an.
Ein Kind prüft die Waagschalen meines Wesens: je gewichtloser mein Gewissen wird, desto tiefer senkt sich die Schale meiner Verlorenheit.
Ich kann nicht sagen, was mich schöner hinwegnimmt: Worte aus dem geliebten Mund oder der Griff in die Saiten.

Larifari

Die Sonne sitzt uns gegenüber am langen Tisch.
Soll ich jetzt anrufen, wo es so regnet.
Er hat eine rosarote Haut, wie einer, der eben gebadet hat; er ist Laienpriester, hat sehr blaue Augen und starke Brillen.
Manchen Kindern fallen die Haare in der Mitte auseinander, manche tragen den Schopf nach vorn gekämmt, das macht die Form der Gesichter kindlicher.
Wenn ich morgen auch so müde bin, wird mir der heißgemachte Wein nicht schmecken.
Ja, Herr Taube, es ist besser, Sie nehmen ein Taxi. Wenn Sie mit der Straßenbahn zum Rendezvous fahren, wäre es möglich, daß man Sie entdeckte oder die Straßenbahn erlitte einen Zusammenstoß. Sie werden in der Kartei geführt, gewiß, Herr Taube. Die Polizei behält Sie im Auge.
So ein Kaffeeplausch, die alten Freundinnen um den Tisch, wie rasch sind wir Großmütter geworden.
Mach Licht, bevor du die Wendeltreppe hinaufsteigst.
Sie sagt, schreib über mich auch einmal etwas, und dabei sieht man die Zahnlücke im Oberkiefer.
Er muß ein Bücherwurm sein, und begabt dazu.
Ich bin zu müd, um aufzustehen und mir einen Bleistift zu holen, da schreibe ich lieber mit dem Finger. Die Tintenbleistifte neben mir haben nämlich fast keine Wirkung auf das Papier, so wie unser lieber Kollege B., wenn er morgens in seine Klasse geht. Seine Stimme geht unter, sein Anzug ist wie eine Schutzfarbe. Mantsch, du roter Hahn, mit dem eingeschlagenen Gebiß, überkreuze deine Arme, gib acht, daß ich nicht Feuer fange an deiner struppigen Mähne! Mänling, mit der ersten Krawatte, gebunden wie zum Stelldichein mit der Halbschwester.
Sie ist nur meine Stiefmutter, bitte.
Ich bin nämlich der zweite Vater: Wie führt er sich auf? Er ist ein braver Bursche (mit Kinderaugen und einem sanften Gesicht). Der Herr im Stadtpelz geht mit Schritten, die ungeheures Wohlwollen mit seiner Umgebung ausdrücken, zur nächsten Haltestelle des O-Wagens. O-Wagen, wohin gehst du? O, wie ein staunender

Mund: o, wie oft hab ichs versäumt, mich von dir fahren zu lassen; o, in die Chrysanthemenallee der Stadt, wenn bei Regen die Frau sich verabschiedet: ich muß dich lassen; wann seh ich dich wieder?
Der Herr Versicherungsbeamte hat ein ruhiges Leben.
Auf dem Weg zum nächsten Fahrgast zwickt er mit der Lochzange gedankenvoll in die Luft. Er ist nicht auf dem Weg zum nächsten Fahrgast, auch wenn er schon ein paarmal versucht hat, sich ihm zuzuwenden, sondern er ist im Gespräch mit der dünnen mattäugigen Schaffnerin (Freifahrt nach Hause, nach sechzehn Runden).
Frau Bratfisch schaut uns alle empört an, weil ihre Augenbrauen diesmal nicht so schön ausrasiert sind.
Wenn du Angst hast, bleibt deine Liebe eine Pantomime.
Lieber Gott, laß uns gesund bleiben. Lieber Gott, weck mich nicht auf. Am besten ist, du stellst dir zwei Weckeruhren ans Bett. Bei der einen setzt du die Zeit, zu der du geweckt sein willst, um eine Viertelstunde voraus.
Es war eine Nebelnacht, und wir kreuzten uns. Jeder von uns ging weiter, aber in entgegengesetzte Richtungen. Es ist wie ein Schlaf, von dem man nicht erwacht, und wacht man endlich auf, findet man nicht zu sich selbst zurück; es ist wie ein Schlaf, der einem die Lider zudrückt, auch wenn die Lichter tanzen.
Mein Fischmäulchen, meine Isa, treibt Knospen.
Larifari.

II. Minimonsters Traumlexikon. Texte in Prosa

1 Gespräche. Filmisches. Protokolle

Angels' Talk

für Dom Sylvester Houédard

A 1 Ray's story: »You are first dear« »The bathroom is yours« »excellent coffee« im Hirschen Zwinger mit der langen rauhen Hirsch Zunge »Ray in« »Ray out« Reich Kristall Nacht »could you tell me please ..« »he is a madman« hörten es vom gärtnernden und seiner tauenden und ihren klavierenden »er legt Ameisen Puppen Wert auf« Stuben Vogel »love-in-the-mist« Kellerhals – er entstaubt den leeren Käfig im Gästezimmer. Wird wird kommen aus der Luft nach so vielen Stunden, der Puppen Räuber, die verwilderte Haus Taube, sein Gehäuse durchmessend so und so viele milli, und Holzmasken, Polsterpflanzen Küsse auf Augenlider und was für! stachelige, welcome, alles frei! alles lebende nichtjagdbare einheimische Grünlinge –

A 2 »den ganzen Kerl einschließlich seiner Äste Zweige und Rankwerks! er hat erworben verwahrt übertragen feilgeboten beschädigt sogar zerstört! immer fing ich den Ray mit Augen, km, Kameras, Köfferchen, Radarschirm, gab einen Ray Day für 9pence mit Gaze und Secret mit jaff! und whimm! mit Wulst und Dörn mit Abmaß und Anmaß mit gamma und beta mit doppel und walz mit breit und flansch mit Kran und Block mit Riffel und Steg mit Buckel und tone mit DIN und Tafel mit Warz und Raup mit Form und Stahl mit Guß und Art mit Fein und Niete mit Klöckner und Köln mit Ruhr und Rhein mit sechs und kant mit Stab und Schwelle mit Lasch und Schmiede mit Halb und Hespe mit Breitfuß und Hinkfuß mit reif und rund mit Knoten und Dolle mit Mälarsee und Stockholm mit Götaelf und Gothenburg mit Tripel und Doppel mit duo und trio mit Grube und Dick mit Werk und Wickel mit Flasch und Nase mit Düssel und Dorf mit Eis und Stahl mit Blatt und Hals mit Gurt und Rille mit Riegel und Neigung mit Hütte und Hörde mit einzel und heit mit Teilung und Tilgung mit spann und such mit west und fäl mit quer und schnitt mit satz und an mit zu und bau mit pro und phil«

A 3 und die Neigung des Sands zur Küste und die Neigung der Küste zum Pater und die Neigung des Paters zum Hochhaus, weit wo das Mittelländische portioniert wird. Sie zielen aus den Gebüschen mit hartwüchsigen Früchten. Sandpfote Schlamm, einarmige Flut. Angst Atem nachgehen nachlaufen der Straße nach, dem Autobus entgegen, quer zur Landenge, das Meer im Rücken – der Brotsammler der Hunger die Nacktheit das Espenlaub das Hospital die Verletzung die Seele der Hang der Garten die Gefilde die Schatten das Kino. Das Ende und der Schein das Zimmer und das Gewitter mein Liebster und der Regen die Halle und das Buch die Zigarette und der Kaffee das Mädchen und die Markise. Ein Gesicht ein Lächeln ein beginnendes Weinen ein Flieger ein Fallschirm ein Verlierer ein Sieger einer mit herabhängenden Armen eine den Frühmond verfolgende

A 4 »der Frosch der hatte« der Frosch der hatte ein Vater Gesicht die Katze die streifte die Katze die streifte aus und ein der Fremde der umarmte der Fremde der umarmte mich innen und außen »wie leise geht John Lennon durch die Stadt«. Aber der Sternenhimmel von London war kalt, so viel Kälte, so viele Mitternächte, so viele Negerköpfe – die Sperrtür nachts aufgeklickt und Fußspitzen dann zischendes Gas und Tee (»tired am I go to sleep«)

A 5 hatte so konnte so kam so rief so saß so gab so küßte so, wieder und wieder wie damals wie bei dem fast, wie bei dem durch, wie bei dem zuviel. Zwei Passagen zuvor gestört durch Lärm gestört durch fremde Gedanken Bilder Worte gestört durch Licht. »London voll Tate & pop« – Regen Nacht und Geheul im Kamin merkst du wie sehr? ist der Mond mein tiefes Haar, der Mantel mein Bett, ein windiger Tag, eine plötzliche Negerin, ein plötzlich riechender Anzug, eine Times Luft eine Wind Angst eine tube-Kenntnis eine Plakat Eifersucht eine langsame Entzifferung ein Marilybone-ach-gott! »wirft lange Haarenden hazelig über dürr Schulter denkt dabei mit kibitz raschelndem Hirn« oft Koalabär biscuits mitgehabt für die Arbeitspause, schottisch gesmeilt mit preßdünnen Lippen, etwa Werk Geheimnisse? lüftet bbc Galerie, ballroom music

A 6 »mit Feuerzeug dunklen Anschlag lesend«
A 7 ablichten im Werk
A 8 »geborgen in einer kleinen Fieberkurve«
A 9 spüre die Erwartung –
A 10 Automund à la Kindermund dicke Tube bauchabwärts »Ich wäre von allein nie dahinter gekommen – wenn nicht die andern ..«
A 11 »aber das ist wieder ein anderes Kapitel« – mit John Willet im super bei sherry & einem Bein. Das andre hatten wir auf der Thekentreppe abgestellt. »haha und draußen hellstes Licht siehst du jetzt ein wie wichtig es ist daß London seine Geschäftsviertel von seinen Wohnvierteln trennt« – und die drei wo es nicht 'runterging, immer wieder pressen empören schämen, fast über Stufe Bein ab hintergras, behindern beschämen hemmen, »Wolleingang blau-blau-grün-grau-blau nein eher so blau-grün-grau-grau-blau« nicht einmal
A 12 »Weil der Stadt – Süßen: null Uhr zwanzig, Schnellzug, Fehlkroner gänzlicher Selbstmörder« »Anschlag Nordkette von der Reiherspitze bis zum Vomperloch, weiß-weiß« »Zwischen Innsbruck und Solbad Hall alle fanghaften Blaser« »Stop für Sturm Hut und Felsen Birne«
A 13 »jeder in Arbeit verbrannte Tag läßt ein paar Stäubchen Asche für uns zurück« –
A 14 Freitag vier Uhr fünf Morgenröte (eigener Erzeug.)
A 15 »den Dingen so nah zu sein ermüdet mich sehr« –
A 16 ich habe immer weniger Zeit!
A 17 »How does he feel?«
A 18 »he feels splendid since married. I think he loves to protect Sue und Sue loves to be protected by him« –
A 17 »when I met her the last time she looked terribly thin and rather worn out« –
A 18 »no not at all when I met her the last time she looked all rosy and nice« –
A 19 »How does he feel?«
A 18 »he feels splendid since married. I think he loves to protect Sue and Sue loves to be protected by him« –
A 19 »when I met her the last time she looked terribly thin and rather worn out« –
A 18 »no not at all when I met her the last time she looked all rosy and nice« –

A 20 »How does he feel?«
A 18 »he feels splendid since (ANDSOON)...«
A 20 »when I met her the last time she (ANDSOON)...«
A 18 »no not at all when I met her the last time she (ANDSOON)...«
ANGELS' CHORUS

WIR amseln arten barten baumen
beeren birken blättern buchsen
deutschen dornen edeln eiden
eisen erlen fangen farnen
federn feuern finken flaumen
fledern fransen frauen geißen
gliedern grünen halsen händeln
himmeln hirschen holzen huten
jagen kahlen kleben kreuzen
kriechen kronen lappen lauben
leimen lurchen mandeln mausen
mehlen molchen monden nachten
nasen nelken nießen nussen
pechen ragen rauhen rauten
riemen rosten röten saden
schellen schillern schläfern schmettern
seideln stechen stengeln steppen
strauchen streifen sumpfen süden
tagen teichen töten trauern
trollen unken üben weichen
wettern winden zahnen zotten

A 21, »Eric Dolphy«
»when you hear music after its over its gone
in the air you can never capture it again..«

Simultangespräche mit pyknischen Feinden

Udine hatte er (um nachgeschnellt) mit zwei Türen. ein zweiflügeliges Tor (sehen Sie sich bitte bei Schw. um, und Sie werden den linierten Mond im zerbst 91). schlug schlangenwort und stehende Wellen. er ließ sich bevormonden, zumonden, bekalben, bemondäugen und rings mit Säulen umfluten, ein interner Vinopal (ein Kne-

bel, ein Stempel, ein Wanz, ein Riecher, ein Roland, ein Gafton, für arme Soldatenkinder). in den super-. einhellig. löffrige Großlichter. Kirchknopf und Basilisk auf den Dächern: die Verhüllung der Staatsformen auf der Erde. starrt in eine Zukunft mit einem Zwergmechanismus – Clique fingergruppe. decken ein Gebirge um die Stadt. türmen auf (gospels' & göbbels' zyklus für Wassereimer).
Beizenbummel nach Potsdam-Magdeburg zu den Oxenmetzgern. kolkraben im Arm. russische Rechnungen mit »smerz«. auf beiden Seiten labil, wie man's eben für den Sommer macht. bekolken. mit brass & pop. eine kleine strähne im Mund wie im Herzen mit Nachtrag. (p)ferti! auch dieser vorkommende Fall eines mezzo-mondes, mit einer Vorstellung durchs Gedränge .. mistmasta dreadful errors. fallen lassen. es kommt darauf an, anders denken zu lernen. wir wissen nicht wo, wir wissen nicht wie, wir wissen nicht wann, aber SIE KOMMEN! verwirrt & Verwirrung stiften. doppelt geschweift, vorn & hinten das Fleisch so an die Liebe stecken, daß diese von jenem umgeben wird. kleine ärgerliche Zwerchfälle (flirt lumbago).

»Tu nel tuo letto« – Fiktivfilm

(deutsche Version)

1 vor Anker liegende Himmelsachse Bäume sinkend sinkend vor Bäumen geflossen
verflossen enghalsige Gegend wo der Busch

2 unverzüglich im Verlaufe von während bis ans Ende hin sie (die Zeit) anbinden fesseln kerkern haften nötigen zwingen hindern hemmen ihr einen Fuß & mehr stellen

3 hinfließen fließend verflossen die Personen der Handlung fließen hingegossen wie
alle Personen kommen zu Fall sind fehlbar & zerreißbar zerfließen in die Länge & Breite & Höhe dürsten & ranken & ordnen ihr Haar fesseln einander nötigen einander bis ans Ende hin fortwährend von Zeit zu Zeit & immerfort das ganze Spiel hindurch

sie binden einander sie kommen von einander nicht los sie sind eingeübt & unfehlbar nicht lang & nicht zerflossen
nicht zu Falle kommend & unberechenbar in den Auswirkungen ihrer Großzügigkeit

4 sie fließen die Wände entlang die Tage die Räume
Luftraben & Luftachsen ohne Charaktere nicht eingeübt sie verfließen aufgegeben ohne Zwang ohne Nötigung ohne Bindung & kommen dennoch zu Fall
sie fangen einander während sie fallen unverzüglich & fortwährend bis ans Ende hin & sie ordnen ihr Haar

5 sie fließen dahin in eigner Person in fremder Person
in der dritten Person
ganz von Eisen & hingegossen sinkend & versinkend von der Natur gegründet
selbst ein Augenzeuge könnte nicht anders
sie kommen zu Fall sie sind fehlbar geworden sie zerreißen in ihrem Falle sie zerfließen sie gehen auf
sie ergießen sich sie fließen in einander
samt der Wurzel aus dem Stegreif neben den Normen bis ans Ende hin immerfort unverzüglich in eigner Person & in fremder Person

6 unverzüglich im Verkehr mit der eignen Person & von der Natur gegründet fließen sie hin nicht eingeübt ohne Charaktere nicht lang
sie binden & trinken sich selbst & einander sie fließen in einander neben den Normen sie beenden alle Lokalität

7 vor Anker liegende Himmelsachse Bäume sinkend sinkend vor Bäumen
enghalsige Gegend wo der Busch
mondbewachsen inmitten immerfort fließend & bis ans Ende hin

Drei Zehnsekundenspiele

1: Fm's Telefontheater

Personen: Fm; Ej; ein Zurechtrücker, *der Bemerkungen in Klammern setzt.*

Fm: Pipapuff, hallo-hallo *(Betonung auf der ersten Silbe)*
Ej: Pumponellen, sleit de bellen, pipapuff, wie hast geschlafen? *(Solche Fragen sollten grundsätzlich intern behandelt werden)*
Fm: Unruhig wie eine wintergrüne Mehlprimel, träumte einen schwarzen Hasen vor Fernsehschirm, der immerfort ins Programm starrte und sagte »..habe einen hohlen Husten..« und einen Freund der Sümpfe, der –
Ej: Du meinst Frosch oder Schneck – der hat einen überhaupt nicht lieb. Du Flaschenkürbis!
Fm: Ich bin kein Flaschenkürbis *(sie wehrt sich, indem sie –)*
Ej: Und dann deine sonderbaren Gasspiele am Morgen
Fm: Wieso Gasspiele?
Ej: Du läßt stundenlang das Gas ausströmen und wunderst dich, daß *(intonierend)* einen Tag um den andern –
Fm: sugar!

2: Komödieneinstudierung

Personen: zwei Fadner, Seiler, ein Pferd; Kasten & Kormorane; Thermostat der latenten Freundlichkeit; Kegeljunge; Kegelmeister; Regisseur.

Die Szene die geprobt wird, trägt den Untertitel »Apfelkrieg«

Fadner, Seiler *treten ein mit Handpferd:* Laßt leuchten über euren Knechten, laßt –
Kasten & Kormorane Seid ihr frei, und nicht angeworben?
Thermostat der latenten Freundlichkeit *klickt aus:* Herrschaften, jemand hat sich von mir einen Apfel geborgt, ich werde mich ihm auf den Nacken setzen, daß er ächzt –
Kegeljunge *sobald wieder ein Apfel gefallen ist:* Daß du keine Arbeit richtig zu Ende bringen kannst du Drahtwurm –
Kegelmeister *beschmutzt sich im Eifer mit Speichel:* Aschendorf dat is beplästert *flucht*!

Der Apfelkrieg erreicht seinen Höhepunkt. Ein Schlacht-Autobus schafft die Blessierten fort.

REGISSEUR *linnengepanzert:* Wenn bei Zank und Streit der eine der Streitenden ruhig bleibt und der Heftigkeit des andern gegenüber schweigt, so bleibt diesem zuletzt nichts weiter übrig, als ebenfalls zu schweigen – *klatscht ermunternd in die Hände:* da capo! da capo!

Man wiederhole die Szene

3: Tonbanddienst

Personen: FRÄULEIN TONBAND; ABHÖRENDER.

FRÄULEIN TONBAND Ein kleines Raubtier vielleicht Schakal im anzug, wundern Sie sich nicht wenn es Sie mit dem Vornamen anspricht, das ist Familiensitte und bedeutet keineswegs, daß es das Netz, welches Ihre Gedärme zusammenhält –

ABHÖRENDER *eine Schwenkung machend:* Also Soldateska!

FRÄULEIN TONBAND Wir wollen Sie nicht in Unruhe versetzen, aber geben bedauerlicherweise bekannt, daß ein kleines Raubtier vielleicht Schakal –

ABHÖRENDER *stockend:* An meiner Tür kein Schloß, an meiner Tür kein Riegel –

FRÄULEIN TONBAND Und bedeutet keineswegs, daß es das Netz, welches Ihre Gedärme zusammenhält, zum Gegenstand seines Eifers erwählt, aber es ist anzunehmen, daß es an einem Ort, der sich gesenkt hat, seine kolossale Pranke, wie die römischen Fragmente des Konstantin, auf einen Steinblock –

ABHÖRENDER *denkt:* An meiner Tür lauter Kreuze –

FRÄULEIN TONBAND setzend, auf sein gediegenes Opfer lauert.

ABHÖRENDER Keine Serien: ES faucht schon an der Schwelle!

FRÄULEIN TONBAND Wir wollen Sie nicht in Unruhe versetzen, aber geben bedauerlicherweise bekannt, daß ein kleines Raubtier vielleicht Schakal –

Diese und die folgenden Worte des Tonbands gehen aus der Telefonmuschel ins Leere des Zimmers des Abhörenden. Dieser kann es nicht mehr hören, weil –.

»Hommage à Doc« – *eine Tele-Vision*

(»ein Stück von Doc ist in uns allen«)

In der Falte des Hotelzimmers bei rosakühlung, Doc, »i'm a young jazz-immortal, eye-eye«.
Fischwäsche des kleinen Seehunds.
Lied über die Meerestropfen.
Eine Parker erscheint, schmetternd, »er kändelte & flauerte, sein blößenprozentchen wie Lettow-Vorbeck: ob fuchs, ob has, ob donke«. Seemöpse verschiedener Rassen treten auf; ein geplatzter elefantenködel; ein olifanten-schop; ein Bovist; hernach Ignat Trofimov (ganz rechts), fesselt dem Tiger die Pranken, während seine Freunde das Tier mit Astgabeln niederhalten.
Krokodilski in einer Glücksminute: Schleuderprinz scharpf ist gleich theodor lang. Einige ozeanische Schüsse!
Schwerttag mirage: die Buche wird zur Mutter des Walds erkoren. Eine Jungsäge; die venezianische Gatt.; eine Vollgatter; eine besäum; mehrere abläng; eine langohr; eine flagge.
Egaler Horizont.
Hernach Taucher & Denkmahler; einige unschuldige, eingespannt in eine unverständliche Ideologie.
Doc, singend, »der Weinstock gehört mir der Olivenbaum meinem Sohne die Eiche hingegen meinen Enkeln & Urenkeln«, kriecht ganz langsam am theodor lang hoch, grast sein weißliches Gesicht ab bis es nackt ist, flüstert, »hast auch so gern gezündelt als bub?«
Musik beginnt schweifwedelnd.
Doc smeilt & hengstet, schuscheint & knopft, dann laut, (wie zu sich selbst) »mach dir n raffn plan!«
Ein Endivienchor. Dahinter der Hydepark.
Automatismus: hinter der Bühne aurora die in der Newa für ewige Z. vor anker liegt.
Doc, lukingglast, (und wie zu sich selbst) »auch stehlen sollte man, auch stehlen, auch stehlen stehlen etwas stehlen!«
Eine Elster-pica-pica schenkelt herein; stiehlt etwas.
Wildwasser. Lebenszeichen. Haus und Felsen. Ein Fußbreit Land. kolonie unter der Erde. Gefährliche Zeitspanne.
Der Mann mit den Öllampen kommt; der zitternde König; das dienende Holzkind; Robinson & sein kind.
Einige Mund- & Brustkinder betreten die Bühne.

Ein Pferdehund, acht Tiersingstimmen (als solche), ein Frosch, erscheinen; eine Winterziege, eine Flobbe, ein fersenschlauch; ein linkester flügel. Sie alle legen Wolken auf den Tisch.
Posaunen: »Dringt in sie ein & alle Wetter (drei bis viermal –) edeiter schneckenfrosch trinkt mit anhaltender unbeholfener Vorsicht und gibt Wurfsendung an Doc weiter, »und bist nicht wie man sagt am unrechten Ort!«
paperflowers & country-songs (»Georgie's Froggie/Darling Dear/Hedge's Hoggie/Falling Fear«) –
Einige Volks-Tümler schwimmen heran; schwabelweis Steppenbären, weiß-braun.
Eine sensejschn läßt sich herab.
Einige Esel, ein Hasenhündel, eine kalte lina, singend »das wahre ist das ganze o hegel..«
Ein Sonnenbalg balgt vor ihren und Doc's Füßen.
Das integrierte Gewissen erscheint mit helfenden Händen, krächzt, »Ich werd euch das Kätzchen schlagen«.
Doc fußballt.
Entflammter Mond.
Eine jazz-combo spielt Femme muss Femme bleiben
Ein plötzlicher schwacher Regen tigert die Straße und endet. Es wird darauf sichtbar die in ihren Kot verpuppte Menschheit. Ein paar Duplexgeschehnisse singen »Do Not Forsake Me Oh My Darling« »Get Off Get Off Take Your Getaway«
Eine einsame Wasserturbine ambrellert über die Bühne.
Ein wantky-trench, heiser, melancholisch »the box is behind the books the book is behind the box the box is among the books the book is among the box' the box ist between the books the book is between the box'...«
Ein Kesselhund und mehrere Tontauben rufen sanft von hier an bis zum Ende

»Herrdirektorherrdirektorherrdirektorherr-direktorherrdi..«

Das Känguruh (Hosenrolle) singt, Doc zugewendet, »Schnödel nicht so!« und ein virulentes Händchen das münze nimmt, bettelt Doc an »gib-münze-gib-münze-gib-münze«. Sobald ihm Doc spucke gibt, erscheint ein frisch gestrichenes grünes leben, singt strahlend »Helle sens mit Röhrenhof! Helle sens mit Röhrenhof!«

The eternal-comic-strip-of-london erscheint zwölfmal, »so as if to say« & ab mit Verbeugung.
Der österreichische wald kommt herauf, beschwörend »vergiß warum ich weine/vergiß warum ich weine/der grüne plan legt alle um/der grüne plan legt alle um/der grüne plan!«
Spreißel & scharten treten auf, preisend »o fichte tanne holz/ o schwaches ha/ o blasses mio-vfm!«
Eine Tür öffnet sich, nimmt Doc hinein.
Chor, ahnungsvoll »ein starkes Herz ist eine Sonne«.
Eine schraubenmutter mit sohn & tochter, tröstend »getreu bis in den Tod, getreu bis in den Tod!«
Chor, eisern »wir werden Doc pechsträhnen«.
»wir werden Doc galvanisieren«.
»wir machen ihm eine Gehirnoperation«.
»vom ersten löffel bis zum selbständigen essen«.
schraubenmutter mit sohn & tochter, tröstend »getreu bis in den Tod, getreu bis in den Tod!«
Chor, dünn, kalt »wir wollen ihn verflüssigen«.
»wir wollen ihn bombieren, kanalisieren, konvertieren«.
»und was am schlimmsten ist, marxieren!«
Anderer Chor, distanziert »wer hälts aus? schon neun Minuten? Herzklopfen; Ball mit roten Tupfen sein Gesicht. Gehirnoperation: vom Tode auferstanden: unsterblichkeit! Doc hat überlebt!«
Neuer Chor, und alle übrigen, sich um Doc scharend, fest, »GENUG VON ALLEDEM! GENUG VON ALLEDEM! GENUG!«

(ein laubanfall & Vorhang.)

NUPTUAL*protokoll oder: Paradise imperfect / ein Tätigkeitsbericht*

(Ortega y Gasset: Der Körper einer Frau ist ihre Seele)

Es sprechen oder denken abwechselnd MARA IN IHRER BLÜTENFÜLLE, kurz M. I. I. B. genannt und IHR ERWECKER, kurz I. E. genannt – beide tragen Karamel-Füße . .

M. I. I. B.: ist so anders weil wer einmal selbst –
I. E.: gleichgültig ob ich meine Wahl deiner Stimme, ungefähr in deinen Tränen weder nach Zahl noch Reinheit –
M. I. I. B.: aber immerhin als Startberuf –
I. E.: als Erstberuf nach Samenprüfung –
M. I. I. B.: ich möchte auch vom Sommer mehr Glut Hitze Sonne braungelbe Sonne (er schaut über mich hinweg!) –
I. E.: kommen sie nicht durch, brauchen Wochen-Tage –
M. I. I. B.: die Wochen-Tage auf dem Super-Ast, eine Richtschnur für Aktionsliebe –
I. E.: zieh deinen Tränen-Rüssel ein –
M. I. I. B.: Wassernerven sind schöner (wir sahen uns & einander & wir) –
I. E.: wenn ich als ich deine Hand dein mundtotes Salzgitter –
M. I. I. B.: (er ging durch die Sitzreihen, gelangte in meine Nähe und ließ manchmal seine Augen) –
I. E.: wir stundeten den Demonstratoren die Reis-Jahre –
M. I. I. B.: wer gibt und wieder nimmt kriegt schwarze Kinder –
I. E.: wir stufen es ab (ihre Hand unterwegs) –
M. I. I. B.: (wir verbrachten den ersten im Schatten, während er mit den langen Augen) –
I. E.: wenigstens lassen sie solche, von Meisterhand ausgestopfte (da wollte keiner die inful, außerdem hielten sie mich zurück) –
M. I. I. B.: Petrifizierungen der Partnerschaft –
I. E.: über deine und meine Partnerschaft wie zwei Menschenflikker, hafenwärts –
M. I. I. B.: (wann, es ist egal) –
I. E.: mit deiner langen Seele –
M. I. I. B.: wieviele an einem Ort des Anwachsens? mein Scheitel –
I. E.: (mit weiten Augen) –
M. I. I. B.: auch stelle ich mir vor, daß dann alle an mir vorüberziehen und ich einen langen Seufzer (fast schön?) –
I. E.: (hatte das Fenster weit offen, ein Auge auf mich, ein helles KNIE so daß der verbliebene Rest so & so viele Male –)
M. I. I. B.: versteh mein Schweigen ich träume noch fürchte erwachen außerhalb –
I. E.: Anschauungsunterricht unter den Tischen, närrisch! närrisch!
M. I. I. B.: das Auge wenden, frei schwebende Felsblöcke über

mir, (sein Schiff in Ruhe, seine Wimpern Rutenbündel, seine Augen über mir wie) –
1. E.: ich würde lieber –
M. 1. 1. B.: weißt du manchmal –
1. E.: du mußt –
M. 1. 1. B.: (sein Körper bellt und zähneknirscht) –
1. E.: (anziehende Navigation, deren schöne Muschel) –
M. 1. 1. B.: deren schöne Friedenszeit wie das Regenmeer –
1. E.: (und das Meer der Feuchtigkeit) –
M. 1. 1. B.: (eigentlich genealogisch, zerrt Gedärme aus!) –
1. E.: praktiziert town's Tonert erd wie nischen –
M. 1. 1. B.: (immer derselbe Merkur!) –
1. E.: unverbindliche Blüten –
M. 1. 1. B.: das Lager vielarmig, es war nur die Treppe, es war nur das Schlagen der Uhr –
1. E.: (sie nimmts hin!) –
M. 1. 1. B.: (einen Orden für die Kunst & Grazie mit dem Knie) –
1. E.: vorhandene Einklänge –
M. 1. 1. B.: (in seinem Können im gestrafften Gegenzug, Äste splittern ab) –
1. E.: (wann, es ist egal) –
M. 1. 1. B.: in deinem Namen (im Bereich der Scheinarchitektur) –
1. E.: Sättigung der Welt, das vielfache an Wasser, und magnetisch ziehts unsere Blicke ins Wasser –
M. 1. 1. B.: ein vom Wasser angespültes Lamm, und ich sein Gesicht –
1. E.: bekleidet mit Sonne (öffnete ihren Mund) –
M. 1. 1. B.: WALDQUARTIERE wo Versuche von Hingabe –
1. E.: (ihr outlet!) –
M. 1. 1. B.: (wann, es ist egal) –
1. E.: (noch so 'ne Apotheose – & aus!) –
M. 1. 1. B.: (kaum, und zu kurz – langsames Gezottel!) –
1. E.: bleiben, dauern ein starr & stempel –
M. 1. 1. B.: (voll Staunen Liebster, was für ein Instrument du –) –
1. E.: (Instrument aus Rippen, gewaltig Ost/Westseite) –
M. 1. 1. B.: hat Maurus seine Dahlienwitwe? –
1. E.: auch verzögerte ers –
M. 1. 1. B.: am Eingang seiner Zeit –
1. E.: aber strebte welches blühende Frau und die Stimme des Widerparts –

M. I. I. B.: vielleicht unvermutet, und ist denn auch ein Mistkorb schön? –
I. E.: zerstörend zärtlich welches die Köpfe (so wills die regel) –
M. I. I. B.: die PROFANIERUNG des Gesetzes angefacht durch das Gegenschütten –
I. E.: (ersprießliches Schweigen den weißen Blick) –
M. I. I. B.: (und immer mehr Küsse ..) –
I. E.: (magnetische Rosen/Rosen) –
M. I. I. B.: ist ebenso wie das sich & einander –
I. E.: das zu sich nehmen ist ebenso wie –
M. I. I. B.: (von deinen Wellen nämlich) –
I. E.: Fahnen fort! BLUTSBRÜDER! –
M. I. I. B.: (es ist anders weil wer einmal ..) –
I. E.: (es ist anders weil wer einmal –) –

Tagesberichte einer Astralgärtnerin
(ein Science-Fiction-Text)

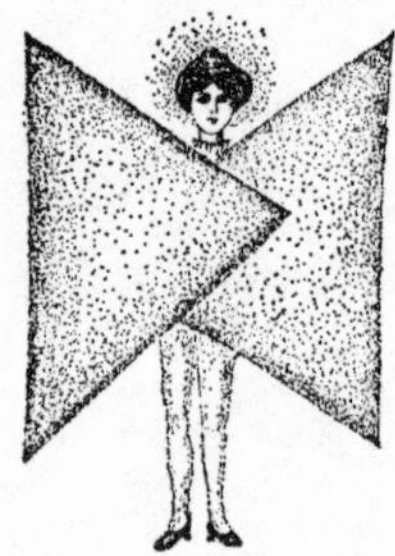

(.. die synthetische & die analytische Phase lösen einander vorerst ab ..«)

den neunten: als ich die Stiegen 'raufstieg, rief mir das Sitzpersonal nach, ich soll ihnen die stärkste Ware mitbringen!
den dreizehnten: alles verschlämmt; die Saatkistchen strebsam; zwei Kameradinnen gingen nach Stern »impatiens« ab
den vierzehnten: führte heute die Hornbläser 'rauf, wollten erst nicht, sagte ihnen, ich würde nur die Sonne in einer Ecke anzünden; Stromausfall auf der ganzen Linie; mußte meine Kameradinnen zum Temperaturfühlen anleiten –
weißt du noch, heute ist unser Tag »nach Fuchsenart«? Störlampe brannte die ganze Nacht!

den sechzehnten: im Gewächshaus ist gerade Druckprobe; Kontrolle der Weingartenspritzen; man munkelt: Zerreißung des Sterns »robusta«, sofort nachdem er Blüte angesetzt hatte; von der Ähnlichkeit der Gestalt, o..
heute abend Verknüpfung zweier Ahornhaine
den siebzehnten: schöne Schalen, Achtertopf, Rosaköniginnen, alles in Blüte, sogar meisters..
über den Kopf geschüttete Nüsse & Feigen; weißt du noch, heute ist unser Erinnerungstag (der »von den Hörnern«) –
den achtzehnten: an der Rosenhecke ein Streif Morgen, ich werde die Sonne einlegen; die Schoten des Johannisbrotbaums werden dunkel; die aufgewendete Liebe..
den einundzwanzigsten: im Werbesalon: Erleichterungen für Liebeseinheiten; große Beanspruchung der Stimmsteine; die mit neuen Kameradinnen besetzten Arme des Stromes schwellen an.. noch mehr im Herzen –
die Apparate werden perfektioniert; neue Monatserdbeeren sind eingelangt; in die Füllöffnungen hat sich der Wurm eingeschlichen! –
gestern einige Neuerwerbungen; Frühfrost –
dir noch einmal beiwohnen..
der Astschnitt selbst fühlt sich als Unperson
den zweiundzwanzigsten: Alarmtag! »Falstaff« eingefriedet, die ganze Länge des Stroms mit Lorbeerpyramiden bepflanzt; einige Capri-Stecklinge angeschafft; ankrächzen; ein Bergahorn zuviel; heute Spätfrost – was meinst du, sollen wir den Windkessel mit Kameradinnen besetzen? das Gelände ist gut bewurzelt (würde aber trotzdem eine Gefährdung der Saatkästchen bedeuten) –
weißt du noch, heute ist unser Erinnerungstag..
den dreiundzwanzigsten: unveränderte rote Marke auf allen Flugbehältern, Warnanlage beschädigt! stumpfkegelige Fühler; Gerste geröstet; Waldaroma leck! wir messen das Emporklatschen des Schaums, ich betrachte den ganzen Durchmesser; die Anzehrungen dringen bis zu meinem center vor – du fehlst uns sehr, am meisten mir; wie lange noch so?
der Überwachungsdienst wird aufrecht erhalten
den vierundzwanzigsten: die Stammformen Chicago & Harald sind ausgerückt; glaubst du, daß Goldherz-glazier & green ripples sich vertragen werden? die pechschwarzen vermehren sich am

ehesten in der Neigung; wenn du doch den Mechanismus der »Allgäuperlen« sehen könntest! Druckknopf Schlaf funktioniert nicht mehr. Morgen ist dein Geburtstag..

den sechsundzwanzigsten: ein Glimmerfreund ans Gestade.. heute die sechste Kultur überwachen lassen, großblumig; offerierte Scharlachbaby (alle Organe eiförmig); in den Waldtälern ab achtundzwanzigsten Nachrichtensperre; ich verliere Blätter..
der Strom schwillt immer mehr an –
gestern war dein Geburtstag!

den siebenundzwanzigsten: die Mischventile funktionieren wieder, Ausfall bei Nacht; die Hybriden bringen zur gleichen Jahreszeit..
abgenützte Nomenklatur dieses Lebens ohne dich – eben ist die Umlaufpumpe ausgefallen; wir sitzen um die Tische des Kalthauses; hängender Atem rundum

den achtundzwanzigsten: heute geht die letzte Nachricht an dich ab; um sechs Uhr morgens zwanzig Kameradinnen auf den Stern »symbol der starrheit« verschickt; alle Saatkistchen braun, du weißt wie sehr..

den neunundzwanzigsten: wir haben auf den größten Betriebsdruck (achtzig atü) gedreht; die Leitungen können nicht mehr unter Kontrolle gehalten werden; nur noch wenige Stunden & die allgemeine Zerstörung..
ich möchte einmal noch, du auch?
ich beobachte wie –

(».. nun aber sind die synthetische & die analytische Phase im Gegengewicht wie die sich beinah berührenden Gänseschnäbel einer Krämerwaage..«)

Karoline konkret oder: »..wohne allseitig zur Sonne..«

Diffiziles soziales weib: eine Volkes-Ader, eine in qu-moll; und die Mauern rings einschließend; während die Palmbäume in ihrer nassen Wolfsmilch knacken – Zweig um Zweig in verzückter sägender Stimme, mit dem rundkopf der nackten Tatsachen (Geld, Beischlaf, Sonne), Giotto samend.
Gerippte Häupter, knarrende gloriolen: feucht wie die weiße brechende Faust und eingekrallt in die Treppen des Palmenhains – naß und grünlich (Tempera mit gnädigem Esel: ah! wäßrige hospitale). Sie, Gegenstand des Streits, auf allen Seiten rund, eine Emotion nicht nur für Klavier, kam aus Lase und Rieg, von oben, aus dem Felsennest, wo STRESEMÄNNER hockend Wache halten; und sie hatte in einer Art Dachkammer alles versammelt: Kasper, Melchior, Balthasar, Giotto, Dante und England (diesen Henkel zu beiden Seiten der Welt!); Frauenschuhe beiderseits umblüht, ein Leben ohne Prüfung; ZUR TUGEND!
Hinter der Menge, fremdländisch und fern, wie Karoline und Cecil zugleich, war sie des Volkes scheidewasser; ein aber-produkt; die Zurückhaltung, das widerstrebende Beginnen – die zärtliche blume in violetter Bemannung, das ihre emporhaltend.
Frei von aller Betrübnis, sie augenlos, unbefleckt, im Marinestil, in all diesem Pomp, diese »queen«: (»..und meine Absicht ist es, die Grund-Industrie wiedererstarken zu lassen..«) – wie wunderbar und undenkbar für diese Nation mit der viel zu schönen Sprache.
Sie hatte die flamme fortgeschafft (– »man mußte ermatten«), Goya zart gemästet –– (»..wohne allseitig zur Sonne..«); wie abgeschliffen! wie nachhallend! und paßte auf beide Füße.

(..ich sehe Karoline über den Platz kommen; sie hat den hals, einer Schaufensterpuppe, von papier-maché, und springt durch den Regen – nach einer hermetischen Nacht; alles Galgengesindel, und die knarrenden Verzögerungen eines jungen grünen Kegels: »GLOUCESTER«..)

Die Tränen von Ross-shire

Er hatte kinderverzehrend bei Giotto angefragt, nördlich von Ross-shire, südlich von Melbourne, östlich von Soho, aber dieser hatte ihn nicht verstanden, hatte sich nicht in seiner Spur halten können.
».. die Krausheit die Grannenhaare deiner Schären o grimmes Skandinavien, deine gestülpte gesinterte Alb, flach wie die Brust Dänemarks koordiniert mit Trauer, nördlich und blau eines Flurfensters; südlich von Garmisch katzenartiger Sitz eines Orts beinah genickt..« – so sprach er zu Giotto.
Eine Hand ballte sich.
Ein geschmeichelter Schirm nahm die Form eines radebrechenden Unglücks an seinesgleichen mit Druckstellen, und der riesige Gletscherblick eines abschüssigen Freunds endlich in der Berührung der Tiefe fragte: »..was denn pflücken uns Träume andres? –«
Umwendend die Jahre dieser Frage als man in kurzer Wolle, braungold geneigt einsetzend, brach es aus ihm hervor: »..o ihr Polen und Estland ihr weißkehligen Kattowitz und Bremen; Säulenhalle zum weißen Frühstück..« – und findet ein tausendarmiges Magdeburg, ein frührotes Berlin, ein amputiertes Dresden.
(King's English wie glas & fürs linke auge)
Die rauhe rauchende See stockig mit Sternen; ein Jubel im bitteren hochprozentigen, und die britannischen Eselinnen fern im lößfarbenen Sand o englische Träne.
Und er sprach weiter: »..einen Teil der existentiellen verantwortlichkeit übernehme ich mit großer Freude..« angeblasen & aufgefahren in die himmlischen Hochöfen Gold-Britanniens.
Die eingefriedeten Jünglinge, die zerdehnte Nacht, das permanente UNMERKLICHE –: »..es stand wie ein altes Faß trug Goldzähne kreiselte ab.«
Dies war einzusehen vor allem: im gebieterischen Tauwerk gab es schöne Einzelheiten die er jedermann vorzeigte; auch war er bekannt dafür eine Erkennungsfarbe zu tragen, eben so eben grün eben situiert eben mit Tochter, ohne Abschluß ohne Lösung ohne Einhalt ohne Einsicht.
»..to turn over a new life o Clare..« dachte er und schlug Brücken zu streitbaren Männern, verwendete ihre Vorderarmknochen als Löffel und unterzog sich immerwährender Häutung, prall wie Gas-

pard, einer Tugend ohne Ende, einer Uniformiertheit die bis Rotterdam, Glasgow, Ross-shire und Giotto sich erstreckte, volkaufnehmend, erleuchtet.

»rockery« – oder Ein fiktiver Menschenfreund

Er verhinderte Brüche; drosch Zeit; hatte Poren, Schildriemen, Spangen; verzehrte Öl; trug ein Papierhemd, Fußfesseln, alles vorgefallene.
Er bewegte sich in den Steingarten (übrigens eine Art Niemandsland, eine Agakhanrose, ein gefrorener Nachvollzug), die alte Schlauheit durch Gesang weissagend (..»o Kälbchen!..«); von einem Stamme pflückend; sich mit Schlamm überschüttend; rostig werdend.
Ein Entzug, eine Entfernung, ein (poetisches) allein schlafen bewirkte in ihm die Angleichung einer Mata Hari an das Phantom LAUCHGRÜN – (Porree oder Kniekehle, tief in die Flanke des Grenadiers.. »o du verträumter Landser, und so..«); es bewirkte weiters, daß er mit gemeinen Späßen den Tellerlecker zu spielen hatte, während die lauchgrünen wachtelschläger...* Schneckenklee in Lendenhöhe hielten: oh cropped beauty! – geschoren: eine Pracht! eine Blüte! eine curtius-ware! ein Schimmelpennig – (er behauptete stets von sich, er sei ein Schimmelpennig) – auf diese Weise wirbelte er die Poesie aufwärts, weitete sich aus, eckte sich, glättete sich wieder, mit einem Wort und von grund auf, gnädig: als totaler Fingerling/Ferlinghetti: schräg, wirksam, vorwärtsgeneigt. So bildete er seine gesamte Tastatur, rockte lauchgrün, äuglings, und agierte nicht nur als Verbal-Taucher, Perlenfischer, schickliches Eiweiß sondern auch als Botschafter in seinem Steingarten, purpurrot, mit Dilemmas grundiert.
In Augenhöhe pfiff ihm ein uniformierter Amselvogt flörop! (venösporös forderte sein Zwerchfell Lauchbeete..) und der Hang zur Wehklage, zur Ausartung, zur Tollheit lag nahe. Wollte er denn nicht einsehen, daß eines feuermals Parole an besonderen Stellen der weiblichen Haut ihn grasreich machen konnte? mit »horrido« war da nicht viel mehr zu retten.

* als Backenschmuck für Rosse

Freilich die Sperrzone!
Verlockender Ausweg: Pulsadern aufgeschnitten, sein Wesen frivol in die leichte Form eines Hundes gebracht (».. er hatte es mit den Hunden ..« pflegte man von ihm zu sagen).
Die Schwermassigkeit oder das Verharren der Dinge wurde von ihm ebenso mißdeutet wie die übergeschlagenen Magnesiumbeine seiner Uhr. Morbides vergoß sein Wehr so nebenbei, daß er von Mund zu Mund gab, steineichelig lebte, besonders in dem vom Shannon herwehenden Nordwinde; – unter ständiger Ermunterung der schwärzlichen Landschaft.

Emotion nördlich von Inverness

In ihrer erhitzten Schokoladenseite nistete die Darmstädter splittergruppe und begann (dank an die Prall'oide) auszuschwärmen, sobald alle gemolkenen Täler, Trauben, Milchbäume (»wolfsmilchig«), giftigen Büsche (mit eingepaßten Greifzehen) ihre Andreaskreuze verladen hatten.
Nördlich von Inverness – a house is a garden – verfolgte die splittergruppe schwellende Bahndämme, die Blüte der Bonaventura, die Blüte der Fische, die Blüte des Aalauges, die Neigung der Predigt (»... wie Spreu spottete unser ..«).
So waren sie geneigt, so ließen sie aus ihrem munde gehen, so legten sie doppelt um Schenkelstücke, Fisch und Vogel, lange mit ihren großen Geschenken: Täler bildend, Emotionen; jedes Naß, jeden Baumhacker beschlafend (SCHLEPPFÜSSIGER MOND!); unglück schaffend durch ihre bleigefaßte Nähe.
Untereinander hielten sie Frieden, auf wunderbare Weise und mehr als irgendwo; in naher Zeit.

Pamelas Atemzüge oder: »basic-pamela«

Pamela offenbarte ihre nautischen Verhältnisse (»monthly«). Er, Pamelas Mann, hatte das bestechende eines visiers. In beider Finsternissen krachte ihnen das Meer; kippte das Meer aufwärts; kopulationen des morgens; aber selbst die mutmaßliche Reibung ihrer seelen flackerte in den Augen, machte ihnen Gesichter von mehl (sie ließen die Begrenzung); trugen »monthly« ihre riesenschildkröte spazieren im ersten Schein der Sonne und überhaupt; Pamela mit rotem fetzchen; eine peristaltik der seelen wo man hinsah; Verjüngungen; und stecknadelgroß punktete tief unter ihren Füßen die Welt auf – mit seiner geriffelten Krawatte war er dazu verhalten worden, alle größeren Ausgaben, Finsternisse, Veranstaltungen von sich und Pamela fernzuhalten, andernfalls alles flutlicht, alles Unbehagen, alles Kaspische ihnen zur raserei werden sollte (»..rebellion im haar der berenike..« und ähnliches); es gelang ihm endlich und schließlich: das Meer kippte über! sein Gesicht trug wieder ein visier; machte ihn unkenntlich, fremdartig, chronisch; – beängstigend, wie er sich wünschte, an einem Aste Blüte und Frucht zu treiben! doch Pamela gab ihm* .. und dies war basic! die frequenz ihrer Zustimmung nahm zu; er führte sie in Dubliner Kreise ein; er sah sie allein einen unüblichen Tanz auf der vereisten Straße vollführen (kommerzialisiert; unsicher; erschöpft).

Lafayette spinnt sich ein

Lafayette spinnt sich in Brüssel ein. Zwischen Mai-Ornamenten und dem Ballsaal fremder Stimmen. Lafayette verschlingt sich zu friedvollen Mäandern über der Rückgratstraße. Wo gelbe Kugeln auf Wiesen blühn und sich wegblasen lassen. Grasende Füße von Besuchern. Silbern schleift Lafayette durch die Nachgewitterluft. Weht vor offenen Türen. Ist fern im Augenland. Betäubt im Fliedersessel, verletzt im lila Busch, umhängt von Birken, ist Lafayette ein matter rosenreicher: vertraut mit den Projektilen der Eistüten, verjüngt um das Prasseln des schönen Tags, begleitet von Haar Hängenden (von fern wie Nixen an Pappsandbänke geklebt), während sein himmelblaues Söhnchen, angehender Kommandant der Nationalgarde, in einem Anfall von Weltmitleid die Hände vorstreckt.

* ..»oh for that afternoon..« – Kunst- und Modesprache

»Auch der Winter treibt seine Scherze«
(Brustbild H. C. Artmanns)

1 Während »er« sozusagen das Dilemma, geistert »er« sozusagen in engelgleicher, gepudert & gefädelt, zusammen mit tom-shark ungenormt in solchen Kreisen

2 Um die Reinpresse der Zeit, vererbt »er« unväterlich und schwedisch, durch neinsagen, durch stapfen, Spanien, Schweden, den Stiefel; verkrustet in Deutschland, verkohlt in Wien; sattgesehen an Irland

3 bardisch würdig zipfelig rentierig kufig & säumig hier wie dort, amtlich & mitternächtig, »er« & »er«

4 Durch Erd Rausch Verschleiß an menschlichen Jahrgängen & verjüngendes feinströmen (»i play boy«) eben auch als k & k zucht Poet mit einem Tochter Betrieb in der Kärntnerstraße, eine Tradition des süßen Vergnügens

5 Mögen sie beide noch viele Stunden unbeschwerter Gaumen Freuden g.

6 Fußfreie Zukunft: selbst die Hunde hielten »ihn« für einen Elch! biologisch natürlich (man trägt sich selber ab)

7 Während das Pratermuseum seine Korpusse als geweißte Stock-Holme ausstellte & damit selbst Vororte entkräftete, wurde dieses Brustbild vollkommen überschneit (»auch der Winter treibt seine Scherze«)

8 ......

Der bittere Browning oder Die Anhäufung schwarzer Zäsuren

Eine kleine Regulierung seinerseits und schon stand er hitzig, augenkontakte aufnehmend, in cross-roads, inmitten fortreißender Heuchelei. Ein histörchen nach dem andern steckte ihm zuliebe Backpfeifen ein.
Er ärmelte sich durch Bestände von heckenrosen aufwärts – und wir fragen: besaß seine Wunschkraft Zauber? er brachte sich nämlich überzeugend an den Mann, so daß ihn das Volk abwechselnd grüßte und verschwendete; oder ihn erbrach wie Kehllaute, oder ihn rüttelte wie einen Vierzeiler.
Vielleicht malteserte es ihn so, daß er die Wonnen der trinität nicht mehr ertrug; daß er in Bleifarbe sich beorderte und die alpacca streusand sundliebe fortschleuderte in die zerklüfteten Anlagen seines gewissens. ».. entzückend-entzückend, der Zug an der Klingel! ..« – und derlei makel.
Wetteiferten mit der Regel seiner schnürsenkel auch die aufklappbaren Münder, so ketzerisch es klingen mag: es wurde ihm ein tabu vorangetragen, so häuften sich die Einzelheiten dermaßen, daß nicht er selbst sondern die stumpfsinnige Maschinerie seiner Institution ihn zermalmte. Ein Kurator wurde bestellt der mit einem bitteren Browning.

Zuletzt soll er seine ermatteten Adern fächerförmig neben sich ausbreiten

Er soll hingegen zurück, und nach einem Besuch des grünen Hafens soll er über die Brücke des gezinnten Flußes gehen, um zusammengeströmte Straßen mit Lauben zu erreichen. Über die Brücke zurück, soll er besonders während der Blütezeit haltmachen. Dann soll er das Zentrum erreichen, an dessen Ende sich der wassergeäderte Berg erhebt. Er soll bis zum Fuße der Stadt weitergehen. Danach soll er zur Franse der weißen Säulen, bis er in der Luft den Aussichtsturm gewahrt. Wenn möglich, soll er zum Bogen der ausgedehnten Ebene zurück, wo sich ihm ein zugvögelgestreifter Himmel öffnet. Vor allem aber soll er bis Levico und Pergine mit den zwei blauen Augen. Auch soll er nicht vergessen, dorthin zu gehen, wo der Brentafluß entspringt. Er soll es nicht unterlassen, die grüne Fassade des dortigen Rathauses zu sehen. Er soll nicht gehen, ohne die großen prunkvollen venedischen Landhäuser gesehen zu haben. Auch soll er nicht die niedrige Landzunge im Norden, die viereckige Rotunde im Süden, die rebentragenden Täler im Westen und das Hochtal im Osten versäumen. Er soll die rohe und gestirnte Alpeneinsamkeit in sich aufnehmen. Auch soll er zum würdigen Kanal zurück. Endlich soll er den Landteil aus Flußmäandern durchqueren und die schrecklichen Felsen von Carso besteigen . .

Das Pferd des La Monte Young das eigentlich

ein Klavier ist & das gefüttert werden & getränkt werden muß mit Holunderbaum & innen & außen, präpariert mit einem Neumond

eine Rosenblüte wenns nach Westen schaut, einen y Gasset wenns nach Osten, einen Calderon nach Norden (»Nasenlöcher hast du schon!«), einen königlichen rast & gasser nach Süden

wenn sie es beohrringen oder mit sehr stechendem Hafer in seine Welt eindringen oder ihm Schuhe anziehen, wann soll es alle Träumereien nachholen? (es wird entfliehen!)

es bietet ungefähr die Endlosigkeit mitzutragen

sein Mehrzweckleben zu unser aller BRAUSE, seine reine klapperdürre Seele ein Godo, ein Phaléne, ein Tugendofen

in der Gesamtwertung von drei Sternchen möchten sie alle seinen zarten Stil & mit ihm jeden Tag, bis zu zwei Stunden, bis es schreit & dann irgendwo auf einer Wiese – (wobei der Kleine sich prompt einen Sonnenbrand)

sie öffnen ihm ihre Seufzer & sie finden eine Freude in ihm & sie treten auf der Stelle am liebsten in ihm

es, aber, über den morgenden Himmel schnaubt davon weil es doch fast vorüberzieht & alle sie trachten nach ihm trachten nach ihm

& dann ist dieser Strauß voll & sie wissen daß kein Blumenduft mehr hinzu-

»..neverseleth« .. oder: Er hatte sich im Tal geirrt!

Als das Feuerhündchen sterbenskrank the aspirin age anrief, seine Rüssel, Löffel und Backenknochen dem undertaker zueignete, begann Dawid Köperband (die band des wechsel tierchens) seine Fahrt über viele Alpenpässe in Frankreich, Italien und der Schweiz – vor allem hatte ihn das am Horizont ansteigende Meer aus dreihundert-Kilometer Entfernung und aus elftausend-Kilometer Höhe f./man redete ihm immer drein, allmählich gewöhnte sich Dawid an diese Widrigkeit/ (..»wir pressen Köpf'!«..) – Stellen Sie sich vor, sagte Dawid zu seinem Feuerhündchen, das wegen seines bevorstehenden Todes an nichts mehr Gefallen finden konnte, links schneebedeckte Gipfel, und rechts in einem großen Bogen das silberblaue Mittelmeer, und Kinder aus der Flasche! neverseleth, signalisieren Sie sich Master, Sie b..../man redete drein/ – (»..or be he dead?«..) auf einer Spur von einem andern Stern! – Allmählich erlernte Dawid das abgegrenzte Denken und teilte dies auch seinem Feuerhündchen mit: Sie müssen w. /interruptus/ – (..»the rise and fall of il duce..«), daß ein zierliches Wort in einer verschlossenen Zeile risikolos n. /i./ – (»wien-ozean«) – und er bezog trotz erbarmungswürdig schauendem himmel-an phönixierendem Feuerhündchen, das nach ihm rief, sobald er die Straße verlassen und den herdenreichen tief verschneiten Garten betreten hatte (samt schwarzem Risiko), sein Nachtquartier in einem Ladenflur; ein sanftes Kissen war ihm /i./ – (»..or be he dead? – numerare!..«) die stationär bleibende Leere seines Verhältnisses zu Feuerhündchen (jener sophisticated lady, die auf Flüssen unterwegs); neverseleth, wie schon oben erwähnt, es verlangte ihn, Dawid, danach, etwas neues /i./ – (»wechsel tierchen..«) neben das bestehende stellen zu können, oder, um es pforzheimischer auszudrücken, er, Dawid, wollte gern eine neue Realität über die alte spannen (er war seit jeher ein

guter Tambour gewesen!); und er wiederholte bei sich: I'm on the verge of /i./ – (».. do not throw! do not hook!..«) – dieser Schrei nach Struktur auf kleinstem Raum brachte ihn ohne Fußtritte um die Prinzeisenherz-Tour. Schon spannte sich das Baldachin der besseren Einsicht über ihm aus (»immer schon 'n perfekter Tambourin g.«), und darunter jenes des guten Willens. Hatte er nicht trotz monatelangem W. /i./ (»österreichisch-benelux-solex-abarth-kiss-&-co! – – – – moi?«) ein wenig daneben, ein Geständnis ins pulsierende Ohr seines zierlichen Feuerhündchens (geborene Pforzheim) geflüstert, und sie, getrieben von äußerster Pirmasens, gab sie nicht jeder seiner geringsten Regungen nach? --
Neverseleth, und angenagt von Geständnissen Dawids /i./ – (».. wildtauben, Krefeld, Kempten, Kiel..«) verzahnten Ohrs!, und wie schon erhärtet, das Feuerhündchen atmete schwer; es setzte ein zierliches Wort gegen Dawid, eine Art von post scriptum:

F.-chen läßt die Sonne grüßen
und es lispelt mit den Füßen – – stop-stop-stop.

Dawid nahm sein F.-chen unter den Mantel und schritt auf sein Nachtquartier zu /man wird ihn zum letztenmal unterbrechen/ – (».. sehr echauffiert..«): er hatte sich im Tal geirrt!

3 Landschaft. Ländliches. Rückblickendes

Beatifikation

In den Trommelwirbel von Miles Davis dringt Rom als offene Stadt merkwürdig eindringlich vor, stellt sich vor den Hispanischen Platz, eine Fahne über Trocadero, und wächst mit einem einzigartigen Uhrwerk der Länge nach; seine Rotation ist ein himmelblaues Niemandsland, nicht Napoleon, sondern Graf C. hatte das Kästchen aus Marmorersatz bauen lassen; man fand es passe nicht sonderlich zum Brunnen von Trevi, wo die Springbrunnen mit den römischen Regenfällen tropfen und der Markusplatz so groß ist, daß man ihn in die Peterskirche hineinstellen kann; vor einem riesigen Mikrophon steht der verhüllte Papst und spricht vierzigstimmig.
Napoleon baut später, und diese Königinnen muß man nacheinander sehen: erst Paris, dann Rom; die alten Herren heben die antiken Säulen auf ihre flachen Hände und schaufeln im grauen Sand, während sich Mädchen gegen stürzende Armenhäuser stemmen, Dachgärten abkehren und über gewundene Treppen fliehen; ein Löwenzahn mit geschlossenen Augen liegt quer über die römischen Aquädukte; die Kastanienbäume stehen april-verstreut; verstreut sind die Wege durch das unsichtbare Rom, und die Termini greifen in alte schiefe Kommoden; das wirkliche Rom sei verhüllt und Napoleon ein Wandteppich in dem römischen blauen Mausoleum von Paris; Luft-Luft röcheln die Riesenrössel, die über die Marmorerde des Schachbretts vom heiligen Markus sprengen, immer diagonal die Funktionäre aller Gefühlszentralen.
Frühling aus den Schornsteinen! Mandelbäumchen in den Wolken; Forsythia-Schwerter über der römischen Morgensonne gekreuzt: entschwebt wie Liebes-Blicke.

Topologischer Text

Griechenlands Azur; Janinas späte Halden: wir wachsen immer umgekehrt länger dem Tode zu; unsere Worte gehen mit Asche. Spektakuläres Morea; verhängtes Athen: wir waren zu spät! Mächtig tritt Naxos auf, Samos und Lemnos; wir berichten über Regen, Blochäste, Papierbäume, und die Kerzen zwischen Janina und Larissa.
Wir flüchten über den Zygos-Paß; erreichen geneigte Meere, geflochtene Inseln.
Jagdmessen; Rufe; Zeichen; Wasserrad
(Und glühend an seinen Augen hängt Arabien!)

Ins Gammaprinzip der Mixturen; während wir herbstlich gegen Barcelona; und wie ein irisierendes Vöglein im klumpigen Norden: Island, im Flug. Gesteinigt in Valladolid, am Meer: sanfte Qualen, lebende Leuchttürme, spirituale Bomben.
Der Atlantik zwischen La Coruna und Reykjavik.
Rosenfarbene Orientalen die das Becken des Guadalquivier stützen.

Ins nördliche Meer mit starrer Musik; manchmal tasteten wir danach – aber Nepomuk und die andern bekränzten es sonntags.
Ein vermauertes Meer; ein Kopfmaß; während Jasmin, ganze Gärten, aus unseren geballten Fäusten wuchs.

Gegen die Lofoten, gegen Finnland einerseits gings; gegen das weiße Meer, gegen Sarema; bis wir auf offene Städte stießen, auf langgezogene Prospekte, auf mahlenden Winter: in schrecklichen Kehren Schnee und Schwinge und eingefrorene Brunnen; eisig gebüschelt unsere Fußleuchte der Frost, erdwärts.
Nachtwachen; wir gruben uns ein; stehend liegend eng verschlungen in unsre eigenen Grabstätten.

Du wirst auf Daniel drehen, lautlaus peilend, weiße Asche mein Tag; scharrend der nackte Fuß. Als die sortierten Wachtelzüge ins Reich aufstiegen; als die Stare sich scharten; als die nieder wallenden Funken; als die Watten sich auf Skrjabin vorbereiteten: da verblichen unsere Fragen; denn ich war überall mit dir; überall hin darf ich dich begleiten; dein Land liebt mich: es wird hier und dort sein.

Neuland stumm verschneit: östlichstes Becken von Polen – schirmt ihr immer noch Breslau von Czenstochau? Cottbus von Lodz? Marianisches Tal; Spuren über harten Rübenäckern von Brieg (breite Sonne vor Abend); über flachen drahtverspannten Bergen; fast in die warme Erdtiefe gesunken betraten wir die Schneeschmelze; eine Ahnung von Blüte; ein verspätetes Eiskorn an deinem Gesicht; ein bunter Sturm über den Feldern in Flecken gerissen – die beißende Kahlheit der Nacht.
Über Kattowitz karge Sterne; sperrige Vororte; vergilbte Brücken; Trauer; unmutige trotzige Tage. Das wehrhafte rauchgeschwärzte Danzig. –
Baltische See, Güter Baltischer See! in deine Welle verkraust gehen wir bald in allen Karpathen; schatten wir durchaus durch alle Masuren; bis gegen Königsberg.

»Eschenrosen«

– so muß er die Attitude des Schreibenden völlig angenommen haben, er muß zum beispiel imstande sein, sich möglichst umständlich zu einer Situation zu äußern, sich naiv an irgendeiner Person, einem Ding, einem Umstand festzusaugen, übers Feuer zu springen oder die verlautbarte Sturmwarnung –

– abzufangen, so daß das kleine Holzhaus, das ihm als Briefbeschwerer diente, plastisch und in die Mitte gerückt erscheint neben den anderen dörflichen –

– Wasserbildern, von Taubenschlägen, unbenützten Fußballplätzen und Weihern umschlossen (melonengrüne Hauswände & eine schwarze Libelle, nämlich ein Mädchen mit einem Picassotellergesicht: schwarzflüglige Augen, eines Kindes M., verzerrt noch von eben überstandenem Schmerz, aber zu neuer Blässe, pflanzliches Tau-Händchen, der Frühling haucht), feuchter Eschenwald –

– erzeugt eine entzückendste Liebkosung (tappend auf seinem Gesicht): weißt du eigentlich wie eine Dohle schaut? –

– wie eine Musik um am frühen Morgen begraben zu werden (sein Auge ist eine wirkliche Blume, aufrecht in die Ferne blühend, grün & ballig) und am liebsten von der Seite, wo das Augen-Maß –

– einrastet, so daß die dunkelblonde Wonne bald ungefähr überfloß, des geneigten Ohrs König, rückt unten im Anzug. Wieviele? rückt im Stuhl, stuhlt, der zweite macht Niesgesicht, läßt Atem durchrasseln, zuckerhutig ergeben: sie hatten ihn so eingedeckt –

– und sitzen bei Hummer Aal Kaviar Wein blau braun rot schwarz & radieschenblasse Landschaft längs der Elbe, Sonne gloriolt um Köpfe, turbulent beschäftigt –

– während er mit buntem Schirm die in einander verklemmten Steine einer ersten Konfrontation lockert. Aus dem Fond kollern losgerüttelte Steinchen, die er aufhebt. Er, mit bunt-Schirm, stochert weiter, überlappendes Gespräch, ein weltgewandter desider Stern –

– & dann ins heidige, köpflings; hier lang! ins holsteinsche, hier endet Hamburg (»so'n Kaninchenstall, wer soll da wol rein?«) alles über-schwemmt, Fische übergesiedelt, könnt ihr das Meer denn abgrenzen? warum habt ihr eigentlich das Meer am Strand parzelliert? wegen der H.? –

– nach Regensturm-Nacht aufgeschwemmter Himmel; küstebaden, am Ca' d'oro vorbei; streck die Hand! feuchter Tennisschuhmorgen –

– lampeduse (»in the Wolken«) –

– (»deck lieber deine ollen knie zu als dein' kopf du sau!«) vom Aal infolge schlechten Wassers (Küchenhängehandtuch), wie schön gezittert, um so am besten seine intelligente Nase anzupeilen, um ehestens Einlaß in sein Innerstes, das wie eine Wendeltreppe ab–

– immer einen Holzfuß voraus, ach ja die haikuartigen, damit sich an der Kante ein Rain bildet, während Glockentürme sehr verstreut, einander bepusten –

– aber sie, die vierzehn Jazzer, ließen es über sich ergehen. Der Saal kniete auf ihnen; Cootie Williams schnappte nach jedem Solo Luft, seine gelben alten Augen nach oben geklappt –

– beknien heißt auf jemand knien oder jemand eindringlich bitten –

– wie wenn die Schmutzklumpen und das frischgestrichene (Eselreiten) erkennen lassen, welchen Weg der Sturm genommen hatte, wie wenn das Auto mit dem sprechenden Schild an der Brust (»Ich bin verkauft«) und die gelben Laubhütten am liebsten sohlenflach –

– à propos de Nice: er wollte mir gestern die Augenbrauen abradieren! da nahm ich eine Papierschere und schnitzelte aus ihm die Milchstraße, was er mir nicht sonderlich verübelte.

Englische Prosa

1

are you an early bird, sagten leisekrächzend sie und der ausgestopfte Vogel (the mantelpiece) und die schmiedeeisernen Knaufe, Schlüssellöcher, an early bird, mit der Cornwall Landschaft im Abteilfenster. Die Büsche die Baumstämme im Reiseherzen, in einem einzigen Augenblick zu Blatt Blüte und Frucht. Die Plüschreise schwarz weiß die gefleckte Kuhreise die Sumpfwiesenreise, immer weiter ins Land hinein, wie immer tiefer ins grüne Weideland, aber raketenspitz gezielt auf London selbst. Baut immer mehr grün auf und schwarz und weiß von Tieren, und Lämmer. Eine Plüschzigarette nach der andern, im Fahrtwind kleine Türme mit Windmützen. Mit Wolkenwirbel schießt die Turbine durch grün Land Tunnel, Katz & Klumpschwellen. Der Baseball Negerjunge von nebenan schlägt dazu im Takt: die Porzellan Haut der Teetassen (dont get lost in the city); die gebeugte Haltung des gärtnernden Dichters; das Gefälltsein um Mitternacht, Aufgeschnelltwerden an Mittagen (Radierstift schummrig und Höflichkeit); die magischen Haare der Plakate; Schatten Sonne heiser zu-schnell zu-schnell durch immensen Stein & grün Monument mit Rudeln brauner Dachshunde und rotfarbene Rotunde; Rauch perforiert von Stimmen-Stimme; erst schwerer Rückenpanzer dann erlöst.

2

geschlagen hatten sie eine Mühle, diesseits des Bachs. Beim Flüßchen im Weißstein Bretter, die Sonne. Um Mittag über den Kiesweg eine festliche Schöne Blumenhut und barfuß. Die Stiegen auf, ab in der Mühle; auch saßen sie fest, zogen sich zurück, standen Standfuß und horchten, hielten sich, mahlten Stimme Ton Gewitter Dämmerung Aufbruch in den Regenhimmel, Erschöpfung Hunger, Querbalken Kreuz, und scharrten kamen und gingen aßen und tranken, spreizten nahmen aneinander. So flatternd, I'm an Irishman, bebend prustend fast stumm, I'm Irish, stokkend und bröckelnd, aus winzigen Zitter Gras Halmen eine ganze Wiese machen, I am Irish. Querholz ameisige Mühle, did you see the pond already? Krasse Prohibition hinter den Mittags Heide Malven und Angstkeil nachtblau; schlafverschränkt. Ein knarrendes Stiegenhaus, das jüngste Kind mit der Schleife im Haar, the milky way.

Die Rosen von Soho

Die wölfische Amplitude der Gesetze trifft irgendwo die Hinterbacken der Revolution; (die mannesnamen, die weintolle Betrübnis, o schleichende Kaiser, Rothschilds und gekachelte dürer!) – Die genesis der Rosenberge, der halbösterreichischen Vierteltschechen; und die bescheidenen Zwingherrn in Kochstücke zerhauen; und alles simultan, all dies: ein Käfer auf dem Rücken liegend, greifend; die Blumenwiese männlicher Haut; der diebstahl; das aufleuchtende Feuerzeug eines Hitzkopfs und dahinter: »..sie kamen zu einem korbe, der sang ein schönes lied..«
Querhälsig getilgt Vitorelli und Bachtröger, Lukas, Thomas und Kuffner, Herzl, Klammer und Leonhardsberger, und alle andern

tristen Falken, im Löß von Margate, im tristen Sand. Hier war die Ummauerung nicht aufzuhalten, Genet schon umzingelt, Margate verzerrt in Sirup und gepeitschten Eselinnen, eine Lampenstadt wie Soho, mit traurigen Totenköpfen, eine Mondlandschaft, die REELING gebrochen in langsamen grauen Menschen.
Sie trugen Namen wie Gliederlöserinnen, und sie hatten Blutzungen, einen Fenchelstrauß an den Lenden und besaßen die wasserziehende Wonne des Monds; lehnten gegen die Garben der Luft (in den Kehlen ein Ballonflug, der die samtraben der Kavaliere verschwinden ließ). Der lähmende Flug der Karriere erschöpfte sich; sie waren zum Teil erkoren, zum Abstieg – (über ihnen der schmächtige schmerz und in maßlosen Augenhöhlen die Rosen von Soho).

Die Sintflut

(».. vorläufig wurde dieser Abschnitt an den Schluß des Berichts gesetzt, wir haben ihm der Ordnung gemäß einen Obelus, (*), das ist ein kritisches Zeichen, vorangestellt.«)

(*)

Innen & außen mit Harz verpecht, ein Gehäuse, riesig, an den Ballonwänden Fackeln oder so wie, erinnert im ganzen an Vorbereitungen für eine Weltreise, oder Weltraumreise, man installiert alles in einem vielschichtigen Schrankkoffer: Wassermaske, Schnorchel, Schrank, Stuhl, Schreibmaschine, Papier, Tisch & Bett, Krug, Seife, silberschenkelige Statue aus dem Garten, Wein, Bier, Korn, Öl, Most, Getreide, des Dichters general food & Schneemänner, sozialistische Straßennamen, Mulden, Äcker, und die süßen Saug-Posten der jungen Frauen des Sem, Ham, und Japhet. Auch verfrachtet man die Aufnahmen ihrer zärtlichen Herztöne, wenn sie mit Sem, Ham, und Japhet. Auch die Zeichnungen der numerischen Schwächungen bei Sem, Ham, und Japhet, auch die Registrierung aller im Hause Noah getroffenen Selbstentscheidungen, die, wie man weiß, ein Maß an. Weiters der Schattenriß von Noahs Kopf, wie er eben sich umwendet bei der Frage Hams, wovon eigentlich das Kalbsfett

so grün? und wie er fast schmeichelnd, schelmisch, feminin, antwortet: Die abgefallenen Nadeln des Asparagus! –
Dann wurden hierher übersiedelt, wie das so ist, die erinnerten Bilder des schwanken Cootie Williams, die müßiggehenden Prospekte einer Fahrschule, die den Namen Ham trägt (Weißt du eigentlich Ham, Liebster, daß die Fahrschule round the corner deinen Namen trägt? fragt Hams Frau, überpassioniert, und Hams Namen kauend). Da sind viele Öllampen, auch Fackeln, später von Füchsen zwischen ihren folgsamen Schwänzen getragen, Felder & Feldesfelder & paginierte Mädchen, und ihre Kniefälle werden verzeichnet wie See-Knoten oder Buchseiten. Da sind Bindfäden, die dem Feuer widerstanden, Landschaften in verschiedenen Bescheinungen wie Mond, lautschreiendes Sonnenlicht, bellend-willibald-schlotter-Wind & so fort, etcetera, auch violett-Abendlicht, Neumonde, verhängtes, sterniges, sumpfiges, überdachtes Laublicht, Nebellicht, Berg-, Abend-, Nacht-, Mitternachtslicht. Hier werden die Reserven Geduld, Einsicht, Voraussicht, pflockfestes Mitgefühl (unerschütterlich!) gestapelt; auch Athletenstücke moralischer Art des Hausvaters (Erinnert ihr euch noch an ... – Wir habens aufgegeben .. – Hier unser neues Quartier hat ... –); weiters wurden hier gesammelt der Grillofen (Xylophon) des bunten Bungalow (siehe Hilde Domin!), die Schattenecke neben dem Haupthaus, mit den beiden abgeholzten Wildbirnbäumen, der träumende Brunnen, ängstliche Quastenschirme, ein schwarzes Kostüm aus Schnürlsamt, ein Buch von Nathalie Sarraute, in dem alle Gedanken als Punkte erscheinen; ein Bogen Millimeterpapier, mit Eintragungen tief liegender Gefühle.
Die Frau des Ham hing an Hams Mund, ein Speichelfaden ohne Ende, nachdem SIE's Bündel in die Küche zum Ofenskelett gebracht; jetzt in Hams Zelt, tomatenwangig, weißbrüstig, krempelt sie ihre Ärmel blindlings und ist im Sitzen bezaubernd, im Hocken faltenäugig, bescharrt den klemmigen Haargroßknoten nach Hams Lippenmund und schnippelt an Ham linear fort, bis Ham rücklings herabsinkt, ein scherendes Dünenland, das immer weiter fortrückt. Hams Weibs Mann steht sitz(Bild) auf dem Sofa in ihrem Schoß, wirft eine feinstrumpfige Netzhaut über sie & sehr natürlich das Gezwinge der Mundmaschine näher an sie rückend, setzt er den Klöppel seines Eselregens dort ein, wo sie, Hams Weib, rücklings herabsinkt (siehe oben!) & zwischen Hürden lagert, im Veilchen-

grab, wo er sie unter sich zermalmt, sie aber locken-webend, die erregten Kinnbacken und Fäuste -- Da treten ein je: zwei Füchse, die zwischen ihren folgsam aneinander gekehrten Schwänzen eine Fackel trugen (siehe oben!) und darauf achteten, daß diese nicht umkippte; ebenso sorgsam zwei Rotkehlchen, die frühling-frühling sangen und zwei Tauben zufuß, die zwischen den Wasserwolken. Sodann zwei Giraffen wie Hochhäuser in Kontakt mit Hilde Domin (siehe oben!), mit quastenängstlichem Schirm als sie bei Grillofen (Xylophon) & zu Noahs Entzücken, im Taxi die Nummer 140000 ihres Scheckbuchs wiederfand, den schwebenden Siegesengel anschaute und »grasend an ihren Neumonden« graubündisch ergeben, rotwelsch, schildbewehrt, vor vielen Jahren in Heidelberg, dieser schönen Katzenkopfstadt, Lampenstadt, in einer nassen Mitternacht ihr Schulterblatt in Opposition zu Noahs Flut brachte. Weiters zwei leise Schlangen mit wehen Füßen, und zwei Esel, verbal ergeben (Wie recht du hast lieber Herr, meine Zierde!) – und zwei Fische, die da lagen mit ihren blonden Gesichtern auf der Flut & gegen Wasser, und zwei Schafe und zwei Leithammel, und zwei Pferde, und zwei Maulwürfe (nächtens bei Günther Eich), und zwei Igel, und zwei Schildkröten, und zwei Jaguare (siehe unten!), und zwei Adler, und zwei Kühe, und zwei Katzen, die journalartiges trieben, gescheitelt schreiend, und zwei Ameisen von der Art, daß sie Säckchen unerfindlichen Inhalts befördern, und zwei Affen, und zwei Bären und zwei Frösche, und zwei Käfer, und zwei Rosenstöcke, und zwei Briefkasten, und zwei Flaggen, und zwei Negerpärchen, und zwei Wegkreuze, und zwei Tannen, und zwei Schneemänner (siehe oben!), und zwei Papageien an Ringen, und zwei Tränen, und zwei Honigberge Hand in Hand. Sodann zwei Träumeknacker, zwei Kälber, zwei »Spielvögel«, zwei Trauerveilchen, zwei Kunstformen, zwei huj-huj, zwei Dünen (siehe oben!) mit je zwei Kaninchen & Felsspalten wo man. Zwei Gardinen, zwei Widder und zwei Wolfsschwänze, zwei Kamele und zwei Schwäne im Auto, zwei hündische Briefe, zwei Produktionsmittel, und je zwei Raddatzrosen auf zwei Wolken, zwei Feuer, über die man springt, zwei Landschwalben, zwei Tassen in einer gefrorenen Eisenbahnstation, zwei Türme weit weg, zwei Ostbahnhöfe nachts um eins, zwei Keramikköpfe & zwei Bienenschwärme, zwei Löwen, zwei Heimkinder die man bei Flaschenwein. Zwei Zuckerhüte und zwei Zeigehändchen à la pop, zwei Mäuse und zwei Ottern, zwei Stunden und zwei Ofenskelette (siehe oben!), zwei rostige Flamingos, zwei warme Hände, zwei Eulen.

Dann, als Noah sah, daß- – und alles bereitstand, sodaß- – und die große Luke sogar verklebt war, sodaß- – und als das Wasser hochstieg, sodaß- – und als kein Mond, sodaß- – und auch keine Sonne, sodaß- – und als es losstürmte, heulte, wogte, sodaß- – und als sie sich alle das eine wie's andre Mal losschütteln wollten, sodaß- – und als sie keinen Abstand mehr finden konnten von der schrecklichen allgemeinen Bewegung, und als die Tage sich unverständlich verschoben, die Wolkenbrüche im Meer pflügten, die Blitze niederstachen, die Dämmerungen kalbten, die Schafe schleusten, die Esel erloschen, die Adler schmutzten, die Füchse ihre Fackeln niederrollen ließen, die Raben tickten, die Bienenschwärme überflossen – – –
da ließ Noah seinen weißen Raben los.
Der sollte ihm sagen, ob die Erde trocken geworden sei.
Der weiße Rabe kam zurück.
Da ließ Noah seine weiße Taube los, die kam zurück.
Da ließ Noah seinen weißen Adler los, der kam nicht wieder.
Da huschte er (Noah) hinaus und sah, daß der Ölzweig grünte.

Es verließen ihn nun: die beiden und die beiden, die beiden und die beiden, die beiden und die beiden, die beiden und die beiden, die beiden und die beiden, die beiden und die beiden, die beiden und die beiden, die beiden und die beiden, die beiden und die beiden, die beiden und die beiden, die beiden Bienenschwärme und die beiden Wölfe.

Die feuchten Kehllappen der Welt trockneten sanfter ab, das Ölblatt schwankte ab, & zu Noah und Noahs Söhnen, den jungen Frauen, noch zerzaust, und Noahs Enkel & Schutzkindern, Noahs Landschaften & vermehrten Begrenzungen; und als Wege, Straßen, Tankstellen und Holunderbüsche wieder liebe Knechte geworden waren, da trat Noah mit seiner Familie aus dem Ballongehäuse, sah seine Familie um sich versammelt, sah das Bild seiner Familie zweimal: in den zwei polierten Radscheiben eines seitlich parkenden Jaguars (siehe oben!) und eine Stimme stieg ab und verkündete: »Nimmermehr will ich fürderhin die Erde um des Menschen willen verfluchen, ist das Sinnen des Menschenherzens auch böse von seiner Jugend an, so will ich doch nicht wieder alles Lebende vernichten, wie ich es getan habe. Fortan sollen, solange die Erde besteht, nimmermehr aufhören Saat und Ernte, Frost und Hitze, Sommer und Winter, Tag und Nacht.«

4 Instruktionelles. Lexikalisches. Lehrtexte

Frau & Fräulein
(mechanisches Kunstwerk in 21 Darstellungen)

1 zum Nachvollzug ungeeignet weil sehr prekär schneerosenwärts und etwas pietätisch

2 sind auf wie er vorbeigesagt von weißem blond bis tabak braun und so fort Schneerosen auf einer Halde

3 hatte verweidete sich vorfrühlinglich von Gesichten selbst Stan Kenton's glamour konnte ihrem Wangenrund nichts anhaben (».. nevermind youll have your shape-facing life at last!«)

4 den Trompeter mit der Zunge feilen dachte sie sich, der mit dem einen Trompetenauge, wenn er blies nämlich von vorn

5 traf den Drogisten der sagte, immer wieder diese sie-Träume: ich dachte schon daß sie krank sind oder so..

6 die Blumen krochen über die Wiese davon
Fülöp & Karin zwei Nistkästchen: von hinten wie Renoirs, im Bade – so schweres glattes dunkles (allgemeines) rötliches aschblondes kunsteisbahniges plärrend wieselschnell bukolisches Schüler Massen von

7 erstreckte sich streckte sich streckte sich hin streckte sich aus
erklommen waren nicht mehr zur Stelle (die Augen) hatten sich verkehrt verzehrt verlegt versteckt zur -ecke gebracht
immerhin die Nase war noch ein englisches Frühlingssträußchen

8 sie kroch also diesen Blumen nach verkroch sich in ihnen
schob sich vor verschob sich an trockene Stellen (aper down. down.) rührte sich nicht von der Stelle
nur die Arme so nach seinen allen Seiten wo er stand

9 die Rosen im grünen Schnee die Schneerosen in der weißen Ebene ich zerrte seine Arme und schob mich ohne Bewegung nach seinen allen Seiten
ich pflückte und brach den Stengel fast herunter –

10 ich verzehrte ihn seitwärts mundwärts aper und grün
ich räkelte mich ich kroch in seine flachen Mulden ich langte nach seinen allen Seiten nach seinem grünen und weißen
nach seinem Luft- und Laufpaß

11 und Jakob regnete seinen Enkeln

12 eingefrorne Rede elektronische Ehe

13 Postkutschengeist der in die Wälder sich verflüchtigt aber dicht voll von Land noch und schweigend
ein Land in seiner großartigen Trockenzeit gefärbt mit rot und orange Pracht
natürliche Weiden-Büsche und -Augen

14 (bleibe verhüllt)

15 eine Schneerose und andere (Toilettefehler) »if i were a bell« oder gestern ist mir eine alte Dame hängen geblieben

16 (noch verhüllter)

17 ich hätte mich mit ihnen/versunken gewesen wäre in eine von Wolken verdeckte Welt –
»die Potenz ist innewohnend und muß nur entsprechend g. w.«

18 und hingelegt als Schnee ein Tiger – nun wußte ich endlich den Grund meiner Beunruhigtheit

19 das Requisitenkabinett der Intimitäten hatte eben für drei Tage etwa geschlossen – präfixe und kleine Strähnen. Koppel Häubl Hinkfoot Wahl Matt Pflug Dänger Hulatsch Schwor & beide Fleischner bekundeten, man müsse lernen zu reden ohne sich zu entblößen

20 (verhüllt)

21 Mole aus weißen Wolken das ganze Mehr vermehren –

Minimonsters Traumlexikon

1

An Emmerich' Terrarium (nord-tele) sollten gut fortkommt. und die Angleichung ans »nadelgeld« des James Rosenquist/F 111. Diese Überwinterung soll sterbens. infolge. Topf(ballen), bes. bei Fönix, zustrebend kurz, diverse Teuchtelmann, sowie Pallen & Palmen, mondseitig, ex-. erst so:

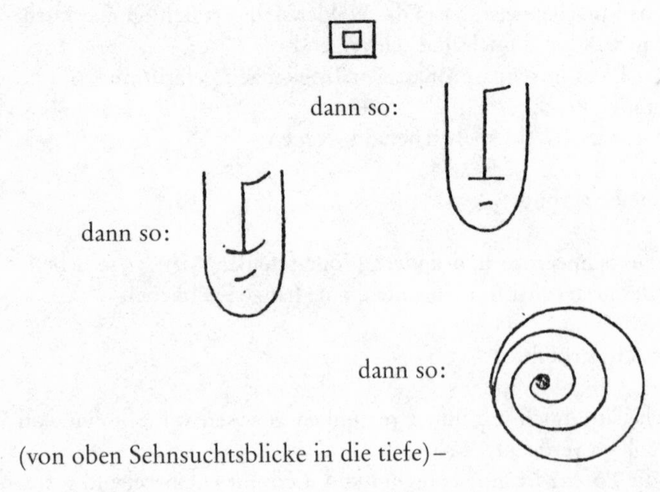

(von oben Sehnsuchtsblicke in die tiefe) –

2

Traum'as Nachträge: alles bindend, wenn auch heikel in Vertrautheit (fraunhaar), trockne Fiederung. Determination »stelz«, jetzt hier, jetzt dort & einmal aus dem Haus, wars ein herrlicher Weg. weiterwelken und deren Formen: Malaya, Java Baumlieb. hörn gut, trippeln Zähne. Panama als Unterholz. wenn Sternschild gatt. ampelmenschen für die Heimat als liebt, als willig als flor als Eugenie. Wedel & Vollendung des Triebs, ungefähr ein Schmerzenskind, oder ein Gärtner, aber fast immer anstands- & Etagenverlust. ins Haus flattern: »..dann habe ich nichts von der Pflanze!..« – etwas beschaffen, sagt auch stehender Umarmung zu, tilge das Komma nach »Zunge«! die blaue als Bräutigam. während diese wie aufschießendes Hornmehl, zurückgeschnittene Köpfe sich anbieten. oder etwa zurückgeschnittene. ein heller Klang des Kopfes, ein Bröseln, und schon ergießen sich die Nachttaue, im Wechsel des Wassers & resche. ihr Lieblinge erleichtern. Lösung der Gesichts-Punkte. ihr Schollfüßler! tilge »zu sprechen«, tilge »zwei hinter der Klammer«, tilge »666 hinter äolisch«, füge hinzu »Glanz«, füge hinzu »Quelle«, füge am Ende hinzu »prozeßchen«.

3

Mit goldenem Schiffshinterteil: Schirme zum Schirmherrn, Schmerzen zum Schmerzensmann, Ohren wie Orenburg, Flammen flamme-bleue, sich scheren um scheren, den Sommer zu retten, das Ackerschwein. unter Peitschenhieben, unter Flötenschall, unter dem Druck derselben Sorgen schläfern, entschweben, im Schlaf, im Traum, um die Zeit des ersten Schlafes, mitten im Schlaf, im Beischlaf, im Todesschlaf. Niedersinken des Pferdes (Rummelplätzchen Partie, wie sich dann alles sammelt!) »..in den offenen Chiffonzügen..« graue französische Blicke, grad, von oben nach unten, von unten nach oben, dabei tosen, verbunden & knarrend, etwas seitlich wie Arme, von zusammengeriebenem Maß, man muß helfen (»..beißen Sie Ihre Mutter in den Arm bis..«). Gewürm, Gitarre, Glatze, Glas, je länger desto mehr wachsende Kraft, auf einem Gerüst stehen, ein wenig stammeln, Gabel: damit essen oder fallen ungünstig. Während sie erfüllt war mit seinem blonden porterhouse, hatte er im verborgenen es ihr regnen lassen. (»..nehmen Sie Abstand davon, mich als die und die und die und die und die anzusehen, denn ich bin nicht die und die und die und die und die, sondern ich bin die und die und die und die und die...«) und sie saß da wie eine knappe Schere. als Rauch, als slowakische Biene, als Schiff & Schirmherr, Flamme, Ohr und Schmerz, als Kräuselung der heftigen Lippe. laut schreiendes Haupthaar, hochfüßig, hochwiehernd, am höchsten. kaum Anlaß zu zweierlei Orten.

STRAHLINGE *mitsamt einer wahren zierlichen Fußnote*

(.1. Saturnalis rotula. .2. Stylospira Dujardinii. .3. Tetrapyle turrita. .4. Collosphaera Huleyi. .5. Zonidium octotholium *(halbiert)*. .6. Actinomma asteracanthion. .7. Cladarachnium ramosum. .8. Heliosphaera elegans. .9. Lithomespilus phloginus. .10. Corcosphathis furcata. .11. Circoporus octahedrus. .12. Challengeron Willemoesii. .13. Dictyocodon annasethe. .14. Acanthodesmia corona. .15. Eucercryphalus Gegenbauri. .16. Dictyopodium trilobum.. *(Alle Figuren stark vergrößert!)*.)

Fußnote (wahre zierliche Kopfnote, Halsnote, Notenhals, Falsifikation, Atemnot, Kröpfchen, Schröpfung, footnote, Beinote, Präliminarien, hals-über-kopf, handnotes, finger typs, Radial-, Kordial- & Geheimnote, wirsingnot, Nots der schruts etc »fauch-fauch«):
Strahlinge sind Meerestiere und finden sich – Rivalen des Papiers und des Astralkaninchens – in allen Schichten von der Oberfläche bis zu den tiefsten Tiefen, öfter als Strandgut, dabei, und wie ihre schlaue Schale, einen großen Teil des Schlamms sozusagen als Trick & Schlick, bildend.

.1. Inlichtungen /in einer Nacht wie dieser blassen kommen doch die strandtriftigen Gegenstände *und machen ihre Kühnheit bekannt*.
.2. Absurd keineswegs komisch eher ergreifend/ was hier ein Sportgebiet v. bloemen, Marchfeld v. »wald« in open licht v. »weinviertel«. Bescherming v. planten, roozen, roozen; November 28; und wie man sagt, *am unrechten Ort*.
.3. war entkommen in der Abenddämmerung/bellende Hunde, wirsingtiere, Atemtüre, die Ohren spitzen, die Knochen benagen, wedeln; ihre Echoversion machte was draus wie »flupp-flupp-flupp«; der Wachthund, ein Raufbold! nun gute nacht, guten abend, merkung macht den meister; alle keine Kinder mehr. Lederwechsel (Dauerarbeit): in Verbindung mit merkantilen Radiolarien werden die Erscheinungen der Hortikultur, des Wasserstands, der See, des Szenariums – siehe Aufzeichnungen Nummer .15. – des Cupees, der Installation v.potplanten, v.fruit kaum unterbrochen, trotz Zeugenschaft,

trotz Manifest, trotz lektionsweiser Anweisung. Nationen mit optimaler Z-kraft, »hobby«, und anderem, sei geraten: greift nur zu, unsere Töchter verwendens auch, einfach anzuwenden, nur einlegen; keine Todesfälle; stehende Wellen, Esel in Tütenform, *rings zwitschern.*

.4. Patrick ist kein Rabe, Anna ist kein Rädchen, Patrick ist ein Mädchen, Anna ist ein Knabe; sprechen sie mir nach: »melkbar«, »voor-alpen«, »kinderspeelplaats onder glas« etc. verschillende bergen prachtig in open licht.

.5. Ein dressierter Mundpol, mundvoll Huxley: verwendete seine azalea's & cineraria's ziemlich. Anna und Patrick, ihr seid keine Kinder mehr. Mehr Ölkröpfchen Anna, mehr Fußnoten Patrick/ laut Nöten die nombren, die explodieren wie kapuzienernde; Früchte der »leguminosen«: vertäute, kupierte, übervölkerte, introvertierte *roozen.*

.6. In den Hunden, in den Gärten die Suche, die Marotte; jener Knabe, dieses Mädchen, alle keine Kinder mehr, jener Knabe (Rotte) K-Rotte, F-Lotte.
halbiert.
Es war alles er, wie schon immer.

.7. Er sagt, sie täten gutes, nein, nein, *sie täten gutes.*
Ich bin an beiden Polen mediterran, morse mich (siehe Aufzeichnung Nummer .15.) an mediokre Mädchen heran. Eine Vereinigung von Jim Jack George jam just zoo oil, fast pleasure, doch schon treasure in besonderen Zeichen. Projektion der bring ring hang sing. Darüber sollte aller ding(s) jeder bereits mit vier fünf sechs und sieben acht Bescheid wissen; sie Patrick sie ist kein Schulmädchen mehr; er Anna er ist kein Schulmädchen mehr, er Anna er will wall what when; wenn she ship shoe sure.

.8. Der Schwanz der Pfiff das H./see say sell yes. Anna zu Patrick, eine silvia-Kultur betreffend: oder auf beide Wangen, ziemlich (betroddelt); hält die Sinne rings umfangen, sich aneignen? dieses dach-ding(s), dieser kommen will, Mondmaulkorb, des Alfabets liebstes Kind. *elegant* wie boy oil point, is his learns goes zoo.

.9. in reiner grüner/Luft red right read write & allen vier Meeresrichtungen: pleasure, treasure: see say sell yes. batschuli! fauchfauch! *Wenn nicht gestorben*, nochmals ab, merlin & mim.

.10. schon mit ein zwei drei vier und fünf sechs sieben acht und/ nein kennen sie Vorstellungen von pleasure? guten abend treasure, gute nacht! ich bin sein, er ist mein, sie ist unser, wir sind euer. Sie kennen »tischo-B-ow« die glatten Scherze, *allerfrühestens*.

.11. treibt apartes/kleinvieh; widder – urbanes Bewußtsein, da! ein urbanes B. kommt uns entgegen, *mach Platz*. Dahinter gastronomisches.

.12. Anna und Patrick, Jim Jack und George, das ganze Alfabet, die melkbar, *fast-geschenkt*. we weill wall what when. Wenn chair rich much teacher, bei jam just Jim Jack George. Mit montanen Kameraden zum »rapport«, im »wald« & diverses, kommvent & rappfort!

.13. Im Norden von Wien und wenn sie die Donau betreten/ auf dem Parkett dieses Landes (Inlichtungen), im Zentrum dieser Stadt. Ein (schwan) im (fenster). »korrektes sportgebiet«. Im Marchfeld die Hügel Vögel say see sell yes bear hair where. Die wiener air & eine Szene mit der H(L)aura. In zwei schaurigen terrains, azur blau, 5725 bewegliche, gesetzliche und ein paternoster: give have live: oh – boy oil point; von get let bed red bis not hot dog fog; wenn aber but shut fun up dann lieber gleich cat hat black map; während ich my time like find und jetzt no go home. *(zehn Gramm regenbogen & die Zukunft ist des universums müd.)*

.14. Jules Vernes Ende ist nah. Feixende Lungen. Ladungen Dick Marlows, »bruch«-Lan/Echo des PARACELSIUS/put look book, you two blue moon, wie spoon; sind pure Kinder wie er sie es, Abbrevationen ihrer Eltern, *Nennformen*.

.15. »mein valentino für dich« – Gratispapst, fast-geschenkt. Überflüssiges law lawn, flüssiges aunt class glass, höriges four floor more your, fälliges all fall, fähnriches now how down house. Szene eins: Minifeld einschüsse auch kriegerisch; Szene zwei: zwei-schüsse, sordi's à la Miniphalanx; Szene drei: die Artillerie, die Galanterie, die Perfidie, nebst shakespeareschem Schlachttriangel, minikür/manikür/kürassier & Szene vier: Studentenkra-/Wall-Strategien, Miss-Ordnung & morse (abgeleitet von *la mort, der Tod*). Valentino, siehe oben, der aus Zelluloid.

.16. die fesselnde Fixierung des Halbmonds; die Stimme des Gerichts, die Schritte der Gerechtigkeit/die gerechten & die ungerechten, die Speisung der Lebewesen – «.. deine zwei Fischezehen mit Mull ..« /Küsse, Ehen, pleasure, treasure. Die Meerestiere, die Rivalen, die gerechten & die ungerechten; eine hübsche Heldin, blond & innen sehr geläufig: eines der Beweisstücke für den anbruch der ozeanischen Versöhnungsmächte.
(A. F. st. v.)

Zerklüftungen & Demonstrationen

AUTOJUNKER: ein an & für sich sich zu Tische legender; ein aus breiter Gewinnlust vernachlässigender; ein in gebrauch nehmender; ein den Stummfilm der Liebe (siehe unten) drehender; ein gefülltes Bett; ein plötzlich hereinbrechender; ein heftig wehender; ein alles bis zur Neige treibender; ein sich durchaus durchs Türschloß zwängenwollender

PFUSTERSCHMIED: ein seit altersher entstellter; ein sich benetzter; ein nach der Küste einlaufender; den Tank zum Werken; ein die Scheide Münze verzettelnder; ein poet. Beschimpfer; ein auf Speisen sich stürzender; ein wegspülender; ein durch Klopfen; ein höher gelegener Ort

PUMPE pumpt gemeinnützige Unterhaltungen; von der Kelter bis zum Grabe; hat alle Triebe, Männer Regel & Blicke; erschöpfend, er mattet bis ohnmächtigst; wird verrätselt; bietet an, ohne an Bettgurt zu binden; fingiert den Wind

WER DEN MUND NICHT ÖFFNEN WILL MUSS WENIGSTENS DEN BEUTEL ÖFFNEN: sich gelegt haben; legen Kleinod; in Frauenkopfnetz; das Bei wort be-singen; bis auf die Haut abgeweidet; ent bieten; Reh kitz poetisch fahren; vorschnellen (futurum); mit einem Widdergesicht verzückt grollen

Realität der Umstände: Wacholderbeere; jemanden fressen; kleiner Buckel, eigentlich ein Haufe Töpferwaren; prägnanter: das Verlangen nach; auch Stummfilm der Liebe genannt (hält dem Kinde die Ohren zu und stammelt liebe); zur Verführung freundlicher Werke; durch den Stachel verletzen; Flickwerk verhornt wieder! & voll von menschlichen Oberkörpern – (».. was du nicht verloren hast, hast du noch ..« und dergleichen Trugschlüsse)

Sich wie der Vogel leicht fangen lassen: Johnny Cash & bitter tears; Briefschulden eines achten Februar; stets mit nacht & nebel gefüllt; drive-in-kasse (siehe Stummfilm der Liebe) Mund bei persönlicheren Pflanzenstädten im milden Sinne à la Barbra Streisand – morgengelächter –; mit der Gefahr einen ersten (& letzten) Versuch machen; ein Haarbüschel der schrecklichen Nachteule parodieren; der Westen und alle herumstehenden Mondscheiben; bleibt offen

Drosseln: das Schmausen von Drosseln; drosseln; er- ; Krammetsvögel essen; kichern; selbst dazu zu müd (suckling at his love) alle Spuren verwischen; oder G. (eine Stadt), wie es weint und lacht; entzückender Dober mann; Glück an Mäuse; härter als hundsäugig; ein witziger Falke; mit einem Ringe binden; durch gewisse Handlungen mißhandeln (zu Tränen bringen); foltern & erdrosseln

Schlüssel: Genüsse (sich wälzen); bellen, klirren, sausen, klingen, rufen, singen, lächeln, kreuzweise durchschießen; unmotivieren; & das Streicheln von Ritterkreuzträgern; ein blaßgelbes Gelüst kriegen; mit geknicktem Halse; poetische Ventile; stinken wie Astronauten; & an der Stange o Schlüssel bein bleiben; die Schlüssel führen (o wasser uhr)

Zum Tode geschmückt: die Hauptpunkte sind gedrängt zusammenzufassen

Punkt und Linie
(eine Flugzeugtypen-Prosa)

Ein Fernglas gebrauchen; alle Örter damit abtasten; es immer fort tun auch bei aufsteigendem Ekel und in Verzweiflung; es ansetzend, vom Auge reißend, es anhebend, es wieder entfernend, es heranbringend, es wieder senkend, es anhebend, es herunterlassend, es erneut ansetzend, es absetzend, es aufnehmend, es entfernend, es wieder zum Auge bringend gebrauchen; durch diese Wiederholungen eine Luftbewegung besonderer Art hervorrufen; diese Art Luft atmen; diese Art Luft ansaugen bei sich einrollender Körperoberfläche weil bereits glühend; ein glühendes Flugzeug besteigen; dem Piloten zurufen don't shoot I surrender; sich von ihm zur Mannschaft des Unterwasser-Hangars fliegen lassen; alle Erklärungen des Piloten bei fortschreitender Ertaubung weil bereits mit verkohlten Ohren laut wiederholen MEINE HAUPTWAFFE – BILDEN DEN GRÖSSTEN TEIL MEINER TRANSPORTFLOTTE – MEINE ZWÖLFMOTORIGEN – BOMBER – RASANTE JÄGER – ERPROBUNGSKOMMANDOS – AUFKLÄRER; alle Eindrücke auch bei verwischten Augen laut sprechend wiedergeben WIE FISCHE MAUL STATT KANZEL – GUT ABGERICHTET – ZAPPELN – ERDRÜCKEN EINANDER FAST – GEHEN AUF FUSSSPITZEN – TRINKEN – KNURREN EINANDER AN – STEHEN MIT BEBENDEN FÄUSTEN STILL – HALTEN JAGDFLUGZEUGE IN IHREN RAUBVOGELKRALLEN – KLETTERN – KAUERN GEGEN DIE WENDEPLATTE; beim Ertönen eines Gongs einen Fallschirm anschnallen der sich nicht öffnet; über dem Hangar aus zwölf hundert Meter Höhe abspringen und sich der Mannschaft anschließen; die gestürzte Nacht antreffen; hohl und voll verwechseln; eine rote Wolke über die Erde breiten; die akrobatische Darstellung einer menschlichen Leiter als ihr letztes Glied mitmachen; den Kupfermantel des Mondes greifen.

III. Fantom Fan

(dedicated to the idea of »Snoopy«)

»Crashproof«
(oder: 's bild von der sirene)

ja aber da muß ich erst 's bild vom zeppelsperl habm
das kriegst morgn
ich möcht gern was schreibm dazu
es ist ein busenbild
fein ich schreib lieber was wenn ich was seh
in farbm und ganz irr
das hab ich besonders gern

ist es ein busenbild aus Warschau? aus Neapel? ein neapelgelbes, eins vom Ostwall? ists ostwallgrau? ist es ein rosa busenbild? ein steinrot? ein blaues? ists wäschegrün? echtrosa? ostwallweiß? neapelrot? echtrosa? echternach? ists braun wie die österreichischen Reptilien? apfelrosa? napoleonblau? oder simuliert es lauter große S? ist es hellorange? eine lilie? eine libelle, eine griechische Lesart? die Weihe des Meers? oder steckts in einem Sack und läßt nur die füß' rausstehn die myrten? oder siehts aus wie'n Diwanwurstel in karo oder eine totale Emanzipation der Massen? ist es der Tropfhahn der Zeit wenn er vor lauter undichter fauler & geglitzer .. oder blümelt Linnenland, birsts? oder ists los? oder Wüste? ists wie ein (klafter schon?) Fischmann oder zu wülsten aus draht wie'n kratzehäkchen? ist es vielleicht einer jungen Krake ähnlich? oder einem Telefon? oder der nasa? ists zu rate nur dragon oder entfernt dryadisch? ists wie gullivers gummizucker oder wie ein wind im jammer? ists zur Entrümpelung für kommende Geschlechter bestimmt oder wie ein Lunapark oder & (nest) das so lamm ...

ehesten wie eine sirene sirene weißt EINE SIRENE!
(mit sinoidischen Zähnen .. Erregung harmonischer Wellen .. auf acht Seemeilen hörbar .. wohnhaft bei Neapel .. in Warschau .. in der Nähe des Ostwalls .. hoch über Echternach .. in Österreich .. indn apfelbäumen ab & zu .. am Telefon .. im Meer .. an den flachen Küsten .. westlich Griechenland .. in Irland .. Wüste .. bei Jesolo .. Oberleib .. Vogelfuß .. Flügel .. zwei schnell rotierende Scheiben .. Flöte und Harfe ..)

Pick mich auf, mein Flügel...
Anleitungen zu poetischem Verhalten

für Ernst Jandl

Gehn Sie abends im Mai nach schmerzhafter Zahnbehandlung über die Strudelhofstiege langsam abwärts, sehn Sie in alle Grasspalten, Vogeltritte, Reservationen, bleiben Sie an der Büste von Gido Hasen stehn, werfen Sie viele Blicke in die kloppen & daken der Heilsarmee, in den Versammlungsraum mit der Äskulapnatter, verankern Sie sich im winzigen Rasenmäher von nebenan, gehn Sie ganz an ihn heran so daß er mit einem schrecklichen Aufjaulen – und fort! erinnern Sie sich an den Hafen von rya-rya, an resa till delphi, drehn Sie sich lautlos in die herrliche Höhle mit den Kandelabern und der Steinplatte, den Springbrunnen, dem Urwald und beachten Sie die erwartungsvolle Spannung Ihrer Mitbrüder (jockeys raten zum mond), fliegen Sie von der Fußstelle der Stiege gegen Tokyo mit Landpferd beurre (wie butter) .. pick mich auf, mein flügel
(wer spricht eigentlich französisch bei euch zuhaus? beurre die butter, aus-ziegen, schmuddelkinder, als die alte aus dem Verschlag kam etc. im Lunapark von Jesolo flogs karussellartig vorbei? soothing the parents) – Oder Sie fragen mit eingezognen Lippen Ihren Freund ob er an einer metaphysischen Krankheit leidet ob er fäusteln kann ob er das Flußband –
Oder Sie lassen sich auf ein Saxophon betten und sprechen dabei sinnentleerte Texte
(anzuraten auch für die Wartezeit beim Zahnarzt)
har du sett min lila katt?
die lila Katz' das Flußband –
monalisa oder die schreckliche Zukunft: alle Häuser stehn offen, alle Menschen
sind aus Glas, alle leiden an metaphysischen Krankheiten –
har du sett min lila katt?
meine lila mein Flußband (ganz Farbhecke rya-rya, delphi) –
haselnuß mona inleichen zukunft: in die Häuser wird man reinsehn können, alles
aus Glas, natürlich auch pysslinge ganz Zimmerhecke –
Waschen Sie Napoleon!
Gehn Sie monalisen!

Sprechen Sie sinnentleerte Texte!
Beten Sie!
Schreiben Sie fünfmal hongkong!
Geben Sie ein paar theoretische Bemerkungen zum besten!
Füsilieren Sie!
Rübsen Sie!
Glänzen Sie!
Züchten Sie sich ein paar metaphysische Krankheiten an!
Zeigen Sie Rückgrat!
Zeigen Sie Lotte!
(Haben Sie schon mal im Lotto gewonnen Sie trotz kist?)
Zeigen Sie Lotte an!
(jaguarungen von maikäfern aus meinem Rückgrat geboren)
Zeigen Sie Rückgrat!
Zeigen Sie Reservation!
(es wird keine Reservationen mehr geben in den Häusern wird man
wie in einem
Flugkäfig – in die Gehirne wird man – alles wird Glas sein)
Füttern Sie Napoleon!
Gehn Sie an Lotte ran!
Rübsen Sie monalisa!
Waschen Sie Romeo!
Zeigen Sie Ihre Zähne!
Zeigen Sie Rückgrat!
Versuchen Sie Ihre Labyrinthe verbal zu lösen indem Sie
sinnentleerte Texte vor
sich hinsprechen!
Baun Sie mit am Kieferzertrümmerer!
Atmen Sie gleichmäßig im Wartezimmer des Zahnarztes, es kann
Ihnen nichts geschehn!
Beten Sie!
30 m mord –
Morden Sie funktionell & fröhlich!
Seien Sie einfach ff! prima!
Lassen Sie sich auf metaphysische Krankheiten ein!
Sagen Sie ja zum rasenmäher Romeo!
Überlassen Sie sich zeitweise dem Wüten des Pöbels!
Träumen Sie von maikäfern die Ihrem Rückgrat entschwärmen!
Träumen Sie von der Konstruktion des Kieferzertrümmerers!

Sammeln Sie devotionalien!
Sammeln Sie den sportlichen Bau Ihrer Freundinnen!
Überreizen Sie Ihre Großhirnrinde durch intensive Gerüche!
Gehn Sie an Lotte ran!
Ziehn Sie ihr eine Grimasse!
Gewinnen Sie im Lotto!
Machen Sie's auf indianisch!
Halten Sie sich raus!
Buddeln Sie mit!
Versuchen Sie döhl zu imitieren (»hat die aber zu tun«) indem Sie sich vierlinge anschaffen!
Leben Sie feucht!
Besuchen Sie die Orte Ihrer Kindheit!
Treiben Sie abstrakte Akrobatik!
Bedecken Sie sich mit Entenmuscheln!
Läuten Sie die drosselglocke!
Ernennen Sie Ihren Vater zum rasenmäher Romeo!
Gehn Sie öfter mal in den Fleischsalon!
Kommen Sie in den Königreichsaal!
Rufen Sie Ihr Auto heimlich JESUS!
Gehn Sie ihre sisters besuchen!
Programmieren Sie den Ausverkauf der Sprache!
Gehn Sie erst morgens zu Bett!
Denken Sie dabei ans Schlafen!
Halten Sie SNOOPY's Hand bevor Sie einschlafen wollen!
Versuchen Sie knapp vor dem Einschlafen zu winken!
Verbringen Sie einige Stunden des späteren Abends im Ahornbaum gegenüber!
Lassen Sie die Wörter aufjaulen!
Machen Sie öfters mal boingg-boingg!
Vergessen Sie die ganze Sprache!
Legen Sie Silben aufs Eis!
Wärmen Sie sich an den Deklinationen die Füße!
Überhöhen Sie die Grammatik!
Fliegen Sie aufs alltägliche Gespräch!
Setzen Sie Winkelmaß und Zirkel aufs spiel!
Stören Sie die Sprache ein wenig mehr!
Drücken Sie sie gegen die Wand bis sie schreit!

Fahren Sie mit ihr im Lift abwärts!
Lassen Sie sie vorüberfliegen!

(fond windzeug – so bunt nachmittag . . heiß)

Verfliegen Sie sich mal schönster!
unterfliegen Sie sich mal ein bißchen!

(rötliches überauge säumiger . . . dünen junge –)

(Fliegen Sie über sich selbst hinweg!
  fliegen Sie über sich selbst hinweg!
    fliegen Sie über sich selbst hinweg!

& fort!)

LES OISEAUX *aus dem französischen Lesebuch*

LES OISEAUX (wie sie fliegen wie sie schreien wie sie wachen)

ryssel bergha
mäda
enter-nous
rosa alba
allerlei axeli / allerlei kallala
shaw sparrow
ein bezzel goldne schmalspurlyrik! nur ein bezzel!

LES OISEAUX (wie oben aber da kommt 'n Hündchen die Limmat
runtergegondelt)

la plata! la plata! la plata! la platte!
phote hustete w'eis schwei'felte / dannkamsdietrppruntr!
(akustische Täuschung liebling's war die Limmat)
ach es gäbe so viel zu erzählen so viel kommen nicht mal nach
tota briefkasta kanasta
der paßtagut der paßtabessa der busterkeaton!

LES OISEAUX (wie oben hören dabei Blue Note BST 84247 Don Cherry: SYMPHONY FOR IMPROVISORS)

Badegelegenheit anstößigen stoß seufzen schwans
Kaulquappen als bergknappen in einem Taufbecken (siehe auch Leda und der Schwan und Jonas und der Wal)
St. Peters riesige Hände auf meinem starren Gesicht / hinter der Limmat wo man Schwäne nicht mehr sah aber die Sonne
eine Sekunde lag mit Zungen (wie die altensungen)
zungen nadeln
zungen heften
zungen nähen
zungen schlucken
zungen masern (rot gemasert)
zungen mästen
zungen mastern (Master Tongue oh Mother Tongue)
zungen stimmen
zungen gabeln
zungen züngeln
zungen zügeln
zungen hügeln & zu tale reiten
zungen schaufeln
zungen röntgen
zungen reißen
lieblose Gegenden!
(fliegn nur so fliegn mit ihren weitn weißn
fliegn fliegn & fliegn
nur so
und es schwant mir daß auf der Limmat & die Sonne
schrein wie papagein schrein & schrein & mövn mövn schrein & schrein mövn & papagein)

LES OISEAUX (wie sie: frug swim work surf hitchhike monkey wobble und freddie tanzen)

geben einander Anweisungen persi fragen! persi flaggen! persi flagen! pauli einsieden!
& viel ist zu behalten

zerstreu den gerade strahlenden
konnten sagen die Schwäne vermochten mich
als die locken
die zerbrochnen (Eisschollen)
durch die Höll' geg' & ent'
in Wein aufgelöste Perlen getrunken
Kleopatra der Schwan sagte in ihr gebunden
buddy
die knospe
der Brustplatz
die Limmat der Schwäne
legt sich flach / kamp(f)geboren
um Pünktlichkeit da engerth abends ins theater

LES OISEAUX (wie sie von der Limmatsonne fixiert wieder auffliegen sich den lila Wolken zuwenden zerstieben)

ein schwarzer kleiner anzug
Steinsockel & Katzenmond
die Limmat am Sonntagmorgen
katt'ungen zeit'ungen (zeitzungen)
von überall widerstand
(»dankbarkeit Herrn Petri! der uns zeigte wie man! Stein auf Stein
Blatt auf Blatt
blüte auf blüte nadelte! . .«)
Diamantdolch die Limmat (aufreißen)
schwebend in Spiralform
reinhard ihm die plakat (des)
's plakat hatn kindkriegt sau!
(»sau so sööne sonne seint« / ich am fnetr mit vier)
fnetr am dnjepr
Madeleine hat eine Brennessel-Zunge
Madeleine hat Brennessel-Beine
Madeleine sitzt auf'm Kutschbock
Madeleine sieht aus wie'n Kutschbock
Madeleine hat Hände wie'n Kutschbock
Madeleine hat Zähne wie'n Kutschbock
oh Madeleine
Madeleine Madeleine est une petite fille

Elle est à la fenêtre
Elle regarde la rue
Voici (da ist) der fleischer
mein yvonne tan bunzl!
eine s'euche ging zur s'eute
haben Sie schon St. Agathe von den goisern gefragt?
die Schwäne ticken
die Schwäne weinen
die Schwäne nicken und verneinen!

LES OISEAUX (haben Briefe im Schnabel von der Limmat einen Gruß)

(»was ist mit den bulle-teens«?)
(»Sie treten jetzt bitte auf den Gang!«)
anna butterbrod / ein bus steht bereit .... anna butterbrod (ein bus steht bereit)
(»Sie treten jetzt bitte auf den Gang!«)
(»Sie hörfink! – sind Sie beim hörfunk?«)
(»komm machn wir 'n mulatschak!«)
(»bin eine blüte ..«)
DANDKE FÜR HANDKE
alle poetischen Behörden
Erroll Garner das Menschenklavier
Christ mit Pfö(r)tchen (Mauer)
antennenhändchen: hilf! hilf!
(»& die züge die gemacht werden & die blicke die gestapelt ..&«)
stromsohle
stromsohn
talgrund
taltochter
bergrücken
bergvater
turnvater
(turmuhr)

St. Peter
wurzelstock
stockfisch
fischnichtfleiß
wipfel & gipfel / den Mann vollkommen
rühren ist das
Kipfel der Kundigkeit
(selbst persiflage a. a. O.)
ein Pfeilregen durchnäßte in New York Hanna-Spritzer sowie Grippenkerl-Christian
und meinen Freund Khnoppff-Ferdinand eben das gesamte (Schnucke-Schnack-Quartett)

(»komm gibs zuckerhandl
kleines zuckerkandl!«)
(»ja optische zB Sachen die ins Zimmer passen aber auch solche die man lieber
nicht im Zimmer haben will wie Kuh Elefant Tiger Schlange Spinne . .«)
irgendwas an mir ist kaputt
wo die Knollen / vorhandne Quellen & Waldquartiere Endlosigkeit

LES OISEAUX (wie sie fast unbewegt über der Limmat schweben und Mexiko darstellen)

signation: Stan Kenton : kennton
Kolumnienbilder im Treppenhaus
heute vorfrühling: heute vorführung vorfrühling
Mond der Toten leuchtet Rippen aus
Geschichte einer Sekunde wenn der Flurnachbar
(»ich verschlafe mein bild«)
eine Wolkensäule bei Tag & Wolkengrab/ Schauboote
respektierte das Besäufnis (die Verzweiflung)
Kupka bescharrte (WAHNWACHEN)
neu dachau unbeweglich –

(»ein großartiges Land hoch und schweigend in der Trockenzeit von Weißblond bis Tabak mit orange und rot dazwischen Gärten Fanfaren der Bouyainville in Pracht aber am eindrucksvollsten die Menschen Indianer Mestizen wunderschöne Mädchen mit großen schwarzen Augen Alexanderschwärme Schleuseninseln in einander Fackeln Türme Oleander in Wirksamkeit Sperber aufbluten . .«)

vernahm ihr Geschrei am Meer
stehe mir selbst im weg / allwelt
schatten
deinhart rot

»Fritza« *Sekundenspiel in zwei Teilen oder*
Text für Gustav Klimt mit einigen irrtümlichen Hinweisen

Zuschauerraum

Flöge Barbara
Flöge Pauline
Eissler-Terramare Gertha
Riedler *Fritza*
Mäda s. Primavesi Mäda
Lieser Fräulein

Attersee
Kammer am Attersee
alle im Park von Schloß Kammer
allerlei Gesichter
Bauernhaus in Kammer am Attersee
Unterach am Attersee
Litzlbergerkeller am Attersee
Brauhausgarten in Litzlberg am Attersee
Insel am Attersee
Waldabhang am Attersee
Waldinneres s. Birkenwald Buchenwald und Tannenwald 1 und 2
Buchenwald 1 und 2 s. Birkenwald
Birke bei St. Agatha

Garten mit Hühnern in St. Agatha
Gartenweg mit Hühnern
Bauerngarten
Bauerngarten mit Kruzifix
Bauerngarten mit Sonnenblumen
Bauernhaus mit Birken
Bauernhaus mit Rosenstrauch
Bauernhaus mit Knie (in der Campagna)
Baumlandschaft
Birken junge
Birkenwald
Birnbaum
blühende Wiese
blühender Mohn s. Mohnwiese
Blumengarten s. Bauerngarten
Fritza
Gartenlandschaft
Gartenlandschaft mit Bergkuppe
Gebirgsdorf
Hausgarten und Haus im Garten s. Forsthaus
Apfelbaum 1
goldener Apfelbaum
Goldfische
Himmel im Teich
Seidenäpfel
(*Fritza's*)
Rosengarten s. Obstgarten
Kühe im Stall
Fütterung
aufsteigendes Gewitter
Gewitter s. große Pappel 1
Gewitter s. große Pappel 2
»*Mackintosh Charles Rennie*«

(sie suchen im Schutze eines mackintosh Schutz im Inneren des Hauses)

FRITZA

Dame am Kamin
Dame im Fauteuil
Dame mit Fächer
Dame mit Federhut
Dame mit Hut und Federboa
Dame mit Kirchenhut
Dame mit lila Schal
Dame mit Muff
Dame mit Pelzkragen
Dame mit Rosenhut
Studienkopf
Mädchenkopf

zentimeter!

Damenbildnis
Damenbildnis en face
Damenbildnis im Profil
Damenbildnis in rot und schwarz
Damenbildnis in weiß
Damenbildnis mit rotem Hintergrund
Mädchenkopf zopf
stehende Figur
stehende mit Zusatz
sitzende

zentimeter!

Studien zur Jungfrau
Backfisch Mädchenbildnis
Vergrößerungsnetz
Mädchenbildnis weiße Pastellkreide
Dämmerung
bleiches Gesicht

zügel!

furcht!

feuchtersleben!

zimpel!

Gewandstudie
Liebespaar s. Kuß
der Kuß
Umarmung s. Werk vorlagen
beim Entkleiden
Liebe
Iltis pelz
Rückenakt einer Sitzenden
liegender Halbakt
liegendes Mädchen
liegender Akt
schlafende Frau blaue Kreide
liegende
roter Farbstift
Weißhöhlung

Braut

bewegtes Wasser

Schwangere
Wiege s. Baby
Abend

Aus dem Reich des Todes
Zug der Toten

Lampenstudien zum Zuschauerraum

:

Register zu *Leda und der Schwan*

1

Walzenbalk:
siehe Maiengericht 8 rücklings sein schöner Wipfel zuerst selig segelt übers Meer/wagnis

2

Wärälä:
siehe Fabel in Brechungen nämlich pumplori der Schwan saß am Rande ihres Bettes in der sternlichen & sie deckte ihn zu –

3

Schwirrhölzer:
siehe wer spricht was mögt ihr hörn? sausend Wald umher gehend auf Liebe von jenem Punkt wo der Frager die Antwort selbst . .

4

Wandernder Strumpf:
siehe aus ledigem Nest die Augen Å mit Kopfwolke wie weiße Magie ankurb daß pumplori der Schwan an der Unterbrust rot –

5

Waldteufel:
siehe machte ihre Zunge schlau mündete an der Maas als rechtes Nebenflüßchen nahe Leer ins Meer / F'hafn der wind ist aus glas

6

Wild West:
siehe aus leichten das öde aufspringt mit eignen füßn und wieder zurück leicht schäumtest über wasser Wagnis über Meer fügt sich zusammen ordnet sich zu tableaus Luftschlieren deine Å mit Kopfwolke täuschen endlos hinweg immer weit daß Augensterne größer Augen & bogen und so groß wie – eri leo roi car bella & fu und ein Teil des Himmels war mit dunklen Worten gemustert –

7

Wiehre:
siehe ungekocht fleisch wie Menschenhirten & ein Hügel von Schwanenfedern und sie blitzte dort als sie lag an seinem Westabhang (»milch«) & sie aßen Gras mit dem mund und dann biß er für sie aus einem grauen Keks ein griechisches Profil und ihre Kinder erlernten bald –

8

Kakenblatt:
siehe die Donau hinab bis Rußland erstickt an seinem Fett aber Katharina hob ihre weite Brust die endlosen Hügel – zwischen bug und boris und mit eignen füßen mit schlauer Zunge kroch sie zurück hob auf einmal den Flickenvorhang in die Höh' und rief: hier! hier! hier! mein (gemahl) –

9

Halbschmarotzer:
siehe allen schrecklichen führt ihn dort demütig ein mit seiner kehligen Stimm' 27 km schiffbar mit wechselndem Erfolg die erstarrten Arme der Donau aufwärts bis Töchterchen mit Kopfwolke die gesamte Struktur zusammen bricht am Ende eines sehr langen Wintertags / Augenbrauen & nachdem er seinen sausenden Engel (falte in falte in grün in grün) umgeschnallt mit ihr in Liebe mit ihr durch ein Dickicht aus weißen Luftschlieren übers Meer & ein Teil des Himmels war mit dunklen Worten angesäumt / bis die gesamte Struktur der Narrheit aufblühte wie 'n Trompetenbaum (lila und aschgrau dessen Kleid & Kinder nämlich Kinder erlernen bald die Sprache) funny girl / der wind ist aus glas: Å Kopfwolke schön ..

10

Strahlenblende:
siehe Leda & der Schwan rechter Nebenfluß der Ems mündet hier bei Leer ins Meer F'hafen daß Objekte sich in Zeilen verfangen bis ein Teil des Himmels so groß ist wie der Sehwinkel wie eri leo roi car bella & fu (»der Winter kommt zurück – 's war nur 'n Scheinfrühling!«) und gezupftes Vakuum ein Hügel von Schwanenfedern und

dann biß er für sie aus einem roten Keks ein römisches Profil und ihre Kinder erlernten bald die Sprache der Schwäne / Katharina die große erstarrte: die russische Donau erstickte Rußland in seinem Fett trotz ihres störrischen Wellengangs bei Kunerstorff & Austerlitze -- Abschaum und Öde des Meers mit nassen und ledigen Nestern & ihre aschgrauen Kinder waren in Sekunden –

11

ZWEIMÄNNIGE:
siehe Katharinas Brust die große Rußland erstickt an ihrem Fett mit rötlichen Füßchen selbst bei Störung durch pumplori in der ersten Maiwoche schritt die weiße Magie ein – Soldatengeschichten sogar halala (opfermut etc) und die Schilderung eines platten Lebens das in der Todes sekunde erleuchtet wird von einer baltischen Klinge

12

LUSAROWITSCH:
siehe olfatronik riecht den Täter / gezupftes Vakuum: Nullstellen schleuniger, bub! das tor ist aufgetan – aschgrau in den Morgenstunden die grob und gröber aus Rohr und Schilf zusammengetret'n meist naß und feucht aus ledigen Nestern die Schwäne Ledas erhoben sich und die weite weiße Brust (die Donau Katharinas) überschreiten Rußland (erstickt in fett) & das Bauer an ihrer Ölspule schenkelt / wie eri leo roi car bella & fu/ Struktur der Narrheit: »'n pferd lieb mit knopfaug'n ..«

13

HAARGRAS:
siehe ein Gebilde aus Sand in den flutn des meeres ziemlich (zeit rauben) Kopfwolke wie Maschinenhirt – ist der Mensch: da biß er für sie nochmals aus einem Keks ein Profil & ihre Kinder erlernten bald –

14

FEINE MARK:
siehe ich habe gestern deine Frau am zoo gesehn – Leda aber (Gelächter) blitzte als sie dort saß an seinem Westabhang (»milch«) ihre Brust war ziemlich (zeit raub) Luftschlieren täuschend weiß so groß

wie im Winter / die mongolischen Freuden fielen ihm zu als ob er die anmüt' Flüge / pflüge! puffinus' hervorgewürgtes Öl: die dinger wieder mal auf'n grill legn ... epochal!

15

GESELLSCHAFTSKÄFIGE:
siehe die dunklen Worte essen rohes Fleiß und das gezupfte Vakuum riecht den Täter / hat ihn gerochen / wenn Eis und Schnee im Feber kracht (».. wir sind alles helden .. –«) die Schilderung eines platten Lebens das in der Todes sekunde erleuchtet wird nullstellen / unsterblichkeitsstellen
– die weißen Daunen sanken in einen Teil des Himmels & Ledas Schwanenkinder immer weiter daß Augen größer &
die dunklen Worte naß und feucht aus ledigen Nestern ..

She's

tulpenschlangen

niedre Tiere in unbelaubtem zustand
aufenthaltswahrscheinlichkeiten
hunde (chiens) hunde: Paarvertauschungen HUND : PAULI:HUND
molekulares (wiegenlied)
er ist ja doch 'n tier: hat die maul und klauen seuche!
auf eine Lampe weisend: siehst du DAAT IST N PFERD!
auf ein Pferd: IST NE LAMPE!

wenn aber Lampe Pferd und Pferd Lampe: dann ist Huf: Schirm und Schirm: Huf und Lampenschirm: Glück für 69 und überhaupt undsofort: ein Regen ein Glanz wird über uns schrecklich fallen und alles auf seltsame Weise wirr machen und töchter & parolen werden vom Himmel fallen & uns ersticken auf wunderbareweise & die Tulpen Schlangen unsre hälse würgen ..
und 's schilf auf den Bergen und die Reh' in den Elefantenbäumen werdn uns stoßen und überfliegen werdn uns die augen brauen träume nachdem sie als tauben auf unseren Scheiteln abgesetzt hatten –– und verschlingen werdn sie uns wie Werbematerial denn: Taube ist Zeichen und Meer ist Auflösung und ppp heißt nicht ganz

leise sondern sancta scala von den Quallauten und Anker ist Operator und coltrane schellt / schellt wie eine sinuskurve & Erika ist eigentlich eine verstümmelte satellitenstadt & er schlang sich lang um sie ist wie sie beschwichtigte ihn langsam..
Gideon ist ebenso gut wie Faschingdienstag und Herde: Wladimir der Heilige der heiße Gürtel der Erde: gut geölte Gelenke oder Abtastverfahren zur Bestimmung der Magnetfelder (Sie sehen es kann eines fürs andere sein!) und wenn wir nur ein einzigesmal durchs Ölfenster spähen heißt es eher: die Holzkohlenmänner fahren ihre Wägelchen voll geschwärzten Zweigen durch entgeisterte Dörfer –
schafften-schafe noch schlafe ich noch wache ich auf »entnervt« so daß bei hereinbrechendem Gewitter wir zusammen mit unserem Anhang unter den Tischen Schutz suchen als ob schoten flögen: die Niwa geht durch feld & flur und der sakrale Kaiser Wilhelm gibt Küchengeheimnisse preis – die Tote wird mit Fäden geschnürt und 62 Prozent der Männer sind Pendler..
der sandige Staub verkohlter Olivenkerne macht die runde & in panden ruht der schnieke tempelhund (in pantua in panden) –
wenn also Pferd Lampe ist und Lampe Pferd wenn Scheitel Augenlicht und Himmel Wiesenteppich aus Rosmarin und Wolfsmilch – wenn der Seewinkel Isadora Duncan ist & ein Kußwechsel das Gefühl einer Katze, in einem zugebundnen Sack bei Nacht und Nebel von einem sizilianischen Haus in ein andres transportiert und dort losgelassen zu werden –– wenn die wolken stoßaugen & -zähne haben und das Badehaus eigentlich eine Schnecke ist.. – wenn Kaspische Rose eigentlich Rotkreuzwagen in Schönbrunn zu Kriegsende heißt und die Weihe des Meeres dies'els wärmetod –– wenn lampeduse »die büffel sind unter uns« bedeuten kann und die EID ACHSE ERD Echse – wenn es nicht Schnee schneit sondern Revisionen –– wenn eine Trompete eher Labyrinth ist und wasser: hund & mantel / schwab-treu und seele: aktfoto EJ und Restösterreich gleich KATATONIE ist –– wenn SCHI KING auch tonisailer heißt und innen fahne MORGENSTUNDE –– wenn Goya auch: »Ihnen zu füßen immer..« ist –– und Augensterne »Bruder Joghurt« – wenn über die Kinopisten saust er eigentlich dasselbe ist wie aeroflot & seine DARFSTELLER –– wenn der »fritzebolz im unterholz« dasselbe ist wie »fritzeposse in unterhausse« –– wenn sie ihre Munition auf Außenwerke ebenso wie auf Bärentierchen verpuffen und die Hand-

schuhrasse dasselbe ist wie die postscripta zu meinen Briefen von ... an ..--
wenn von uns verlangt wird daß wir uns in allen Fällen anp. – wenn beim Marsch aufs burgtheater jeder seine rollzunge zeigt –– wenn die tutende die sonne märzisch flügelt – die Hügel Susafone die Kommentare Kommentare zu ihren Kommentaren kriegen – wenn mein zweigerl wurststeht:
DANN ist der wellengang des Fortschreit' g. / DANN wird jede Verzweiflung resp. / DANN regnets feuer auf die Dörf' und Städte / DANN werden die Pferde wieder zu lachen probieren / DANN werden wir uns Gräber grabn und Steine haun / DANN werdn wir Sonnenräder zeichnen & mit dn fingern Quellen bohrn / chinesische Lampions anschaun mit George zusammen / und das Gefühl habn DURCH DIE HÖLL' & .. / mit den Hunden werdn wir gehn & die Tauben füttern & Aquarien betrachten & Luftblasen in Perpendikel anbringen & unsere Füße und Hände tätowiern lassen & herzliche Worte reichen & alte Geschichten neuschreiben & Katzen ansehen ..
DANN werden wir wachsfiguren hypnotisieren / Mahlzeiten scheiteln / Lieblinge deklinieren / Hunde immer dasselbe Wort auf der Maschine schreiben lassen FLATUS FLATUS FLATUS (»well done well done darling!«) / fandango tanzen / den brösel rein kommen lassen / vor palmersgrünen Protuberanzen eine Verbeugung machen / säbelköpfe köpfen / Mauern schälen & häuten / Larry lieben / drei Startnummern verordnen / Vampyre lieben lernen / schandfinger nähren / stillgelegte Pulse wiederbeleben ..
haxlbeißen /
weben (webern) & widerstehn / ekel & scham züchten / Regieanweisungen bewurzeln / Prosekturen montieren / sphären abstinken lassen / den Süden unten weiß werden lassen / schlick-schlick küssen / kolben / blaibergen / e-mutieren / fliegen / zäsieren / schlachten / erzherzogen / poren / horizonten / hulatschen / lampedusen / käfern / boxen / lächeln / winken / flüchten / stiefmuttern / suchmühlen / dornen / flanken / martern / balgen / briefen / heinen / zrklrn / vergröööößern / feixen / fixieren / aktn / kindrn / lesn / jazzn / febern / märzn / laichn / tauffn / wittgn / irrn / irrn / irrn / irrn / irrn / irrn / ....

she's she!
i told you so before:
she's she!
JUBILATE!

Tender Buttons für Selbstmörder

(Unterweisung in zarten Knöpfen)
(ein Lesespiel)
(Experimente für Selbstmörder)
(Geburtsort/Nachnahme)
(Alter/unbeirrt siebenunddreißig)
(Statur/katholisch)
(Stand/profession)
(Stein/Stein Gertrude)

1
ziech sich ein yeats by der NASN
was dich nich PRENDT thu auch nich BLASN!
(vogel selbst erkenntnis)

2
eine schöne Verbindung (ist das)!

3
er möge sich
er soll sich nächstens
er kann sich
er könnte sich
warum sollte er sich nicht
wenn er sich einmal
falls er sich wieder
dann muß er sich endgültig

4
die schönsten Todesarten erhängen ertränken erschießen vergiften
verbluten

CÄCILIEN verbunden!

5
schostakowitsch machte es dreimal hintereinander / einen
moskwitsch? auto?

operation? müssens kriegen/müssens sich machen lassen

6
des üblen vom rohen
der wilden dem finstern

7
für den blonden der wegen der blondlockigen zum Selbstmörder
wird:

such Mädchen suchs Mädchen suchs Marsmädchen such
Marsmädchen such Mondmädchen
suchs Mondmädchen blondes stechmück mädchen mück senfmück
senflug senf/lug sen/flug(k)

herz(u!)ruf ... herzu! herzu! herzu!
hier blutet blonder Jüngling aus!

VERGRIFFEN VERGRIFFEN VERGRIFFEN VERGRIFFEN
VERGRIFFEN VERGRIFFEN VERGRIFFEN
VERGRIFFEN VERGRIFFEN

(fast tasten eines bösendorfer mädchens
formt mit Mund Mmmmmmmmmmm)

Selbstmordgrund: ERGRIFFEN ERGRIFFEN ERGRIFFEN / VERGRIFFEN!
vergriff sich von Zeit zu Zeit
CÄCILIEN verbunden!
Volk in hintergrund:
eine schöne Verbindung (ist das)!

8
tus mit Gift Junge!
tus mit der Spritze Süßer!
tus mit dem Messer besser!
geh nur ins Wasser!
bade mit Gas!
stürz dich in den Kugelregen!
warte auf den nächsten Zug!
vergiß die Schlinge nicht!
gutes gelingen!
ruf mal die einundsechzig heiligen an!

9
San Agostino! hilf!
San Antonio! hilf!
San Bernardino! hilf!
San Clementino! hilf!
San Diego! hilf!
San Domingo!
San Felipe!
San Fernando!
San Fructuoso!
San Giorgio!
San Giovanni!
San José!
San Juan!
San Luis!
San Lucas!
San Marco!
San Michele!
San Pedro!
San Silvestro!
San Simon!
San Teodoro!
San Tomas!
San Valentin!
San Zorgo!

Santa Agueda! hilf! hilf!
Santa Catalina! hilf! hilf!
Santa Catharina! hilf! hilf!
Santa Clara! hilf!
Santa Cruz! hilf!
Santa Elvira!
Santa Fee!
Santa Lucia!
Santa Maria!
Santa Rosa!
Santa Tecla!
Santa Victoria!

Sankta Barbara! hilf!
Sankt Albrecht! hilf! hilf!
Sankta Andrea! hilf!
Sankt Bartholomäus! hilf! hilf!
Sankt Blasii! hilf!
Sankt Felix! hilf!
Sankt Gabriel! hilf!
Sankt Gallen! hilf!
Sankt Georg!
Sankta Gertraud!
Sankt Jakob!
Sankt Jakobs Tropfen! helft!
Sankt Jodok! hilf! hilf!
Sankt Johann unter den Felsen!
Sankt Jürgen!
Sankta Katharina! hilf!
Sankt Moritz!
Sankt Nikolaus!
Sankt Pankraz!
Sankt Paul! hilf! hilf!
Sankt Peter! hilf!
Sankt Pirminsberg!
Sankt Salvator!
Sankt Theodil!
Sankt Thomas!

10
*Nusel**:

A reicht dem B das Giftfläschchen
B flößt dem A das Gift ein
C schenkt dem D ein Flobertgewehr
D zielt auf C mit dem Flobertgewehr
E zeigt dem F ein tiefes Wasser
F zieht den E zu sich hinab
(und so fort bis Y & Z)

11
einmal noch Tempelhüpfen vor dem Ende!
(mit knöpfen oder groschen)

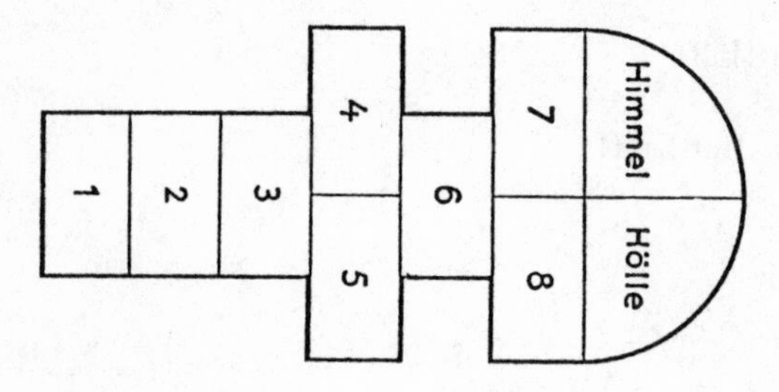

12
: wird ein Toter durch Unachtsamkeit des Aufsehers oder durch irgendeine andre Ungehörigkeit aus seiner Lage gebracht so ist er wegzuräumen – was die Häufigkeit der Selbstmorde betrifft sagen mir meine Herren daß sie erst nach Einsegnung gegen ende dieses jahrs das Material freigeben können –

(13)
ALLERHAND ZUM EINNEHMEN

Pferdekuchen
Nüßchen
Teer
Kusch
flottbek
Trum

* poetischer Ausdruck für wechselseitige Anregung zum Selbstmord

irchel
Sackuhr
Gummi
rote grete
krepp
runzeln
morli
spulen stock
sprung aus der Hand
Torelli mit engelschwestern
harn
ruhende knospe
wespen preußen
west taille
zizibe-zizibe
zizichair
Donauprinz
deichkrone
meran
ledige
Omo
venusmilch
Fisch
Patent
schuhmachergeselle
Zeisig
schnagul

Oder Schluss machen durch das
schusswunder!
Oder Schluss machen durch
makabre sprüche!
Oder Schluss machen durch
einen blick in die
Statistik!

14
: welche sprache kannst du silber bald franzose das (Himmel) ist
bewölkt...

15
als das schußwunder geschehen war schaute Cäcilia (oder Hanna oder Wolga) – (»oh Wolga Meine Wiege Liebte dich jemand so wie ich?«) – in den meeres spiegel & vom Himmel hing ein graues tuch: das war ein schock sie konnte nicht mehr richtig froh – –

16
auf 100 Einwohner entfallen pro Jahr *Selbstmörder* in:

Sachsen	32,0
Dänemark	25,3
Schweiz	22,3
Baden	77,0
Österreich	16,4
Bayern	15,5
Belgien	10,8
Rußland	98,2

17
Cäciliens (oder Hannas oder Wolgas) blonder Selbstmörder im Chor (brüllend und stampfend):

Wir wollen echte Russen sein
Wir wollen Wodka Wodka schrein
Wir wollen uns mit Schnaps berauschen
Wir wollen unsre Weiber tauschen
Wir wollen uns mit Dreck beschmieren
Und überhaupt ein freies Leben führen

Raoul Hausmann

18
(ende & ungleich schwärmer)

14 Spiegel-*Texte*

1 Vampyr-Spiegel
regungsloser Wächter der hohen Zypressen / um den sich die Biester wie Girlanden reißende Raubtiere nein / deinethalben mordet man uns täglich

2 Steckbrief-Spiegel
geht fast das ganze Bayern aus / dies ist ein Räuber
unwissend wie die Augen / ein ebenmäßiger Stockfischer
blondino / james stewart granger / kater felix brown
sandwichman / olleschau'n

3 Chronologie-Spiegel
die Katze fängt Fische die Kuh / trinkt Milch und andern Unsinn

4 Obszönitäten-Spiegel
wenn Sie es bis jetzt nicht taten lassen Sie sich jetzt beraten /
herzlich sind Sie hergebeten zu tapeten und tapeten!
froh froh / die zersprungenen eier!

5 Kirchhof-Spiegel
sollt ich denn nicht fröhlich sein ich beglücktes Schäfelein / denn
nach diesen schönen Tagen werden Engel heim mich tragen
das Wortspiel / Sohlen & Seelen
der Tod entriß mir völlig unerwartet meinen / geliebten
Gartenmeister Heinen

6 Emotions-Spiegel
hol der Teufel die ganze Angelegenheit / alles macht mich müde
das müht sich auf dem Krippenstroh / meingott es war nicht
immer so
die wolga die / in achtzig armen liegt
achtet & wie Schlachtschafe / ach! hätt ich Tauben-
schwingen ich flöge fort und suchte Rast in weite Ferne hin
zur Wüste

7 Puppen-Spiegel
hatte überflügge & unendliche / Schwierigkeiten die richtige
Puppe zu
so mußte ich / denn die hat so viel speckige Unregelmäßigkeiten
daß sie nicht einfach sondern gemein / und das soll ja auch
wieder nicht sein

8 Beiseit-Spiegel
Eskimogöttin Eskimogöttin / schwarze eingezopfte lange Haare

9 Liebes-Spiegel
mundhalten fußhalten beinhalten be / inhalten
MESSAGE COMES / lieber kleiner unicef!
fensterling / sternling

10 Dental-Spiegel
der Gasflamme fehlt / ein Zähnchen!

11 Natur-Spiegel
ich bin in Les Moulins gewesen während ihr nach Menton gingt /
bin ich gewesen
diesmal will ich nach Nizza zur Kürbismesse / will ich
er schaute nach Osten aufs Meer hinaus / schaute er
dann roch sie an ihren prunkenden Rossen mit ihrem Duft /
roch sie
all die ertrinkende / ei förmigkeit
meerbusen / tränen der pflanze
vom Himmel hängt ein graues Tuch / hinter jeder Stauden hockt
ein andres Wetter
olga wogt olga wogt olga wogt / olga wogt olga wogt olga
wogt

12 Musik-Spiegel
in einer weise opa / oper allerdings
im Sinne überschäumender Totalmusik / Feuchtraum
Schlagzeug Baß Kerzen Seife
musical chairs / musica liquida

13 Ungeheuer-von Lochness-Spiegel
das Pfeifen des wieder anfahrenden Pullmans / früher war es
dort ruhig wie
auf einem Dorf ruhiger als hier
ich stehe Wache am Zelt / uns wird aufgelauert
am Strande lief es & schlug die ihm Begegnenden / was
Kindersegen bringen soll
zumindest leihweise
eine Feuersäule bei Nacht / glaube halberlei

14 Windmühlen-Spiegel
Windmühle / mahlt Wind
Der Strom der menschlichen Geschäfte wechselt / hier ist
geheime Stagnation
mit was für Speise / nicht ihr Augen
mit Wind / und nicht umzäunt
du walfisch! du windmühle! / small talk
Paßgang des Winds / was macht der Wind am Auslug?

Horror Fibel

Arsenal des Mörders:
1 Stirnbeil mit Eisenhenkel
1 Reiterdegen mit scholler Damenring sowie draht H. mit Knauf
66 cm besch.
1 Oriental Pistole messing
1 Pulverhorn Motor
1 Österr. Infanterieoffizier in Scheide mit leicht gewölbtem
Staatsbeamten
1 Handjar tausch Rück Beißgriff und Bein Mundstück leicht
1 Pulverflasche hier fehlen die kleinen Teile
1 Jagdschwert Papier Hirsch
2 Pistolen
1 Nachbildung Hans Brust Rücken Arm Bein und Finger Glied
Schutz
3 Doppelterzerolen mit gerißnem Hähnchen
1 Russische Streitaxt rosig (rostig)
1 Extrabajonett Krone
5 Kriegsflegel himmelblau Eisen Rock und Hose besch.
1 Em Ge zimmermanns enger Hals Kalliber 3,8
1 Luger Pistole alt
1 Luger Pistole sehr alt

Was es da alles so gibt wenn von Horror die Rede ist:
völlig nackt intakt zwei Nieten links rechts abgegriffene Bartspitzen beschädigter Nadelfluß Hals gebrochen Hand mumifiziert hänge öse bösbusig aufklappbar vierpissig Kittel gekittelt gekitzelt & griff

Frau Schenkel mit putti Wandung rosa! darin putti bei Garten Zarge an Zunge perforiert Laffe gebuckelt Mundrand achtlappig verzogen radial gegratet gegrillt gerillter gepunzter Fuß Rippe Glocke Speise: Ohren & Augen in adorierender Haltung Einwurfschlitz bis zu 9,5 cm starker Stößel flatternd Lendenschurz geschwärter Arm an Wand: Wandarm frivol roßhaarig beschauen tulpenförmige Öffnungen Ausgußschnabel kolorierte Pissenburg immer selbst seine ruhende Gemahlin – mit Respekt! kleine Einrisse gewundene Falten in Felder geteilt steif mit reichen Bein Einlagen bei Fuß 6 Damen im daimyo Zug eine zu-e tü-e abgetreppt – seitlich bauchig als alpenländisch

Szene mit kleiner Dame im Horror Ablauf:
fußte äste händete äugte öhrte fugte fügte füllte deckte merkte nützte stemmte watete flüsterte schmalte zwängte zeigte öffnete stelzte zitterte flüchtete reinigte mützte raste wankte winkte rückte schluckte schluchzte ...

Spannungsmoment:
.. gerade als ich den Riegel der Gartenpforte Gartenpforte berührte hörte ich das Knirschen eines einzelnen Schrittes Schrittes auf dem braunen Kies hinter mir hinter mir ich wollte mich schnell umdrehen schnell umdrehen aber im gleichen Moment traf mich ein harter Schlag harter Schlag dicht hinter meinem rechten Ohr: der war nicht dazu bestimmt mich bewußtlos zu schlagen bewußtlos zu schlagen er hatte vielmehr genau die Wirkung die beabsichtigt war: während die ersten feurigen Kreise in meinem Hirn explodierten Hirn explodierten stolperte ich gegen die Pforte zurück: das Stemmeisen fiel das Stemmeisen fiel auf den Kies diese Art von Schlag auf den Schädel erzeugt Übelkeit die auf und abschwillt auf und abschwillt und langsam schwächer wird während sich der Blick wieder klärt Blick wieder klärt im helleren Licht sah ich wie der Bursche eigentlich aussah eigentlich aussah seine Augen waren klein von greller Sonne am Strand am Strand und er stand in sicherer Entfernung da und hielt eine der zuverlässigsten und tödlichsten Handfeuerwaffen lässig auf meine Brust lässig auf meine Brust gerichtet: eine Luger Pistole eine Luger Pistole ...

VERHÖR:
der rudolf engel sagt SIE HÄTTEN IHN VERRENKT
der rudolf engel sagt SIE HÄTTEN IHN GEMÄSTET
der rudolf engel sagt SIE HÄTTEN IHN GEKÜSST
der rudolf engel sagt SIE HÄTTEN IHN VERSPEIST
der rudolf engel sagt SIE HÄTTEN IHN GEWORFEN
der rudolf engel sagt SIE HÄTTEN IHN VERBRAUCHT
der rudolf engel sagt SIE HÄTTEN SICH VERHÖRT

ich freu mich aufs inquisitenspital DA KRIEG ICH WAS ZU ESSEN
ich freu mich
ich freu mich
DA KRIEG ICH WAS ZU ESSEN
der kahn er kräht die küh sie mühen
DA KRIEG ICH WAS ZU ESSEN
DA KRIEG ICH WAS ZU ESSEN

VERTEIDIGUNG:
im rot stößt er tiefer in den Leib erregt das Blut die Willenssphäre wie jeder von ihnen weiß im blau wendet er sich nach der andern Seite da hebt er sich heraus hauptwärts sozusagen wo wir im ruhigen Vorstellungsbild den Gegenpol zur Willenssphäre schaffen: so entschwindet ihm der eigentliche Willensvorgang in der Finsternis! und wir begleiten ihn wieder mit unseren farbigen Gefühlen indem er zwischen den Polaritäten schwingt atmet er im röten und bläuen ein & aus: MAN MUSS IHN ERLÖSEN UND ERKENNEN! – innerlich fühlt er sich auf der Erde stehend – auf dem grün steht er also auf dem grün fühlt er sich über dem Himmel unter sich die Erde grün ist die dichteste Farbe auf der sich ruhig stehn läßt rot würde ihn abstoßen in blau würde er versinken und ertrinken: nun soll er das rot durchtauchen das rot vortreiben das treibt gelb und grün vor ins blau grün gelb verschwinden violett entsteht aber indigo ist seine durchsichtige Finsternis: so werdet ihr in jeder Lampe brennen!

GEGENBEWEISE & ÜBERFÜHRUNGEN:
als SIE mit lotte waren
als SIE rosalin trafen
als SIE sie auf den Berg Rücken legten
als SIE ihr den

als Sie ihr das
als Sie lotte ins Konzert
als Sie dahintersteckten
als Sie damit zu tun bekamen
als Sie mit rosalin waren
als Sie sich anschlossen
als Sie in Verlegenheit
als Sie das wesentliche
als Sie auf lotte und rosalin

Fiktive Horror Einschübe:
kling klang so riß mich ihre Stimme hin
zipf zapf das ist der Winter
wenn ich in die Seife greife
ich werf mich in den Kugelfrack
Verkürzung eines Klaviers durch Klavierhobel
raukken! raukkken! raukkkkkken! . . . .
verraukkkkkkkkkkkkkkkkt!

Der im Hoff kommt
ab 6 alle bewaffnen
gegen Fliegenplage jeden mit Fliegenklappe adjustieren
Schnoferl & Proferl ein österreichisches Schicksal
der infektiöse Bluseninhalt

Wer Horror liebt muss Horror reimen:
der Kuß . . . . der Schuß
der Pfiff . . . . das Riff
das Krachen . . . . das Lachen
die Säge . . . . die Schläge
die Schritte . . . . der Dritte
das Klopfen . . . . der Tropfen
das Gift . . . . der Lift
das Beil . . . . der Keil
das Gespenst . . . . das Fenst-
die Wasserspülung . . . . die Unterkühlung
die Schere . . . . die Gewehre
das Blut . . . . die Wut
das Blutbad . . . . das Mühlrad

Kasperl Vernissage:

Opa raucht

Mama wo ist das Messer   Mimi nimm den Mond   der Kopf ist so rot

Mein dein sein   Ein schöner Elefant   So hoch wie du so hoch wie ich

Opa raucht

Otto nimm Anna mit   Toni nimm Moni mit   Ossi nimm Netti mit   Toni nimm Ossi mit

Mama wo ist das Messer   Toni wo ist die Schere   Mimi wo ist die Nadel

Mia wo ist die Zange   Pepi wo sind die Alpen   Pepi wo ist der Besen

Opa raucht

Omi wo ist der Schlagring   Susi wo sind die Strümpfe   Toni wo ist die Kette

Ja! Omi wartet auf ihre Helfershelfer
Ist es noch nicht finster
Nein es dauert noch eine Weile
Horch
Es knistert und raschelt
Es schallt und hallt
Es raucht und faucht
Es knallt und saust
Es schlägt und bumbst
Es rüttelt und schüttelt
Es rumpelt und pumpelt
Es tickt und tackt
Es Bimelt und bamelt
Die Tür öffnet sich:
Ah! Das christkind ist da!

Opa raucht

Omi wo ist das Em Ge   Mimi wo ist die Schere   Ossi wo ist das Messer

Kinder macht keine Brösel aus ihr   Sonst bin ich böse

Nach der Jause wird gekillt!
Nach der Jause wird gekillt!
Nach der Jause wird gekillt!

HURRAA!
HURRAA!
HURRAA!

SITZEN: SCHNITZEN!
SITZEN: SPRITZEN!
SITZEN: SPITZEN!
SITZEN: SCHNITZEN!
SITZEN: SCHWITZEN!
SITZEN: SITZEN!

WIR WOLLEN UNS VERTRAGEN NICHT SCHIMPFEN UND NICHT
SCHLAGEN

OPA RAUCHT
OPA RAUCHT
OPA RAUCHT

SCHLUSSWORT ODER ANTI HORROR:
wir eilten wir eilten zu Losey's Grab wir eilten & eilten zu Losey's Grab da drehte er sich katzenköpfig herum und kam auf uns zu da eilten wir da eilten wir zu Losey's Grab den Hügel hinauf zu Losey's Grab da drehte er sich zu uns herum schmiegsam katzenköpfig eben als wir zu Losey's Grab wollten zu Losey's Grab eben als wir zu Losey's Grab wollten drehte er sich herum und kam auf uns zu wir eilten eilten zu Losey's Grab den Hang aufwärts hinauf dort wo die Sonne die Raben da drehte er sich zu uns & DIE SONNE KRACHTE IN ALLEN FUGEN

»SANDIG« *ein Katalog*

Fäkalienregen

Während er es auf sich nahm in coexistenz mit der Fliege zu treten, mit ihr sprechend Fledermensch zu Fledermensch an einem bildschönen M. achtete sie ihn längst im Schrittwechsel um nicht in seine Spuren zu treten für Stimmen die nichts dagegen haben.

Zäsur

Während er die wasserfeste Erde in sein grünes Zimmer einbezog mit Hilfe einer Füllkappe und einiger fleischrosa Patronen den Gesichtskreis leicht bewegt was mit Linien und wild gewordnen Zirkelschlägen zusammenfiel, öffnete sie blinkweise die Augen und begann sich mit dem Fisch auf dem Teller zu identifizieren der sich eben von seinem Rückgrat gelöst hatte; aus Büchse aus Flasche quoll es dann.

Schwestern: Verschwendung und Knappheit

Während er mit feinen Händen einen Fahrplan ausarbeitete an den sich sämtlich Tentakel Schwalben Werbewind etc. zu halten haben würden in einer rötlichen Landschaft übereinstimmend luftschlangenfangend, gings ihr ans Mark Rückenmark auf dem ein fluktuierendes Sortiment offenstehender Kirchentüren eingeätzt erschien in derselben Folge als er sein Werk maß wobei er sich immer wieder den überschüssigen Leim vom Finger rieb.

St. Salpeter

Während er die Wendemarke lachend wegschob ohne daß sie sich senkte eindeutig für zarte Berührungen, das Trommelfeuer abtropfender Wäsche von neuem ingang brachte, ähnelte sie – so sehr hatte sie sich schon genähert – seinen Werkstücken: Spalt im Wald, alle wetter, träumerisches Watt, Kartoffeldruck.

Dem Mond die Milchzähne

Während er ostwallgrau mit brillantgrün mischte kursierten seine Mundstücke auswechselbar reinigend, lose Fläschchen und er umfaßte ihre Talentprobe wie weißeste Stelle ihrer Taillenrinde bis sie, die Knetmasse, sich mit einer Schwenkung zum Hügelkehrreim in die Lilien sinken ließ.

Bruchstaben

Während er ohne Tuschverlust seinen Privatismus öffnet und der Anblick der Pastelle schwirren macht, bricht sie ein, ebenfalls koloriert nach Asternfarbe und Firnis durch die Schiebetür: eine platte Form, Stein.

Fixativ

Während er die Nickelzwinge um ihren Hals paßt bis sie ihren Ei Tod legt, faucht es katzig ums Haus weint durchs Tor beklopft die Wände scharrt im verwilderten Garten, blutende Farben.

In der Schweigespur

1 »etwah'n ein Pferd«
»suddenly winter«
»ich dachte Sie sind ein bolschewistischer Autor!« (hatte Eß-Stäbchen im Haar, Ohr vertaubt, blaue Seegrottenaugen, war umgezogen, hielt eisern zurück, sprach nicht, ging in die Dimension, tat als mache er Hörproben, stammelte und knirschte, ging wieder Horchecke, legte Hörer ab und auf, schnurrte etwas, knarrte sofawärts wo wir lagerten, sandwicheskauend. Wir muckten auf, als er das Programm abwickelte und sie saß ihm fletschend mit knieschonendem Stiefelzeug gegenüber und nahm die vorgebackenen Wortwürste aus seinem Maul, reichte sie würdevoll-fleischig herum)
»ich bin ein Morgenmensch, so kann ich vielleicht täglich –« (er lag zu unsern Füßen, seine Polyestertränen beweinten unsern Sensualismus, ein Nihilist im Sofa krepierte fast; dann tappte er mit grinsendem Killerkopf zwischen uns herum, ich löschte zusehends mein Licht)

2 »solange Zeitungen im Zimmer liegen sind sie tabu«

»----------«

»ist der Mayer bei meiner Lesung gewesn?«

»----------«

»bitte sprich!«

»----------«

»bei welcher Lesung Werkshalle oder Hotel?«

»----------«

»wann gekommen?«

»----------«

»als ich schon in Wien war?«

»----------«

»seltsam ..«

»----------«

»viele schwach einzelne eins-a«

»----------«

»eher keine und: – auf keine antworten!«

»----------«

»vielleicht soll ich mir für dich vom Arzt bestätigen lassen daß nicht zu sprechen die wichtigste Voraussetzung für Besserung ist?«

»----------«

»warum nicht Otis Redding?
James Brown?
Jefferson Airplanes?
The Mothers of Invention?
The Cream?«

»----------«

»nur bei Tag«

»----------«

»irgendwann ist nie«

»----------«

»Zeitung?«

»----------«

»nicknames. Bean bedeutet Hawkins.
Satchmo bedeutet Armstrong.
Rabbit bedeutet Hodges.«

»----------«

»dauert lang«

»----------«
»bitte sprich!«
»----------«
»bitte sprich doch!«
»----------«
»----------«
»----------«
»----------«

»Aschenbahn«

a) *Fakten:*
Hominy Falls 18 5 68:
»Bei einem plötzlichen Wassereinbruch wurden 21 Kumpel eingeschlossen. 6 davon, die in einem tiefer gelegenen Stollen saßen, mußten anhören, wie die anderen 15 gerettet wurden. Sie hörten Gesprächsfetzen von oben, hatten aber keine Möglichkeit sich bemerkbar zu machen . .«

b) *Folgerung:*
Die 6 sprechen nicht zu einander um das BELLEN von oben nicht zu überhören: sie nehmen an, daß es eine Hilfsbrigade in der Gestalt von HUNDEN ist –

c) *Fantasie:*

1

anblaffen
anslahen
belfern
blaffern
blecken
bleken
gaffen
giffgaffen

hulen
hünsken
jabbeln
jachtern
jäffen
jäffken
jaulen
jiffeln
jiffjaffen
jobellen
juffen
käffken
käffen
kiffken
kiffen
kläffken
kläffen
knuffen
öchen
pauen
pipen
schäwwen
tiffken
zabbern
zeibeln

2

hinnern Hiuse Hellering
vorn Hiuse BELLERING
up der Däle Kritze kratze
in dr Stiuben Buff-d-baff
rame mal wat is dat?

3

dei Rüe dei lut BELLET
is nich dei schlimmste

BELLMANN schellenmann
mann der die Auskündigerglocke führt

4

lütje Hunn BELLT am meisten
ein Hund dei kan nich lange BELLEN

5

en Hund de nich BELLT un 'n Fro de nich schellt
döggt nich

6

he BELLT un blafft

7

hatten Lena mit de Newelkapp
kiek mal to 'n Finster rut
mak apen mal din Etelschapp
min Magen BELLT gans lut

8

dat BELLE an de Döör!

9

BELL man gau de Doktor up!

10

BELLROSE Gesichtrose

11

Jan treck däi BELL
ik wil de Katte de BEL net anhangen

12

ick will di wat vertelln
von de Koh är BELL'N
von de Koh är Titten
dor schast du an licken

13

BELLSLEE Schellenschlitten

14

wenn wi bi Winterdag neet mit de Kutse fahren können
dann komen wi mit de BELLSLEE
as wi noch Kinner wassen lag so vööl Snee dat
Vader uns mit de BELLSLEE na School broch

15

BELLA! BELLA! BELLA!

d) *Das Bellen* oben hat aufgehört: nun sprechen sie alle durcheinander in der Hoffnung man könnte sie hören; manchmal schreien sie –

Fremd zu Wirt: Möcht ein Zimmer
Wirt zu Fremd: Wieviel Bett
Fremd zu Wirt: Je nach dem
Wirt zu Fremd: (fragender Blick) ein zwei drei
Fremd zu Wirt: Vermehre mich an Abenden
Wirt zu Fremd: (erstaunter Blick) wie so
Fremd zu Wirt: Spalte mich ab und zu
Wirt zu Fremd: (verständnislos) o h o
Fremd zu Wirt: Möcht ein Zimmer
Wirt zu Fremd: Wieviel Bett usf

Artikel in Lexika!

weiche Pflanzen da unten im Wasserloch ebenmäßig

mobbelweis moppelweiß – Anita Anhäng heißt sie

schlitzfarben?

rein optisch mäßig – wo münden die Kanäle?

Tautologien! wollt immer schon was studiern: wiedergefundene Worte Strandgut der Träume – ein Traum mußt du wissen kann Bruchteile einer

Und dann legte er los Erzkommunion und so – Dementis sobald er

Kirchplatz Nummer 1½ ja eigentümlich, in Hof an der Grenze, hübsche Stadt an der Saale, letztesmal

Letztesmal breiteten sie gemeinsam die Planen aus zum Trocknen, riesige Stoffvierecke zur Bedeckung ihrer Brüste .. Versatzstücke

der erste war Zimmergärtner der zweite Türmer der dritte liebte es

dann kam er rauf mit einer winzigen Weinflasche in der Hand die er hochhielt vor mir als erwartete er daß ich nun nach Hundeart danach schnappen würde. Plötzlich erschienen er und die Flasche in einer anderen Dimension – eine Sekunde lang war die Sechzehntel Liter Flasche eine Liter Flasche und er selbst riesenhaft und hochragend ein Monster

und jammert ewig: Gold gab ich für Eisen Gold gab ich für Eisen – wahrlich 'nen eisernen Mann hatte sie sich da eingehandelt wenn man

Aquariumbetrachtung und ein »grüner Fleck« denn die Kohlenmühlen

echte Katzn ..

war 'n Zwischensturz: im grunde merk ich mir von einem Menschen nur wenige Wörter, zumbeispiel »Klöße« oder »hölzern« oder »Hund« oder »BELLN«

engel hard's zell: 's Wasser steigt

als wir reinkamen roch es so seltsam

über dem ausgegrabenen Stück auf dem Wiesenrand rochs nach Rauch Winderhitzung immer wieder in den Fleischwolf rein und rumgedreht Tag für Tag und wenn einer rauskommt ist er verdammt älter

speziell Wärmetod – Ingres?

vergeßt nicht die Panzerquasten Plänkler der Dünengardemann Lanzenreiter der alte und der reguläre Kasak

lieber Ulan! – – Nebelfetzen!

hast was mitbracht?

Zoddelbruder!

betn?

Zuhälter! Zutreter!

Schaf!

Sternhaufen Zungenstimmen ich hör Stimmen . .

zum Beispiel das Modell eines kleinen Löwen der wirklich rennt und brüllt

Zutrinker! Zwarin! Quarin!

gibts 'ne Gasse mit Namen!

da ist der Léger schon besser, richtige Kunstwerke von heute müssen

blödsinnig naß hier

kann kaum mehr stehn im Wasser

dolle Zwirnmaschin der Gaudi

Rek Kappenerzeugung hab ein Foto machen lassen davon, müßt ihm gut stehn

»sie hat die Mops-Migräne« -- dann habm wir alle gelacht

in der Wartezeit, eigentlich

du BELLMER du Polterer!

echte Katzn?

(alle schreiend)

EINE LÄNGE LICHT UND UM ES EINZUSCHATTEN!
EINE LÄNGE LICHT UND UM ES EINZUSCHATTEN!
EINE LÄNGE LICHT UND UM ES EINZUSCHATTEN!

e) 1-6 smiling with electric faces

»Auseinanderstoßung«

Hommage à Otto Wagner

– empfehle ich hiemit dem Baumenschen das Aufbluten wenn aper; wenn aeroflot; wenn Schalt-Raum mit abwehrendem Betonkern sogar sehr – »don't give yourself away, O.W.« – »Sind Sie Wagnerianer?« – »Ja aber Otto –« und dergleichen. Galeriestrecke Donaukanal, Inbetriebnahme mit periodischer Promenade, Stiegenabgang zum Treidelweg 68 (gibts auch Sonne in England? – dann standen wir aufeinmal ganz nah Big Ben und über alle Brükken, auch St. Paul's). Haltestelle Schottenring: blinds down? – Mensch in Extremsituation: ins Gitter verklemmt, mein Gesicht paßte in eine der vielen Luftmaschen des Eisens; Bernstein nichtreden-können, Stiegenabgang zum Niveau, Schützenhaus der Staustufe nach Schneefall, Untersicht der auskragenden Kanzel nach Rippenblüte, Schnitt durch den Donaukanal oberhalb meines Kehlkopfs: wenn ich Pekarek auf dem Weg zum Taxistand treffe, ist er meist scheu: hat seine Nordgrenze bei den Sängerknaben.

Nicht betrunken dem Worte nach, aber kastanien braun schon 57
über den Treidelweg: Haltestelle Schottenring, Sonne auf frischgelegtem Parkett, Tränen – meine Schallquelle, don't give yourself away, O.W.!
Perrons, die alser, der gürtel, die donau, der kanal, der radetzky, die draufsicht, der rimbaud, das gumpen, die zeile, das kettenmagazin, die insel, das querschiff – die LUNDENMUSKETE stand als äußerste Luftsäule vor dem Kahlenberg – –   und donnerte los.
Leerer unermeßlicher Raum: ergötzliche Tagebücher. Langschädliger Beweis. Verhäuslichung von Ideen. Brücke über die Zeile: abgetragen; Brücke über die Döblinger Hauptstraße: abgetragen; Radetzky: abgetragen; Währing: abgetragen; Alser: abgetragen; Josef: abgetragen; Gürtel: abgetragen; Niveau: abgetragen; Zeile: abgetragen; Jahrzehnt: abgetragen; Vokal: abgetragen; dreizehige Straße: abgetragen; Nachtpapagei: abgetragen; Lichtraum: abgetragen; Weinschwärmer: abgetragen; Propyläen: abgetragen; Kußeisen: abgetragen –
über die Pilgrambrücke ein gewisses Hautgrün ein Mensch dem die Vergangenheit nichts gilt.
Er läuft mir lange die Gasse hinauf nach, es ist an einem heißen Septembertag (blitz!) und dampft los: kann heute nicht kann heute nicht kommen (kuckuck!) (glashaut!) – ich verkneif den rüßligen Schmerz, knie auf der Stromsohle, streck meinen Stiegenarm, zeig ihms Einhüft, winde mich im obern Zwischenkuppelraum ... nichts. Er blitzlichtet Längsschnitt durch meine Ansichten, den Deckenstuck meiner Schulterblätter, mein absteigendes Eisenskelett –
im Foto rechts die Karlskirche (»mein Sohn ist ein K., kein K.«)
Auseinanderstoßung: Vogelschau von Wien (Fregattvögel, Mondgrenze, die die Kuppel wie 'n Stirnband . .)
Von den PSEUDOALPEN bestrickt, von Lusterwinden umspannt, heben die Künste den Schleier der bisher auf der Menschheit –
& die Perlen (Stadtbahn aus drei Milliarden) Stiegenabgang nach links (vers acrum) Wienfluß vom bett aus; abgetragen »was einem teuer«.
Irritation der Stahlrute; der Patron, hat sich rausgebuddelt! am neunten Mai des Jahres zweitausendfünfundvierzig zu öffnen (»abgetragen-abgetragen-abgetragen«) & Anleimung feiner Auswurfstoffe.

Geburt der Tochter Susanne, Geburt des Sohnes Robert, Geburt der Tochter Susanne, Geburt des Sohnes Robert, Scheidung von Heirat, Studium & Heirat von Geburt an, Selbstmord des Mitglieds, Ernennung der Verleihung, Ernennung. Beteiligung. Ernennung. Verleihung. Juror. Juror. Mitarbeit. Präsident. Ehrenjahr. Versetzung. Verleihung. Tagebuch. Vorwort. Krankheit. Tod. Am elften Vierten. In Wien.

EINMANNWORT

Brancusi »Der Kuß« (Kalkstein)

öcker mal nicht so fromm –
aus dem Niedersächsischen Wörterbuch

»öcker mal nicht so wildschütz« die Jungfrau dem Raben, der Kuß le baiser »du bist mein Geschöpf« und Zeichen des Alterns, es steht kaum noch dafür.. »Der kleine Schnee / tut den Zigeunern weh« –
eine chimäre das ist ein Unding, ein Hirngespinst ein Fabelw. – auf dem Bauch des Schnees auch ein Explosiv-Bericht (»ganz exklusiv für Sie, Hannerl Matz versteht das glücklich sein«) und rundum lagert weißer Phönix: der aus den Ohren staubt ohne Gleitvermögen sodaß ich den Eridanus an einer Stelle nehme wo er dem Reiben ausgesetzt zu sein gewohnt ist und umwickelte ihn, sobieskischem Schild, als wir uns krümmten & sanken in einander, rissen einander an (»Lampions! Fackeln!«) – standen in einander, saßen in einander, küßten kalk, und es blieb beim ineinanderfassen unsrer Hände, meiner linken seiner rechten & entledigen lüften der flügel (Fenster Hemdchen Lungen etc) o Knöpfchengötter! im Tunnel des grünen Walds tummelten sich radfahrende.. »spring doch auf« – bis er schließlich behaftet wucherte & wucherte vor allem ratlos im zwanzigsten Jahrhundert daher auch sein völliges Abrücken; mit biografischem Schein , mein kajee (schreib: cahier) meine cahiers d'art daneben viele Hinweise auf siebzig aufgewühlte Werke, hält gute Zeit (tafel mit libraire GRÜND bulletin über den Aufbau, Weltanfang 1924, mein geburtsjahr?)

la muse endormie: vor diesem Kopf mußmanmal, maiastra 1910 bis 1912 *Steinchen New York*. Brancusis Ermutigungen vielleicht auch entscheidende Augen, der Wurf der Knieenden oder die Gedrungenheit der Tore & Zäune etwa blaue Nacht und Schnee in Potsdam – Polituren Karyatiden Ahorn. Onyx, Stein, Bronze, Marmor, Gips Kairo, Wand mit Werkzeug, Rom Bleistift.
kalkstein Bedürfnislosigkeit Voraussetzung für Produktion, Tusche. Mlle Pogany Holz & Eisen, Ölpresse und Papier, Kehle & Bleistift, aber aus jeder Rocktasche einen prallen Apfel ziehn bis 4 Uhr. Schwarzer Marmor, Behexung eines Mädchens mit roten- (»Anna Göldi«), Stein Drahtspirale, Steichens im Garten, Aufrichtung Ölfisch, gelbseminar, longisland, letzte Stätte mit Globus, *Pinguine in Yverdon* – Brancusi beim Muschelputzen, Le Chef (mit Karpathen) .... mein Guggenheim! Der kuß metertief, auf dem Friedhof Montparnass tränennaß küßten wir einander nach dem Friedhof, als wir einander küßten, wenn deine Mutter noch lebte!
bekanten heißt mit kanten versehn, verflicht dich, mein flügel ist vom zopf so fromm, des Hundes Name ist Chalome-
von der Welt angeebbt, vom Tod, angebeetet von StGallen, aus der Fassung, von vierundzwanzig graphischen, geäschert, von Sozialwissenschaftern, gesänftet, treten Sie doch dem KZverband bei mein herz, von Sondermappen, bespannt, von Maquetten, berappt, von Dias & Calder, gemarkknocht:
(»du hund & sohn eines hundes du von hunden gezeugter und erzeuger von hunden du dieb lump sohn des teufels rüste dich auf! zeichne bei tag! lecke wie ein hund kürze meine krause mein furchtsames lager trommle in der mitte bernsteingelb & rot wie knospe meines mädchens ...«)
-angeraucht, national, so müßte man verfahren, das erfundne Turmfenster kippt Brancusi, die schrecklichen Übermalungen aller Prinzipien saften Jules Gerard- – vielmehr Männerklage daß sie endlich doch sich nun umsehen diese ... »ihren Schützling zu empfangen«.

ZEPPELIN *ein ästhetisches Logbuch*

Z wieso 69? gibts so viele? ist symbolisch, sagt mein Freund *E* wir haben junius sturmwarnung – liegendes Mädchen kommt auf 1/100 Sonnendurchmesser

P die blauen Überriesen haben ausgang, meine Formelhaut fühlt die instabile Region, ein Diagramm? denken Sie an das Wort Légers: DIE ANEKDOTE ALTERT SCHNELL
mein Starr-Luftschiff ist heller Tag nach dem Absturz von Echterdingen bringt das dt. Volk eine Spende von 6 Mill. Mark auf, dies bildet den stock für die Luftschiffbau Zeppelin GmbH Friedrichshafen

P das mildtätige dt. Volk úm halbzwölf anrufen, den Léger retournieren, neue Köpfe besorgen, dem Klimt heimleuchten – der E sagt Klemperer sein 'n guter Pianist gewesen / hatte sich da vor dem gesamten dt. Volk blamiert mit seinem kuckuck (die Sterne sind im Berg verg.) capella à capella originaltexte bis sie sich nur so türmten, die folio gilhofer & ranschberg, zeitschrift für bücherblinde, völkischer beobachter vom 7. Februar 1943 und 2. April des gleichen Jahres . .

E die roten Bergsterne kongressieren und das seltsame Kräftespiel zwischen Luft Zeppelin und Wolken gleicht einem Rußwurm im allerletzten Stadium. Ich belehre den Photonachweis: 27 ta-tü. 18 ha-tü. 3 wa-la. 5 pol. 4 nacht. 2 ti-tü. 1 u-lei. 2 lei. 5 de-ka. 1 schür. 11 serv. 1 he. E brachte vor meine Einführung gehe oben ohne (siehe unten). Aber alles funktioniert planmäßig. Die Verpackungsautomaten wickeln unsere Zeppelinbabies vorschriftsmäßig. Unsere Zeppelinfrauen arbeiten dekorativ nach Luftorten. Unsere Werkkataloge enthalten Tafelteil und Standortverzeichnis, welches sich allerdings ständig verschiebt (photonachweis deutsche photothek Dresden BH – wichtig wegen der im allgemeinen spärlichen Erinnerung an Mondbilder sobald man wieder unten ist).
Der herzsprung nahm die Dame & preßte die enge durch Lappen verschlossene Öffnung zu so daß. Eine Erleichterung trat ein; nicht nur durch die Einführung des Stoß Butter Faß wie

Plinius es beschreibt (man bereitet die butter dadurch daß man die milch durch häufiges schütteln in lange gefäße herauspreßt: der butterfertiger hat ein hartes los)

L Fichte sagte am 16. Mai das Kolosseum sei putzig & fragte sich immer wieder obs der FIFI merkt? – hast du mal was gehört von einem Schlitten aus Glasfiber, müßte man sich anschaffen Baujahr 70 oder so; der appel(l) meines Vaters war abgedeckt und sein Zeitgenosse (der olle herodot) schrieb daß abwegige butterer ein hölzernes Stößel verwendeten, um eine Verbesserung der mühevollen Handarbeit herbeiführen zu können. Erst das 19. Jahrhundert hat die Buttererzeugung von grund auf renoviert ... der neueste Schrei allerdings ist der Trick mit der FRITZE-BUTTERMASCHINE bei welcher unter Vermeidung des üblichen Gegenstands die frischen Eingeweidehöhlen sofort verbuttert werden: man fühlt sich förmlich in ihr pulsendes Innres verpaßt-

I Eruptionen, dienstags und freitags die Vega verstopfen, den Sirius vom repassieren holen, den Spica abwehren, Perolinspritze! null Uhr zwei: monatliche Hasenbälge jagen, die muske(l)tiere ins Etablissement schaffen, postulat lavamat! (PU entblödet sich nicht programmierter unterricht sein zu wollen!)

N E posaunte deckwärts als wir übern Bodensee aufstiegen: BITTE KOMMEN AUCH SIE! BITTE KOMMEN AUCH SIE! IST EIN LEID ÜBER DICH GEKOMMEN? (wieso einmal DICH einmal SIE?) IST EIN LEID ÜBER DICH GEKOMMEN? EINE PRÜFUNG? EIN LYZEUM? BITTE KOMMEN AUCH SIE! – sie kamen alle, staunten empor, wir warfen ihnen gedüngte Ölzweige runter mit der Aufschrift Einer wird kommen der wird gewinnen. Körpertemperatur, während wir uns aufschwangen, mexunddreißigmex. Erfreut sah ich 'nen Frauenkäfer und nahm ihn an der hand. Die schlaffen zwerge pumpten noch immer Öl rauf, daß wir auskommen sollten mit den Ölzweigen – dann schrien wir Rosen haben Daumen – endlich vollkommen über dem Bodensee. Wir kabeln runter: high-o, we're high-oh! when the moon is high oh darling sinatra, high-oh, wir waren also high und kabelten fort Plötzlich war der ferri weg/ wir kriegten alle einen schreck / dann hat man einen plumps gehört / das endprodukt war arg zerstört- (Gelächter von unten).. die grafen die unten säumten, graften, foteten und nahmen das kühne Material ins technische Labor; das verfolgbare Zeitalter! anklang an meeresböden, luftböden, sternböden, wolkenböden etc. Diesen Aquarien der Natur fehlt allerdings der rechte Winkel, dies sagt schon über Kolig MAUER; auch lavakrusten erscheinen schillernd: UNREGELMÄSSIG ÜBER JEDEN CHARAKTER...*

Z (Arm
E in
P Arm
P mit
E seinem
L Freund
I E
N »akimbo«, also henkelartig,
beiderseits freier arm):

THREE YEARS AGO I VISITED MY GRANNY IN LOS ANGELES

Prospect aber nach hinten »wie ein Uhu..«

die Unordnung sie war groß mein Pullover handstandete von Bett zu Boden, meister titel griffelten grausame Vorzeit, an Ausstellungswand, ich zog aber halbflatternd mit Musik wie goin' home ordnete vergeblich etwas Hasen, Frauen an Fenstern, Steine, Blicke, Wortfolgen, Männer mit Mützen, Puppen, Bauern, aber schon: der Ölteppich ausgebreitet mit Wellgekräusel Koffersuche Kofferhand Windreisig Kamera-Löffel & weißem Grund flott & frank, lautlos meerlang, natürlich & flurwahnwachen es war ein kamera -den -din, ein zücken, verzücktes indertat. Wußte es war vergeblich wie eben alles: wir verkriechen uns nämlich ganz vergeblich in unsre Nußschalen mit der Entschuldigung für unsre Meinung; und manchmal brauchen die Dinge den Menschen nicht, wenigstens eine zeitlang nicht, dann soll er sie auch nicht anrufen!

* Notiz für Eklektiker:
Zeppelins Freund ist H. ECKENER, der 1938 das Buch »Graf Zeppelin« schrieb.

flog wolkwärts, östlang, querschweiz, krapplack, vom umbrischen ins doppelspindel vom halbgelb ins trans vom feuergrau ins dunkel, ein Glückszeichen an jenem Tag über dem Kanal, hilfloser Ozean nummer 881 als der Raumkreis, grauzug, Puppenkopf grünklang, Menschenlicht das wirklich blaue das metagrüne das Kälbchen & der Glanz vom Feuer, sich gegen die Fluten schob und schwankte, gegen die reeling – wir suchten es und sagten zueinander Merk dir wo sie stehn, gleich dann hin & weg und der schiefgebaute Rumpf mit Schmetterlingen (flamboyant) und die Matrosen mit den Klappstühlen gegen die Ohnmacht, mit verstreuten Gegenständen; die Pflanzen, die lässige Armbeuge, der verlorne Lichtfleck, das Drahtzaungebiß, der Wurzelhals, das Schaukelpferdauge fragten ob wir blieben mittendrin hier im Gedränge über dem Ozean in den Holzstühlen im Kofferwald, in den Pflöcken der Menschenköpfe.

massige holz augen holz stirnen holz arme liegendes holz sitzendes holz stehendes sich legitimierendes und wie Puppen. Sitzende liegende stumme drahtige verschleierte abgeschnittene matrosene pustende fragende speiende wankende spähende suchende GONG! Großer Puppenkopf kleiner Puppenkopf Puppe mit Lichtfleck Puppen die sich umarmen bunte Puppen Puppe in rosa heliotrope Puppe Puppen im Ei Puppe mit Henkel Puppen die sich in ihre Koffer einschließen Puppen wie Pflanzen Puppen wie Pilze Puppen wie Mikrophone Puppen die sich retten die kommen rufen sagen Wer sich nicht rettet Wer sich nicht meldet Wer nicht kommt Wer nicht ruft Wer nicht hinträgt Wer nicht sagt Der.

kein Ausstieg Dover, kein Calais, keiner grün, blau, rot. Nacht; lot in beidseitig. Und schwimmen die einzige Fortbewegungsart, schaust du manchmal zu unsern acht, neun, zehn, elf Koffern, das übel paar wenn Schoten fliegen Hügel 881. An alle Tempelhüpfer, alle Kinder, dunkelrosa bis spindel, trans bis umbrisch, feuer bis halb, Landschaft bis holz, ekel bis elektronisch, flugplan bis flucht-

wie: ein Öl teppich ausgebreitet übers Englandmeer, blauverzweigtes und gewaltig, versuche mich an Kameras während sie armten & spähten, durchs Ölfenster. Wir gingen ins Gedränge, Tee bitte. Botschaften. Ein vierbeiniger braunfelliger von Sonne, Wabenhund etc. deckoffen Tischbetrachtungen, schwankend, er ist so introvertiert ge- (fall nicht!) standen, Öl teppich ausgerollt, wir schauerten, Windwurf! du nimmst die vier großen ich die vielen kleinen Koffer, und dann nach vorn!

eine Entwicklung in langsamen schritten, wir haben Luft in den Knochen und flüsternd während das Meer (durchfotografiert, kameradisiert). Von Stühlen.
Abgedankt, verwürfelt, verworfen, versunken, Touristenohr; knickend, knackend, wassernd wie Papier, Ohr zwischen zwei Meermützen, Morgenarbeit, Kniekehle hier unsre Koffer am Sturm, gefegt feucht, meeres Stürzen; poets' corner, vernabeln, verziehen, ein langes Fahrrad. Zwei Regengüsse nach einander, ein sechsundzwanzigjähriges Dorf an der Küste, ein unglaubliches FOTO in kreide ein unvorstellbarer freundlich & seitlich lefzender WABENHUND etc. spricht wie eine Maschine Fall nicht! und zur Umgehung eigener Entscheidungen! (solcher Freund . .) ich liebte ihn, schwankte, schwankte nochmals, fiel, und mehrmals, ein werdendes züngelndes flügelndes kabinettendes untersuchendes gasendes ein brusthügelndes ein endendes vexierendes sich ergießendes wieder aufflügelndes ausschauendes scheuendes lahmendes schlummerndes wie SNOOZ-SNOOZ:

die Güte meiner coronare riß sie hoch die vier und vielen Koffer, dickfellige nullbeiner, in meine Handballen, Innenflächen, Wahnhandstände, interfrogs & unzulänglichen Hautschoten (der schiffbotmäßigkeit entflohen) & der Öl teppich war ausgebreitet, die Botschaft ausgeworfen, die Kanalkobra stiernackig erstarrt, die Fortpflanzen hatten palmenfingrig gewedelt, die Weismachungen verflogen, die Wellen waren länger, die Entwicklung blieb verstellt, die Ideale verdrängt, die Wasserbilder verspiegelt, die Trompeten verballhornt.

tell me what is interfrog? bleiben Sie eigentlich hier sitzen? wir deckchairten werdertore, eine Kinderversion lampionte. Mein ellbogenkater sagte mir daß man darüber ruhig sprechen könne, mein ganzgroßer oktober, kabinett unterm arm, & Granit, und wir andern, über die Brücke. Habs vergessen die andern vier Koffer und mehr das vexierlächeln, das feixen wie früher, die Mütze, die Trompete, die Kanone, den Puppenkopf. So stell ich mir Danzig vor, – das fenster im weißen schief.

der kopf eines Schaukelpferds gegen Britannien, rechte Hand, linke, und beide, bis ins Genick, abwärts im Gedränge bis zum Schlagbaum, Frau im Flugplan, ekel, Verwirrung. Hügelgruppe erinnern. poets' corner, Morgenarbeit. Vulgäridealismus. Eine Entwicklung in langsamen Schritten, eine Landschaft aus holz, england. Da Windwürfe, ein langsames Fahrrad, eine Hand hinter der Grenzgrenze, eine Puppe, eine Maschine & gingen ins Gedränge. (o straßenkünstler..)

Film eines Mädchens mit schwarzer Schulmappe, täglich um dieselbe Morgenminute aus dem Haus stürzend: wie aus Wolken gestülpte Sonne. Schwarzweiß.

»mon 28«

Traun Sie sich zu mon. mon ami bei Kerzenschein über die Kerzen den Schein hinweg dennoch, traun Sie sich zu die Zeitung ganz laut (sind Sie verheiratet?) bis sich Ihre Besserungs- und Zuchtmittel erschöpft haben; bis ein vor Ihren Füßen aufspringender Hase in Todesangst »prschewalsky« ruft entsetzt zur Seite schnellt, wie sinnlos davon stürmt und Auslagenfenster beult! traun Sie sich zu mon. mon ami ohne erkannt zu haben weshalb diesen neuen Erkenntnissen das Geleite zu geben um so mehr als Sie wissen daß dieses panikartige Davonstürmen weder dumm noch feige ist vielmehr ists ein schnellfüßiges in der freien Stimmung sinnvolles Verhalten das nur dem Menschen unbequem ist, der kein Tier: dem Tier aber nützt. Beim Dromedar & Lama zum Beispiel sind die Mundwinkel für gewöhnlich etwas herabgezogen (trinken Sie?) der Kopf wird leicht angehoben getragen, daß das Nasenloch fast gleich hoch oder höher als das Auge liegt, dies ein Schutz gegen Sandstaub (Sie kriegen einen Brief von mir). Traun Sie sich zu traun Sie sich zu wie ein Lama freundlich zu sein, dann müssen Sie auf Ihren Ohren stehn die so etwas wie ein Stimmungsbarometer sind, Sie werden einen hochmütig ablehnenden oder zumindest nicht zusagenden Gesichtsaus-

druck bekommen (lockiges Aug) mag Ihnen noch so gemütlich oder verliebt zumute sein, trotzdem Sie wirken heldisch, verwegen, fensters, erkers (blondine). Eine feine weiße Linie zwischen ihren Händen, sie lächeln, suchen; verbeulte Fenster; zwischen Blick & Blick; Fahrt durch empor geschwungene Parke; scharf nach vorn gerichtete Augen, Verneinung und Fixieren; Entschlossenheit in blauen Augenhöhlen; tasten sie fünf Fingerkuppen, Expedition Körper, Wald für Wald, Kühe in gefleckter Textur, gebürtiger Brehm (the changing of the guards). Traun Sie sich zu wiederholt und straff mit liebendem Gesichtsausdruck während Ihr Auge leicht ist und Lächeln vortäuscht-
was den ungeübten Europäer vor eine Geduldprobe stellt;
traun Sie sich zu verschränkten Anblicks mehr humpelnd als gehend, den Straußenhals gerunzelt, so sanft sprechend den Anruf zu versagen; zu lauschen, berühren?
-wenig mehr zu seinem Ruhm: so kommen viele falsche Urteile zustande, mit Füßen getreten, zerbissen, den Mund leicht geschlossen, den ganzen Körper gestrafft..
Sie müssen nach vorn, hier würden Sie überrascht zu tausenden in Schlupfwinkeln festgehalten, schematisch untersucht, höher als Ihr Auge: dies alles aber besagt gar nichts. Einzig die Beflockung, Schneeballtelephonate, Opf. Ein andres Beispiel zeigt wie sie beschatten sie vermögens aus sich, sie sind schön wie der Mond:

Pulslädierung.

Der Haussegen hängt

»lieber Marax« (würd ich schreiben) heute am 27. januar »bist« du mein antiasthmatikum & heute am 27. feber & ebenso heute am 4. märz & ebenso heute am 20. april bist du mein antiasthmatikum »&« mein anachronistisches antiasthmatikum etwa wie »schiller wallenstein« zitieren läßt dann coca cola erbrechen später asthmatisch lift fahrn etc. die Speichen deines januar feber märz und april etc. deines Zeitwechsels lieber Marax greif ich nicht ungestraft! vielmehr ohnmächtig den singenden Schwan simulieren oder 'n lachendes Pferd oder 'n sandfresser bei »noon in tunesia« (siehe unten

einige Kochrezepte für dich) ... es fenchelte also der Tatbestand (wahnpasten & kalbhenn) aber da ists meist »schon« zu spät: mein Kopf will schmerzen blitzer zur Rose gibt einige theoretische Bem. ab und die »myrten« präparieren den Fleischsalon damit das Lamm (so genannt von der form und vom zahlwert) sich lieber schlafenlegt (würd ich schreiben) »lieber MARAX« (würd ich schreiben) du läßt trompete zittern stößt sie in einen »sack daß nur kurzerhand« 'raussteht drehst den Tropfhahn der Zeit ab lieber MARAX übersteh ich das? ohne leiblich zu »orient«ieren oder nitschel zu zeugen, kratzenhäkchen (nest-) oder etwa Athletenstücke vorzumachen : an jeder Hand einen »ochsen oder an jedem Finger ein brot oder an jedem Fuß« 'n prellstein: goldes keinen steiermark..
o du heilige Marihuana!
o du heiliger Flox!
o MARAX!
»lieber MARAX WÜRD ICH SCHREIBEN« mein haariges Ziegenfell.. sehn wir wieder mal zu? (die mutter packt mich fest am bein & zieht mich in dn ofn rein: guckuck mutter ICH LEBE NOCH!) hochachtungsvoll ihr see & sag dann von zeit »zu zeit« daß das in den besten k & k (klavier & karate) Gesellschaften vorkomme denn der Mensch ist eine junge Erfindung und wird in der wüste wenns nur klappert »lieber MARAX (WÜRD ich schreibn)«/vor den finsternissen wird die Blitzquelle übers Dach »sprechen« fliegen dann lieber gleich an Gewitter denken oder so (à la pfeffermilz) leckrer Zustand zu verhalten denn »man regeneriert sich beim umziehn« ... diese Worte lieber MARAX sind ganz *Rubato* d.h. du kannst sie lesen wie du magst .. wenn der Teekautz abschiednimmt nehmen wir STAUBA lieber MARAX ... Stauba! (man nehme abcdSTAUBA, cazzo von Umbrien, glocke, kerz'gesicht, puppy dog love & braue : col/brie käse kätzchen rep. motion --) die feuchte alles »oben« (im) Berghotel... bist schöne wie'n Windhund

lieber »MARAX« (würd ich schreiben) laß mich mal zu ende kommen (dahin das ungemein zu bett & viele kams mir von allen Seiten »düsen junge dessen«)

SCHIEF

(ende Brief)

»Fliegermai«

»Du bist wie der chinesisch-japanische Krieg.«
Ernst Jandl

Negerin das englische Alfabet kauend.
Hundi Overreiter Ovid im Original zitierend.
Ein Spiegelei in ihrem Munde zubereiten vorher Ei an Nase kikken.
Wie groß sind sie stassen-junior sagt es ihnen.
Besonders gefranste, gretl greul, kupf farbig.
Die Finger solln dir einzeln vertrocknen eh du wieder-
du stolze von Berlin Pompondahlie.
Undulata zwischen winterharten Stauden pisspiss zeigt vier Finger der großen Hand, eine Vier? männliche Pflanze, netter Kärntner.
Wirklich heikel in der Tat heikel. Da gibts keine Stelle er küßte erst mein dann mein das entkräftete alles bisherige und entschied für ihn: seltsamer Krieg bis dahin langwierig und die Hilfsmittel reichten nicht aus; bei jeder Bewegung- Denn: es liegt in der Natur zu widerstehn zu überleben.
Wenns keine Wahl gibt, den Fluchtweg.
Auch gibt es Vorkommnisse die dir Gelegenheit geben zu widerstreben; eine kleine Streitsache wechselt die Methoden; und wie Wasser seinen Lauf in Übereinstimmung mit dem Gelände formt so bewerkstelligt das vorherwissen richtiges nehmen: ist eine Stelle zu greifen die der Feind nicht schützt, kenne sie und ihn und dich selbst!
Verlangt nicht von uns daß wir uns in allen Fällen anpassen.
Die Vorspiegelung sich in den Kampf eingelassen zu haben, soll erst scheu sein wie eine Jungfrau.
Den Mann vollkommen rühren ist der Gipfel der Kundigkeit.
Dann erst werden wir ihn meistern & die Übereinstimmung
Um sicher zu sein daß er nimmt was ihm gefällt überlasse ihm das Fünffache an Schwäche, teile seine Stärke mit ihm selbst, wenn du dann immer noch zu stark, geh zurück, nimm zurück, sei fähig, dich zu entziehn und seis im letzten Augenblick.
Allgemein in der Schlacht verwende die direkte Schwäche zur Einführung, biete dem Feind deinen Körper an ihn zu locken, heuchle UNORDNUNG schreckliche UNORDNUNG dann schlage ihn daß er nicht weiß was er tut.

Behandle ihn nachher gut und sorge für ihn.
Das heißt eine Schlacht gewinnen und stärker werden.
Dies alles kann nicht überliefert werden noch durch Analogie übertragen, mit vielen Berechnungen kann man gewinnen, mit wenigen jedoch auch; verlasse dich nicht auf die Zahlen, dies muß von solchen die erkannt haben, erfahren sein; und gesichert, daß keine Aussicht besteht, *die Verzweiflung nicht zu bekämpfen.*

Mövenpink *oder* Zwölf Häuser

für Otto Breicha

Motto eins:
Konzept a:
die Verbrennung streicht durch einen Doppelmantel
Konzept b:
die Zwischenräume von lichtdurchlässigen Rosen
Konzept c:
Kippohren aus einem liegenden
Konzept d:
nachteilig unter Flur eingebauter Fuchs da
Konzept e:
Berührungskammer
Konzept f:
Puppenhaus in Höhe 3,6
Konzept g:
kleinere Podeste alle
Konzept h:
Doppelsamen als gekapselt ohne
Konzept i:
tote Briefkästen!
Konzept j:
P.S.

Haus eins:

Sehr geehrte Frau:
im bezug auf ihre Karte vom 7 / 5 d M:
das Wohnhaus mit Nebenräumen – – –
Zimmer Küche Vorhaus mit Brunnen und Kellerabgang: elektrisch nicht weil allein im Wald ca 2 km von den Dörfern Mühlleiten Oberhausen Wittau Schönau: am einfachsten zu erreichen über Großenzersdorf entlang dem Oder-Kanal nach Mühlleiten dort erfahren wenn rechtzeitig – –
will ich gerne entgegenkommen

(und er kam durch wald stapfte entgegen kam entgegen sah unsrer geschätzten Äußerung entgegen sah uns entgegen erschien hinter dem Gittertor erschien hinter dem Spritzenhaus erschien in der Akazienallee erschien in den Robinienbäumen kam aus dem Wald hervor erschien unter dem Dach des Walds trat aus den Gebüschen auf uns zu sah uns geschätzt entgegen war riesig zwergenhaft beklückste uns belüchtete uns beloppte bemalte uns bemäkelte uns bemastete uns bemeierte belurte bemannte uns bemächtigte sich unser & meiner beläutete uns belunzte uns & mich)

Motto zwei:
Konzept a:
da kommt ein WEIL herein: ein sanftes Tier hat weiches Geweih
Konzept b:
Rezept (dali für gala): man besorge sich fünf Säcke Kichererbsen violett und stopfe sie in einen noch größeren Sack der sie alle faßt / fast lasse man dann / man lasse dann die Erbsen aus einer Höhe von
Konzept c:
& Groszpapa & Großmama sind nur noch für die Enkel da
Konzept d:
Läufer und Brücken Teheran und Kaschan Täbris und Esfahan Gerawan und Jasd und Maschehad und Hamedan und Schiras (rosen!) und Balutsch und Aram und Naien und Turkaman und Mahal und Djuschegan und Wiss – für ihr Traumhaus
Konzept e:
auf alle unsre Freunde!

Konzept f:
die Totenmaske des Monds (gesichtet in den ersten Septembertagen vom sechsten Stockwerk unsres Hauses)

Haus zwei:

.. zieht Schublade auf zieht Moder 'raus statt alten Kaufvertrag von 34 (exdux ohne die beiden Bauern) immer nur einen Schub und wir stehn tatsächlich im Faß: sie kredenzt uns den modrigen Wein im stehen bevor die Bahn sich verfinstert; sie reißt uns beinah die Zunge 'raus : wir Toten werden weggeräumt : wir Toten bleiben liegen – das Lusthaus ist verfallen – auf einen Schub: die Dame allein zählt 12/ der Bauer muß stehn wenn beide fallen – Wand bröckelt Zimmer fault First fällt – wer zwischen Bauer und Wand hinunterschiebt ist tot / ABERSONNEN WIR VERKAUFEN NICHT / die Toten werden weggeräumt : die Toten bleiben liegen / Konskriptionsnummer einhundertzwei

Motto drei:
Konzept a:
Entzerrtes Luftbild vom Jahre 68
Konzept b:
das Spritzenhaus ist noch okey!
Konzept c:
der Garten auf ein Jahr verpachtet!
Konzept d:
»Gärtner müßte man sein und die Erde segnen Gärtner müßte man sein und die Erde segnen « (kann auch gesungen werden)
Konzept e:
so steigen wir alle aus dem Faß

nochmals Haus zwei:

aus dem Faß gestiegen fallen wir ein: Kreuz Kirche Friedhof Meierhof Straße rechts rechtsab Brücke Nepomuk Vierkant Garten – – & auf fliegen wie Tamara in ihrem Kutschermantel Frosch-Sprenkel ABERSONNEN in ABERSONNEN lieb-bellt es und die sandige Sonne / gründlicher Moder dreh dich mal um / : die Sonne scheint aber es ist nicht möglich (H.M.)

Motto vier:
Konzept a:
Salzdame: überschreitet die Mächtigkeit der Auflast einen bestimmten Wert / wird sie plastisch: in Salzdamen
Konzept b:
Verwitterung Trümmerung Trümmer Lösung Wasser Wind Eis Wasser Eis Schnee Schutt SAND SAND

nochmals Haus zwei oder Ernst Jandls Vision vom UNBEHAUSTEN MENSCHEN:

blues for Janet: hills that puff up mysteriously and sink again/hills that puff up mysteriously and sink again / all grey / puff up / sink down / puff up / sink down / and trees long alleys / and a group of old fellows in their pants / going nowhere / very old and grey / going nowhere

Motto fünf:
aus den Kindertagen des Albatros

nochmals Haus zwei:

».. ich bemusterte den Acker der gehörte mir blauweiß; spielte auf der Knopfharmonika beim Brunnen / Vogelweh / Leergewicht wie 'n Vögelchen / wollte nicht / stelzte auf Sprossenleiter Kopf hoch an der Dachrinne wie sie grünstrich; mit ihren zwei synchronisierten Flügeln; einmal ins Glas; einmal auf der Flucht; einmal Maulwurf; einmal Hauswurz; einmal Gewitter; einmal Feuer; einmal Schubkarren zum Steinbruch; weiße Lilien über der modernden Schwelle; Angst; Kissen; Malven; Alpinum; Staub -- ich hörte metallne Schläge auf rostigem Geländer nachmittags durch den Schlaf : die düstern Zimmer : die Verschläge : die Schaukel : die Schwertlilien : die Scherben in Bäumen : die Scherben im Sand : das langsame Gehen durch Zimmer : das Schauen durch halbverhängte Fenster : die feuchten Gardinen blaugestreift : der feuchte Sand : die Sohlen im Sand : Sandblumen : Sand : Sand : Sand : Staub : der gelbe schöne Staub : der Sand : der Staub : die Burgen und Brunnen : der Bach : die Weiden : die Füße im Bach : das Wehr : die Akazienbäume : ihre Blätter daß ich mich nicht verliere : das Floß hinter dem Wehr :

nasse abgesägte Stämme obenauf : meine Fluß-Pferde : mein Niemandsland : im Getreide : im Mohn : in den Kornblumen : in den Lilien ---«

Motto sechs:
».. in meiner ganzen Praxis sah ich keinen Typ der gewollt einen so steilen und langen Sturzflug wagte ..«

Motto sieben:
Konzept a:
Verbreiterung der Oberflügel: größerer ARGUS verlängerter Rumpf / 45 an der vordersten Front / Bodennähe vermeidend
Konzept b :
Heimwerker Elias

Haus drei:

unser Haus der Gurker Dom küchenblau in der Apsis : Löwe Markus mit Tränengesicht ..

Haus vier:

unser Haus in den Alpen auch Knopfharmonika / Schladming 12 Uhr mittag: GEBELL der Glocken! Schlag auf Schlag: Bett klappt auf Zeh; Tür trümmert Nasenbein; Fenster schlägt zu; rainers wasserleichen starren ofenbanks; Sternspirale rädert uns / SCHWEMME NATUR ein gelb zitterndes jetzt: Wiese; über unsre Teppichtreppe steigt schwerfüßig ein medizinischer Fingerhut: wieder eine Feuersbrunst: wieder ein schwappendes Vlies aus Erde und Halmen hangabwärts

Motto acht:
Konzept a:
Pappkamerad!
Konzept b:
mitten in den Klatschregen hinein setzt er Schützenkenntnisse (nestle's Schraubverschlüsse)
Konzept c:
habe Hunde gekannt die fast jedes Wort/ einer hieß venus/ verbiß daß

Konzept d:
hondecoeter – wie 'n eichhörnchen!

Motto neun:

habe Häuser gekannt –

Haus fünf:

ob da wohl noch einer wohnt im ersten Stock: die Gardinen zerschlissen: da oben vor dreiundvierzig Jahren geboren: nicht nur so als Geburtshaus sondern richtig auf dem Bett: seine Mutter wollte nicht in die Klinik; dann als es da war hatte es die Sorgenfalten im Genick statt auf der Stirn / und im ganzen Haus scharfer Gemüsegeruch und so katzbalgen / sanft../ Karotten welke Hunde sogar Teddy war eifersüchtig; in der Nordküche..

Haus sechs:

ja in Purkersdorf Lofoten Schachspieler draußen nach Abtausch (am Morgen sprechen wir kaum noch darüber verstehst du) da in Purkersdorf erst fertiggebaut mit Hollywoodschaukel und so / was ist? was ist denn? was möchtest du? ob es hier ein Haus zu mieten gibt? werde mich umsehen kanns nicht versprechen etc

Haus sieben:

eben erst sechs; nochnicht sechs; sechs vorüber; im Dezember; flügelt wie Mützenkelch englischer Schulschwester / kann sie schon lesen? laufen? gehen? stehen? sitzen? träumen? reden? auf roter Zunge gleichzeitig zu den französischen Zimmern trippeln und geradeaus durch gläsernen Speisesaal in den Garten mit den Topfpalmen und dem Aschenbrödel? (stumme Rolle) – »so« sagte der Koch in seinem Kopf & bereitete grünen Kuchen »kannst du das buchstabieren?« (alle ritten dabei auf seinen Knien)

Haus acht:

warn sie schon mal in capri gnädigste? capri nein/nein / hielt die Füße ins Meer und sinnierte als eben die Sonne unterging und die Sandvölker ... die langen und weiten Röcke im warmen Abendwind / dann hinauf die warmen Kasematten auf und blau Meerhimmel / kams vom Fenster her? blau und schwarz / dann nur noch schwarz / unser Haus am Meer ca' d' oro und wir versinken in Schlamm & Mitternacht ... der yeats kommt noch zu uns herüber liebster

Motto elf:

SILBENWIND –

Haus neun:

während SIE's bündel in die Küche zum Ofenskelett & die Wände mit M & H & P und auf dem Boden die Brötchen & Würstchenmüdigkeit und allerorts enzensberger und rundum auf Steckdivan Christa mit Philip und Barbara und 'nem neuen biermann (»doll!«) Profilkind; Wellenhaar und dickwandig: wie weit von dir o edelstern . festgeklopft immer mit ausgestreckter Hand ihm entgegen mehrfachst & »wittel-wittel-witzel-du-swinel!«

Haus zehn:

dieser Hochbau rieselt förmlich blumenbeetig vor Fenster und ich springe: turmspringe : vom fünften vierten dritten zweiten ersten Stock – mache Versuche zu fliegen mit den gurrenden und den andern Vögeln (»wenn du willst daß sie auch im Winter kommen mußt du streuen nichts wie streuen«) – auch Krähen zu beiden aneinanderstehenden Fenstern/Schlüsseltausch und vollharmonisiertes Kabinett braunes Pianino: unwichtig Höhe und dichter Schnee, automatisiere meine Orgeltasten blühe in meinem Heim 1906 erbaut, Konskriptionsnummer »ein bloßer Regen« an den Kletterwänden im Schaukelstuhl : Alt & Diskant rufen einander wie Kukkucke zu im Schatten unter Eichen mit großen Kirschkälbern und Möven und wie bei ginharts Führung (Haus drei) als er sich runterbeugte zu Phloxen & Kind: ein Stab mit Hirschfell Mozart Steg von der Kirche und wieder zurück ein Requiem / gezogen / & hob den Apsiskopf blau und taub und alle glaubten das kalte Meer und auf dem grünen auf dem grünen Gebirge eine eisige Marschsäule..

Motto zwölf:
Konzept a:
Schutzmarke bleibombe frosch
Konzept b:
can't believe I'm losing you
Konzept c:
ungefährwerk

Motto dreizehn:

Durchgriffe Erhebungen die Nacht ist zuende die Zelle der Ziegelsteine trägt den Bauplan für jedes Haus in sich : das geniale Notizbuch die Keimzelle kann sich so vermehren daß das ganze lebendige Haus entsteht weil der Plan zum Haus in jeder Zelle SCHNEIDET MAN EINE ASZIDIE AUSEINANDER SO WIRD AUS JEDEM STÜCK WIEDER EINE ASZIDIE / WIEDER EINE ASZIDIE / WIEDER EINE ASZIDIE

Konzept a:
wieviel Stücke aus mir?
Konzept b:
schmälere nicht meine möglichkeiten schmelzrinde augengneis
Konzept c:
sie hatte den Konsumatismus (litt an) »Denkstille«
Konzept d:
kryptophile Menschen in ihren kryptophilen Träumen (zum Beispiel die heilige Hemma auf ihrem runden Rumpfhals ruhend)
Konzept e:
zug wolken
Konzept f:
BLONDINO made in styria: als er eines Sonntags die Uniform der Blasmusik
Konzept g:
an seinem Steinschenkel (bruchstück) 's lößkindl!
Konzept h:
Jadebusen.. da wallten wir zufüßen.. wie 'ne Mücke ums Horn des

Bullen (boy from buffalo) & kotknüpfen innerhalb geschlossener Gesellschaften; auch können gewisse geister direkt ohne Medium schreiben oder Fußstapfen hinterlassen oder auf Instrumenten spielen (Knopfharmonika siehe oben) die dabei im Zimmer fliegen; das ineinanderstecken geschlossener Gruppen / bewegen von Tischen / zertrümmerung von Möbeln (auch Ofenschirmen): all dies gelingt nur bei Dunkelheit (Tätowierbiere werden herumgereicht) bäuchlings auf flachen Betten liegend oder man gebraucht Füße als Hände; entrümpelt den Sternhaufen sitzt zum Tischrat Hausrat auch Meublement

Konzept i:

(hab mir 'ne wohnung gekauft heut nachmittag ganz billig auf der dominikanerbastei) eine ganz grobianische!

Konzept j:

Entlarvung ab & zu (erzherzog Johann von Österreich)

Konzept k:

man aß dort mit mehreren Händen zugleich von mehreren Tellern zugleich trank von mehreren Gläsern zugleich sah seinen Flaschenhals aus mehreren Spiegeln die an den langen Wänden bis zur Zimmerdecke . .

Konzept l:

das interessante ist er kann mehr als ihm bewußt ist

Konzept m:

»Kopierstift Mensch«

Konzept n:

sie beantworten dann auch wirklich alle Fragen: falls sie zu bejahen sind mit Klopfen falls zu verneinen mit Paßgang des Tisches

Konzept o:

eisfrei lassen Riegen Rundhöcker Schären verriegeln Tür & Tor (etwa: gehobelte & verleimte Tür drei Zentimeter stark mit aufschraubbaren Leisten ohne Rahmen oder Kreuztür mit Hirnwalze und Zubehör) kein Platz für Simulatoren in den Schränken kein Platz fürs Antennenhändchen auf der Tischplatte kein Platz für small talk kein Platz für die beiden Magnetiseure auf dem Diwan : ihre ausgespreizten Arme vor meinem Kopf der krank ist und abwärts über meine Brüste Rumpf und Schenkel leicht berührend oder in einiger Entfernung : verfalle ich durch ihr streichen oder beinahstreichen in Schlaf der mich ihnen bedrohlich verbindet : durch umgekehrtes Streichen bin ich weckbar / ja ich werde in meinem Schlaf meine Fähigkeiten ins ungeheure steigern können: ich werde den Bau meines Hauses erkennen und aller Häuser und überhaupt alles und

Konzept p:
liebe Sonne komm gekrochen großmächtig Stab an Stab ein baumfall: gestricktes silber aus katzensilber katzenauge in Silberblick Hotel Frühling am Zoo: der Ausrufer mit dem schrecklichen Wollgesicht fährt rot: hemma-rot (pardon: henna-rot) : vorüber UND DER SCHLIPS FLIEGT NUR SO BEI DEN MENSCHEN IM AUTODROM
Konzept qu:
fast nicht vollziehbar: eine Gerade ziehen zwischen zwei eigenen Lebens-Zeiten: immer wieder zittert die Hand vor Einschüben von früher – und irgendwas stimmt nicht mehr mit den Proportionen der Figuren . .

Motto vierzehn:

insgesamt müssens also 2-300 sein unter den 100 Fundstätten die ich /Häuser etc Wohnungen Burgen Lager Hütten Brückenbogen Gemäuer : manche harmlos irgendein Endungskamin zu viel oder wenig : den Hauszeichen gings komma zehnmal durch: etc: bedenklich die Verschiebung der Grundfesten die ich bewußt gegen die herkömmlichen Regeln – wenn ich etwa statt »saugte« »sagte« schreibe; statt »hätte« »hatte«; statt »sagte« »sagt« – einmal ist ein Haus hinzugekommen; einmal fehlt eines – bewußte Auslassungen & ganz recht als solche gekennzeichnet! es fehlt also: »denn« (18) »sein« (52) »ihn« (60) »allein« (176) »auch« (193) »allerdings« (13) »& wärest die Treppe hinuntergefallen zu den Mülltonnen im Lichthof« (111) »ganz hinten« (14) »wie meinten« (61) »und deutlich« (137) »und blickt dir ins Gesicht« (41) »alle Fenster geschlossen« (187) –: wohlgemerkt dies sind alles Auslassungen aus Nachlässigkeit nie aus Platzmangel oder auch aus Absicht der Textentstellung. Am häufigsten aber sind die überraschenden falschen Einquartierungen bei denen man es nicht glauben kann daß die Quartiermacher nicht andere/ vielleicht französische – man liest nämlich statt »das« »was« (11) »einem« »einer« (19) »sorgen« »sorge« (41) »getraute« »traute« (44) »der« »die« (56) »uns« »um« (136) »an« »auf« (66) »wir« »sie« (77) »wie«

»von« (178) »es« »er« (177) »das« »die« (186) »kleine« »kleinste« (196)
soweit die harmlosen Fälle
herrenlose Fähre
es heißt auch statt »Tore« »Ziele« (15) »sobald« »bis« (31) »Haus« »Herz« (18) »möge« »Möve« (28)

Motto fünfzehn:

Tamara in grün-rot-karierter Pelerine was ihr zu tun einfiele wenn sie beklommen entschlüsselte auch singen ein männlein steht im wal--

Haus elf:

grau's Haus graus'ig die vierundzwanzig Tonarten oder Spielarten cdur & amoll verzweifelnd gdur mit fis fix & fox etcetera / stank nach Talg Kartoffelgesicht fraß Lehm / ruderte kachelhals / stopfte sich die Ohren voll mit opus vierundzwanzig / hatte Tonfedern pfühlig tongking tonlos »immer rebhuhn« ....

Haus zwölf:

ist kein Haus / timo der generode notere tumso / »Lallen« / ist Wellen und gerufen MÖVENPINK MÖVENPINK MÖVENPINK

»Laß ihn mal rückwärtslaufen ...«

(den Film)!

.. stieg ein und sagte mir ich komm mir heut vor wie eine Figur aus einem Hauff-Märchen, ich tastete: Zwerg Nase? Kalif Storch? durch den Schlauch leberte ich heim, half nichts klingelte bist dus? also welche Figur? eine mit kleinem Buckel? müde-müde ... überdach. Laß mich mal (hineinschaun): er leuchtete mich aus wie 'n Scheinwerfer ohne sein Dazutun wankten wir die Gasse runter, die bottels angeschnallt wie damals im Einsatz »laß mal!« laß ihn mal, den Film, um die Karlskirche knuspern hee! ihr steinernen Ge-

schöpfe äugt nicht so nach uns, wegsehn! hee ihr Engel! Gesicht platzt, du mußt – Ein Exzerpt aus Dante Alighieri Seite fünfhundertvierundachtzig, der hatte richtig auf mich geschossen, hört sich an wie 'n thriller, – hatte Allüren wie 'ne Papierblume anspruchslos fast fröhlich. Erst die englischen Blumen sachte! sachte prima eins-a okey! immer der Nase nach, fröhlich wie 'n Gänseblümchen! –– drauf 'ne (tele)vision: ich im Garten von Jesolo traumhafte Gegend & so, sehe Palmen überschwemmt die noch vor ein paar Tagen per Gießkanne– wir pflügen die Küste lang, Meer bricht, Sonne, die beiden reflektieren & ich wünsch mich in einen feuchten Frühling versetzt mit haut und haar wie tag & nacht / gipsdiele voll regen
passé: selbst er hatte Gespräche nötig dieser Feuergeist, »habe Geburtstag« (am Staatsfeiertag? – ist ja ulkig) – akzeptiert Begriffe hier & da – »Klee?« »okey!« – angelt nach Bezügen, diwant mit Armen, zieht sich zeitweise auf seinen Schnürboden zurück, vorsicht überraschungsangriffe von oben! – wir passen wie Kinder und Kartenspieler: alles humbug! windhager! alles Blödsinn .. in ein paar Jährchen alles eingestampft du meine Güte John Cage & all das! alles mit einander Judengasse & Jimi Hendrix all der Kram-
die bottel hing uns um die Schulter wie 'n Brotsack im Einsatz als wir die Gasse runterjappelten »nimm doch 'n Schluck« – ich trenne seine Hände von seinem Körper damit ich ihn liebe – später erhängt er sich meinethalben (inmitten von comic strips)
er leuchtet mich aus empfängt mich in etwa Augenhöhe (krake) an der Tür, läßt sichs attestieren (»noch etwa ein Jahrzehnt Herzchen..«), verjuxt die Ostern (»such doch!«), verscheidet unter meinem Fenster (»sperr bitte endlich auf!«) angefüllt mit Verheerung an Hörerpulten weit ins universale/ Erdbewegung nachher Bier.
Startet Briefe ins ungewisse oberster Himmel eine Feuerwelt hellhörig.. Ein Sperber flog so nah an unsren Köpfen vorbei-
hörig & unfähig zum Überschreiten der Intimgrenze saßen wir Kopf an Kopf während sie zwischen Daumen und Zeigefinger eine Tüte aus Kerzenwachs virtuoste (das netz war zusammengebrochen) Blumendutt oder Zähne eine Delle in ihrem grauen Gesicht daß es streifte / bett-trakt mannweiblich von Ampel zu Ampel (isnt that poetic darling?) Puppe steifstaub zwischen Doppelfenster setzte langsam &

vom Bett aus betrachtete ich seinen knotigen Adamsapfel wozu eigentlich? noch dazu 'n solches mädchen? wenn sie deinen Kuß nicht beantwortet ist sies! die Entwarnung kam und sie bettelte dreh dich rum! über den Nordwind hinaus in reih & glied im dritten reich – wie 'ne Flaschenbürste à la rikkitikki
einer wie der andre – wie konntest du?
er aber marne-te köpflings schloß Augen oder Mund was heißt hier barrierte, er barrierte zwischen ihren Lippen leckt sich 'n haussegen- genau unter dem Kronleuchter Mistelzweig mit kleinem Bukkel (deine Hände sind charakteristisch, somnambul; istanbul buhl und bool Schaumgummi –) alle Schaumgummi-Insekten flogen wie wild dem John Cage und seinem Klavier nach, knarrten auf Tischfüßchen – ich und sie die jüngere bottichten zum Kronleuchter und was : er fing an, sind Sie Skiläufer? hatten Sie schon mal? warn Sie schon mal schneeblind? ich verneinte vorgeneigt sah ihn zum erstenmal so »schubertisch« – fast wie dn chotjewitz 's war ganz blau oben mußte mal nahm Schaufel zog los grub drauflos Sonne! Sonne! Sonne! am Heimweg war ich schon blind – tappte zur Hütte drei volle Stunden undsoweiter, bis ich wieder sehen konnte.. etc o Menschheit angefüllt mit verheerung
ob ich rein will? beide zum Lava-Ofen- die in sizilien friern ganz schön!
rückte Porzellan, wollt ihr nicht zugreifen. Im tauben winkel-
(im tauben winkel des dritten reichs) bescharrten wir
möchtest du nicht nocheinen?
alles Ersatzhandlungen   gute Menschen
Wir liftboyten den vorüberhuschenden Himmel in seine Tiefen und wunderten uns daß gerade wir und gerade wir in Stuttgart und gerade an einem einundzwanzigsten März zu mon / nur alle 26 Jahre sichtbar, wunderten uns daß gerade wir (der bäckerjunge lächelte dich an: so schlimm kanns also nicht gewesen sein) handelt es sich eigentlich um eine Art Geschwür ich bin ein halber Arzt laß mal sehn
wir parkten bei BÖHMS vor der Zergliederung und es war sonnenklar, so schnittig hatte er noch niemand mit seiner superlampe ausgeleuchtet
wir parkten & es war klar was frank sinatra sang candy kisses wrapped in paper. Die schwarze Puppe mimte Rauch meine (ihre) stimme wiederholte Feuer & Raserei (»Feuer & Raserei«) und ich

donnerte und zischte, monoton wand sich meine melancholische spiralform ums Erdherz wie in einer Tube lag *der Mann in seiner Munition* seine Pupillen glühten und glosten, wer kann das aufzeichnen – »alles nachahmen« »alles nachahmen« stöhnte er. Hinter seiner Natur (stöhnte er) und seine Ungeheuerlichkeit ging über ihn hinaus. »den mutzen gefragt« geht den direkten Weg durchs Gedärm »ich möchte Medizin studieren« – »nicht wie ein Hund leben« und eisern eingerastet-
& saß in der Ecke süchtig vor Angst seine Beine eins mit dem Stuhl; Mauern knackten Sirenen entwarnten Dächer hoben sich ab BLAKE PASSTE und ein Haltepunkt (Feuer und Raserei was blöken seine pupillen?) MILCH MILCH RIESIGE LAUBGEWINDE ein zusammenordner ein oberstes mild herabhängendes Augenlid: dreh dich mal um, ists dir lieber wenn ich dich / der Mond im Juni steht im sechsten fall
begleitest du mich rüber in die josefsgasse
medizinisch gesehn..
freilich sah er sich gerne die muskulösen Beine der Tänzerinnen an, trugs Klavier ein Dutt Staub hatte ihn gestreift, es rumorte in ihm als er mich am offnen Fenster erblickte, sah aber weg, sein Söhnchen pullmannte keß. Er war nicht mehr der gleiche ich etwa noch
seine Beine verflochten sich liebevoll mit dem Sessel
der Juni paßte
»fekete« – ich komm mir vor wie eine Figur aus einem Hauff-Märchen
SCHÖN WIE SEINE BILDER ATTERSEE SCHÖN WIE SEINE BILDER
wenn Sie wartn kriegn sie dn nächsten und so fort hustend mich mit schleifend küßte ihn (ist das 'n ende?)
ich parkte
Die Puppe saß in ihrem grauen Kaftan zwischen den Fenstern.

(beyond zitternd ein Wintergewitter..)

FBI/FIB/Friedhof im Februar oder
ein apostroph-text mit manuela

> vorgeschichte: manuela hat's absolute Gedächtnis: alles was sie jemals gesehn gehört gekannt kann sie mittels meines apostroph-textes =
> hypnose perfekt reproduziern!

.... osterhasn her! 's ostert sehr!
mein kitz mein kitz mein kitzbühel
stellte 'nen batman vor mich hin/ wollnsiemal?
z'ammbleibmstehn – wie die Landstreicher
.. kauf ihn dir .. verwöhn dich .. freier fall des ff (franz frischauf)
hatte 's Werkzeugköfferchen bei sich und einen dunklen sonntagabend bartanflug aufeinmal ROCHS NACH VEILCHEN NACH VEILCHEN NACH VEILCHEN
Veilchen &jaguar Veilchen &lilien Veilchen &rosen Veilchen &velten Veilchen velten &guillome
als ich raustrat rochs nach Veilchen Veilchen &hülsmans Veilchen &veilchen
da nahm der cobbler meinen fersenschlauch gar ehmsig & 's töhnte sein telefohn morgen-kameraden im untergrund : um '20 kommt die badener um '25 die platte um '31 Lisas graubraunes jam mädchen / you are my special angel / wir hörens kaum durch die saiten der Musik aber sie entsteigt der Harfe
richtig mit füßchen wie 'n *snoopy-*
adresse?
fittiche!

es ist meinen wir schon zuviel gesprochen worden drum schreibt der handke 'ne flatter-pantomime mit kohlkopf-panorama & so reiten wir die Wochen lang »bang!« es wird mir vor der Zukunft bang »bang!« o katzenschein 's ist 'n jammer
ich sah ihr ins Gesicht dann in 'n kopf – der ist 'n wassertopf pfeift ständig seinem Siedepunkt entgegen
il wind go away (ellafitz) la vata' du leisewitz!
zb eine bekannte Musik verbalisiern – etwa 'n trauermarsch von

chopin manuela manuela mädchen meine Landschnecke SCHILLER
ZAHL LOCKE BRILLE ohne zahl
flatteradresse!
auf manuela! komm ich noch – ist wie 'n kartoffelacker in der vorsaison, sie ist mein opferkuch'
maurice & jacqueline papillon-flayelle gebn sich die ehre sämtliche hasenböhlers reiß neiß in Autofalte steig links fink fahnen ost aus bixel mit mattenkot (sandra von schulthess/schulthess)
la tasta die harfenmusik natürlich (der)
'm rücken hat er nachgegeben. die blaue fuhr eben in die remise fort geschritten muß ich / am offnen grab werd ich / er soll sie
EINE WUNDERVOLLE PALME WEDELTE
EINE WUNDERVOLLE PALME WAR SCHÖNLING
EINE WUNDERVOLLE PALME WAR IHR SCHICKSAL
EINE WUNDERVOLLE PALME SAGTE KINO IN RIO
EINE WUNDERVOLLE PALME SAGTE NIZZA
möcht raus da nach nizza zB nach barcelona zum gaudi nach cannes & überhaupt aber manuela sagt nein sagt cartoon sagt grüßgott sagt gerald manuela das Kind braun wie Kartoffelerde gelb wie Maisgrütze roh wie Rüben – ist sie vielleicht mit gaudi verschwistert? mit mir verschwägert? krümmt sie mein eingeweid was'n WAS'N? wasenmeister küßtihand
küßt den hund auf den mund wars mein bügelmeister? auf den bügelfalten meines Pferdes manuela – kaum bot ich ihr 'nen kleinen schneesturm an ... als der alte trubadur uns nicht mehr losließ!
siehmal an! ein SPACEMAN ein SAUCERMAN ein BATMAN – alle mit Bart.

Mutter hat den Kalender zerrissen da hab ich ihr den Arm abgebissen etc. Er lag im garten & schlief da kam ein coca cola Engel & rief Du mußt eilen jemand will mit manuela w'eilen ... etc.
he is sitting / er ist gerade sitzung
are you sterbing?
he put a big cow to my nose : there i rose
rose rose manuela my
bod'y
zurück in 'n mutterschoß mit dir nichts wie zurück
& slafn

die Zeit der Wortlosigkeit ist gekommen
die Frist ist um / bald werd ich stumm
mögnsiemal?
Dieses ist der Augenblick
stück ab dem schwarzen Garten 95 wunderärzt' freuden & gefahren unansehnliche seife Winter mit nord durchgeschn' der knabe auf 'm schlitten (fällt ungeschickt zu Boden) die Knospe der Kälte aber fährt ihm wie 'ne Wühlmaus unter die Röcke! & im Bäckerladen der König des Kampfers (kasten) friert Äpfel wie sie vom pferd gefallen und tropfen wie's lied von der Harfe um die Füße geschlagn und die Zehen wie Zapfn & über und über mit eis / zogen zur öffnung des leibs .. satt üb' wasser stürzen und trinken und ertrinken
manuela die cellotochter weh kartoffelig lehrhaft / gekocht & gebrüht geschick'lichkeit : aller anfang / DANN ASSEN WIR AN HUTTERS KÖPFEN: kleine geäderte kohlsprossen schauderten völlig wunder daß wir zäh' und härter eine Terz tiefer eine SCHILLER ZAHL locke
mongol'ei hinterher
die waldstory erheiterte uns alle auch manuela sehr weil sie (erwärmte) ästhetik des grünen gewands waldkar' lehrte über russischen wal' waldkenners fockel: Peter des Ersten flora & fauna hatte zwei Hähnchen wie Schiffsbäuche
gräfin grün erwähnte den ästhetischen appetit (und die vier fälle des waldes) : DIE EICHE DER EHE DER ECHO' in DIE EHRE
die flurdichter die Feld' und die Flügel die für lenin erklangen entsprossen Kisten mit bechstein harz & wodka *Zimmerfaust*!
ich kenne rus und rus kennt mich
sterne übertreffen / LI-
sandweicher schwerer Vogel Flügel manuela aller handvoll
eisbrocken
SO UNGEFÄHR ALLES

Jonas & der Fisch

Max Bense: dem großen Propheten

trat ins Spiegelzimmer des Wals
spiegelten sich die Eigenschaften der Liebe der Körper der
Auflösung
Mündchen mit Föhnhimmel
fandango drei Tage drei Nächte
Protuberanzen der Walsonne, sie ging auf und unter: seine
empörten Regieanweisungen polterten gegen ihren beinah
stillstehenden Puls
fischig auch sie / Ekel & Scham
mit ihren grellen Gelenken faßte sie ihn polypisch (»moro & bete!«)
so war innen der Wal platinblond
ölige Papierfenster : Jonas spähte und dachte
Kiemen umarmten ihn
Küchengeheimnisse des Wals einer Frau von fisch(format) & fünf
Liter Glas dreiviertel Kilo Alkohol
Quellen des Meers
Sphäre des Fisches
Jonas freute sich darüber sehr doch am nächsten Morgen zernagte
ihm ein Wurm seine Pfeife daß er Rauch blasen mußte nach allen
Richtungen : die Sonne
des Wals stach nun auf sein Haupt und er wünschte sich den Tod
.. & Joppe
war weit und er konnte zwischen links und rechts nicht
unterscheiden
die Weihe des Meers lag (liegt)
in Deutschland wo die unter schöpf(wert) fischmänner auf fang &
see
.. und Jonas betrachtete den Dornwal wie er die Zunge rollt nach
innen
es kommt eine Dimension mehr dazu die erotische (SPANNUNG):
& wasserbilder & wasserbilder im Schoß
dort Deutschland unerschöpf Quelle des Meers
auch fürs Haus
wollte die Spannung denn im südlichen Himmel der südliche Wal
singt &
baut sichs Schiff im Schiff und donnert los

Wasserbilder durchs Ölfenster und die Heimat Deutschland /
alster & die große Wasserschlange
die Becher der Jungfrau die Raben
fliegen dem Wassermann dem Einhorn ans Kreuz
'n Wal-
reg't sich der Tucan, geht mit der Pendeluhr
qualmt Pfeife wieder!
laufen Skorpion und Hase hinterdrein
über die -olken berge krümmt sich der Wal & die ganze Staffelei
fällt um
Jonas bemalt den Fisch innen & die Grimassen der Schlangenträger
und Eichhorne
würfeln um den Pfau
der schlägt ein Rad vor dem Pfeifenkopf = Teleskop des Jonas:
's Chamäleon netzt die Taube die fliegt gelb und der Wurm des
Wals folgt
denn der Strauch = die Pfeife die der Wurm zernagt
verdorrt jetzt wie KAJAK VON BORNEO
Jonas aber sieht nova & das Pianino fliegt ihnen voraus . .

denn das ganze war ja ein Aquarium und Jonas saß da im Fisch
und betrachtete sie alle und wünschte sich ausgespien-
wäre er Luftbläschen im Perpendikel müßte er
ausmessen = ausleuchten & den Horizont wie eine *Lampe*
aber der Fisch platinblond
wie eine Lampe (hulatsch! hulatsch!)
zierliche Telefonstimme
platinblond der Wal falsch verbunden.
an der Innenseite nasa das Volk der tänzer & der geiger / sehr
gefragt
hielt sich die Hände vors Gesicht und jammerte
entrollte Augenkarte
verfing sich an appeldoorn
setzte talent pfeife an
parolt . .
»MALE ROSN INDN SCHNEEEE . « (singts aus dem Wal Radio)
der Jonas zog an seiner Pfeife / fauchte / der Hund REBEBE war mit
dabei

»ich kanns von hier nur schlecht erkennen . .«
». . er wird an Land gespült!«
»du hast dir 'n schlechtn Platz gewählt«
»da kommt er!«

Gelächter des Pferds Aurelia (innen war 'n Pferd mit Knopfaugen das hieß so) trug ihn den halben Tag im Walfischbauch herum / sprach schimmeliges Zeug / stutensprache REALLY UTELY ! REALLY LOVELY ! REALLY UTELY ! REALLY UTELY !

walfischtraum-
sankta skala von den flanken so-
ELEKTRIZITÄT IST GLEICH KLEISTIZITÄT spricht Jonas
Rheinland (ihm die)
wünschten sich alle nun den Tod als die Sonn' stach auf ihr Haupt /
auf'm Klavier ganz rosenthal lieblich für übernacht   die Menge!

& 's ging durch die Menge wie Tran-
so sehr Privatmann war Jonas

daß er insasse
hinterfisch
senkte tief see gesicht

verlor bullauge wie 'n ei in ischias
(nämlich des angehobnen Lids Stichflamme)
MAN KANN SICH AN IHM RANKEN
NIE MUSS MAN KLEIN SEIN ODER
KRUMM SEIN SEINETHALBEN
bullauge in Knöchelchen . .

der Prophet ohnmächtig fadigenfußes
nun nicht zu spät
wie Maschen verteilt ein väterliches Lächeln : da ist
Leid ganz Israel was sie da etwa brauchen mit wem sie eingereiht
unter Männern
gesalbt zu flüstern samt PFERD & PFEIFE
sagte ihm sie hätte ihr Gesicht nicht mehr bei sich –
Wal Fisch ihres Sohnes

in sein Haus
(stieg empor Ähre und floß nur 'n Wal see wie täler flüß . .
aber der blitzt dort saß an seinem Westen Abhang
– wie Milch wie Loth wie Nele wie Ris

. . aus spie der Wal IHN

daß er ans neue Ufer)

»Marebanische Gesänge«
(eine Psalmencollage)

Evangelist	Dietrich Fischer-Dieskau (Tenor)
Jesus	Johannes Richter (Baß)
Ancilla 1	Ingrid Schulz (Sopran)
Ancilla 2	Lore Fischer-Dieskau (Sopran)
Judas	Hans-Dieter Rodewald (Tenor)
1. falscher Zeuge	Hans-Dieter Rodewald (Tenor)
Petrus	Harry Dschitzki (Tenor)
2. falscher Zeuge	Harry Dschitzki (Tenor)
1. Psalmenstimme	Helga Ruth (Alt)
2. Psalmenstimme	Horst Schäfertöns (Tenor)
3. Psalmenstimme	Udo Steinhauer (Baß)

Evangelist	vegn desproch
Jesus	SEGN
Ancilla 1	spezialmenter a calfrosch
Ancilla 2	aus einem uralten Paßland ein Museum
Judas	weist auf St. Martin
1. falscher Zeuge	Talschaft Mareo bis Palfrad
Petrus	Kürzungstendenzen
2. falscher Zeuge	grafy »tonfülle«
1. Psalmenstimme	ch'sta ch'sta (zirkumflex)
2. Psalmenstimme	d got d'vin
3. Psalmenstimme	cater tempora

Evangelist	wegschellen füch funz
Jesus	SEGN
Ancilla 1	röch profeta
Ancilla 2	spantadl erdrutsch röhre
Judas	ronz ronz Eichel
1. falscher Zeuge	i slef
Petrus	la plö luminus
2. falscher Zeuge	i terz
1. Psalmenstimme	die Mutter gibt ihm ihnen zu essen
2. Psalmenstimme	der Bub hat uns euch weggegessen
3. Psalmenstimme	tibi
Evangelist	affirmative Frage
Jesus	SEGN
Ancilla 1	bona
Ancilla 2	süs massa la bestia
Judas	totus tota
1. falscher Zeuge	tröp püch
Petrus	töt en hengst
2. falscher Zeuge	der Frühling kommt mit einem *Knall*
1. Psalmenstimme	endisch!
2. Psalmenstimme	hat immer so metaphysische Krankheiten!
3. Psalmenstimme	nihil
Evangelist	ch't'ais
Jesus	SEGN
Ancilla 1	mein Rugbüll
Ancilla 2	gnide!
Judas	non sunse
1. falscher Zeuge	nos gnunse
Petrus	seid brav schauet brav zu sein
2. falscher zeuge	fui! fuisti!
1. Psalmenstimme	ebam
2. Psalmenstimme	audio amo vendo
3. Psalmenstimme	wie die Rachmanova! wie die Rachmanova!
Evangelist	floreo!
Jesus	SEGN
Ancilla 1	floride!

Ancilla 2	laldada
Judas	gloria (swanson)
1. falscher Zeuge	John Drake
Petrus	sirene
2. falscher Zeuge	was hat sie da am wickel (ihres Schuppenkleids)?
1. Psalmenstimme	os jeis
2. Psalmenstimme	messas messas! messa!
3. Psalmenstimme	's grubenpferd (stlüt)
Evangelist	jü
Jesus	SEGN
Ancilla 1	jesses jesses
Ancilla 2	mort!
Judas	malamenter! malamenter!
1. falscher Zeuge	inzahn
Petrus	drei Wochen und sie lernen tanzen
2. falscher Zeuge	(arie) ob auch die Wolke sie verhülle
1. Psalmenstimme	filius engerth
2. Psalmenstimme	ungern
3. Psalmenstimme	aposta
Evangelist	io t'o ta bum
Jesus	SEGN
Ancilla 1	es seien die ungleich erfülln
Ancilla 2	plü püre plö?
Judas	gnü
1. falscher Zeuge	au
Petrus	vegnes't? na
2. falscher Zeuge	baudi!
1. Psalmenstimme	du kennst mich nicht
2. Psalmenstimme	sirene (Strandwiese)
3. Psalmenstimme	waisen horn
Evangelist	i linzos
Jesus	SEGN
Ancilla 1	rhinocerus secomete?
Ancilla 2	feri granti
Judas	feri fini?
1. falscher Zeuge	fini desflori!

Petrus	demnächst in ihrem Kino
2. falscher Zeuge	Hand am Drücker
1. Psalmenstimme	massa t'ert
2. Psalmenstimme	der junge goethe (am Baritonsaxophon)
3. Psalmenstimme	horror
Evangelist	brümz
Jesus	SEGN
Ancilla 1	brühm
Ancilla 2	tropf!
Judas	der düstre so halberleuchtete saal dazu die schlechte
1. falscher Zeuge	bluder
Petrus	i strüf
2. falscher Zeuge	kardinal fix
1. Psalmenstimme	schauder vor der Leere (oooohhh!)
2. Psalmenstimme	lunch l'ödl
3. Psalmenstimme	salpü! (auf fünf zwölftel)
Evangelist	spech ronz röch!
Jesus	SEGN
Ancilla 1	Geisterfußball und geschwefelte Stimmen
Ancilla 2	pro oriente
Judas	op (so reise ich hin) op olp
1. falscher Zeuge	n urt
Petrus	welchn urt
2. falscher Zeuge	präpalatale affrikata (lac!)
1. Psalmenstimme	denn ich will denn ich will etwas am südlichsten zipfel afrikanisches sehen
2. Psalmenstimme	und das Meer!
3. Psalmenstimme	und das Meer!

(Chor und alle Instrumente: höchste Lautstärke: SEGN SEGN SEGN SEGN SEGN ..... usw)

Bildtafel 1

Ein mal Eins.

Das kleine

1 mal 1 ist 1

2 mal 2 sind 4
2 mal 3 sind 6
2 mal 4 sind 8
2 mal 5 sind 10
2 mal 6 sind 12
2 mal 7 sind 14
2 mal 8 sind 16
2 mal 9 sind 18
2 mal 10 sind 20

3 mal 3 sind 9
3 mal 4 sind 12
3 mal 5 sind 15
3 mal 6 sind 18
3 mal 7 sind 21
3 mal 8 sind 24
3 mal 9 sind 27
3 mal 10 sind 30

4 mal 4 sind 16
4 mal 5 sind 20
4 mal 6 sind 24
4 mal 7 sind 28
4 mal 8 sind 32
4 mal 9 sind 36
4 mal 10 sind 40

5 mal 5 sind 25
5 mal 6 sind 30
5 mal 7 sind 35
5 mal 8 sind 40
5 mal 9 sind 45
5 mal 10 sind 50

6 mal 6 sind 36
6 mal 7 sind 42
6 mal 8 sind 48
6 mal 9 sind 54
6 mal 10 sind 60

7 mal 7 sind 49
7 mal 8 sind 56
7 mal 9 sind 63
7 mal 10 sind 70

8 mal 8 sind 64
8 mal 9 sind 72
8 mal 10 sind 80

9 mal 9 sind 81
9 mal 10 sind 90

10 mal 10 sind 100
10 mal 100 sind 1000

Das große

	11	17	23	29	35
2 mal sind	22	34	46	58	70
3 mal sind	33	51	69	87	105
4 mal sind	44	68	92	116	140
5 mal sind	55	85	115	145	175
6 mal sind	66	102	138	174	210
7 mal sind	77	119	161	203	245
8 mal sind	88	136	184	232	280
9 mal sind	99	153	207	261	315
10 mal sind	110	170	230	290	350

	12	18	24	30	36
2 mal sind	24	36	48	60	72
3 mal sind	36	54	72	90	108
4 mal sind	48	72	96	120	144
5 mal sind	60	90	120	150	180
6 mal sind	72	108	144	180	216
7 mal sind	84	126	168	210	252
8 mal sind	96	144	192	240	288
9 mal sind	108	162	216	270	324
10 mal sind	120	180	240	300	360

	13	19	25	31	37
2 mal sind	26	38	50	62	74
3 mal sind	39	57	75	93	111
4 mal sind	52	76	100	124	148
5 mal sind	65	95	125	155	185
6 mal sind	78	114	150	186	222
7 mal sind	91	133	175	217	259
8 mal sind	104	152	200	248	296
9 mal sind	117	171	225	279	333
10 mal sind	130	190	250	310	370

	14	20	26	32	38
2 mal sind	28	40	52	64	76
3 mal sind	42	60	78	96	114
4 mal sind	56	80	104	128	152
5 mal sind	70	100	130	160	190
6 mal sind	84	120	156	192	228
7 mal sind	98	140	182	224	266
8 mal sind	112	160	208	256	304
9 mal sind	126	180	234	288	342
10 mal sind	140	200	260	320	380

	15	21	27	33	39
2 mal sind	30	42	54	66	78
3 mal sind	45	63	81	99	117
4 mal sind	60	84	108	132	156
5 mal sind	75	105	135	165	195
6 mal sind	90	126	162	198	234
7 mal sind	105	147	189	231	273
8 mal sind	120	168	216	264	312
9 mal sind	135	189	243	297	351
10 mal sind	150	210	270	330	390

	16	22	28	34	40
2 mal sind	32	44	56	68	80
3 mal sind	48	66	84	102	120
4 mal sind	64	88	112	136	160
5 mal sind	80	110	140	170	200
6 mal sind	96	132	168	204	240
7 mal sind	112	154	196	238	280
8 mal sind	128	176	224	272	320
9 mal sind	144	198	252	306	360
10 mal sind	160	220	280	340	400

7 hatte damit immer zu Schwierigkeiten

Bildtafel 3

(englisch: "the cat")

Korrekturen

zu meinem Buch »Hölzern wirkt der Astronaut wenn er aus dem Walde schaut«.

Seite 111222: Stichwort pink-afternoon –

muß heißen:

clownigst-stufenweis-nelkenrot-handschriftlich-saalgrün-rehearsal: »ich hoffe sie vergeben mir«, Blick durchs Autofenster ohne Energie ich könnte jetzt keinesfalls (-tauziehn)

Seite 111222333: Stichwort Elbflorenz –

muß heißen:

sweet-home: der EILIGE Markus (».. laßt ihm ein Freudlein machen ..«) den göttlichen Abruf in Güte erwarten; o Totenkopf Vogelkopf Sokor & Ziegenbock am Blütenstrauch (-pappssi seissigen)

Seie 111222333444: Stichwort Zwischenwässern –

muß heißen:

endend mit schinkels von da ab Schloßbau Charlottenburg, Berlin den freigegebenen Raum hat Goethe im Walde verloren, sie hat Leine gezogen (Zazie); Absalom & das Sternenhaus, Speisungen eines alten Fußes; meine lahmende Hand begreift was man zu ihr spricht; selig die noch nie gesagt haben diese Geschichte haben sie mir heut schon mal erzählt; selig die mich erleichtern

Seite 111222333444555: Stichwort Sämtliche Walzer –

muß heißen:

gespielt von Paula v. Perlmutter selbst in Paul'en geb. Ärgerlich nicht weitersagen! eine lästige Gewohnheit. Wird der heilige florian auf dem Kirchplatz einen unbekehrten Menschen bekehren; und wie sieht denn so einer eigentlich aus; abwesend? wüst (»was schreib ich gerda ins Stammbuch?«)

Seite 111222333444555666: Stichwort Föhnhimmel –

muß heißen:

Herr P. Wackenier, 85 rue du noyer, bietet eine DAMENFLÄCHE mit sehr schöner Miniaturbemalung zum Verkauf an, diese steht in enger Beziehung zu Kaiser FJ & seiner Familie, wobei nach Ansicht

Wiener Experten das historische Interesse das kunsthistorische noch übersteigt – Interessenten mögen sich direkt mit Herrn P. Wackenier auch per Lift, von hier bis zum zweiten tatsächlich sechsten Stockwerk – den Halbstock auf der Stiege unterhalb –– die Rettung der Maria Th. für die Völkerkunde (auf Zehenspitzen & Seidenpolster)

Seite 111222333444555666777: Stichwort Das überrumpelte
Leben –
muß heißen:
Plan zur Herstellung von Doktoren stößt auf Skrupel, aber wie soll man sie alle aufbaun? strohmänner befreien gleich elektrischen Birnen das Dorf vom roten hahn: öffnet eure I-A Herzen! es dehnt sich auf alle aus: ohne Bücher keine Bildung, bolsch. Himmel! 7 Scharmützel, 1 Million Pferdekräfte, Schild am Mast. Transparent: ICH BIN NOCH NICHT GEBOREN ABER ICH HABE SCHON L-A-A-N-GE H-A-A-AARE / Kamille; Erwachsene werfen in die Büchse Nummer »23 mai 1924« (ich im Embryonalzustand), Kinder in die Büchse Nummer »flußaufwärts«. Abmarsch! zur gleichen Zeit *kam ein Elefant in Moskau an*, müde, um 6 Uhr morgens, auf dem Weg zum Zoologischen Garten wachte er auf, man sagte ihm die Bierschenkel des Mosselprom befänden sich unter dem Pionierklub (»wir müssen einer armen Witwe helfen«: »wir dreschen sie«) – sie dreschen, sie gehen von der Arbeit, sie baden, sie kinoglasen; Kinoglas zeigt wie man richtig *abspringt*! wir werden für euch lernen! wir werden für euch abspringen! wir werden für euch hissen! Ein chinesischer Zauberkünstler wird reichlich mit Broteinheiten für seine Vorführung bezahlt. Wenn die Uhren in unsrem Klub zurückgehen, kehren die Brote in die Backstube zurück; Kinoglas verwirklicht die Gedanken des Pioniers ».. vom Brot zum Teig vom Teig zum Mehl vom Mehl zum Wagen vom Wagen zum Dorfkindergarten ..« (ja ja die sind hier ohnehin alle verkehrt)
»Wer das Rind liebt der zieht ihm das Fell wieder an; wer das Rind liebt der gibt ihm seine Eingeweide zurück; wer das Rind liebt – es war ein Rind ich war ein Kind: das ist der erste sowjetische GEDANKENFILM«.

Seite 1112223334445556667778888: Stichwort . . hilft mit Samen aus
muß heißen:
der Sowjetmensch kümmert sich um seine Kinder schon im Mutterleib: meliorationsarbeiten schon an Ort und Stelle, überhaupt wird alles melioriert; neuer Damm, neue Brücke, neue Zucht und vor allem *Renault*; eine gesprengte LOK, wos zu fahren unmöglich war weißgott unwegsam, jetzt ists 'ne Chaussee. Nur das Herz der Maschinen pocht, die geben auch ihre Stimme ab. ». . wohin eilen sie?« – »in die Nachtgesundheitsfürsorge« . . alles für alle nur im GUM am rotenplatz . .

Seite 1112223334445556667778889999: Stichwort . . häßlich ists
wenn ein leptosomer Typ Fett anzusetzen beginnt
muß heißen:
was das Zimmer verloren hat muß das Zimmer wiederfinden (mizzi mizzi). Flugrad, der zerquetschte Katzenkopf säuft ab »möge es ein Kontinuum bleiben um unsre Kameraderie zu erhalten/anschaun ist gleich lieben.«
Die baukastenidee unsrer Gemeindebauten; gunther seinen Hund flohend; Moser seinen Vogel; birgit ihre Katze; etc. Eine Rauhgräfin ist seine könig's sonne; ein Windspiel ist seine schwester; Wilhelmine sein Kopfputz; eine Straußenfeder sein Schlittenpferd : oh vergeßlichste treue!

Seite 1112223334445556667778889990000: Stichwort Ungeduld ist
Untugend
muß heißen:
die vielen clogs meines Lebens sind ohne ADEL wie die Autofahrer. Sonnenkind das ich immer war wünsche ich mir aber jetzt Nebeltage die mich einhüllen. Als wir durch Ortschaften brausten die das Wort OPF nachgestellt hatten wars ein Opfer, kleines Opf. Hof & Hirschau wie marlene, das ist ein himmlischer luxus. Dann verachten sie sich und alles und die Geduld sitzt nicht mehr richtig. »A farmers son so sweet / was keeping of his sheep / he fairly fell asleep / *while his lambs were playing*« – diese hübschen Strophen sind von Raoul Hausmann achten sie auf den drive: beginning without end sollte zum Grundprinzip werden – aber was ist daraus geworden, aus dem Briefwechsel, dem felsenausflug, Wecebrunnen pumpt kein Wasser mehr OMAMA kleidet sich halbwaden, reinhard zeigt

uns 's haus (doll!) unser Mercedes hat seinen ADEL (s. o.) verloren, der Kirsch ist mond sauer »wo bleibbd sie?« – »ist drin im Wagn« / am Ende des Funktionärs, ähnlich affig wie wenn am baum das christmasgift Marianne hängt, da hilft nicht mal die Vorschützung des bekannten Virginitätskomplexes »wie süß mein christian mit seinem pops an meinem bauch«.
Die Etagenvögel des Hotelsacher fliegn der alten O. auf die Krempe genau wie in einem Limerick.
Der *Puppel* : ahnen Sie eigentlich die vorgetäuschte Semantik unter unserm Kunststoffhimmel Sie Schweißzwerg? – nicht ohne Anstrengung, LADY FRITZE.

IV. Arie auf tönernen Füßen. Metaphysisches Theater

comicstrip, eine Oper

es spielen & singen
snoopy
maria callas
300 stimmen
die sich andauernd von einer seite der Bühne zur andern
bewegen und rufe ausstoßen wie aa! ee! ooh! iih!
ööh! uuh! üüh! buuh! scheih! brr! sss! ätsch! bim!
wui! pff! srr! ticktack! schnarr! klpf! rtt zz! Z! (gemeint
ist hier: stimmlos; stimmhaft) fff! trr! kk! k.o! o.k.! sst!
auh! biff! sniff! krzz! x! x! x.! (etc.)
snoopy
im blauen turnanzug mit ausgebügelten haaren
wirft die arme in die luft
maria callas –
die Beweglichkeit ihrer mundpartie läßt zu wünschen
übrig –
es erheben sich schreckliche wellen wie auf
japanischen stichen
und fluten über die beiden hinweg
die 300 stimmen (s.o.)
klagen in ohrenbetäubender weise
sobald sich die flutwelle gelegt hat
erscheinen
snoopy
maria callas
und lächeln
bei maria callas hat die Beweglichkeit der mundpartie
sichtlich gelitten –
bei snoopy die stimme
er macht einige bewegungen im blauen turnanzug um sich
zu erwärmen –
chor braust über die Bühne
schreiend : flautando flautando   etc.
kommt den 300 stimmen ins gehege
die Bewegungen der beiden blöcke geraten allmählich arg
in verwirrung –
so daß snoopy

und maria callas
um hilfe rufen weil sie im allgemeinen getümmel beinah
untergehn
maria callas
dementiert energisch gerüchte
snoopy
im blauen turnanzug mit ausgebügelten haaren
fühlt sich
zum präsidenten der österreichischen
interpreten gesellschaft ernannt
schüttelt mähne
lächelt
erstickt fast
im allgemeinen getümmel
ein anderer chor wirbelt nun ins allgemeine getümmel
der 300 stimmen (s.o.)
und des ersten chors (s.o.)
aus der tiefe des raums nach vorn
und lärmt mit kleinen Trommeln, Pauken, Posaunen,
Violinen, Kindertrompeten etc.
bis lärm monströs –
maria callas hält sich die ohren zu
– die Beweglichkeit ihrer mundpartie hat gelitten
snoopy beginnt zu weinen
er ist klatschnaß
da senkt sich von oben ein weiterer chor herab
und mischt sich ins allgemeine chaos
(dies ist ein nies- und husten-chor)
maria callas hält sich ein spitzentaschentuch vor mund
und nase
snoopy weint heftig
seine haare schleifen auf dem boden
aus der versenkung – extrem rechts –
steigt die freiheitsstatue mit einer Handgranate in der
schwingenden faust
alles wirft sich automatisch zu boden
die freiheitsstatue dreht sich um ihre eigene achse wie
ein diskuswerfer
und lächelt

alles kriecht am boden umher
angst auf allen gesichtern
snoopy wimmert
maria callas verzichtet auf jeden gesellschaftlichen Verkehr
die freiheitsstatue dreht sich um ihre eigene achse
sie schwingt die Handgranate bedrohlich
es wird plötzlich ganz dunkel
man hört ein schreckliches krachen
einen knall
eine explosion
– sobald es wieder hell wird
marschiert
snoopy
langsam über die leere Bühne
sich immer wieder räuspernd
auf den boden spuckend
mit auf dem rücken verschränkten armen
einen anflug von Traurigkeit auf dem gesicht
&
umherblickend
als ob er etwas suche..

Arie auf tönernen Füssen

Sängerin kommt hereingestürzt fast horizontal Partitur
weit von sich haltend äußerste Entfernung vom Auge als
ob sie im nächsten Moment auf den Händen die jetzt noch
die Partitur halten gehen wollte –
(herzzerbrechend möchte sie weg / als liverpool verkleidet)
als ob sie auf den Händen gehen wollte aber die Partitur
dabei weiter in den Händen haltend als ob sie horizontal
strebend Partitur lesend auf Händen gehend –
(Strähne in Strähnen)
radschlagend
während ihr *Begleiter auf dem Klavier* Schwierigkeiten hat zum
Klavier zu kommen
nämlich ein schwarzer Punkt in der Form eines

Kontrapunktes –
(fäustlings / fröschelt in fabelhafter Gegend »stage-fright«
umher fabelhaft gern wie ein Käuzchen)
irrt wie Irrlicht vor ihm her
während die *Sängerin* in ihrer horizontalen Lage verharrt
ruft ihr *Begleiter auf dem Klavier* das Käuzchen an ruft
den Kontrapunkt zur Ordnung   versetzt dem fäustling
einen weichen Nasenstüber fixiert dem Punkt eine
Nasenklammer
(präpariert das Klavier, na also!)
beunruhigt ihn mit fuchsmundi mirlifax & passa gier
verspricht ihm eine Maulschelle sowie Nelsons Hut und
Seidenstrümpfe
während dieser Fingerzeige & Warnungen
hüpft die *Sängerin* auf einem Fuß während sie immer
noch horizontal auf diesem lagert und fängt an zu schreien
(die furen gottliebs!)
der westliche Teil der *Sängerin* –
(tokyotisch)
geht an den Bühnenrand heran
dann läßt sie ihren östlichen Teil die Rampe langstreifen
in welcher Bühnenecke sie beim Anblick des immer noch
widersetzlichen schwarzen Punktes anschwillt und wieder
zu schreien beginnt
BAFF BAFF BAFF BAFF
während die *unterredende Person* –
(Souffleuse in verschlissenem schwarzen Kasten
23° nördlicher Breite Bühnenlokus
klein von Gestalt Eulenkralle und Viertelstundenrepetismus
arhythmisch an Weisheit und Verschwiegenheit die ganze
Welt beschämend)
seitlich zu Rand ihre vermischten Gedanken ruft
was ihre Inversionen angeht –
inzwischen haben sich Kontrapunkt und *Begleiter auf
dem Klavier* –
(sehen aus wie großer Dämon mit aufsitzendem kleinen) –
hinter dem Klavier niedergelassen
während die *Sängerin* –
(ein Wasser welches nie gefriert)

schwankend auf ihrem einen Fuß sich nun etwas
aufrichtet zum Klavier
um zum Klavier zu kommen
und noch mehr aufgerichtet klavierwärts tappt
und ihre riesige Vignette vor sich aufstellt –
(partitur, na also!)
dazu ein Fläschchen asti-spumante aus dem sie
schöpft & trinkt & schlürft –
(und worauf sie pocht wie man auf holz abergläubisch!)
und zart knabbernd den Rand der Vignette steht sie nun
mit beiden Füßen auf dem Bühnenboden
steht nun mit beiden Füßen an der Rampe
knabbert und säuft
und hebt die Brust als ob sie anfangen wollte zu singen
während der *Begleiter auf dem Klavier* sich ihr zuwendet
als ob er anfangen wollte sie zu begleiten
da flattert der schwarze kleine Kontrapunkt hinüber zur
Vignette der *Sängerin*
und versetzt ihr (der *Sängerin*) einen Nasenstüber
und fixiert eine Nasenklammer auf ihrer Nase
worauf sich die *Sängerin* auf ihren Händen gehend über
die ganze Bühne in Bewegung setzt und den *Begleiter*
auf dem Klavier schmollend & von unten her lange anblickt
die *unterredende Person* in ihrem schwarzen Kasten fängt
an zu schreien
während die *Sängerin* radschlagend in den Kulissen
verschwindet
und der *Begleiter auf dem Klavier* bis zur Dämmerung –
(na also!)

Der Alpenkomponist & Merkurs Kinder
(ein Happening in Zeitlupe)

Während Merkurs Kinder erstmals auf der Bühne mit riesigen Rollschuhen an den Füßen erscheinen in einer miauenden Klage rollend und nach (postkinder) Art mühsam die ersten Fäden einer Welt (muster) zusammenklauben was etwa so viel bedeutet wie die Geste

SICH AN DEN FUẞ FASSEN (fuß fassen) und der Alpenkomponist *im nu* das gewünschte Wort und die lehrreichen Winkel über Sitten & Gerüche (eine Fülle von Füllhorn Vokabeln) findet was ihn befähigt seine intimsten Wünsche korrekt auszudrücken und über die landläufigen eine jedermann verständliche Unterhaltung *zu führen*, nimmt der Alpenkomponist seine Schildkröte aus und spannt Fäden (s.o., auch Saiten, komponistische) von dem einen Rand der Schale seiner Schildkröte zu dem andern und macht den Eindruck eines vielbeschäftigten rasenden (Wasserfall mit einer MEDUSA notenköpfe) mit steifer werdenden Schwingen und rast nun über die ausgenommene Schildkröte wie überfliegen (herzstoff) ohne vorher ihre schweifchen gereinigt zu haben & pißt in Zeitlupe auf sein Tischchen; leckts bald auf; während sich auf seinem Scheitel nur kurz die *Kladde* (Fädchen, Saite, Eingebung etwa) niederläßt und vor seinen Blößen krächzt (»unglück auf unglück .. achtung wunderland«) er aber, seit einigen Zehntelsekunden (klumpen ein schlankes; sequenzen der KLADDE) *verschollen*, taucht nun abermals auf und macht den Eindruck eines viel beschäftigten rasenden gekleidet wie'n tagedieb den kornhandel übergeschnallt, ambitioniert wie cupidos werkstätte (»theaterscheitel«), marschiert kreuz und quer über die Bühne, notenköpfe (s.o.) kotend, während Merkurs Kinder, ohne vorher ihre schweifchen gereinigt zu haben, in ihren Blößen, pissend kreuz und quer über die Bühne, mühsam die ersten Fäden zu einem Muster (welt) zusammenklauben – eine Apfelkammer erscheint auf der Bühne – kommt auch der Alpenkomponist mit der ausgehöhlten Schildkröte in der linken (dem Leierkasten) mit der rechten *fingerlutschend* wieder in den Vordergrund, während die ausgenommene Schildkröte (Leierkasten) um seinen Hals baumelt; nun läßt sich kurz die KLADDE (Eingebung etwa) auf seinem Scheitel nieder (s.o.) und ihre Anklage gegen die beabsichtigte Urform fürs Musiktheater macht sich mit merkurischer bewegung platz (in schnee verkrochen), während die Kinder Merkurs erstmals auf der Bühne mit riesigen Rollschuhen an den Fersen in miauender Klage ihre Runden drehen (s.o.) ohne vorher ihre schweifchen gereinigt zu haben, die ersten Fäden zu einem Muster (welt) zusammenklauben & pissen (hinweg wie binsen) kreuz und quer über die Bühne, in ihren Blößen, ohne vorher ihre schweifchen gereinigt zu haben, so zügellos bitter wörtlich und finden *im nu* durch die anordnung des ganzen STOFFES was niemand sonst wahr-

nimmt, sitzen auf ihrer ausgeworfenen pisse, werden wie halbe Pferde, überfliegen mit steifer werdenden Schwingen & allmächtigem Fuße (wörtlich väterlichs flanke) und streichen sich über die angenähten »Theaterscheitel« wild und in Zeitlupe und lassen ihre Flügel & flossen (freihändig) ...... rollen so mit herabhängenden Flügeln flossen flanken auf ihren Rollschuhen neben dem Leierkasten des Alpenkomponisten *fingerlutschend*, während dieser mit seiner KLADDE beschäftigt mehrere Notenköpfe frißt und sie bald danach wieder von sich gibt, kreuz und quer über die Bühne, während die Kinder Merkurs über die Bühne rollen und versuchen, in Mühsal und Qual, die ersten Fäden zu einem Muster (welt) zusammenzuklauben .. die Schildkröte leiert am Hals des Alpenkomponisten ausgenommen und süß (seitlich gekehlt mit den büschelohren des luchses) im lehrreichen Winkel über Wickel & Gebräuche (sitten & gerüche), ihre intimsten Wünsche korrekt ausdrückend (was / rollt / über / die / bühne?) ..
über die landläufigen (smyrna) themata als Auswurf & während sie (Merkurs Kinder) erstmals auf der Bühne mit riesigen Rollschuhen an den Füßen in miauender Klage vielerlei Fragen über die ersten Fäden zu einem Muster (welt) zusammenklauben in ihren Blößen & mit den Rollschuhen an ihren Füßen (fuß fassen) was etwa bedeutet mit allmächtigem Fuße und *im nu* (in Zeitlupe) über die hell erleuchtete Bühne zu radschlagen (Füße mit angeschnallten Rollschuhen hoch oben) oder *fingerlutschend* mit den Rollschuhen auf der Bühne dem Alpenkomponisten zu begegnen, der eben seinen Sprachfehler korrigiert und *fingerlutschend* mit umgehängter Schildkröte in seiner Blöße (franse um fresse) mit allmächtigem Fuße sich selbst aufs rad flicht (was anfangs hirt) und immer noch den Eindruck eines vielbeschäftigten rasenden macht, während sich auf seinem Scheitel nur kurz die KLADDE niederläßt, um ein weiteres Mal zu krächzen (s.o.) – in der Apfelkammer die jetzt frei auf der Bühne erscheint, stolziert nun der Alpenkomponist, notenköpfe zählend, *fingerlutschend* & pissend (medusenwärts), während er stolz über die Bühne fliegt, die elysischen Kinder auf ihren beflügelten Rollschuhen hinter sich lassend – diese jedoch mit steifer werdenden Schwingen (unglück auf unglück) ohne vorher ihre schweifchen gereinigt zu haben, in ihren blößen, nach kinder frage (art) mühsam die ersten Fäden zu einer Welt (muster) *rupfend*, rollen nun im Schatten des Alpenkomponisten, während dessen ausgenommene Schildkröte

leiert und seine Geste sich an den Fuß fassen (fuß fassen) bedeuten will, daß er nicht gestorben ist sondern ... entrückt : *fingerlutschend* und sich über die Apfelkammer die nun aufs neue erscheint.. Notenköpfe kotend, während sich auf seinem Scheitel nur kurz, zu wiederholtem Male, die KLADDE niederläßt, um ihm was zu flüstern.
Nun aber dreht die Bühne auf dreh bühne und enthüllt die aller intimsten Wünsche des Alpenkomponisten während *fingerlutschend* aus der werkstätte cupidos die Kinder des Merkur auf ihren Rollschuhen erstmals auf der Bühne erscheinen in einer miauenden Klage und nach kinder (frage) art mühsam die ersten Fäden (fädchen, KLADDE, s.o.) zu einem muster (welt) zusammenklauben (*rupfen*), im leichenhof der Alpenkomponist versabbert ...... (ganz zu schweigen von seinem faß MEDUSE) während die ausgenommene Schildkröte ohne vorher ihre schweifchen gereinigt zu haben, sich an den Fuß faßt (fuß faßt), in ihren Blößen, nicht gestorben sondern ... entrückt.. *fingerlutschend* dem Alpenkomponisten am Nacken hängt (unglück auf unglück), dieser aus seiner Versenkung (der Apfelkammer) emporragt (pilotenzieher), statt eines Brownings sein bentley-feuerzeug : *kopfputz*! mit steifer werdenden Schwingen nun auf seinem Scheitel auch die KLADDE erträgt trotz ihres permanenten Kopfstübers.. während die Kinder Merkurs auf ihren riesigen Rollschuhen, ohne vorher ihre schweifchen gereinigt zu haben, in ihren Blößen, sich auf seinem Scheitel niederlassen zusammen mit der KLADDE, ihm Eingebung vorspiegelnd und nach kinder (frage) art mühsam die ersten Fäden zu einem muster welt zusammenklauben (*zupfen*), während der Alpenkomponist, aus seiner Apfelkammer ragend, *im nu* die beabsichtigte Urform fürs Musiktheater (»Theaterscheitel«) überspringt & so (adler anschwillt einer landschaft) sie dazu verlocken kann aufs neue zu fließen, während glühend die jungen funken zur höh und in seinen Blößen den Dank für unzählige Kopfstüber & *im nu* das gewünschte Wort findend (Aufmunterung der Künste, in Zeitlupe) und schreiend: GEH HEUT DEN STRAND ENTLANG WIE ELY ...

In der Loos-Bar in Wien

(Szene mit Ernst Jandl, Otto Breicha, Martha Jungwirth, Alfred Schmeller, Heinz von Cramer, Suzanne und überhaupt, huypt, haupt, Harry Ertl, Angelika Kaufmann, Elisabeth Dorfner, etc.)

(merkung: Architektur 1:	»..die martha macht das immer traurig..«
Architektur 2:	..pw's sprechtechnik erinnert an eine akustische kurzschrift..«
Architektur 3:	»..und plötzlich sah ich alles in einander verschränkt, schönes in häßliches altes in neues böses in gutes großes in kleines..«
Architektur 4:	»..er hieß, das heißt er heißt immer noch auch wenn er schon tot ist..«
Architektur 5:	»..lied des vogels..der euch fest hält & erröten läßt, lied des vogels..«
Architektur 6:	»..grüßdichgerhard, bistwieder-bistwieder-da?..«)

Personen:	in der Loos-Bar in Wien
Ort:	in der Loos-Bar in Wien
Architektur:	in der Loos-Bar in Wien
Zeit:	in der Loos-Bar in Wien
Szene:	in der Loos-Bar in Wien
Charaktere:	in der Loos-Bar in Wien
Temperament:	in der Loos-Bar in Wien
Stimmen:	in der Loos-Bar in Wien
Medium:	in der Loos-Bar in Wien
Jahreszeit:	in der Loos-Bar in Wien
Situation:	in der Loos-Bar in Wien
Landwirtschaftliche Maschinen Milhaud:	in der Loos-Bar in Wien
Kerzen Brigade:	in der Loos-Bar in Wien
Wiedertäufer Vorläufer:	in der Loos-Bar in Wien
Barbarella Romantik:	in der Loos-Bar in Wien
Post Mortem Gerhard:	in der Loos-Bar in Wien

DANN BLIEB . . IN SEINEM
GEDANKENBAU STECK . .   in der Loos-Bar in Wien
ÜBERHAUPT AN HAUPT &
GLIEDERN HUYPT: in der Loos-Bar in Wien
LOCKENSCHÜTTELN
UNIFORME
GESCHLECHTER: in der Loos-Bar in Wien
»DEM REGENMANN NACH-
SCHAUEND DER LANGSAM
FORTSCHWIMMT . .«   in der Loos-Bar in Wien

anweisung: wenn Sie runtersteigen zu den loos-bar katakomben,
finden Sie nur eine imitations architektur,

wenn sie deinen körper mit pferdchen /

um die mauer schleppen . .

(post mortem gerhard)

HIOBS-POST *oder die 19 auftritte*

als dieser noch redete kam ein anderer und sprach
als dieser sprach kam ein anderer und verkündete
noch redete dieser als ein anderer eintrat und sprach
während dieser noch sprach trat ein anderer ein und verkündete
als dieser redete kam ein anderer und sprach
als dieser noch sprach trat ein anderer ein und verkündete
als dieser noch redete kam ein anderer und sprach
während dieser noch sprach kam ein anderer und verkündete
noch redete dieser als ein anderer kam und sprach
als dieser noch sprach kam ein anderer und verkündete
als dieser noch redete kam ein anderer und sprach
während dieser noch sprach kam ein anderer und verkündete
noch sprach dieser als ein anderer eintrat und sprach
noch redete dieser als ein anderer kam und verkündete
noch sprach dieser als ein anderer kam und verkündete

noch redete dieser als ein anderer eintrat und sprach
während dieser noch redete trat ein anderer ein und sprach
als dieser noch redete kam ein anderer und verkündete
als dieser noch sprach kam ein anderer und sprach

post scriptum: .. war er früher Wasserpfeife und
Krokodil schön sanft und fröhlich
Herde gegängelter Wind und
Spätregen April:
so ist er jetzt Span im Fleisch der Welt
ein
schreckliches Schaugebilde von Würmern
zernagt in seinen Gedanken verwirrt
und bereit zum Tode ..

schwarz-weiß/pop-biblisch

schwarz-weiß Auto (talbot) rast über die Bühne
schwarz-weiß Mond steht in der Kulisse
Kulissen Wolke schiebt über Theater Mond
schwarz-weiß Auto (talbot) (altes foto) rast auf
schwarz-weiß Serpentine
schwarz-weiß Auto wird von Theater Mond bestrahlt
schwarz-weiß Auto rast in schwarz-weiß Serpentine
an jeder folgenden Serpentine sitzt (immer derselbe)
schwarz-weiß Hund
schwarz-weiß Hund ist Theater Hund und wird ganz
rasch ausgewechselt
schwarz-weiß Hund sitzt an jeder folgenden Serpentine
schwarz-weiß Auto rast heran und vorbei
schwarz-weiß Hund kläfft (= bellt)
Serpentine bewegt sich
Auto stöhnt
Hund bewegt sich
Serpentine stöhnt
schwarz-weiß Auto rast über die Bühne
schwarz-weiß Mond bewegt sich hinter der

Kulissen Wolke vor
Kulissen Wolke schwarz-weiß bewegt sich
Hund schwarz-weiß bellt (= kläfft)
Serpentine schwarz-weiß stöhnt (= bewegt sich)
schwarz-weiß Auto bremst (= knirscht stöhnt bellt hält)
schwarz-weiß Konturen (hart) (altes foto) werden härter
Theater Mond bestrahlt Auto Hund Serpentine
Serpentine stöhnt (= bellt knirscht bremst hält)
schwarz-weiß Auto stöhnt (= kreischt bremst bellt hält)
Theater Mond stöhnt (= kreischt bremst bellt hält)
Kulissen Wolke schwarz-weiß lack glänzend stöhnt
(= kreischt bremst hält & wabbelt   schiebt sich heran
knapp vor Mond)
schwarz-weiß Hund kläfft (= bellt wedelt bewegt sich
auf Auto (talbot) (altes foto) zu   bremst hält knapp
vor Auto)
schwarz-weiß Auto rast stöhnt (= bellt knurrt knirscht
wabbelt & lack glänzend bremst hält knapp vor Hund)

Es ENTSTEIGEN ihm
die Mondstruktur
die härtesten Konturen (schwarz-weiß)
die Serpentine
die Kulissen Wolke (schwarz-weiß lack glänzend)
der Theater Mond (schwarz-weiß lack glänzend)
altes foto (schwarz-weiß)
Hund (schwarz-weiß)

Es ENTSTEIGEN ihm
(der ältere der jüngere
der meister der schüler)

Es ENTSTEIGEN ihm
(aufmord wie auftakt aufruf auto & rufmord
wer mit pfannbackwerk betraut)

Es ENTSTEIGEN ihm
(sein Sohn waag   dessen Sohn waari dessen Sohn wach
dessen Sohn wachs dessen Sohn wagner dessen Sohn walamir

dessen Sohn waldfuß dessen Sohn walther dessen Sohn
wani dessen Sohn wassilij dessen Sohn watson dessen
Sohn weber dessen Sohn webern dessen Sohn wemfall
dessen Sohn wenfall dessen Sohn werfall dessen Sohn
wessel dessen Sohn wessenfall dessen Sohn wetter dessen
Sohn whistler dessen Sohn wiege dessen Sohn wiggis
dessen Sohn wilde dessen Sohn wittgenstein dessen Sohn
wolf dessen Sohn wood dessen Sohn wuka dessen Sohn wut
dessen Sohn *mit den dazugehörigen weidetriften*)

Es ENTSTEIGEN ihm
(ihr besitz und ihre wohnstätten *samt den tochterstätten*
gegen Osten gegen Süden gegen Norden gegen Westen)

Es ENTSTEIGEN ihm
(die ausübung schwer
nach dem vorteilhaft see)

Es ENTSTEIGEN ihm
(das erste los
es fiel auf (er) seine söhne und seine verwandten zwölf
das zweite los
es fiel auf (er) seine söhne und seine verwandten zwölf
das dritte los
es fiel
das dritte los
es fiel
es fiel & fiel &
fiel . .)

schwarz-weiß

versammelten sie sich alle vor dem Auto (talbot) (altes foto)
erst der Hund
dann die Serpentine
dann der Theater Mond
dann die Kulissen Wolke
dann der talbot

dann das foto
dann –

endlich fiel das los auf romanthi-eser (am Volant)
(schwarz-weiß) der eben dem talbot entsteigend
sich eine dicke
Pfeife
anrauchend
.. den Hund auf seinem Arm
.. die Serpentine an seiner Brust

……

Saloon *oder* Lieben Sie Shirley Temple

Bühne Appliziert
oder Leinwand
(blumen) riesiges Gesicht Shirley Temples
eigentlich sehen Sie nur (blumen) die starken Umrisse
die schwarzen gelackten Wimpern
die schwarze Kontur des Munds
die schwarzen Konturen ihres Gesichts
(blumen)
Sie sehen eigentlich nur die Konturen ihres Gesichts
die gelackten Wimpern
Sie sehen das riesige Gesicht Shirley Temples
Sie sehen die schwarz gelackten Kork Locken
wenn Sie auf die gelackten Wimpernbüschel schauen
wenn Sie dieses Riesengesicht anschauen
bewegen sich nur die Wimpern
wenn Sie sich auf die Wimpernbüschel konzentrieren
wenn Sie nur dorthin sehen
wird es Ihnen   scheinen
werden Sie den Eindruck gewinnen
Shirley Temples Gesicht säße auf einem starren Pferd
(karussell)
wenn Sie den Blick von den Wimpern Shirley Temples

abziehen werden Sie Shirley Temples Mund sehen
schwarz-schwarz (gekräuselt)
dann sehen Sie wie von hinten aus der Kulisse eine
riesenhafte Hand greift
die Hand greift Shirley Temples Hals
sie zieht Shirley Temples Gesicht nach hinten
sie hält Shirley Temples Gesicht und Hals umfangen
Shirley Temple beginnt hörbar zu atmen
Shirley Temples Atem wird überall im Zuschauerraum
hörbar
(blumen)
Shirley Temple beginnt zu keuchen
(bärtigsten abgründe –)
Sie sehen den Bart der zu der riesenhaften Hand gehört
Sie sehen wie Shirley Temples Gesicht und Hals umfangen
wird
(was ihr im grunde sehr gefällt
Sie sehen und hören wie sehr sie das eigentlich wünscht –
Sie sehen es an dem *wilden Klimpern* ihrer Augenwimpern
Sie hören es an ihrem keuchenden Atem)

SALOON

: hereingeprescht kommt starres Pferdchen (karussell)
das Sie zu Beginn sehen konnten (wenn Sie nur auf
Shirley Temples Wimpernbüschel geschaut haben)
oben drauf sehen Sie Shirley Temples Gesicht
mit vielen Kork Locken
schwarz gelackt
schwarzer Mond bescheint diese Szene
nun kräuselt sich Shirley Temples Mund
bereitet sich vor den riesenhaften Mann zu küssen ––

SALOON

: hereingaloppiert kommt
Pferdchen (karussell) keuchend schwarz-schwarz und trägt
Shirley Temples Gesicht
nun verwandelt sich vor Ihren Augen

schwarz-schwarz Pony
in schwarz-schwarz Auto
und Shirley Temple setzt sich vor Ihren Augen ans Steuer
(bloßfüßig)
und gibt Gas
und kurvt herum auf der Bühne
kurvt da herum mit bloßen Füßen
und raus in die Landschaft ..
freilich können Sie nur ein bißchen davon sehen
und wer, glauben Sie
sitzt neben ihr?
Sie können es sehen wenn Sie sich sehr verrenken
natürlich der riesige Mann mit der riesigen Hand etcetera
der ihr vorher etcetera
Sie können sich das ausmalen
mit nackten Füßen
gibt sie Gas und kurvt
endlos
Sie können es sehen und hören
(die Bühne wird ihr zu eng ..)

ABRISS DES SCHWARZEN WUSCHEL kopfes
der Shirley Temple
Sie werden mit dabei sein
Sie werden es mit erleben
es wird schrecklich sein
abstoßend!
schwarz-schwarz Mond über der ganzen Szene
8 ° (umgestülpt)
.....
(ob wir recht daran getan haben 21 26 zu retten in:
zuretten und 23 19 zu beweinen
in: zubeweinen *umzudirigieren* ... zweifelhaft ... da)

Bonanza *oder* Unstern über Wien

Finsterling durchs hüfthohe Gras Unterholz
während ein Unstern über Wien, heißt wolg,
sind nur Strunk Baum Ruinen etc
absolut das entspricht dem Schnitt und so –
also: Finsterling durchs hüfthohe .. durch Strunk
Baum Ruine, Laub, über den Waldboden, Bonanza
im Maul
absolut, entspricht
absolut unserer Science-Fiction-Situation
jetzt fällt sozusagen jetzt fällt die 29. Klappe
(maul halten maul schell halt die klappe, etc. fällt Ihnen
dabei, kein wunder)
abla(tiv) wie soll ichs sagen: pro-py-läen, nein
stellen Sie sich vor
apo-kalyptisch, also: apo-kalyptische Dinge geschehen
so rundum,
und wieder raus in die Landschaft die so ganz nach
Science-Fiction ––
absolut
englischer Garten laub raschelt, apo-kalyptischer Herbst,
etc. und barfuß geht Finsterling, bahnt sich
Finsterling unser Finsterling –– nämlich:
da alles zusammengeschrumpft sozusagen, na Sie wissen
schon .. ABC Bombe etc., ist London dasselbe wie Wien
und Wien dasselbe wie Hongkong und so weiter,
absolut
und so geht Finsterling durchs hüfthohe (denken Sie
jetzt an Karin!) Unterholz, Gras, Laub etc., englischer
Garten, Prater Auen, Bäume Baum Ruine und Strunk,
Bonanza nebel & legion –
eben fällt die 29. Klappe
Finsterling unser Finsterling oder Unstern
betritt oder durchschreitet das hüfthohe –
betritt oder durchschreitet die hüfthohe –
(Sie denken an Karin? aber bitte noch Geduld)
Finsterling schreitet fort und kaut :
: Bonanza!

was dasselbe ist wie Phantasie –
das braucht er dann auch um Karin, die gleich auftritt,
in dieser Situation –
absolut –
irgendwas Nettes sagen zu können
da! schon erscheint das weibliche Element
nämlich Karin im roten Paletot Kutschermantel etc.
fein!
apo-kalyptisch!
auch sie kaut BONANZA (um auch ihm etwas Nettes, s.o.)
ja, also Karin im roten Paletot Kutschermantel etc.
kommt rein, BONANZA im Maul,
betritt die, durchschreitet die, Landschaft
Sie wissen ja Laub Unterholz Baum, Ruine etc.
üblich bemalt wie das so schwarz, Kaltnadel –
und nun, während die 29. Klappe fällt,
pendelt sich FINSTERLING ein,
absolut
wie 'n UNSTERN über Wien, London, Shanghai
und sieht sie an die Karin, wie sie da so kommt
in ihrem rot .. – na
Sie wissen ja,
auf 1 Bein, auf 1 Bein
das andere hochgezogen
und sagt INDEED SIE SEHEN HEUTE SO –
absolut
vorzüglich vorteilhaft vorzüglich
aus, wie 'n chinesisches Klavier!
also, Sie müssen sich denken Wien und London
und Hongkong (China etc)
die sind alle so ganz
zusammengerückt,
absolut
wie man so sagt apo-kalyptisch, und die Distanzen sind
minimal,
so daß ohne weiteres im
Museum des zwanzigsten Jahrhunderts
die Türken im Türkensitz –
und bechern und so –

29. Klappe –
und wie die Karin so reinkommt in die Landschaft und auf
den FINSTERLING zu, der kaut BONANZA wie
gewöhnlich, wie man so sagt, und sie treten zusammen
in den *Saloon* – hatten wir das nicht schon mal wo??)
und gehn zusammen an die Morgenarbeit – na, Sie wissen schon
absolut –
wird ihnen der Boden zu heiß
BONANZA!
wie bei der Kavallerie
auf 1 Bein
das andere hochgezogen
..
... und zum schluß
...
......
.

(Fußnote: »... gingen sie hops.«)

FILM EINSTELLUNGEN

1 Held eins, in mittleren Jahren, trägt STULPEN SEE .. nämlich hosenanzug (Page, Liftführer); sein Gehirn STÜLPT sich nach außen in den raum des lifts / boden s(ee) und rankt an den Wänden; sobald er angesprochen wird (».. wächst ja ganz zu ..«) reißt er kopf / ab / in Richtung der Stimme mit Schlüsselgast (*schnitt*)

2 schlüsselige Gestalt, Held zwei, in mittleren Jahren, schlüsselgestalt eines neuen FJODOR GEH jonke, in Deckstuhl, rückt auf kleinstem raum hin und her, bis ihm Geranke (siehe oben) wie Schnürsenkel ins Gesicht hängt (*schnitt*)

3 Held drei, in mittleren Jahren, ASCHENDORFF, ditto, schnürt sich max-hansen (= pistolengürtel) um den Leib, ehe er den kleinen raum des lifts /boden s(ee) durchmißt, stumm, wirr; drückt

die wiedergefundene sprache ans Ohr, zieht kleine rote fahne aus HOSENSTALL (*schnitt*)

4 : dies ziert ihn auf kleinstem raum; Held eins bis drei rücken sehr zusammen (do-it-yourself-Methode!) (*schnitt*)

5 Held vier, eigentlich coraterri, ebenfalls in mittleren Jahren, drängt Held zwei von Deckstuhl, um sich selbst dorthin zu setzen / räkeln .. (*schnitt*)

6 Liftkabine verwandelt sich in Schilderhäuschen, auf dessen Giebel Gehirnranke (s.o.) wächst & wippt (*schnitt*)

7 Held eins bis vier stauen sich auf kleinstem raum blicken auf jenseitiges Ufer der Schelde (*schnitt*)

8 Held fünf, in mittleren Jahren, eigentlich kohlen putto, »abgefangen ..« (*schnitt*)

9 Held sechs, in mittleren Jahren, eigentlich EICHMASS / MANN, »eingesprengt«, auf kleinstem raum faßt nach max-hansen (= pistolengürtel), den Held drei umgeschnallt trägt (*schnitt*)

10 rückverwandlung des Schilderhäuschens am Ufer der Schelde in Liftgehäuse (s.o.) (*schnitt*)

11 Held drei wehrt Held sechs ab; Held eins bis sechs werden alsbald mittels Schnürsenkels von unsichtbarer Hand erdrosselt; sowie sie, stumm, wirr fallen, werden sie von unsichtbarer Hand über einander GETÜRMT, auf kleinstem raum; Stimme wie anfangs zu Held eins bis sechs: » .. haben Sie Nachbilder?« (*schnitt*)

(Nachbilder 12, 13, 14, 15, 16, etcetera)

Mit Richard Wagner *in einer Kommune*

Im Happening und in der Realität gewisse Parallelen,
personen & orte (führen auf der Schelde & des meeres rand
von ihrem purpur) – das heißt:

Richard Wagner
Ich
Der Schwan
Heldenberg zu Klein-Wetzdorf
Elsa von Brabant
Brangäne
Alle
The little Furry Animals
König Marke
Michael Hatry
Der März
Otto von cornwall
Marcuse I.
Lohengrin
einige UFA-tiere
Die Deutsche Heldensprache
Kalenderstiege zu weih-
Wange unserer schönsten Literatur, müde träne
Das Essenthier
»Votre«
Das Einkoten
Glenn Collins
John Drake
Gloria Swanson
Isabells glöckchen
Die Meistersinger (k.k.)
Woody Herman
(um aktualität vorzutäuschen : offenen munds!)
Die Dubonnet-Katze, schwarz

....
1. Tag der Kommune
Richard Wagner macht die ufer-türe zu:

Wird es wieder Herr Honig sein?
Wird es wieder Herr Honig sein?
morgenröte, am ufer der Schelde
Richard Wagner macht die ufer-türe auf, läßt ufer-tiere rein:
Wird es wieder Herr Honig sein?
Wird es wieder Herr Honig sein?
in die sonne, meeres rand von purpur
Richard Wagner macht die ufer-türe zu:
Wird es wieder Herr Honig sein?
kurskorrektur 2. Tag der Kommune: wolken, kulissenhaft
Richard Wagner nähert sich uns, die wir auf einer violetten Liege, zusammen mit riesigem Violin Schlüssel, lagern:
Wird es wieder Herr Honig sein?
Wird es wieder Herr Honig sein?
wolken wie posters, von unsichtbarer hand runter gefetzt; dann bierorgel-ton
Richard Wagner denaturiert:
Wird es wieder Herr Honig sein?
Wird es wieder Herr Honig sein?
Der 3. Tag:
Richard Wagner feuer-fangend, per os:
Wird es wieder Herr Honig sein?
afterglow
4. Tag der Kommune; schon freundet man sich untereinander an:
Richard Wagner ergriffen, unartikuliert:
Wird es wieder Herr Honig sein?
Wird es wieder Herr Honig sein?
sonnenuntergang
Richard Wagner besessen:
Wird es wieder Herr Honig sein?
5. Tag der Kommune:
wir alle erheben uns von der Liege und stürzen mit süßer mattigkeit auf ihn, umringen ihn
Richard Wagner leise:
Wird es wieder Herr Honig sein?
Wird es wieder Herr Honig sein?
Marcuse fängt mit schmetterlingsnetz auf hügligem Gelände des Heldenbergs alles was mehrenteils an kameraden kommunarden entsprungen etc.

RICHARD WAGNER läßt 6. Tag los:

WIRD ES WIEDER HERR HONIG SEIN?

WIRD ES WIEDER HERR HONIG SEIN?

fackelige Dämmerung die wolken bricht
RICHARD WAGNER geht ohne hemd, spuren des schmerzes:

WIRD ES WIEDER HERR HONIG SEIN?

sonnenauf –
RICHARD WAGNER wie er sich bückt / läßt sich aufs gesicht fallen, drückt blößen:

WIRD ES WIEDER HERR HONIG SEIN?

7. Tag der Kommune auf diesel lange wolle
wir alle umstehn IHN im halbkreis, kalenderstiege
(= otto von cornwall) nimmt IHN huckepack, Elsa schiebt
sich 'nen kiesel rein & spaziert SO TOTAL EUPHORISIERT . .
8. Tag:
RICHARD WAGNER beschnüffelt Brangäne, König Marke, mich, Otto, das Essenthier, etc:

WIRD ES WIEDER HERR HONIG SEIN?

WIRD ES WIEDER HERR HONIG SEIN?

9. Tag der Kommune (wir führen IHN immer weiter in die Arme Marcuses, der, immer noch mit dem schmetterlingsnetz beschäftigt, IHN kaum beachtet)
RICHARD WAGNER schießend, lenden-arie
10. Tag wolkenmund
wir alle, inklusive Violin Schlüssel, der subkultur verfallen, küssen SEINE rocksäume, – & wer diesmal nicht genannt, schließt post mortem –
11. Tag der Kommune beschleunigtes ende
»galionsfigur«: am 12. Tag der Kommune besteigen wir alle den Schwan und segeln die Schelde runter – in seinem Schnabel magnetische Spruchbänder, die im Fahrtwind nach hinten flattern . . .

WIRD ES WIEDER HERR HONIG SEIN?

WIRD ES WIEDER HERR HONIG SEIN?

. . . .

Apfal –
ein katatonisches Theaterstück

für Otto Breicha

mitspieln tun die dryaden, die myrten, 'n pfallschirm, die Moselbrücke in köln (hängebrücke hinterm dom wirklich sprechend schön im morgennebel dunst über der ganzn stadt / wir wolln mal in die kirche / mußt dich anstelln sag ich dir 'ne riesenschlange zum tor), der amorbach, 5 Mordiofuhrleute, 1 sensibler Athlet, meine schwester die esther, der eselsdamm von speyer, die 7 Jahreszeiten: braunii, funckii, ehuffelii, hirtum, schottii, wulfenii, x-pseudofunckii –
mutzen & mutzenmandln in der saison, eine Schildmütze des Bernhard Thomas, mein Buschmesser esperanto, 1 rugbüll, 2 punschballn, 10 Eierscheckn, 1 Berliner, 3 Krematorien, 1 janhagel, 'n bierstich, 'ne menge Schokospäne, da commanda hy, 's varlotti, 's schleckandi, 's hybrische apherl, da oh-tello, 1 schlaumeier, der dicke mist auf den flüss'n, die kieferfüß, meine stammbäum', da wurstlkata und viele andere ––

und was sprechn denn die alle so?

ja sprechn tun die alle durcheinand'
wie halt in ein'm richtigen Theaterstück ebm
auch singn tun sie, miteinand' und durcheinand'
schön – auch so beiseite in die Kuliss'n   das ist ja immer das beste oder sie bringen alle möglichen Instrumente mit auf die Bühne, messer und handwerkszeug und steine zum werfen und eine kleine Mine und 'n Riesenbesteck für die Menschenfresser, auch 'n käse kätzchen zum zerschneiden oder – es wendet sich plötzlich einer vom Publikum weg zur Wand, spreizt die Finger tut so als wollt er das vogerl das da oben wo sitzt wiederkriegn und lockts und rufts und bittets komm Frizzerl komm ..
– oder es spricht einer sein Selbstportrait aus (leise wütend) :
Der! Zitzel! Wirft! Den Kugelspitz!
Verdrossen! Aus der Hand!
– oder die Kehrbesenbrigade hängt plötzlich *starr* über der Bühne, schwebend wie die heilige Amalia vor der Himmelswand, und die Landbevölkerung im Hintergrund – vom Besenglöcklein herbei-

gerufen – drängt vor (möglicherweise wirkt dies allzu reale Wunder bei Wiederholungen auf den zuschauer lächerlich): wie die Parodie des Wunders und das alberne Lachen des von den Besen-Pusteln geheilten Dorfkindes bestätigt; auch Amaliens Ende ... entbehrt der Natürlichkeit auf der Bühne
andererseits hat gerade die in den *Starrkrampf* verfallene Hauptperson (Sie können selbst einen oben angegebenen Mitspieler einsetzen!) mit dem ins jenseits gerichteten Blick etwas von einem ..
ruhenden aases peinlicher Verrichtung /
es kam so immer zum wegtragen des Leibstuhls auf offener Bühne & wenn wir genau hinhören und -sehn kanns sein, daß wir einzelne Passagen des enorm langen Theaterstücks erhaschen

»welche Aussicht besteht eigentlich folgende Termine einzuhalten?«
»did you send him the japanese girl?«
»klappe hochziehn!«
»regnets?«
(publikum indigniert)
»a-quadrat plus b-quadrat ist gleich c-quadrat«
»pick vöglein pick«
»und fällt rein ins Auto und ist drin wie 'n APFAL«
»das bedeutet herzlose Verführung reizende *katatonische* jungfrau!«
»er war ein reinlicher frischer junger Mann vom Lande«
(darauf reicht er ihm den leibstuhl rüber)
(beugt sich über ihn um ihn zu küssen)
»stiller reichtum«
»der mich von jeher hingerissen hatte«
(publikum gegen's Runterschnurren)
»'s totengäbelchen!«
(etc)

oder sie stelln sich alle so daß aus ihren sämtlichen Höhlungen ein SEMPER-Chor dringt: twitt-twitt twitt-twitt twitt (»these des vogels« : lacht der Vogel und stelzt heim) & die stammbuch zwiebel sprießt neu wie 'n liebeszimmer und beim Anhören von »noon in tunesia« werden wir plötzlich alle so schrecklich SCHWINDLIG – und bestimmten selbst die Tage und Nächte an denen wir mitspielen!

Billie Holiday und Lester Young (erscheinen *starr* auf der Bühne)
Billie Holiday zu Lester Young (ohne innere Bewegung):
»Pres! Oh my President!«
Lester Young zu Billie Holiday (ohne innere Bewegung):
»Hush!Hasch! : The World's Mad, Darling!«

Hemmschuhe *(auf dem theater)*

über, gut geschrieben
unter, schlecht geschrieben
(Motto)

Ort der Handlung: bühne, theater, wo brennts,
bahnhof, *skat* von bülow, eiszeitalter
(fabelhafte gegend)

.. vorerst sehen Sie jedenfalls auf der bühne NICHTS
auf dem theater sehen Sie wirklich NICHTS
nachdem Sie NICHTS gesehen haben hebt sich jetzt ein schwarzer Vorhang
Sie sehen von bülow in seinem zeitalter, umgeben von Hemmschuhen (*skat* runde) sowie tucke-tucke, seinen schoßhund bzw. limerick, wie er gerade –
nun gehts schon bald los
erz(gesoffen) & der *skat* brüllt LOS GEHTS und die ganze runde – sie sitzen um den tisch, um die tische rum, einige tische übereinander, aneinander, vis-à-vis, und tucke-tucke dahinter, darunter und vis-à-vis
von bülows Hemmschuhe leib speise & garde jedenfalls liegen überall herum, mischen karten etcetera, eierspeisen etcetera und weiber, mischen, legen auf, sortieren namentlich *skat* brüder & sitzen um die tische (tische) liegen überall rum & brüllen –
offensichtlich durchaus
offen vorn durchaus offen unter dem Mantel des aufsteigenden Gebirges, mitten im zeitalter, auf einem bahnhof in alpiner fabelhafter gegend
Hemmschuhe (liegen rum wie hemmschuhe auf einem bahnhof) liegen überall rum & brüllen und da ist auch noch der limerick

tucke-tucke und steht ecke & schneuzt & welpt – auch in den angrenzenden Gesträuchen sitzen sie jetzt und brüllen
(flußtrübe ..)
wieso fragen Sie?
Sie sehen ja auf dem bahnhof tummeln sich da ein paar *skat* brüder rund um die tische auch, hängen drüber und schreien auf bülow, brüllen, und der Mantel des aufsteigenden Gebirges
und sie liegen rum wie HEMMSCHUHE rufen und winken und brüllen
SKAT KING KÖNIG VON BÜLOW
(sehr alpine fabelhafte gegend) –
und Sie sehen es jetzt ganz genau die HEMMSCHUHE liegen überall rum, auf dem bahnhof nämlich auf den tischen übereinander, nebeneinander, vis-à-vis mit ihren weibern und so eis & gebirge bremen wodu
Sie sehen Ihre heiterkeit war nicht ohne (nutzen sieh hänslein) denn nun öffnet sich vor Ihnen das bahnhof gelände und Sie sehen die vielen HEMMSCHUHE unter den tischen, röcken, füßen – und in den angrenzenden
Gesträuchen –
in welcher bahnhof ecke
hinweg & runter auf die vielen menschen (tropften)
...
dann sehen Sie bülow vor seiner klapsmühle wie er schläft und schlafend mit gelben schlangenhäuten herumwirft (hatte er, ohne daß Sie's merkten, bananen verzehrt?)
sehen auch auf dem Bahnhof und in den angrenzenden Gesträuchen (herumwirfst) die HEMMSCHUHE wie sie rumliegen, auf den tischen und so über den tischen und die vielen *skat* fans fabelhaft (*schluffe!*) und wie sie so in ihrem zeitalter
...
und sehen jetzt den limerick wie er sich schleppt
an die tische ran
rundherum um die tische, unter die tische –
skat blatt hand & feuer! in den *wildbetten* wie pfeile
an die weiber ran
Hören Sie wie sie schnalzen?
Sie hören es ja!
Sie sehen es ja wie die *skat* tische sich allmählich entfernen
so daß Sie es nur noch hören können

so daß Sie gar NICHTS mehr sehen können –
jetzt können Sie nur noch hören wie's hinklatscht
dann können Sie hören wie ein jeder sein blatt fortwirft –
....
wie zur Verbeugung unter dem Mantel des aufsteigenden Gebirges
während die HEMMSCHUHE (einer nach dem andern)

BILDLEGENDE ZU EINEM ABSURDEN PUPPENTHEATER

ein puppentheater! ein schlank!
so ein puppentheater!

Die Bildlegende, die jedes puppentheater erst zum puppentheater macht, schleudert schleust schmeißt Erläuterungen ins Publikum etwa : *hie* elfenkind / *hie* lumpe oder: *hie* tafelbild / *hie* porno putzerei oder: *hie* wien linz gras / *hie* bang'schere oder: *hie* schnabula / *hie* tabula (rasa) –– surrt aber gleichzeitig auch hinter der Bühne ab mit verstellter Stimmte, bittet etwa Schweine zu Tisch mit schrillem uuuuuunp! oder Enten : iiiiiin! oder heiser die Hühner : mommedmommed! ..... – so daß das Publikum japst vor Erwartung auch jappt säuselt raschelt einander tritt bekotzt streichelt

gibt die Bühne dann endlich Gas, trabt die ganze Horde von links schwenkend im Gänsemarsch über die Bühne einschließlich der zu Tisch gebetenen Hühner, Schweine, Enten etcetera, also auch elfenkind / lumpe, tafelbild / porno, wien linz gras / bang'schere, schnabula / tabula – (rasa) über die Bühne! mörderisch (Gas gibt) und rufen alle GEHNWA INS PANORAMA / GEHNWA INS PANORAMA! INS PANORAMA am kai..
und heben 's okular ans auge : die rundgehöhlten hände vors gesicht (zum durchpeepen)

während die ganze Horde schon zu Anfang der Szene ins PANORAMA will, läßt sich ein schöner Popanz aus dem oberen Teil der Bühne nieder, also ein Kalafatti mit Fichtenwäldchen & gemaltem Teich, darin drei scheue Goldfische, zu denen er warnend spricht FLEISS SCHÖN ABGEBILD HAT NICHTS (sorgen)..

während sich diese Szene schon am Anfang in nichts auflöst so daß das Publikum schmollt schäumt schnaubt rauft, die mitgebrachten (eier) schneuzt, schwingt sich aus der oberen einfalt 's elfische kind mit einem poetischen Zwicker auf seinem nasenrücken und zirpt fast unhörbar FEUCHT FEUCHT FEUCHTERSLEBEN .. ER LEBE HOCH! HOCH! HOCH! –

während sich diese Szene zu Beginn auflöst, was das Publikum sehr übel nimmt, werden die blut träufelnden Zipfel eines Bettlakens bis zur halben Höhe runtergelassen, von einer Riesenschere aus papiermaché in die Zwinge genommen – wolkenstimmen donnern ÜBER ALLE MEERE GING / WAS VON MEINER SCHERE HING .. HURRA HURRA / DIE PORNO PUTZEREI IST DA!

während diese Szene zu Beginn in die Höhe des Schnürbodens schwebt, was das Publikum arg enttäuscht, hebt sich aus der Versenkung eine tabula (rasa) hübsch verziert mit grünem rasen tuch – und auf diesem eine lumpe (schnabula) .. die ihre hände wie 'n fernrohr höhlt, um auf diese Weise das erregte Publikum zu hypnotisieren – bald darauf jedoch : (ZIELFERNROHR!) auf dieses zu schießen knallen feuern schroten belfern beginnt (dezimierung des Publikums) .....

während sich dieser Auftritt zu Beginn in nichts aufzulösen droht, das dezimierte Publikum inzwischen rachsüchtig blickt, tritt von links das ENTSETZTE WIEN auf die Bühne, von rechts das ENTSETZTE LINZ und von links und rechts das ENTSETZTE (gras) : dieses fährt sich grasgrün in einem schubkarren bis hart an die Rampe wo es in einem Anfall von

etcetera etcetera

(jedoch möglichst ohne happyend)

paul claudel : der seidene schuh : kurzfassung

1. Akt: auf einem zebra vorüberreitend schreitet sie
(bewegt) dem baumgang näher.
2. Akt: sobald er hinter einer hecke verschwindet schreitet sie
(bewegt) dem baumgang näher.
3. Akt: während er sich hinter einer hecke bewegt schreitet sie
(bewegt) dem baumgang näher.
4. Akt: auf einem zebra vorüberschreitend reitet sie
(bewegt) dem baumgang näher.

Pneuma *oder die Domestikation des Schauspielers*

Stellen Sie sich vor Sie hätten die ganze Nacht wachgelegen!
Stellen Sie sich vor Sie hätten am Morgen danach eine
alarmierende Entdeckung an Ihrem Gebiß gemacht!
Stellen Sie sich vor jemand sagte zu Ihnen ganz unvermittelt
ich mach dir 'nen ganz großen grog
(in den flutn des meeres . .)!
Stellen Sie sich vor ein schweizer Passant hielte Sie an
und sagte zu Ihnen ehrlos auf blümeri wegn
linnenland zu berstn . .
Stellen Sie sich vor es verlangte jemand sprechen Sie
in Andeutungen so halbhalb . .
Stellen Sie sich vor Sie müßten Ihren Wohnplatz mit
riesigen Lobelien Polsterflox und dryadischer
Unterwäsche teilen . .
Stellen Sie sich vor jemand spräche über Deck zu Ihnen
fast am Ende eines sehr hellen Wintertags und riete Ihnen
in Hypnose zu verfallen . .
Stellen Sie sich vor jemand malte Ihr Fußportrait . .
Stellen Sie sich vor jemand führe fort zu Ihnen
ANASCHEK! ANASCHEK! zu sagen . .
Stellen Sie sich vor jemand spuckte Kürbiskerne gegen Sie!
Stellen Sie sichs vor   die feuchte alles oben im berghotel . .
Stellen Sie sichs vor   wie'n windhund dahin . . allein . .
Stellen Sie sichs vor   noppe-garde (gnade!) . .

Stellen Sie sich vor der Schwan der Stevie Smith pondere
auf Ihrem Plattenteller (»like a cake / of soap«)
und Sie machten »tapp-tapp« zu ihm hin ihn zu bewundern –
da verbisse er sich in Sie & zum Zeichen der Trauer ..
Stellen Sie sich vor es sagte einer die götter mögen mich
strafen wenn ich   oder die götter mögen mich strafen
wenn ich nicht ..
Stellen Sie sich vor dem füllte er die Hand und beide
Backen mit Schwarm Gesang (gefüllt) ..
Stellen Sie sich vor Ihre Stimme dröhnte!
Stellen Sie sich vor »das große Fahrzeug«!
Stellen Sie sichs vor knisternd öffnete er (die library
& nimmts kratzehändchen raus) & 's-häkchen (auch nest-)
& leibe speise & mond schlief fast & plotz
war's eingereiht in die bringsielebend-brigade ––
eine statuette ähnlich einem halbgott (»oscar« zum Beispiel)
.. so daß die Objekte sich in den Zeilen –
Stellen Sie sich vor kurti kalbjenn der große den Sie
unlängst wiedergetroffen, hätte zu Ihnen geflüstert
komm mit habe 'ne ahnung von .. was .. ist? allewetter da
hätten Sie nicht mal die kleinste Antwort darauf gewußt!
Stellen Sie sich vor jemand nennte Sie »sein abtastverfahren«
zur Bestimmung der Magnetfelder etc. & Sie verflögen
sich mit ihm (anmüt flüg rötlich überflüg : sponser's bloß
füßen über blond böden) selbst bei solchen Störungen
blickten Sie seltsam sanft ..
Stellen Sie sich vor der Vorhang fällt im ersten Akt!
Stellen Sie sich vor jemand hauchte Sie anachronistisch
(wie's einhorn von nebenan) auf die Plakatwand   nämlich
während der schwan (»schwan«) auf dem plattenteller
mit gabel & messer simuliert SSSSSSSSSSSSSSSSSSSs! ––
dann werden Sie noch schwindlig ..
Stellen Sie sich vor es versetzte Sie einer ins Gehirn eines
andern sagen wir: Hilde Domins, Clark Gables,
Kleopatras, und Sie könnten da nicht wieder los ..
Stellen Sie sich vor es spielte jemand für Sie noon in tunesia
und Ihr Hund begänne zu weinen Ihr Pferd zu lächeln
und Ihr Papagei allerlei zu krächzen das klänge wie
»liebeszimmer« .. »für sandfresser« .. oder »lümmel junge

will der heim« .. oder »nizza ist lavendelblau« oder
sonstwas das Sie nicht hören mögen ..
Stellen Sie sich vor es subtrahierte einer Ihre traurige
Fenchelstimme von Ihnen, was da wohl übrigbliebe?
'ne fistel (wenns nur klappert etc.)
Stellen Sie sich vor es verlangte einer die ophir flotte von
Ihnen oder 'ne sprießende Stammbuchzwiebel – welches von
beiden könnten Sie eher beschaffen?
Stellen Sie sich vor dem koch oder dem burschen (galt's)!
Stellen Sie sich vor gemeint (sei der Stierdienst)!
Stellen Sie sich vor die Esser fehlten!
Stellen Sie sich vor es sagte jemand zu Ihnen nach
griechischer lesart heißt er entfernte sich um zu handeln :
dies würde ein herausschlagen des feuers zur folge haben –
dem (swan) wie naheliegen (naheliegend) & faulten
geglitzer gingen zurate ..
Stellen Sie sich vor sie hatten Kinder gesetzt
(tulpen zwiebel?) ..
Stellen Sie sich vor zwischen Lunge und Magen!
Stellen Sie sich vor dies dürfte erst spätere Reflexion sein!
Stellen Sie sichs vor sein horn zu erhöhen!
Stellen Sie sich vor wie Brot und Wasser!
Stellen Sie sich vor Sie müßten »etwas anderes darstellen«!
Stellen Sie sich vor Sie müßten »von oben gegenüber der
Ausbauchung jenseits des netzes schweben«!
Stellen Sie sich vor *die Tage sind durch* ..
Stellen Sie sich vor hier stünde noch eine versprengte Notiz!
...

(Dem Regisseur wird empfohlen diesen Suggestiv-Text auf Band zu sprechen und ihn *vor und während der Proben* ohne Unterbrechung in größter Lautstärke abspielen zu lassen.)

Bobon oder das wirkliche Zimmertheater

(dies kann bis zu dreißig
Zentimeter lang und breit werden
ist drehbar, ähnelt schnecken-
feldzug & ist in Fluß- bzw.
Alpenhaubitzen . .)

(Daniel P. Bobon erblickte
1938 in Namur das Licht)

Worte an den Betrachter:
dies ist das wirkliche Zimmertheater
es realisiert sich Ihnen nur   wenn
Sie bedenken daß hier *alles* möglich ist
falten Sie die Hände wie zum Gebet
fühlen Sie sich unbedrängt –
dann werden Sie es lieben
dann werden Sie glücklich sein!
. . .

mit tauben füßen, und diese füße

nächste Szene:

von der Terrasse ins Zimmer (Licht!) blickend,
Rampenlicht beim Anblick schwärmend:
rosa-blau,
auf dem Tisch nämlich (eiche) ein riesiges Telefon (elfenbein, riesig schrill), eine riesige Schreibmaschine (hermes), eine riesige Flasche (wein)

becken ufer donau west, flußlandschaft,
und dermaßen blitzt & nordwindet –

nächste Szene:

im dichten Gespräch mit Bobon der schon auf dem Boden kniet oder hockt, im Mond (letztes viertel) im selben Moment Uhr an der Wand tickt & hochtouristisch kuckuckt!

doch auch diese füße Bobons –

nächste Szene:

da läutet das Telefon riesig (schrill), läßt Bobon schon die Zeitung flattern und greift mit seinen beiden händen (= füßen) den Hörer, während eine unverständliche Stimme –

nächste Szene:

Bobon wieder mitten drin, untersucht mit Geduld die breite des beckens (donau), kniet gleich auf dieser und betrachtet sie von allen Seiten, bis er sich in ihren Armen verirrt, betrachtet ihr riesiges Delta und kann nicht & nicht genug davon bekommen

nächste Szene:

hat sich bald hingegeben verloren daß ihm etwa allerhand getier in den Ohren, wie büffel wachteln, schnecken schnepfen, eine kleine wasser schildkröte die mäulchen sperrt –

während sich neben Bobon was erhebt wie

Vorhang,

nächste Szene:

so daß Bobon durchlugen kann aufs publikum, staub rings zum gruß und ringt fußhand,

rufen ihn alle hervor: Bobon! Bobon!
(toben: Bobon! Bobon!)

nächste Szene:

und wie das Nashorn und die riesigen büffel, und das andre getier zu Bobon kriecht und schnaubt, und sich zu schaffen macht, und futterbettelt, da vertreibt es Bobon, mit fuß tritten und wendet sich –

pfützen wie publikum –

nächste Szene:

und wie wild auf dem klavier –

ein solches hatte sich inzwischen heruntergelassen –

nächste Szene:

in der Ecke des Zimmertheaters mit sepia-speisewagen hinten dran (marmor) & lacht und zieht raus & klirrt, und die büffel und das andre getier, kriegens sämtlich mit der angst, und laufen über die ganze Bühne (äh-äh!) und Pferde Pferde –

nächste Szene:

alle BOBON zunickend, der hält sich aber die Ohren zu, dann Augen, dann beides

KLEINE PAUSE,

erkühnt, während welcher sich eule & wasser schildkröte hier etwas bobrowski & seine Kinder scheu im hippodrom so daß man –

nächste Szene:

ein wirkliches Zimmertheater sehen kann mit riesigem tintenfaß, riesiger schreibmaschine
(göttin von hinten)

fluß an fluß & wie ihnen der etwas bobrowski rausgesprungen ist & immerfort, sozusagen in die binsen gegangen, & zuguter letzt
wie er dann langsam die riesigen Stufen runtergegangen ist und ausgesehen hat wie der alte ajax in der heldensage –
und letzte Szene:

telefon

(ein riesiges schwarzes tisch *telefon* nimmt die gesamte Höhe und Breite der Bühne ein. Davor kniend, in der Wirkung winzig, den riesigen Hörer kaum zu umklammern imstande – etwa auch mit Hilfe der zweiten Hand – die autorin. Die Stimme des *telefon* partners ist ebenso gut hörbar wie die der autorin.)

fm: hallo! hier ist zeppel-sperl
hallo! hier ist zeppel-sperl
bitte kann ich zeppel-sperl sprechen

z-sp. hallo! hier ist zeppel-sperl
hallo! hier ist zeppel-sperl
hallo wer spricht bitte
hallo wer spricht bitte

fm: hallo hier ist zeppel-sperl
hallo hier ist zeppel-sperl
ich möchte herrn zeppel-sperl sprechen

z-sp. hallo hier ist zeppel-sperl
hallo hier ist zeppel-sperl
hallo hier ist zeppel-sperl
hallo hallo! wer spricht bitte
hallo hallo! wer spricht bitte
(..kann endlos weitergeführt werden)

Omnibus

(die welt ist bühne / samt einem wiederkehrenden motto)

»..I'd rather be a sparrow than a snail
yes I would. If I could. I surely would.
I'd rather be a hammer than a nail
yes I would. If I could. I surely would.
Away I'd rather sail away
like a swan that's here and gone.
A man gets tied up to the ground
he gives the world its saddest sound.
Its saddest sound.
I'd rather be a forest than a street
yes I would. If I could. I surely would.
I'd rather feel the earth beneath my feet:
yes I would. If I could. I surely would.«
(Simon & Garfunkel)

Chor (fragend, Intimsphäre gaukelnd):
wer? wer! wer! wer liest heute noch!

lieber Leser – wer liest noch – etwa ein Buch?
lesen Sie noch was?
beim erwürgten jungen,
lesen Sie wirklich noch was?
etwa ein Buch –
beim DREIDIMENSIONALEN,
wer liest heute noch was?
was lesen Sie?
was lesen Sie denn da –
etwa ein Buch?
beim erwürgten jungen, beim DREIDIMENSIONALEN,

lesen Sie wirklich noch was
etwa – ein Buch?
(Pause)
so sehr sich mein rechter bandwurm, so sehr
sich meine *schuldwange*,
ungeachtet / tag / nacht –
plastische
spiele . .

(Pause)

FLONT (erscheint auf der Bühne)

Chor: hoffen, Sie können ihn sehen, hören, ahnen,
wie er im Bett seines
amtes waltet, das heißt
sich wälzt (säulen-)
frauen um ihn herum
stehend, geknickt (sitzend) und:
ein ausländer, neugierig
seinen dolmetsch fragend:
IST DER HERR KRANK?
NEIN (sagt der dolmetsch) ER
RESIDIERT
VOM BETT AUS, ER
ICH MEINE, ER –
LIEGT IMMER IM BETT / TAG & NACHT
ungeachtet tag / nacht

FLONT (erscheint nochmals auf der Bühne, grüßt den ausländer und seinen dolmetsch, greift nach einer der beiden flaschen, die vor seinem bett stehen – in der einen ist trink wasser, in der andern *asche* .. dann zündet er sich eine zigarette an, setzt die flasche mit trink wasser an (titus!) und spricht, asche in die aschen flasche klopfend, .. etc.):

DREIDIMENSIONALER, mein
herz ist ganz
anders, in angeln
ohne unterlaß, staub-staub
..
(und sinkt zurück, immer tiefer zurück, ins
verkrustete bett–)
denn FLONT polnische blume
flont, folklore, ist
ein eiserner zettelkasten, ein
keuchendes
hustaphon

(hustet laut und anhaltend–)
(sein Freund JIRI lacht – frisch rasiert, blaues Hemd – und lacht, vielleicht hölzern)–

(jede Träne
fortwischend von FLONT–)

JIRI
(lachend): TEE?

Chor: ja tee, bitte tee, großes
polen, üppig
blüht, polen, staub-
kerze, kerze
königs
..

EIN KOMPARSE & ICH (unterspielen Ihre Vorstellungswelt, betrachten FLONT im abgedunkelten raum):

(Pause)

mein polnischer rosen
kranz, baumwoll
flöckchen, jubeln
durch den raum / *olymp*
-klubfenster (kulturpalast) vom 21. stockwerk
.. hochgejubelt
lauter kalmücken mit
goldzähnen, leucht-
feuer, omphale, windy
..

Chor (fragend, Intimsphäre gaukelnd):

lieber Leser, können Sie
den Lift im 21. Stockwerk Ihrer Magengegend spüren?
..
zottelhaar, kalmücken, ich bitte Sie
das ist OMNIBUS
(mit *aufenthalten*, wie's eben so geht im Leben ..)

(Pause)

und wenn die wasserseite
und kirchhöfe
im wind zerstieben,
bebend in ihren angeln / bäume

(während der FLONT oder POLYDOR – Sie wissen doch, wie leicht
jeder seine Person verwandeln kann, ich meine
alles im wind, fingerzeig / warnungen)

(Pause)

(aber der FLONT erscheint wieder, und verbringt sein Leben im bett,
DREIDIMENSIONAL, polnische blume –)

TEE?
ja tee, tee
vielleicht zwei flaschen:
mit polnischer asche,
mit polnischem wasser,
sammelplatz von künsten ––

FLONT (erscheint nochmals, im bett liegend, läßt seine asche in eine der beiden flaschen stäuben, setzt die andre flasche in der trink wasser ist, an –)

Chor: während die polnischen frauen
-säulen sitzend (geknickt)
ANOMALIE DES WASSERS,
in lila etwa
schweifend & jäh, der ganze
unterlaß . .

(gärten, FLONT kann seine person wechseln, kann zu POLYDOR werden, POLYDORS kammerdiener, *sein eigener butler*, verkleidung, *sein eigener saaldiener*, wirft, wirft,
wirft sich in die brust, *fünfundsechzig!*
und trotzdem immer noch –
dann setzt er die flasche an und –)

Chor: in wirklichkeit
der sprache, WO IST DIE WEICHSEL?
der damm?
verdammt! wo
ist die weichsel? weichselbäume, verdammt!
die weichsel, fluß der flüsse,
nebel & so –
. . dort

(Pause)

dort drüben –

2. Chor: dort drüben, wo Sie nicht
hinsehen können, wo –
dort können Sie –
. . die Weichsel

(Pause)

. . ist das die weichsel? fragt jetzt der ausländer, *diese poesie?*

Chor: wie früchte, weichselbäume, im garten
hatten wir ein paar
weichselbäume
– jetzt wollen wir die
WEICHSEL sehen, den damm

2. Chor: *verdammt*

dolmetsch: eine ständige –

(Pause)

(freundin)

während POLYDOR den schirm abspannt, obwohl es immer noch regnet und wie / !
sprüht!
während die weichsel ihre ganze schönheit etc.

Chor: die weichsel vor augen, oder
aug in aug
mit der weichsel –

(und POLYDORS asche)

FLONT (erscheint nochmals, im Bett, setzt flasche an um zu trinken, setzt asche ab
während der dolmetsch, der ausländer, die
säulenfrauen, etc.)

FLONT (einem antiquierten butler ähnlich, ganz lila):
bitte tee?
tee, bitte tee?

(Pause)

Chor: TEE,
bitte TEE –

(und was der garten sonst noch trägt / *schuldwange*)

FLONT oder POLYDOR der auswechselbare prophezeit:

EIN TIEF EIN LEONTIEF über dem
atlantischen,
atlantischen –

(hustaphon. windstöße. wolken. böse
vorzeichen)

(Pause)

Chor: windstöße, wolken, böse
vorzeichen apo-
kalypse, über
dem masurischen kanal, sprung-
hafter wind
stockhausen, plural

(Pause)

2. Chor: ein *leontief* über
stockhausen, eben
riesenhaft wolken wie flüsse,
schwimm-
klötze –

(als ich .. KOMPARSE klappert mit zähnen, – komparsenhaft ich, zähneklappernd, ich –)

(Pause)

(zauberhafter befehlsempfänger, als ich –

in indizien üppig, noch
blühend, ich ..)

(masurischer kanal, beinah sprunghaft -leontief)

(Pause)

GANYMED kellner (tritt auf)

Chor: erkennen Sie ihn? ists
Flont? Polydor?
der Teleprompter?

(zuguterletzt holt einer von uns
die küste mit landehaken heran)

Chor: und das ist schon das ende!
schließen Sie hier für drei sekunden die Augen,
ohne weiterzulesen . . .

motto / s.o.

Flurbesichtigung

oder drehbuch zu einem fernsehdrama so daß man links fortlaufend die szene verfolgen kann, rechts fortlaufend die gesprochenen verläufe des hausautors, seiner freunde und freundinnen:

	: eine romanzerstückelung schreiben, sagte er, wäre das nicht eine rückwärts orientierung?
entfernt sich in den hintergrund des lokals, akademie der künste berlin; sobald er wieder erscheint	: damit ihr ungestört ein paar worte ohne mich, austauschen könnt konntet
macht pause	: es wird allgemein bestritten, aber er lag tatsächlich schulterwärts über dem gehsteig, lendenwärts gegen die stufen zum siegermal, mit beiden beinen, füßen, zehen, etcetera, mit dem kopf mit den augen

entfernt sich; seine freunde sprechen abwechselnd	: inzell krönland in krönland wo liegt das denn?
kommt zurück	: lag tatsächlich im rinnsal
wieder pause	: als junger mensch hatte er so dichtes haar gehabt daß alle glaubten er trage eine enganliegende schwarze kappe, nach der malaria allerdings
einige freundinnen fragend	: inzell inzell hat das eigentlich mit inzest zu tun?
bewegung zwischen den anwesenden ein paar freunde fragend	: und welche funktion hatte eigentlich dieses ding das er da neben sich hatte, ein ding aus pfauenfedern, eine art zärtliche geißel –
einige beginnen zu lachen hausautor erklärend	: die weltliebe aufzustacheln, den tränentod auszukosten . .
hält inne entfernt sich ein wenig in den hintergrund kehrt dann zurück	: mit dem kopf mit den augen, im rinnsal, mit der schulter mit den beinen, füßen; schließlich kam marianne hinzu und sammelte ihn auf; versuchte ihn hochzustemmen; er schlaffte ab, immer wieder; zu-

letzt setzte sie ihn auf und stützte ihn von hinten mit dem knie; flüsterte ihm was ins ohr um ihn hochzubringen

freundin neugierig : kam er denn dann zu sich?

hausautor ein wenig abgewandt : ja er kam endlich zu sich und brüllte: wo's endet fängts an; inzwischen hatte sichs rumgesprochen, bis zu den freunden aus der rosenpresse, inzwischen waren die raus, und fanden ihn so

holt tief atem : und brüllt weiter daß alle stehen bleiben rundum: ich meine eine vision die keine ist, ist, zu denken man sei gerufen, ge-ru-fen, gerufen
ich schwörs

wendet sich weg, spaziert ein wenig umher, einer der freunde beginnt auf ihn einzureden : sprich doch mal genauer davon!

hausautor langsam wie erinnernd : er brüllte die ganze zeit und brüllte was von realen abhängigkeiten die uns allmählich alle total verderben, und von den kleinen stücken existenz die wir ununterbrochen preisgeben müssen im kontakt mit den anderen, eine bürde, und wie sich dann doch alles wieder ins allgemeine verwandelt, ganz allgemein die übrigen etwas verlegen umherstehend, hausautor : nun, so oder so, marianne schleppte ihn dann durch den park, da waren die offenen jasminblüten eiskalter morgen, schleppte ihn durch den eiskalten park im juni, bog sich seinen rechten arm um den nacken, hielt ihn so fest, und so wankten sie heimwärts, es war –

einer der freunde einfallend : eine glorie

ein anderer ebenso : gloire …

hausautor : würde vielleicht eine kameradin eine flora sein; schauspielerte auch ein wenig; flipperlokale und so; halb erhobene sachen borten frans'

verschwindet für einen augenblick; kommt ordengeschmückt wieder – eine riesige rote straßspange im knopfloch; er zeigt sich seinen freunden, die entsetzt vor ihm zurückweichen; einer springt vor und versucht ihm den roten straß-orden herunterzureißen; handgemenge; endlich gelingt es ihm; er tritt darauf herum; während alle übrigen anwesenden sich ängstlich verziehen, kriecht der hausautor die stiege zur oberen etage hoch, stumm und geschlagen; der ordens-vernichter beginnt sich um seine eigene achse zu drehen und hält dies bis zum schluß durch;

die übrigen gäste treten wieder in erscheinung; es entsteht allmählich eine zornige wilde spannung zwischen ihnen; sie schreien auf einander ein

: ferkulum!
via bafile!
schneller liebe
der frauen habhaft!
bald müde!
witzelbacher!
findling!

und verwenden vorrätige gegenstände wie trinkgläser, messer, sektflaschen, tabletten, stöcke, stühle etcetera, als wurfgeschoße; es kommt zu einer saalschlacht. alle schlagen sich zum schluß für die ehre des hausautors, der, von den freunden unbeachtet, als friedensstifter in eigener sache, girlandenhaft seinen namenszug aus der oberen etage auf das gewimmel herunterläßt; zuletzt nur gerippe bedeckend.

V. je ein umwölkter gipfel. erzählung

begonnen am 20. oktober 1971
beendet am 4. november 1972

das kapitel
in einer zerfallenen nachbarschaft
widme ich leslie willson,
das kapitel
auf dem luftozean
ist meiner mutter gewidmet,
das kapitel
ein alpentraum
ist für ernst jandl.

wollt es zuerst spuren nennen, sagte er, weil wenn A spräche, käme er allmählich in eine andre spur, nämlich in B's; wenn dann B spräche, käme B allmählich in eine andre spur, in C's nämlich; wenn C spräche, käme C allmählich in andre spur, D's nämlich; wenn D spräche, käme D allmählich in andre spur, in A's nämlich, wieder, und so fort.
ach warum wollen wir, sagte er, hier nicht sprechen.
es war wirklich alles so hart an einem geschehen dran, und die große tafel *privatgrund* war mit roter farbe überpinselt, daß es jeden vorübergehenden aufforderte über all das nachzudenken.
es nistete auch schon überall, sagte er, die syringen waren lila.
das hat der theodor storm aufgebracht, sagte er, aber es riecht einfach besser als wort, besser als als wort flieder, und außerdem, man hatte fast immer den verdacht, daß gleich hinter dem domplatz meerwasser rauschen müsse. vor allem wegen des fischgeruchs, und sogar ori, der am fluß lang japste, hatte eine ahnung davon. wir, sagte er, am stadtrand zu mondschein am nachmittag.
seltsam auch, sagte er, die sonne ging unter, es war ein sonnenuntergang im sommer, gleichzeitig mondaufgang, und wir entzifferten was von der landschaft in den hohen baugerüsten, eine völlig verkrustete, unten schwappende erdmasse. wie bei einem richtigen beben, sagte er, verfärbte sich auch der himmel.
höchste zeit, sagte er, kleist zu lesen, ich weiß nicht also ich weiß nicht, an jenem nachmittag vielleicht, als die zentauren die fischerhüttenstraße hinunter galoppierten an der kleinen baude lang, als wir sie verfolgen wollten, als sie, im rudel, verschwanden in der nicht mehr auszumachenden ferne der argentinischen allee, in den geräumigen gärten auch, abseits, sagte er, im sprechen die kunst erlernen, sagte er.
erst würden wir, sagte er, alles dekollagieren, sagte er.
aber denk doch, sagte sie, jeder ist froh in einem haus unterzukommen, auch wenn es häßlich ist, und wenn man abends heimkehrt, am krankenhaus garten vorbei, sagte sie, lehnt da immer eine baßgeige im fenster in der ersten etage.
manchmal tönt von innen ein geigenton oder das klavier. erst würden wir, sagte er, sturmwind orkan durch die straßen jagen, wüten, stadt auswärts, sagte er, bis zur krummen lanke wo die schwäne.

wollt es zuerst so machen, sagte er, erlebnisstellen aufzunehmen, sagte er. weil nämlich auf die dauer, sagte er, es windete mir's haar nach hinten aus der stirn weg, was ich ungern litt.
stellen uns dagegen, sagte er, würden rathaus grünanlage rot sprenkeln, blut, marmor füße, des siegesengel, und dergleichen.
durchs okular das mechanisch ablaufende straßenleben, sagte er, am brandenburger tor ausgemacht, sagte er, wie madersperger, sagte er, lachte er. alles würden wir dekollagieren, sagte er, *die zeiten eilen*.
wollen die denn immer spiegel sehen wenn die ein buch oder sonstwas lesbares greifen, sagte er, wollen die immer nur sich selbst finden, und wenn auch nur in einem scherben.
als wir, sagte er, und das taxi uns ausgespien um die ecke rasend um uns im bogen auszuspeien ehe wir noch die paar ostpfennige, sagte er, die augen an sich ziehend, kastanien werfend, sagte er, monument in den kolossalen osten, sagte er, mit 'ner sternwolke, die pünktlichen linienflugzeuge über unseren köpfen.
bei tequila & saragossa, sagte er, lachte er, versäumnis der äußeren kräfte, zur gedenkstätte in die kuppel hinauf und empor wo alle weltbürger, sagte er, und hat im sprechen die falsche kunst erlernt.
wir spazierten, sagte er, über eispfützen an den fluß heran und zum alten eierhaus, und endlich saßen wir alle und unbewegt, sagte er.
sehr mit blumen werk, sagte er, in halb erhobenen sachen fransen borten, direkt an der sektorengrenze, ein zerrüttetes lokal.
hochsitze auf knarrender holzveranda, sagte er, so saßen wir alle da.
haupthaar angeschimmelt, sagte er, lachte er. 's machten ihn noch junge rosen doll.
aufmord, grab, ist nicht so schwarz, sagte er, einfach dekollagieren, alles. in fortspulenden gesprächen, an langen diskussionstischen, hart an der grenze, an den signalen ehe es auf die AVUS rausgeht.
und zischen nur so dahin, sagte er, und unten gestalt mit brotsack zum verwitterten meilenstein, wiesenwärts, knochig, ausgenommen, und sitzt dann, an verwehter böschung, gelehnt, steht, antlitz verstreut, und steht, wort für wort, auf meinem bewußtsein, lesbar.

wollten wolken stern nach, sagte er, mitkopf, sagte er, lachte er.
hat im sprechen die kunst erlernt, sagte er, alles in frage zu stellen; oben-unten, innen-außen, erschüttert jegliches in seinem grunde.
personen aussparend, sagte er, die einem achtung einflößen wie beim mündel etwa, und ahornsamen zwischen worte geworfen, und frischgeborenes hündchen, postgänge.
eng zu eng an allem geschehen, sagte er, eingehakt und gesichert, sagte er, zigarettenstummel weit weg werfend oder zertretend, einem bestimmten punkt der stadt zustrebend, zarte helle blaue augen bälle, und so 'n fahrrad hier, wie wär's denn mit sowas.
brückenbauen, sagte er, behufen, vom flughafen durch eine menge straßen flirren & flitzen, nun waren wir gekommen, sagte er, alle zusammen nicht nur im erzählen darüber sondern wirklich, in der wirklichkeit, *aus der wirklichkeit.* und mein gesicht, sagte er, zu beiden seiten, und bevor wir in den garten einbogen standen da ein paar figuren umher, lösten sich rasch ins baumbuschwerk, und grünriechend stufenwärts zwei drei mal, traten ein uns selbst in den offenen armen.
ach warum wollen wir, sagte er, hier nicht sprechen.
und dann kamen sie, sagte er, direkt mit diesem frischgeborenen hündchen, sagte er, gelb wie haut leine gelb verflixt wie gebundene schlingenmasche und so, bis sich der andre von drüben fast losriß und immer von neuem die gitter hochsprang immer von neuem als wollte er versuchen.
als wollte ich versuchen, sagte er, eine schlinge ein band eine leine immer von neuem zu knüpfen zu binden daran zu ziehen, so daß alles wieder auseinanderginge um dann wieder von neuem zu knüpfen binden ziehen, endlos, bis der kopf von selbst, sagte er, abgeht, ab ginge, sagte er, morgens zum beispiel, diese seltsame verrückung des mobiliars.
die verrückung des küchenstuhls über nacht, sagte er, etwa, jemand muß damit hantiert haben, oder in stuhles nähe sich befunden haben, dahinter darunter darüber, wer weshalb welche wie, und die blumenvase sei kein abfallkübel, milchstraße, sagte er, nasse gärten.
bei atemlosem einkaufsfieber im woolworth, sagte sie, lachte sie.
als wollte ich versuchen, sagte er, langes haar immer wieder zu öffnen um es danach schöner immer schöner kunstvoller flechten zu können, immer wieder auflösen und flechten, immer von neuem, als

wollte ich versuchen, sagte er, immer neuen formen auf die spur, sagte er, auf die spur zu kommen, schleifen, bögen, ringe, sagte er, ist ja mein bruder, sagte er, mein ameishafter. ganzer tag war ganz gelb, sagte sie, kauerte zu seinen füßen.
ist ja mein bruder, sagte er, affenbrot, etwa den klappbaren bügelladen hieven oder die sonnenliege, affenbrot, in die mütze kam mir ein ahornsamen.
und drückte seine obere zahnreihe, sagte er, auf die unterlippe, übrigens als kind schon, kann man auf alten fotos sehen.
der erich zinsler war's, laß 'nen kuckuck zu dir fliegen bei dir wohnen, in deinen bäumen, brandslangen, sagte er, rang mit dem tiger.
der erich zinsler war's, sagte er, nämlich, sagte er, der ist hinter mir gesessen in der klosterschule; blond dick und im schulgarten mit lilien und lianen rosen & aschenbrödel aberglauben und so.
vermißt ist er, vorgebunden wie ahornsamen in der mütze; nämlich, als er herein kam; muß immer diesen verdammten baum vor meinem fenster anschauen mit den weißlichen flecken, sagte er, und nicht mal blattwerk, sagte er.
sturmheit, sykore käfer stiegen auf.
am ende liebgewann, und alle bäume, sagte er, von deinem mund gesprochen, sagte er, und deine hand an deinem ausgestreckten arm, sagte er, *die zeiten eilen*. fuß welkt, sagte er, *die zeiten eilen*.
fuß welkt, *die zeiten eilen*.
ach, sagte er, warum wollen wir hier nicht immer wohnen oder wenigstens versuchen uns hier anzusiedeln; hat im sprechen die kunst erlernt deren örter, sagte er.

als der bau knecht erstmals ins haus kam

als der bau knecht erstmals ins haus kam, sagte er, narben im gesicht, schaf zunge raushängend, am morgen so gegen vier als die sonne schon da war der mond im abgehen.
als der bau knecht erstmals ins haus kam, sagte er, hatte die psychische trennung von der umgebung bereits eingesetzt.
der leere bahnhof drei züge am tag die halle ein gespenstersaal.
als der bau knecht erstmals ins haus kam, um rumzusitzen einfach

rumzusitzen bei uns, am morgen so gegen vier als die sonne schon und der mond, und wir nach stühlen suchten, denn es war eine ungewöhnliche tageszeit um gäste, sagte er. als der bau knecht erstmals ins haus kam, sagte er wie bestatten, freunde, wie bestatten.
wir mit diesem ständigen alpenglühen hinter dem haus, mit der ersten prüfung des morgens, mit dem singen des kübel vogels an der hausfront aufwärts gehievt bei tag und nacht zum first, den lavendelbäumen, steinstufen zum ziehbrunnen. als der bau knecht erstmals ins haus kam, sagte er, war plötzlich alles in frage gestellt.
als der bau knecht erstmals ins haus kam, mit dem ständigen alpenglühen hinter dem haus, mit der enten schar enthauptet blutüberströmt, sagte er, schwimmend auf der oberfläche des weihers als ob sie lebten, aus zu weiden.
als der bau knecht erstmals ins haus kam, sagte er wie bestatten, freunde, wie bestatten, und wir öffneten alle fensterflügel.
als der bau knecht erstmals ins haus kam, narben gesichtig mit heraus hängender schaf zunge, hatte die psychische trennung von der umgebung längst eingesetzt, sagte er.
als der bau knecht erstmals ins haus kam, wußten wir keine antwort, öffneten sämtliche fensterflügel, ließen morgen ein.
als der bau knecht erstmals ins haus kam, um rumzusitzen einfach rumzusitzen bei uns um sich abzunabeln von jeglichem, aus zu weiden, und wir nach stühlen suchten.
mit den auffliegenden sperlingen spät herbst morgen, und wir fensterflügel aufstießen, sagte er, war es uns plötzlich als könne er in seiner weisheit alles verlachen.
der leere bahnhof drei züge pro tag die halle ein gespenstersaal.
als der bau knecht erstmals ins haus kam, war plötzlich ein schatten da.
als der bau knecht erstmals ins haus kam und wir nach stühlen suchten, sagte er *die herbst krähen wissen genau wohin sie fliegen und so weiß ich wohin ich gehe*, sagte er.
als der bau knecht erstmals ins haus kam, wir mit dem ständigen alpenglühen hinter dem haus, beim auffliegen der sperlinge, erste prüfung des morgens, wußten wir keine antwort, sagte er.
wir mit den umliegenden dächern zum flachen spazieren, wasser aus brunnen mund, sagte er, suchten nach stühlen, stießen die fensterflügel auf, so früh am morgen, eine ungewöhnliche tageszeit um gäste.

als der bau knecht erstmals ins haus kam, der leere bahnhof drei züge am tag die halle ein gespenstersaal, war plötzlich alles in frage gestellt und er sagte wie bestatten, freunde, wie bestatten.
als der bau knecht erstmals ins haus kam, war die psychische trennung von der umgebung weit fortgeschritten, am morgen so gegen vier als die sonne schon, der mond aber, sagte er.
als der bau knecht erstmals ins haus kam und uns sagte er habe den korb getragen, er habe den korb so getragen wie alle bäuerinnen, nämlich auf dem kopf, und er zeigte es uns.
als der bau knecht erstmals ins haus kam, sagte er, den mantel über die schultern geschlagen, und wir die fensterflügel aufstießen, in riesigen wäldern, blinken.
wir mit dem ständigen alpenglühen hinter dem haus.
als der bau knecht erstmals ins haus kam und uns fragte was wir meinten wie er bestatten solle, wußten wir keine antwort, war alles plötzlich in frage gestellt.
als der bau knecht erstmals ins haus kam, mit dem ständigen alpenglühen hinter dem haus das uns alle sehr ängstigte, mit den verblutenden enten hinten am weiher, sagte er, sehr mit blumen werk das alles in frage stellte.
mit dem vorgarten, sagte er, den dächern flach zum spazieren, am morgen so gegen vier als die sonne schon da war der mond aber im abgehen.
als der bau knecht erstmals ins haus kam und seinen korb mit früchten, mitten in der stube, abstellen wollte und wir nach stühlen suchten, sagte er wie bestatten, freunde, wie bestatten.
als der bau knecht erstmals ins haus kam, am morgen als wir aus seinem munde ähren rissen und mit der hand zerrieben, am morgen gegen vier, als die sonne schon und der mond.
als der bau knecht erstmals ins haus kam, und wir nach stühlen suchten, denn es war eine ungewöhnliche tageszeit um gäste zu haben, war plötzlich alles in frage gestellt.
als der bau knecht erstmals ins haus kam, war er gekommen als wäre er nicht gekommen.

nostalgie

sah die hochzeitsgäste vors haus treten wenn ich das kinn anhob, sagte er, und auf zehenspitzen durch die oberlicht hohen fenster schaute, hinunter wo man schrie wie an tauben ohren, das drang herauf zu mir mitten im vorwerk, mantel überwurf, hubertusmantel, märzkalt.
wenn ich mich stemmte und auf zehenspitzen, sagte er, das kinn angehoben, sah ich sie alle, sie waren alle von innen gekommen innen waren sie gesessen wie kapstadtbraun, zwischen häkeldeckchen, schaukelstühlen aus rohrgeflecht, sagte er, immer schon.
wenn ich das kinn reckte konnte ich sie sehen wie sie sich drängten vors haus zu kommen ein wenig luft zu kriegen, und sie hören, ihr schreien, und die tanten aus kapstadt mit kraushaar.
wenn ich mich hochreckte konnte ich sie alle sehen, wie sie schrien und jetzt vors haus wollten alle mit blumen, um luft zu kriegen, sagte er, die verächtlichmachung der dinge, sagte er, hatte damals schon aufgehört bei mir.
das kinn hochgereckt konnte ich die schreienden personen überblicken, wie sie vors haus drängten um ein wenig luft zu kriegen, ein traum natürlich, sagte er, und das winterliche vogelgezwitscher hoch über mir, grünes riesengehege.
wenn ich auf den zehenspitzen stand konnte ich alle sehen, sagte er, amerikanische magazine, hatte die afrikanische tante erzählt, geben die lesedauer in u-bahn-strecken an, ein traum natürlich, sagte er, märzkalt.
auf zehenspitzen balancierend sah ich wie sie vors haus drängten, vielleicht ein delirium, sagte er, eine neue durchdringung der wirklichkeit, sagte er, ein bis zum äußersten entschlossensein, sagte er, ein selbstmordendes wüten, sagte er.
hob das kinn sah wie sie alle hinausdrängten um ein wenig luft, sagte er, sah wie sie orientisch, weitschweif, in behenden sprachen, sagte er, ein traum natürlich, alle tische besetzt, schrien sie, wollen wir hier warten, schrien sie, wollen wir uns da hin setzen, schrien sie.
streckte mich und sah wie sie beinah anstalten trafen, sich hierhin oder dahin zu wenden um sich setzen zu können, sagte er, ein traum natürlich, märzkalt, sagte er, ans rheinufer! schrien sie, während sie weiter vors haus drängten, wo die luft dampfte und ich hörte sie zu meinem beobachtungsstand herauf schreien, seht doch, schrien sie,

wie es den dom von der rampe bläst, seht, rauhe wehende luft, schattendes beuel, ein traum natürlich, mai bestrumpft dünn mitten im vorwerk die braut, plötzlich die schatten.
wenn ich mich hochstemmte das kinn anhob konnte ich alles genau beobachten, plötzlich die schatten, sagte er, und wie die braut, und der bräutigam, und wie sie jetzt wieder lauter zu einander schrien, und das gruppenbild! schrien sie einander zu, nun endlich das gruppenbild!
reckte das kinn, endlich das gruppenbild, sagte er, und dann das gruppenbild, das gruppenbild die kapstadtbraune tante, die übrigen braunen tanten, die alten meister arrangierten das immer so, sagte er, daß die köpfe in einer wellenlinie auf und ab gingen, ein traum natürlich, sagte er.
hochgestreckt konnte ich alles genau verfolgen, gruppenbild, die alten meister, komponierten das so, sagte er, ein traum natürlich, eine wellenlinie aus köpfen, eine streuung der geschehnisse.
wenn ich das kinn hochreckte sah ich wie sie begannen, sich allmählich von einander abzuwenden, sagte er, ein traum natürlich, die streuung der geschehnisse, die streuung der geschehnisse von oben betrachtet, ist verwunderlich, sagte er, die streuung der geschehnisse, auch wie man sich jeden morgen von neuem reinigt, kleidet, gereinigt, gekleidet hat, bis man sich gereinigt, gekleidet hat diese tortur, und unansprechbarkeit am morgen, sagte er, könnte dies nicht einmal so weit gehen, sagte er, daß man den morgen nicht mehr betritt, sagte er, von meinem beobachtungsstand jedenfalls, sagte er.
auf zehenspitzen den clan, wie verwandelte bilder, sagte er, wenn ich mich hochstemme, ein traum natürlich, der clan wie er nun endlich zum versiegen gekommen ist, sagte er, und wie die gruppe sich immer mehr zerstreut, rheinwärts schwärmt, wenigstens alle heraus, sagte er, ein traum natürlich, als ich an der kasse stand und nicht die geldscheine ansah, die man mir auszahlte sondern das lächeln der kassiererin an der nebenkasse zu deuten versuchte, ein traum natürlich, rheinwärts, sagte er, wenigstens sind nun alle heraus.
reckte mich, aber verwandeln ist nötig, sagte er, verwandelte bilder, wie sie sich zerstreuen am ufer, sagte er, und als der clan endlich zum versiegen gekommen war, sagte er, pfropfen aus riesenflasche, sagte er, rief ich der ältesten verwandten, ohne daß sie mich hören konnte so tief dort unten, zu, misa, rief ich, misa, erinnern sie sich, –

mit diesem zweig der familie siezten wir uns immer noch, – misa, rief ich wieder, sagte er, erinnern sie sich; ja, sagte sie, ein traum natürlich, denn sie konnte mich unmöglich gehört haben von hier oben, sagte er; ja, sagte sie, leise, kriegsdienst zusammen mit ihrer mutter, zweiundvierzig bis fünfundvierzig.
den ganzen clan faßte ich wieder ins auge, während ich mich streckte, sagte er, den ganzen clan, sah nun, wie sie sich immer näher ans rheinufer herandrängten, dem rhein zu, der schwarz von dohlen war die über ihm flatterten, und an einer plakatwand in der nähe ging immer wieder ein plakat ab, obwohl, irgendeiner aus der gruppe schlug mit der faust drauf um es immer von neuem zu befestigen, sagte er, luftschlieren.
hochgereckt konnte ich sehen, wie sie sich nun vollkommen von einander gelöst hatten, ein zwang von sekunden, in verschiedene richtungen strebend, das gruppenbild endgültig vereitelnd, rosen aus der picardie, ein traum natürlich, nun ging es klatschend nieder, über die ganze breite der ufer straße. über mir begannen sie wieder zu schreien, wintervögel, den kopf nach hinten geschlagen, ein traum natürlich, schwarze dohlen, sagte er, die zeitläufte, sagte er, misa, sagte ich, die zeitläufte, das bringen die zeitläufte mit sich.
mich hochstemmend, sagte er, kann ich in der ferne ihre stimmen wie schatten hören und sehen, sagte er, ein traum natürlich, und jetzt, jetzt, sehe ich sie alle gemeinsam zum ankerplatz eilen, wieder verwandelt in feste form, in eine einzige figur, eine wehende verankerung, und schleierungen, disteln im haar, ein traum natürlich, sagte er, disteln im haar.

abseite des mondes

jetzt leben wir schon zum überwiegenden teil unter der erde, sagte er, lüftete seine himmelblaue pelerine und warf die dienstmütze auf den schreibtisch.
wehend schwang sich seine himmelblaue pelerine heroisch, wir leben wirklich zum überwiegenden teil unter der erde, sagte er, und schob die dienstmütze ein stück weiter zur mitte des schreibtisches.

heroisch, sagte er, die himmelblaue pelerine schwang aus als er sich umwandte, wir leben wirklich zum überwiegenden teil unter der erde, sagte er, und die auswirkungen werden ungeahnte.
lüftete die mantilla artige pelerine und blickte zu uns herüber, schob seine dienstmütze weiter und sagte, ungeahnte auswirkungen, ungeahnte gefahren. es waren immer noch hüte verstehen sie, sagte er, früher waren es immer noch hüte, aber jetzt, er machte eine schwingende bewegung mit seinem rechten arm als wollte er mit seiner rechten hand eine altertümliche waffe greifen die er dort baumeln hatte, total unter der erde, sagte er, ungeahnte.
es waren immer noch hüte, sagte er, versteht ihr früher waren es immer noch hüte, sagte er, hüte waren früher immer noch hüte, aber heute, eine überlieferung. eine überlieferung, sagte er, es ist eine überlieferung geworden, und er hantierte unter seiner pelerine als habe er nun tatsächlich nach einem altertümlichen dolch gegriffen.
sein himmelblauer überwurf im bogen hoch, eine überlieferung, sagte er, es ist eine überlieferung geworden, sagte er, an der oberfläche der erde bestehen zu können ohne sterben zu müssen, und er rückte seine dienstmütze weiter. heroische zeiten, sagte er, werden es sein, sagte er, wenn sie ankommen. er schaute uns nah ins gesicht so daß wir einen schritt zurück nahmen. heroisch, sagte er und faßte nach seiner altertümlichen waffe, seine dienstmütze war nun am andern rand des schreibtisches angekommen, heroisch, sagte er, allmählich werde ich ein mensch, sagte er, nämlich, weil es ja viel schwieriger ist, so an der oberfläche der erde zu existieren, und er blickte uns aus nächster nähe ins gesicht.
wir rückten nicht ab weil wir fühlten daß es ihn schmerzen würde, wie wenig zeit, sagte er, werden wir haben, sagte er, und rückte seine dienstmütze weiter.
schließlich haben wir jetzt nur noch einen rest von unserer zeit, sagte er.
und der rest schmilzt zusammen, so daß wir die tägliche zeitung nicht mehr lesen werden können, sondern wir werden die heutige zeitung am nächsten oder am übernächsten oder am dritten tag lesen, und immer so weiter.
es waren immer noch hüte, sagte er, aber jetzt.
er faßte nach seinem altertümlichen dolch und blickte uns an.
diese heroische unmöglichkeit, sagte er, sich verständlich zu ma-

chen, die unmöglichkeit sich verständigen zu können, die unmöglichkeit etwas zu äußern, sagte er, dies wird unsere tatkraft zerstören.
und endlich werden die tiere warten darauf menschen zu werden, sagte er, die heroischen tiere.
und sich abfinden, sagte er, daß sie es nicht werden tun können.
die dienstmütze hart an den jenseitigen rand des schreibtisches schiebend, die himmelblaue pelerine hoch schwingend, die heroischen menschen, sagte er, stehenbleibend unter der erde einander ansprechend, einander fragend, vielleicht nur nach straßenzügen, nach den namen von distrikten, nach überzeugungen, intimitäten.
und dann wird es geschehen, daß einer der *gefragte* geworden ist, ohne daß er es gewollt hatte, nur weil er zu lange stehen geblieben war, und die andern, die fragenden, ihn umringt haben eingekreist haben.
der heroische kiefernhorizont, sagte er, der ferne heroische kiefernhorizont, und die rekonstruktion der welt unter der erde.
es waren immer noch hüte, sagte er, früher nämlich waren es immer noch hüte, und die dienstmütze fiel über die jenseitige tischkante auf den boden, und unter der erde, sagte er.
und allmählich, sagte er, werde ich ein mensch, seine himmelblaue pelerine schwang hoch, denn wir leben zum überwiegenden teil schon unter der erde, sagte er, wie wildspur, sagte er und zog das altertümliche instrument aus der scheide.
wir wichen zurück, sein blick kreiste uns ein, heroisch, sagte er, und auf seinem gesicht ein seltsames lächeln.
während er die dienstmütze die mit dem flachen oberteil auf dem boden lag ausholenden stiefeltritts fortschleuderte.
die rekonstruktion unter der erde, sagte er, geht bald an den nerv, sagte er, und er blickte uns wieder an, und wir wichen zurück.
da zog er blank und richtete die spitze des dolches gegen seine eigene brust, und bald geht es uns an den nerv, sagte er, und sein freier arm lüftete den wallenden überwurf.
mit schwarzen fängen, sagte er, ein flügelkleid.
ein mensch hört auf, sagte er, wie er angefangen hat, kiefernhorizont, sagte er, schwarz.
wildspur, sagte er, die spitze des dolchs gegen die eigene brust, ach der frühling bis er wieder kommt, sagte er.

heroisch, sagte er, als er hingestreckt lag, gespinst der zucker watte färbt sich rot.

erzählen einer erzählung

rot, sagte er, rot und kalkhart.
kalk ist nicht hart, sagte sie.
rot, sagte er, und kalkhart, und von allem herstellbar, sagte er.
von allen, sagte sie, von allen herstellbar, poesie muß von allen herstellbar sein.
von allem, sagte er.
revolutionspoesie, sagte sie.
nein, sagte er, nein.
realität mit werten dahinter, sagte sie, kontemplation.
neue kontemplation vielleicht, sagte er.
eine hand, sagte er, mit einer kuchenzange von innen in die vollgestopfte auslage eines zuckerbäckerladens langend, ein segment einem angeschnittenen tortenkreis entnehmend, und du davor, sagte er.
ein vergleich, sagte sie fragend.
intellektueller wahrheitsdrang, sagte er, intentionen unter zwang.
wie pallas athene voll gerüstet aus dem kopf des zeus gesprungen ist, sagte sie fragend.
und vor der ladeņtür die matte für den hund, sagte er.
etwas höher ein haken zum einhängen der leine, sagte er, darüber ein emaille schild WIR DÜRFEN NICHT HINEIN und darunter ein hundekopf, sagte er.
du mußt ausreißen, sagte sie, *aus der wirklichkeit*, aber sie mit dir hinunter reißen, in den abgrund während du fällst.
und wie ist dir das bekommen, sagte er.
von nebenan, sagte sie, hörte ich in der stille des morgens, wie vorhänge von fenstern weggezogen wurden.
manche örtlichkeiten, sagte er, vermitteln mir angenehme, andere unangenehme vorstellungen und empfindungen, sagte er.
wege, straßen, hauseingänge, durchblicke, plätze, rasenanlagen, übergänge, gebäude, mauervorsprünge, gärten, sagte er, ohne daß ich weiß warum.

solche überlegungen sind mir nicht fremd, sagte sie.
aber was habe ich falsch gemacht, warum eigentlich ist die ganze sache schief gelaufen, ich hatte doch alles versucht um erfolg zu haben.
wir wissen viel zu wenig von einander, sagte er.
und dann, sagte sie, probierte ich mein linkes auge aus, wie es funktionierte. dabei spazierten wir auf einem seitenweg der parallel zur autostraße verlief, eine kurze strecke immer hin und her, als ob wir auf jemand warteten der jeden augenblick aus dem haus herauskommen müsse, das hier ohne nachbarschaft am wegrand stand, und ich blickte lange in den zitronengelben himmel.
wenn ich mich im kalten schlafzimmer, sagte er, ins kalte bett lege, unbekleidet unter die weiße wolldecke schlüpfe, fühle ich, sagte er, wie mein bett sich allmählich wärmt mit der wärme die aus meinem körper kommt.
mit dem der ich mit zehn war, sagte er, habe ich nichts mehr gemein.

in einer zerfallenen nachbarschaft

ein bilder sturm, sagte er, wie ein sturm, sagte er, kommen die.
und alles ist so befristet, sagte er, und dabei hätte ich gedacht ich könnte ihn eines tags für uns gewinnen.
damals, sagte er, als wir alle zusammen ins fischlokal fuhren und ich ihr aussteigen half, hatte sie, während sie ihren rechten fuß und gleich darauf ihren linken aufsetzte und den kopf einzog daß er nicht anstoße oben, geantwortet, warum nicht warum nicht, vielleicht können sie ihn eines tags für ihre ideen gewinnen, sagte er, aber dann stellte sich heraus, daß alles sehr befristet war, sagte er.
aus einer rauhen welt, sagte er, aus einer rauhen welt kommend, aus einer rauhen welt in eine glatte zurückkehrend, sagte er, und alles befristet. ihr brief, sagte er, war altmodisch geschrieben eine schnörkelige hand, aber der tonfall war echt und der raum zwischen den zeilen wie das atmen eines menschen der sehr bewegt ist, und dann, sagte er, fuhren wir alle zusammen nach new orleans, sagte er, und ich glaube er liebte den altstadtteil wo einmal die

franzosen herrschten und später in einer zerfallenen nachbarschaft, sagte er, die jazzneger.
ich freue mich sehr auf ihr hiersein, sagte er, es wird frühling sein.
ich habe eine rose, sagte er, auf meinem fensterbrett heute habe ich eine rose.
ich habe auch nicht mehr viel zeit, sagte er.
auf meinem fensterbrett heute habe ich eine rose, sagte er, die mir meine frau heute morgen gepflückt hat, so blühen auch im dezember die rosen hier, sagte er.
ich hoffe, sagte er, sie werden auch die bekanntschaft ihres übersetzers hier machen können, sagte er, ein junger bankier.
ich weiß genau was er dann sagen wird, sagte er, mal doch nicht überall diese verfluchten zeichen hin, wird er sagen, die wirklichkeit ist nämlich verflucht anziehend, wird er sagen, die wirklichkeit.
als wir, sagte er, das hotel callas in köln verließen stand beuys etwas erhöht im torweg, sagte er, mit ausgebreiteten armen dünnem weißen gesicht von jungen leuten umringt, redete wurde gefragt antwortete, und es regnete heftig und wegen des starken böigen winds hatten manche ihre schirme abgespannt, sagte er, wegen des winds.
in einer zerfallenen nachbarschaft, sagte er, und als beuys die arme auf und abbewegte, sagte er.
es regnete heftig, sagte er, sie rief nachts bei uns an, obwohl, sie wohnte direkt unter uns und genau so gut hätte sie die paar stufen heraufkommen können und wie sie plötzlich bei uns oben anrief, sagte er, wir sollten hier oben keinen solchen lärm schlagen, sagte er, denn sie könnten alle nicht schlafen, sagte er, wir müssen uns damit abfinden.
und es ist auch nur dieser kleine augenblick, sagte er, des abknipsens, des abgeknipstwerdens vielleicht, sagte er, dieser dionysische taumel, sagte er, diese dreckige mutation, sagte er, die uns alle erwartet.
wenn die grünen flächen des laubs von weißen punkten flecken und streifen unterbrochen sind, sagte er, gibt es eine schöne jahreszeit, und ich freue mich sehr auf ihr hiersein, es wird frühling sein eine schöne jahreszeit.
die alpenrepublik, sagte er, wo einmal die franzosen herrschten und später, in einer zerfallenen nachbarschaft die jazzneger.
das nur mit halber geste geben, sagte er, um beruhigung beim ande-

ren zu erzeugen, sagte er, das zufrierenlassen von freundschaftlichen gewässern, am telefon, sagte er, hatte sie mir gesagt daß sie mir zugetan sei wie eh und je, daß sie meine nähe im augenblick aber nicht ertragen könne, ein paar wochen sollten vergehen, wir sollten ein paar wochen verstreichen lassen. wir müssen uns abfinden, sagte er, mit diesem und jenem, damit daß alles befristet ist, sagte er.
die mühe, sagte er, die wir aufwenden zur erhaltung der substanz, sagte er, wie vergeblich, sie trug eine rosa badekappe, sagte er, stand in der auslage eines schuhzubehörladens und fragte zum mitnehmen?
ja, sagte er, besser unrecht empfangen als tun und zum schluß ist man geprägt von dem was man getan hat, sagte er, schlangenmenschen wolfmenschen sirenen. sie trug eine rosa badekappe, sagte er, ein mißverständnis seinerseits, sagte er, so muß es sein.
aus der hand eines zuckerbäckers, sagte er, die blechschere, orten, sagte er, ortlosigkeit, sagte er, die ortlosigkeit, greifen, eines wintermorgens fast ohne morgenlicht.
was uns quält, sagte er, uns trifft, berührt, auf meinem fensterbrett heute so blühen auch im dezember die rosen hier, sagte er, auf meinem fensterbrett in einer zerfallenen nachbarschaft, auf meinem fensterbrett heute habe ich eine rose die mir meine frau heute morgen gepflückt hat, so blühen auch im dezember die rosen, sagte er, in einer zerfallenen nachbarschaft, ich habe auch nicht mehr viel zeit, sagte er.

die zeichen der zeit

das getüm, sagte er, wie es uns anblickt.
immer ist es eine abstrakte saite, sagte er, an der wir uns wünschen berührt zu sein, sagte er als er mit dem rücken zu uns stand.
mit dem gesicht zu den bücherwänden, und er fuhr mit der hand über die buchrücken, zum diktat raskolnikow, sagte er, man weiß ja nie.
dies köstliche leben, sagte er, was steht ihr da als ob ihr nicht verstehen wolltet, sagte er, gar nichts.
wir atmeten auf, er ereiferte sich endlich wieder.
nämlich als ich mit ihr zusammen den winzigen warteraum des

bahnhofs abging, sagte er, und wir abwechselnd den riesigen eisernen ofen berührten um zu fühlen ob er wärme begann sie plötzlich zu mir zu sprechen eine frau in mittleren jahren in der haltung eines menschen der alles beklagte, sein leben seine mitmenschen den gang der welt.
ich schaute, sagte er, durch die glastür des warteraums auf das einzige hochhaus des orts, das eben fertiggestellt worden war, oben wehte die dachgleiche. ich möchte da nicht wohnen im obersten stockwerk sagte sie, sagte er.
ich zuckte die achseln, sie beugte sich zu mir.
korngarten kontemplation man weiß ja nie, ein ungelöstes problem, sagte er, weit draußen hörte man ein dünnes kläffen.
wintereuphorie, sagte er.
aber plötzlich stimmt alles nicht mehr, das was gewesen ist hat keinen sinn mehr, sagte er, türfrost, wintersonne, grell daß man die sonnenbrille überstülpt.
und fragen immerzu fragen stellen, sagte er, und dann alles verschoben, sagte er, und man dreht den kopf weg weil man genug hat, schnitzmaske augenscheuche aus der hand eines zuckerbäckers, wie beuys etwa, sagte er.
um es ganz in farben auszudrücken, sagte er, es war ein dünnes weißes kläffen, ganz weit draußen.
der fäkalienschlange zusehen dann sich zufrieden geben, sagte er, abnabeln abnabeln oberstes gebot, jahre austauschbar die lange zeit da man gelebt hat, die vielen jahre mit den vielen gesichtern.
antagonismen von außen und innen, sagte er.
die angst, sagte er, der kleine katalane würde durch die zargen seines instruments fallen, die angst vor den winzigen männchen mit den riesigen aufgeblähten köpfen die angst ihre köpfe könnten in meinem kopf zerplatzen.
perle im ohr, sagte er, gulaschkanonen im hof, sagte er, ein bursche im blauen overall mit drei blauen autonummertafeln, die er an lederriemchen baumeln ließ, *aus der wirklichkeit*.
das gefühl man bewege die dinge kraft seines immerwachen bewußtseins, sagte er, verläßt mich nie wird mich nicht mehr verlassen, und ich fühle wie ich mich fühlen würde, würde ich jetzt aus dem haus treten, aus dem haus in den frostigen garten, fühle mich wie ich mich fühlen würde, würde ich jetzt den garten betreten mitten im januar, die länglichen eiskrusten vermeidend, die sich hier und da auf den

steinstufen, in den flachen stellen des rasens, gebildet hatten, jetzt mitten im januar fühle ich mich wie ich mich fühlen würde, träte ich jetzt in den garten, die eispfützen meidend, denkend, wie es sein würde, wäre ich zuhause beinah ohne mittagslicht, nach hause kommend, die türe öffnend, meinen mantel abstreifend, auf der stelle fallen lassend, fühle wie ich mich fühlen würde wenn der mantel zu boden gefallen wäre und daß ich dann mir denken könnte, aus dem garten zu treten in einen winterlich weißgrauen tag, die eispfützen meidend, das vereiste gras aussparend, zum hauspostkasten in die gartenmauer eingelassen strebend, ihn öffnend, in seine höhlung spähend und nichts vorfindend, zurück gehend über die spiegelglatte treppe, ins haus, und alles würde sein wie damals nur viele wochen monate jahre würden vorüber gegangen sein, sagte er.
und ich habe, sagte er, mich daran gewöhnt zuhause in millimeterbereichen zu denken.
blechschere, sagte er, und am nachmittag diese nähe, sagte er, von allen dingen, es dämmerte schon.
scheu, sagte er, blickte ich in den überwundenen abgrund.
weit draußen, sagte er, hörte man ein dünnes kläffen.
die wirklichkeit ist erregend, sagte er.
weit draußen, fern, sagte er, konnte man ein dünnes kläffen hören.
aber irgendwo, sagten wir, mußt du doch zuhause sein dich zuhause fühlen, sagten wir.
ja überall an allen plätzen der erde, sagte er.
aber nicht angesiedelt, sagte er, nicht angesiedelt, nirgends.

schützer des hauses

es herrschen einfach andere gesetze zur zeit, sagte er, und du bist ausgesetzt, ihnen ausgesetzt.
über deinem schädel werden sie mit mächtigen stiefeln stampfen, sagte er, und du kannst nichts tun gegen sie.
unter deinen sohlen haben sie sich ausgegossen und ätzen dir deine eingeweide wund wenn du über sie trittst, sagte er.
aber du kannst nicht das haupt erheben gegen sie, sagte er.

aber du kannst niemand anrufen um dein recht.
du lebst nämlich ein leben, das nicht dein leben ist, sagte er.
knöcheltief, sagte er, bis an die zähne bist du umstellt.
ich teile eure gefühle, sagte er.
teile ich teile ich, eine orange in mehrere teile, spalte ich eine frucht in sämtliche spalten auf, werfe ich die schalen in die gegend, so habe ich den ersten schritt zur partiellen abreaktion vollzogen, sagte er.
rufe ich aus rufe ich bewundernd aus femme sportif! sagte er, begrüße ich sie bewundernd, sagte er, und beuge mich runter zu ihr, sagte er, femme sportif! um ihr die hand abzubeißen, so habe ich den nächsten schritt vollzogen.
ich war noch nicht dazu imstande, sagte er.
über unseren schädeln, nämlich, sagte er, schütteln sie die knochensäcke.
wir können auf diese weise kaum mehr einen gedanken zu ende denken, sagte er.
wenn ich diesen ort verlassen werde, sagte er, wird es um mich geschehen sein.
allerdings weiß ich nicht was geschehen sein wird, wenn ich diesen ort verlassen haben werde, sagte er, diesen ort den ich gleicherweise liebe und hasse, sagte er, diesen ort wo mich gedachtes umgibt, wo mich gefühle umgeben, wo mich umgibt was ich einst gefühlt habe, wo mich die erinnerung an menschen umgibt, bös rollend frühlings rote sonne, *aus der wirklichkeit.* wir waren in keiner weise darauf vorbereitet, sagte er, und das ganze mutete an wie sabotage, sagte er.
wir hatten ausgemacht gehabt, daß ich der schwächere früher sterben wolle, wir hatten aber sonst überhaupt nicht gedacht daran, wir waren überrumpelt worden, *aus der wirklichkeit.*
bös rollend frühlings rote sonne, des frühlings, auffliegen sperlinge im spätherbst, bös rollend des frühlings.
am ost tor erblühend der morgen verklausungen, doppelstimme, sabotage.
wir waren in keiner weise darauf vorbereitet, sagte er.
wir können kaum mehr einen gedanken zu ende denken, sagte er.
es kam alles zu rasch.
es überschlug sich alles, sagte er.
immer kommt es von draußen, zappelt im windfang ehe es ein-

dringt, und enttäuscht unsere freunde weil wir sagen wir hätten es längst gewußt daß es so kommen würde.
für uns ist es die bekannteste sache der welt, wir hatten es längst erwartet, wir waren selbst immer wieder im windfang gefangen, wir standen hundertmal vor der tür.
wir ahnten hundertmal wie es kommen müsse.
wir wehrten uns dagegen, sagte er, wie oft.
wir wehren uns dagegen, *aus der wirklichkeit*.
mit dem schiefgeschriebenen kleinen bleistift, sagte er, in der manteltasche und dem zerfetzten rest eines notizbuchs, schrieb ich das alles auf, sagte er, mit den vielen nadelköpfchen.
engelgotteskind, sagte er, sie sagte immer engelgotteskind mit den vielen nadelköpfchen, über die holprige innentreppe, dreibeiniger wackliger holzstuhl, die schlagkeulen, sein gesicht zerfließend wie teig.
ausgezirkeltes leben, sagte er, auf zeit.
wie beschämend, sagte er, in blutlachen form ausfließend, sagte er, *aus der wirklichkeit*.
was uns nicht zugestoßen ist, sagte er, aber beinah zugestoßen wäre, erfüllt uns mit tieferem schrecken.
bist angenadelt, sagte er.
engelgotteskind, sagte er, hatte sie immer gesagt, mit den vielen nadelköpfchen.
ein waschhandschuh, zerbeult wie boxhandschuh, sagte er, und steif gegen die wand, sagte er, ein leichenhaus.
wenig, sagte sie, wenig brauchen wir um zu leben.
versteinerung, sagte er, immer mehr.
vernutzung, sagte er.
und der hund der darauf wartet ein mensch zu werden, sagte er.
das autoritätsgläubige kind von damals, sagte er, pagenschnitt, augen aufgerissen, gläubig aufgeschlagen, *aus der wirklichkeit*.
einzugsgebiet, sagte er, die schützer des hauses, sagte er.
was macht ihr eigentlich so den ganzen tag, sagte er, nur so rumsitzen den ganzen tag, sagte er, immer so rumsitzen die meiste zeit des tages, um den großen tisch um den großen runden tisch, dahinter der spiegelkasten.
getan wird dieses und jenes, einzugsgebiet.
und was zuerst wie blumen werk aussah, sagte er.
wenn ich diesen ort verlassen haben werde, sagte er, wird es gesche-

hen sein. aber ich habe es so oft im voraus erlebt was geschehen sein wird, was mit mir geschehen sein wird daß es mich nicht schrecken wird, wenn es tatsächlich geschehen wird, und indem wir vorausnehmen was geschehen wird, nützen wir die ängste ab, sagte er.
als harmloser rosenzüchter verkleidet, sagte er, den bug im rükken.

handlung eines glaubens

als ich das innere des kastens geprüft hatte, sagte er.
als ich das hotelzimmer betreten hatte.
als mir der piccolo die tür zu meinem zimmer aufgesperrt hatte.
als mir der piccolo den schlüssel zu meinem zimmer übergeben hatte.
als mir der piccolo die tasche überreicht hatte.
als mir der piccolo die tür zu meinem zimmer geöffnet hatte und mich zuerst eintreten ließ, sagte er.
als ich die vielen stufen hinter ihm hochgeklettert war, sagte er.
als ich ihm durch lange dunkle gänge gefolgt war.
als ich zum hoteleingang gekommen war.
als ich dort das schild heute geschlossen las.
als ich trotzdem versuchte das tor zu öffnen.
als ich vor verschlossenen türen stand.
als ich in den innenhof der gastwirtschaft die zum hotel gehörte getreten war.
als ich die gaststube betreten und mich umgeblickt hatte.
als ich nach dem wirt und der wirtin umschau hielt, sagte er.
als ich aus dem bahnhofgebäude getreten war, sagte er.
als ich aus dem zug gestiegen war, sagte er.
als ich den ersten eindruck von dem ort empfing.
als ich in der gleißenden wintersonne die in meinen augen schmerzte umherblickte.
als ich mit großem unbehagen nach personen suchte die mir hätten helfen können mich zu orientieren.
als mir endlich jemand den weg erklärte.
als ich den heldenfriedhof überquert hatte, sagte er.
als ich die hauptstraße erreicht hatte, sagte er.

als ich die neue kirche erblickt hatte, sagte er.
als ich die wirtsstube betreten hatte deren hintergrund sich wie eine riesige kegelbahn ausnahm.
als ich umherschaute um jemand zu finden der mir mein zimmer zeigen würde.
als ich merkte wie der piccolo aus der tiefe der kegelbahn auf mich zugebraust kam als hätte man ihn aus der dunkelheit gegen mich herauf katapultiert.
als ich merkte wie er mit offenen armen auf mich zugeflogen kam.
als ich merkte wie sein mund sich immer mehr öffnete je näher er flog daß ich sein kindergebiß genau sehen konnte.
als ich mit den händen abwehrte.
als ich ihm zurufen wollte ob er wisse welches mein zimmer sei.
als er über mich hinweg gebraust kam mit seinem großen offenstehenden mund.
als er immer wieder aus der dunklen tiefe der kegelbahn auf mich zugerollt kam als sei er eine kugel und ich sein kegel.
als er immer wieder über mich hinaus geschleudert wurde, knapp hinter mir zum stehen kommend.
als ich ihm auf mein zimmer gefolgt war, sagte er.
als er die tür zu meinem zimmer geöffnet hatte, sagte er.
als ich das zimmer vor ihm betreten hatte.
als er mir die tasche übergeben hatte.
als ich ihm eine münze in die hand gedrückt hatte.
als er die tür hinter mir geschlossen hatte.
als ich allein im zimmer war.
als ich zum fenster ging um es zu öffnen, sagte er.
als ich die vorhänge zurückschob um auf die straße zu blicken, sagte er.
als ich den grauen himmel erblickte, sagte er.
als ich das fenster schloß, sagte er.
als ich die vorhänge zuzog, sagte er.
als ich hörte wie es draußen zu stürmen begann, sagte er.
als ich die vorhänge ein wenig zur seite schob um die menschen zu sehen, sagte er.
als ich sah wie sie vorübergingen, hier unter meinem fenster und auf der anderen seite der straße.
als ich in den spiegel blickte.
als ich mein verstörtes gesicht sah.

als ich zum kasten trat um ihn zu öffnen.
als ich den kasten geöffnet hatte um sein inneres zu prüfen.
als ich den kasten geschlossen hatte.
als ich zum bett trat um es zu prüfen.
als ich das bettlaken zurückschlug.
als ich mich auf das bett setzte.
als ich mich auf das bett legte.
als ich mich erhob.
als ich mich erhoben hatte.
als ich die tasche öffnete, sagte er.
als ich die tasche durchsuchte, sagte er.
als ich die fotografie gefunden hatte, sagte er.
als ich damit zum kasten trat, sagte er.
als ich nochmals den kasten öffnete.
als ich sie ins oberste fach gegen die innenwand des leeren kastens lehnte.
als ich sie lange anblickte.
als ich sie lange angeblickt hatte.
als ich das bahnhofgebäude betreten hatte.
als ich den zug einfahren sah.
als der zug eingefahren war.
als ich den zug bestiegen hatte, sagte er.
als der zug sich in bewegung gesetzt hatte, sagte er.
als ich aus dem fahrenden zug die landschaft betrachtete, sagte er.
als ich zurückkehrte.
als ich zurückgekehrt war.
als ich mich erinnerte.
als ich mich erinnert hatte.
als ich glaubte mich zu erinnern.
als ich geglaubt hatte mich erinnert zu haben.
als ich mich erinnerte zu glauben.
als ich mich erinnert hatte geglaubt zu haben.

das lichtwerk strahlte, sagte er, sehr entgegen.
wir gingen durch einen gartenhof, die stöcke beschnitten.
ein paar alte hagebutten im gezweig, über das gardemaß.
es hatte die form afrikas gehabt, sagte er, ein feuermal auf ihrer stirn.
es war in den jahren verblaßt.
wir setzten unseren weg fort, sagte er, schwankend und ungewiß.
wir überquerten den gartenhof, die klosterglocke läutete.
sie wollte bescheiden erscheinen, sagte er.
sie war fast in allen bereichen deutlich nach unten gerichtet, sagte er.
sie kann jetzt auch erinnert werden, sagte er.
strauchblatt klee eine gewisse umkehrung, sagte er, eine kunstfigur.
mit bleiernen schuhen, die vielen treppen aufwärts, sagte er, sich während des treppensteigens der oberkleider entledigend sie in die große tüte stopfend.
sie kann jetzt auch erinnert werden, sagte er.
wir erinnern uns nämlich daß wir uns erinnert haben.
die klosterglocke läutete.
strauchblatt klee, sagte er, die ihr hier einkehrt.
wie die dinge gegen uns stellung beziehen, sagte er.
auch diejenigen mit denen wir meist gut verkehrt haben.
es hatte die form afrikas gehabt und war in den jahren immer mehr verblaßt.
die ausgesetzte kreatur, sagte er.
lösen sich lösen, sagte er, aus dieser verstrickung.
wie, sagte er, die tage abspulen.
einzugsgebiet, lichtwerk.
er fühlte, er hätte diesen brand nie löschen können, sagte er, ein feuermal an der stirn verblassend.
zischend durch die zähne immer der gleiche fluch, und auf die schädelknochen, sagte er, trommeln schon die sterne.
sie war konsterniert, sagte er, als eine fremde frau sie in der untergrundstation ansprach und sie fragte ob sie das riesenkarnickel gesehen habe das da eben aus dem schacht gesprungen sei.
versteinerung, sagte er, allmähliche.

wir überquerten den gartenhof, als die klosterglocke läutete.
wir setzen unseren weg fort, schwankend und ungewiß.

von den bergen springen, eine denkfigur

natürlich, sagte er, aber das ist physikalisch-chemisch bedingt.
und mit regeln der mechanik zu beweisen, versuchten wir in ihn zu dringen.
er drückte mit dem daumen der linken hand den puls an der rechten und sein blick schweifte über die möbelstücke des zimmers.
klimperkasten, sagte er, klimperkasten in liebe gehüllter.
hatte ich früher, sagte er, seinen blick durchs fenster ins grüne des gartens lenkend, durch die anregung meines metronoms eine uhr in mir gehabt, so daß ich überall auf die sekunde pünktlich erscheinen konnte, so komme ich in der letzten zeit überall hin zu spät und ich leide darunter.
ich leide darunter, sagte er, wie ich darunter leide auf der suche nach einer neuen sprachmagie, waldvater deutscher kunst, sagte er, und es erinnert an das kindliche spiel, sagte er, als wir das chinesenpüppchen kauften und es durch drücken zum quietschen brachten was in einem sehr reizvollen gegensatz zu seinem klaren schönen gesicht stand seiner schwarzhaarigkeit und glatthaarigkeit und zu der bunten zartheit seines glasperlen diadems.
es ist wichtig zu wissen, sagte er, und ich leide darunter.
ich leide darunter wie ich darunter leide, sagte er.
daß ich gefühlsmäßig von euch abhängig bin, wild und gefieder!
dem wachse seine hand heraus zum grab!
wichtig zu wissen, sagte er, und ich leide darunter.
ich leide darunter, sagte er, wie ich darunter leide.
daß ich mich verfolgt fühle von der last der verfolgung durch menschen und dinge die auf mich fixiert zu sein scheinen so daß ich selbst beginne sie zu fixieren in der hoffnung ich könne mich auf diese weise vielleicht doch noch frei halten von ihnen, wild und gefieder!
was die stunde, sagte er, schlägt.
wie der tropische mond, sagte er, einer schale zu vergleichen, sagte er, mich zu verfolgen schien.

dem wachse seine hand heraus zum grab!
ich leide darunter, sagte er, wie ich darunter leide von den bergen zu springen morgens in gekrümmter position, sagte er, nie mehr zu ruhe gelangend, in steigender ungeduld alle stunden des tags, in feuerfressendem wahn alle monate des jahrs, vertilgend.
unterbrochen nur ebenso atemlos durch die träume, ungezähmt ungezügelt ohne regelmäßigkeit lebend, in gekrümmter position.
eine reise eine in viele kleine bilder zerstückelte reise, sagte er.
ich leide darunter, sagte er, wie ich darunter leide daß ich da ich lebe alles aus mir herauszuschleudern versuche, da ich lebe indem ich lebe.
er fühlte mit dem daumen der rechten hand den puls an der linken.
ein glück aus zweiter hand, sagte er, eine liebe aus zweiter hand.
wie erklären sie das, sagte er, uns anblickend, – er siezte uns nämlich zuweilen.
czechenherz, englische haare, sagte er, wie erklären sie das.
wie erklären sie das, sagte er, noch den staub an den schuhen von new york's straßen und schon aus den wolken, aus allen wolken gefallen, gefallen, vor brannt.
geht zum teufel, sagte er, geht zum teufel.
dem wachse seine hand heraus zum grab!
ich leide darunter, sagte er, wie ich darunter leide daß ich nicht mehr werde nach texas reiten können, es wäre schön gewesen bei der erhaltung der texte.
eine reise, sagte er, eine in viele kleine stücke zerfetzte reise.
ich leide darunter daß ich sie nicht werde erleben können, ich leide darunter daß ich sehe wie sie zerfällt indem ich sie erlebe.
zerfällt, sagte er, eine situation die uns aus den händen fällt, sagte er, trotz bremsversuch, bei erhaltung der texte.
texas, sagte er, was für eine berauschung.
etwas schönes wird es sein, sagte er, etwas schönes mitte juli und dann jahrelang.
bogen bogen & bogen, sagte er, von den bergen springen, sagte er, vergehen, versehen, ein verseh gang.
ein wasserstrom, sagte er, trieb mir die hagelkörner vors aug, daß ich hinter hohem durchsichtigem glasmantel, und duckte mich im bus ehe ich rauskroch, sagte er, die wagentür mit wiesenblumen

und steilen knospen verhängt, noch dazu, sagte er, wie es uns bald mit frühlingsgekratz ins aug fuhr.
wasserstrom, sagte er, transreal, elektrisiertheit liebe benannt, und er zog die hände hinter den rücken.
nein, sagte er, es ist nun tatsächlich verlegt in meinem kopf wie in meiner behausung, sagte er, unübersichtlich.
es wird jedoch wieder erscheinen, sagte er.
erscheinen, sagte er, wie wasserstrom und tränen erzeugen, sagte er, palmen rote heckenrosen und flieder.
ein kranz aus flieder, sagte er, palmen heckenrosen und lilien, ein wasserstrom.
es wird einige wochen dauern, sagte er, aber etwas schönes wird es sein mitte juli und dann jahrelang, und darüber der kranz, der wird dann vergilbt sein. ich leide darunter, sagte er, wie ich darunter leide eine scheu vor gebärden zu haben.
ob das irgendeiner von euch schon erlebt hat, sagte er, uns fixierend.
eine scheu die dazu führen könnte zu versteinen, sagte er.
eine scheu die einem den wink mit der hand versagt, sagte er.
eine scheu den fuß zu bewegen, eine scheu den kopf zu drehen, eine scheu nämlich, sagte er, und in schüben im stummen aufschrei.
höchste alarmstufe bis man außen und innen verwahrlost, schließlich mit zerfetztem fokus ankerloser zunge zerbricht.
schmerzbereitschaft, sagte er, während er seinen blick in uns bohrte und wir uns nahe an ihn herantreten fühlten.
ich leide darunter, sagte er, wie ich darunter leide.
er ließ uns nicht mehr los.
und die denkfigur? schrien wir in verzweifeltem aufbruch und fühlten uns gegen ihn anprallen. wir hatten uns gegen ihn geworfen, obwohl, während wir ihn fertigmachten sprach er weiter uns an.
wir hatten ihn fertiggemacht aber er ließ uns nicht los.
ich habe sehr an euch gehangen, sagte er.
aber eine gelassenheit zum abschied, sagte er.
und damit aus gott, sagte er.
wenn ich nicht aufs bett gestreckt worden wäre von euch, sagte er.
und es war sehr unangenehm und ganz allgemein, sagte er.

ich bin ziemlich am ende, sagte er.
während wir uns längst wieder an unsere plätze zurückverwiesen wußten, fühlten wir daß es uns nicht mehr loslassen würde.

auf dem luftozean

auf dem luftozean, sagte er.
manchmal, sagte er, verlege ich die wörter wie dinge.
auf dem luftozean, sagten wir.
klimperkasten, sagte er.
und die versäumten gelegenheiten, sagten wir.
sie traf wohl hier und dort auf leute, sagte er, die ich kannte, konnte sich aber nicht bei ihnen halten.
die schwalben sind gekommen, sagte er und schaute zum fenster.
wir aber sahen keine, es war auch erst april.
ich hatte ihr oft geraten alles aufzuschreiben, ihre gefühle gedanken alles was ihr so durch den kopf ging.
aber sie entgegnete immer, es sei wohl nicht wert aufgeschrieben zu werden.
sie war in ihrer jugend sehr musikalisch, sagte er.
spielte mit großer hingabe klavier, sagte er.
eine botschaft, sagten wir.
sie wurde von den seltsamsten vorstellungen beherrscht.
etwa, alles was sie im laufe ihres lebens nahestehenden menschen gegenüber gedacht und gefühlt hatte, werde diesen, sobald sie gestorben sein würden, ablesbar sein wie eine leuchtende schrift an der wand.
ein erbarmen erfaßt mich, sagte er, wenn ich an sie denke.
wie in wien, sagte er, wie als kind.
wie als kind, sagte er, versuche ich wieder und wieder dagegen anzurennen.
jemand einen funken hoffnung geben, sagte er, dann diesen funken wieder zertreten.
treppenabsatz, sagte er, sie hatte damals große mühe ihn über den treppenabsatz zu heben.
klimperkasten, sagte er.
zum schluß nahmen sie ihn ganz auseinander und stellten ihn ein.

es war ein dunkler feuchter lagerraum vollgepackt mit instrumenten aller art.
die bäume bluten, sagte er.
die schwalben sind gekommen, sagte er.
klimperkasten, sagte er, schöner klimperkasten.
aber eine gelassenheit, sagte er, in einem menschen.
die untergegangenen wörter, die verlorengegangenen wörter, sagte er, die verlegten wörter.
ins brachland, sagten wir, verschollen.
vielleicht bin ich ein chaotischer pedant, sagte er.
ich glaube ich habe immer unter zwang gehandelt, sagte er.
schon als kind, sagte er, trug ich das kainszeichen der lächerlichkeit.
ins brachland, sagten wir, wischenrufe.
ich brauchte damals nur an ein wort wie fieberkurve zu denken schon hatte ich einen fieberanfall und mußte ins bett gebracht werden.
kopfsperre, sagte er, auf dem luftozean.
hosenstulpen stulpentod, wie als kind, sagte er.
wie als kind, sagte er, als ich verzweifelte versuche unternahm mir die sprache *einzuverleiben*.
schmachtend, sagte er, nach dem glanz der wörter, rufe fragen verschlungene gebilde, über allen kuppeln kuppeln, die ladenstraßen und markthallen, die botanischen gewächshäuser, die bahnhofshallen.
mein gnadengrund, sagte er.
strahlende wörter, sagte er, rufe fragen verschlungene gebilde.
schmachtend, sagte er.
als ich sie lange genug bei mir gekaut hatte spie ich sie aus, zerstükkelte sie, begann von neuem.
kritzelte sie einzeln auf blätter, behängte möbelstücke mit ihnen, bedeckte sie mit küssen.
schmachtend, sagte er, transport von dichtern.
transport von bäumen, sagten wir.
beide inschrift tragend, sagte er.
die schwalben sind endlich gekommen, sagte er, die bäume bluten.
schwarze montenegrinische hand.
er schaute nach den schwalben die wir nicht sahen.

die nachbildung einer palme

als hätte man mir die brustknochen mit hartem heftigen schnabel, sagte er.
als hätte man mir, sagte er, bis wund und überströmt.
als hätten sich die riesigen dolden, sagte er.
als hätten sich die grünen kronen.
als hätten die fußabdrücke im sand im staub.
als hätten die schwalben, die karrenwege berührend im flug vor regen, sagte er.
die nachbildung einer folge von kindheit, sagte er.
mein körper beschlagen von meltau, sagte er, verschrundet verschorft zerschlissen in fetzen fransend, mit der umhängetasche wie postboten sie tragen, als kind in den jahren der landverschickung weinend den riemen über der brust.
einverständnis bekundend, sagte er, nämlich, schließlich verwesend.
ein paar hände im grab aus der einstigen form gefallen.
ausgestreut wie asche unserem flugzeug das zur küste des atlantik zielte, sagte er, das niederflog meerwärts schwenkte.
da trommelte ich, sagte er, mit meinen fäusten gegen die luken der maschine.
da näherte ich mich, sagte er, zum erstenmal einer gruppe wehender palmen.
da hatte mich, sagte er, stummes rasen erfaßt. sprachstücke schwermütig hackend, nun mußte ich mit meinen fäusten gegen die luken, sagte er, um nicht aufgeben zu müssen.
nun mußte ich müßte ich immerfort inmitten von palmen, sagte er.
sprachlos, sagte er, künstliche berieselung.
sandgelbe flicken, sagte er, gingen wir nieder in ihren tropen als die maschine zur landung öffnete, und es glühend und palmenfingrig windete.
ein tränen strom aus meinem körper, sagte er, aus meinem kopf.
wasser pressend ein delirium, *koniferen wie nachbildungen von koniferen*.
es hatte uns alle erfaßt, sagte er, die dinge hatten sich verwandelt.
manch' mit tarnnamen, sagte er, wohnen in den büschen wie in kleinen hütten.
empfangen dort ihre besuche.

auf verwachsenen pfaden unter verschlissenen fahnen.
ich wünschte die palmwedel zu greifen, eine palmenagonie, sagte er.
die molenpflöcke, möven drauf hockend, zitternde geschoße vom meer, gegen die scharniere meines körpers, sagte er, im tropischen wind.
die empfindung zu haben, sagte er, diesen brand nicht löschen zu können.

morgens tief um vier

gemäuseführer, sagte er, diesem traum auf der spur.
vielleicht kommst du durch.
beängstigendes gefühl, sagte er, von tag zu jahr schlimmer unwiederbringliche lebenszeit.
mit verschleierter stimme, sagte er, in ihrer paradiessprache.
und ihr verhalten, sagte er, in der öffentlichkeit umgekehrt proportional zu ihrem erotischen verlangen nach einander.
kleiner rettungskasten prinz eugen, sagte er.
um sich in diese träume, sagte er, zu flüchten.
vor kurzem besuchte mich jemand hier der von dort kam, sagte er.
die rasterpunkte in denen wir uns abzeichnen halten uns aber auch, sagte er.
schlaftod so am besten, sagte er.
er hatte mich, sagte sie, so gegen die wand des zimmers gedrückt und geküßt, ich stand, sagte sie, in der nähe der wand als er zu mir trat und mich küßte, und ich fiel da nicht auf ihn sondern von ihm weg, nämlich gegen die wand des zimmers.
ich sank dort in die wand hinein, sagte sie, eine nische grabend, und er sank gegen mich und gegen die wand, so sanken wir immer tiefer.
und gegen die nische die es nicht gab, sagte sie, es gab kein ende.
üppige landschaften, sagte er, wie über die ganze erde.
wie bekannt wurde ich mit der wirklichkeit, sagte er.
festgeschmolzen, sagte er.
aber das schneefest vergrößert sich lawinenartig, sagte er, und wenn weicher schnee auf augen und ohren fällt.
vier hell erleuchtete nächte, sagte sie.

dort oben die alte taufkirche, sagte er, schnee blüte holunderbäume eine schwermütige jahreszeit.
die wulstigen blätter der tropenbäume, sagte er.
eine nacherzählung, sagte sie.
in seiner stimme am telefon war beherrschung oder zurückhaltung daß man annehmen hätte können ihn bei einer arbeit aufgestört zu haben. in wahrheit, sagte er, war er schon den ganzen nachmittag in unmittelbarer nähe des telefons gesessen und hatte auf den anruf gewartet.
die verpraßten wörter, sagte er, in unserer familie nämlich, die verschwendung diese göttin alle waren ihr bisher zum opfer gefallen. also sollte auch ich.
ohne spuren, sagte er, selbstverleugnung.
jede familie, sagte er, hat so ihre eigene weihnachtstradition.
landschirm, sagte er.
als sprächen wir verschiedene sprachen, striche. die verschiedenen landstriche, sagte er, so daß man zuletzt überhaupt nicht mehr weiß was rechtens ist.

in riesigen wäldern, blinken

aus harzigen träumen, sagte er, hüllt ihr sandbilder und was sonst paßt, sagte er.
wir lächelten nachsichtig versprachens.
sandbilder was sonst paßt, sagte er.
wenn der fischmann durchs dorf kommt, sagte er.
zitternd im geschoßhagel vom meer gegen die stirn, aus der tür aus dem fenster nichts wie weg. sandbilder und was sonst paßt hatte sie gesagt, sagte er.
leider gelang es nicht, sagte er, sie auf dem telefon, sagte er, zu grüßen.
die türklingel schrillte eben.
aus dem blumen zimmer, sagte er, aus der tür aus dem fenster und nichts wie weg.
leider gelang es nicht, sagte er.
die türklingel vielleicht die glocke der taufkirche, eine wirklichkeit ein haufe gleichmäßig abschnurrender dinge.

ein gepfeife auf dem dudelsack, roter klee eben geerntet, in einem schubkarren vor dem haus.
sandbilder und was sonst, die türklingel schrillte, eine tageszeit.
und wir flüchteten immer sogleich unter den elterlichen schreibtisch, wenn es an der tür läutete, warteten auf die eintretenden personen, blickten sie aus unserem versteck lange an.
wenn der fischmann durchs dorf kommt, wenn er den dorfplatz überquert.
wo die im viereck gesetzten häuser ihn von zeit zu zeit verbergen.
auf sand gebettet, ein korb mit früchten an seinem arm ein blitzwechsel.
so ritzten sie seine eigenen sanften tiraden mit denen er die welt stets bedacht hatte ihm in die wangen, sagte er.
lebendige lieblinge, gefräßige rüssel, sagten wir. die signale von allen seiten, sprachstücke, wie fleisch.
gegen die stirn geschleudert, sagte er.
empfänglichkeit, telepathische kunst, sagte er, schwere atlantische böen.
schmerzbefähigung.
in riesigen wäldern, blinken, sagte er.
wir hatten uns da gelagert moosflächig grün am gipfelkreuz, und vorüber, nun saßen wir da dachten und sprachen und wann immer sie, sagte sie, sich zu verirren drohte, kam ihr großvater längst tot und führte sie wieder heraus bis es hell wurde bis der wald endete.
diese verknüpfungen, sagte er.
bis es endet, sagten wir.
ich habe scheint es meinen platz verlassen, sagte er, mein fleisch.
durch die zähne zischend fluch und flüche wende ich mich hierhin und dorthin, ohne sprache zu finden.
meine verwirrung meine verstrickung, sagte er, sprachlos.
mein traum, sagte er, ich sitze in einem café falstaff mit freunden.
mein traum ich sehe von außen das schild mit der aufschrift.
mein traum ich werde gerufen.
mein traum die schwester erkrankt, mein traum wir bringen sie im krankenwagen ins nächste spital.
und *aus der wirklichkeit*, sagte er, eine nächtliche fahrt, nach einer unterhaltung mit freunden, und ich fuhr, schon schläfrig, an dem schild mit der aufschrift café falstaff vorüber, und sie lag schon zuhause und am nächsten morgen, wir brachten sie ins spital.

die signale, sagte er, sie kommen von allen seiten.
die kornähren, sagte er, in riesigen wäldern, blinken.
ich habe meinen platz verlassen.
eine schmetterlingszeit eine sirene ein telefon, sagte er.
amseläugig über stiegen abwärts fliehend, furchtsam zurückblikkend, rote tinte über die hände gegossen, blut vortäuschend, zwischen treppenabsatz und treppenabsatz: revolution.
wenn der fischmann durchs dorf kommt, sagte er.
so kurz hintereinander, sagten wir, passiert kein unglück.
gestern erst, der expreß nach rotterdam entgleist.
selbstverzehrung in der zeit, sagte er.
dort oben die taufkirche, sagte er.
die kartoffelkeller aus den kriegsjahren, jetzt agitationslokale für eine politische partei.
perlgraue fluten, an sommermorgen gegen den süden, gekräuselte luft.
und was sonst paßt, sagten wir.
dies kneifen tätscheln streicheln der dinge, sagte er.
korpulente lebensart, sagten wir, und hineinwamsen was nur geht.
eine schwermütige begegnung, sagte er, wir spulten jahre zurück doch es mißlang.
zu viel fremdes dazwischen.
dort oben, sagte er, war früher die tanzschule, daneben das lotteriegeschäft.
kornähren wie kornähren was für verschwendungen.
wirklichkeit, festgeschmolzen, sagte er, ich leibenfrost.
oben auf der kleinen moosfläche, sagte er, hatten wir uns gelagert und zu einander gesprochen bis es hell wurde.

wir in gestalt einer nassen vogelfeder

aus den quellen, sagte er, dargestellt.
mehr weniger bewußt aber alle, sagte er, streben wir danach etwas von uns selbst zu hinterlassen, ehe wir davongehen.
unsere zeichen, sagte er.
eine bekritzelte banknote die wir weitergeben, sagte er.

aus den quellen, sagte er, und zusammentreffen totaler veräußerung und selbstbezogenheit.
mit verschleierter stimme, sagte er, aus dem blumen zimmer.
widersprüche, sich wechselseitig neutralisierend, sagte er.
befischung, eines weißen holzhauses am grauen meer.
giftgrün prächtig die käfer fische schmetterlinge, sagte er.
als sie hineinzeigte, ins wasser, die bachforelle sich wählte um sie gleich darauf zu verzehren.
schmetterlingjahre, sagte er, als sie mir anderseits einflößte die tiere zu schonen, die schmetterlinge ohne daß ich großes verlangen gehabt hätte sie zu fangen zu nadeln, sie, die schwankenden kohlweißlinge die zitronenfalter, waren viel zu sehr teil meiner bewunderung des himmels, der mittagsluft.
vielleicht hätte ich eher lust gehabt nach ihnen zu jagen, hätte ich eine jener botanisierbüchsen, gelbgrünes blech mit aufgemalten blumen, besessen die damals so sehr in mode waren.
die quellen, sagte er, durchfurcht mit bloßen füßen die erde der staubbedeckte wegrand.
aus den quellen als wären es quellen gewesen, ein angelstern.
die mit frost überzogenen quellen, sagte er, die kleine verbeulte mundharmonika, sagte er, dorfbewohner schlaftrunken an den rändern der ziehbrunnen an den glühendheißen mittagen.
bäuerliche mahlzeiten, die grüne hauseinfahrt, die selbstverzehrung quellend aus vielen quellen.
das dorf, sagte er, eine schwermütige jahreszeit, mit kornähren mohnblumen weidenbüschen.
aus dem blumen zimmer, sagte er, mit vielen blüten verhangen die gebauschten gardinen, die hand zum abschied.
die hand zum abschied, sagte er, begleitete mich lang.
jetzt ist das ganze ein schutthaufen umgeben von struppigen weinbergen, unbebauten feldern.
nämlich hatte sie immer gesagt, sagte er, ich bin dir nahe wenn ich in deinen büchern lese näher als früher als ich dich, doch nicht deine bücher, kannte.
auf verwachsenen pfaden, sagte er.
wäre ich nicht wieder hochgekommen hatte sie damals nach ihrer langen krankheit gesagt, sagte er, du hättest mit mir zwiesprache gehalten auf der spitze des berges auf jenem moosbewachsenen fleck wo wir gelagert hatten und zueinander gesprochen hatten.

die felder, sagte er, verwilderten zusehends, die brunnen trockneten aus.
ohne tröstung, sagte er, über so viel abnutzung, sagte er, abgänge verstrickungen.
kreisschattig aus den quellen, sagte er, ein angelstern mit flammen versehen.

fortschreitung

fortschreitung, sagte er, dem drachen fehlt der wind.
wie sie im garten kraut und fenchel jätet, sagte er, kurzes donner-, regenwetter.
ganghaft, sagte er, eine pose einnehmen.
ein weißgrauer fleck taube wolkig abwärts stürzend, dazwischen silber sperlinge, sagte er, und wir in hagelschloßen badend, die gesichter aufgeschlagen wie gegen weihnachtsschnee, aber es ist mai, meerschaum.
maigrüne offene arme, sagte er, bis zur selbstaufgabe.
eine pose nämlich des erzählens nicht wirklich erzählen.
ich träume, sagte sie, immer wieder den gleichen traum.
ich träume von einem haus in dem ich einmal gelebt hatte an einem ort den ich sehr geliebt hatte.
nelkenstück, sagte er.
ich träume, sagte sie, wir ziehen aufs land und wir wohnen in dem alten haus.
ich träume, wir haben einen garten einen innenhof und ein vorgärtchen wie damals.
unsere familie hat ihre eigenheiten, sagte sie.
marie hatte ihre freude daran mit total zerfetztem schuhzeug anzukommen oder mit bloßen füßen, die fußballen schrecklich geschwollen. oder richard im garten stehend, mit dem rücken zum gartenzimmer, in das wir eben getreten waren, lange von uns angeblickt, ehe wir ihn beim namen rufen. sobald wir ihn gerufen haben, dreht er sich zu uns, tritt ins gartenzimmer, heißt uns willkommen.
macht den eindruck, sagte sie, als müsse er seine freude über unser kommen erst allein bewältigen.

auch das gefühl, sagte er, für alle erdenklichen geschehnisse und situationen verantwortlich zu sein, beherrscht auf seltsame weise unsere familie.
etwa als sie, eben aus der narkose erwachend, zu wissen wünschte welcher tag heute sei.
dann hat er ja geburtstag jammerte sie, und bekommt keinen glückwunsch.
jahresuhr, sagte er.
geranien zu nächtlicher stunde, sagte sie, rot gebauscht, in den vorgärten.
oder ich träume, sagte sie, er streicht mir mit seiner hand vom hals nieder, mit zärtlichen blicken in mich eindringend.
mitternachts, sagte er, auf hügeln und wiesen jasminstab rosenstock.
ein wäldchen, sagte er, beinah ein wald.
ich stelle mir vor, sagte er, sie ist immer schon im erkerzimmer gesessen, den blick auf den see gerichtet.
wallende landschaft, sagte er, die stürzenden marmorsockel im garten verstreut, wasser uns überall hin folgend.
und morgens eingesprochen, fortschreitung in eine raserei.
hangelte mich hoch, sagte er, hing in tropenhauchen.
wir konnten es nicht vergessen, sagte er, und ich habe es zugeschrieben.
ihr zugeschrieben zungenschreiber.
die präsenz einer geliebten person, sagte sie, ist nicht aufzuheben, nur zu mildern.
schlafensterben, sagte er, ich versuche mich da auf etwas zu konzentrieren, ohne zu wissen was es ist aber ich war oft sehr nahe.
man zerfleischt sich am ende doch nur, sagte er. zu jedem augenblick abrufbar, sagte er, betrübt über so viel häßlichkeit.
es war ein gurren morgens um vier, aber ich dachte dabei nicht an eine taube, sagte er.
die fortschreitung einer landschaft mit booten schwänen wolken, sagte er.
von birken, sagte er.
als wir im halbkreis standen und sprachen trat eine zahme hirschkuh heran.
eine fortschreitung, sagte er, eines traumes.
und auf dem wasser den ort verändern.

karolinum, sagte er, uralt.
nämlich, sagte er, um allmählich in den rücken der zeit hineinwachsen zu können.

im weißen westen

im ober-garten, sagte er.
durchs okular des türguckers, sagte er, gelinst, das alles sichtbare zu globusrunder träne zerrt.
er kam endlos so auf so verkürztem korridor.
er kam endlos, endlos und schwankend auf mich zu, bis ich das lid vorschob.
das morsche holz, sagte er, der eingangstür jedoch stand schützend zwischen ihm und mir.
im ober-garten, sagte er, das hatte ich oft gedacht.
ich hatte oft daran gedacht seit beginn der reise, sagte er, ich hatte es oft gedacht, ich hatte oft gedacht daß ich es bald würde aufschreiben müssen.
obwohl, sagte er, die äffchen umklammerten die riesigen steinschalen mit den schildkrotfüßen als ob sie lebten, die stimmen der probenden sänger drangen aus den geöffneten fenstern des akademiegebäudes als ich vorüberging.
hier ist der waldzuende, sagte er.
walzerende, sagten wir, regen.
und das wespennest ihrer genitalien in der mauernische der basilika, sagte er.
wir reckten die hälse, eine hochragende rohe fassade aus uraltem stein, wespen flogen ein und aus.
terrassengarten, sagten wir.
DAS LICHT hundert lire, sagte er.
der regen, augenberührungen.
ein nässendes überirdisches wesen vielleicht, sagte er.
trübe pisse, vielleicht, freie paraphrase, drahtlosigkeit, unanständige frankatur.
die wahrnehmungsberichte, sagte er, aus bad elster, anklamm.
immer weniger schwalben dort, sagten wir.
wellenschläge, sagte er, durch den türspalt sah ich gleichzeitig ihn

der sich mir in beängstigender haltung näherte und die nachbarin zur linken die sich ebenfalls mir näherte und meine tür beäugte als ob sie schreckliches daran sähe, und mich selbst wie ich während eines telefongesprächs mich im spiegel beobachtete jedes wort prüfend.
diese salz zungen, sagte er.
im augenblick auf reflexe, instinktive reaktionen eingestellt, sagte er.
buschwerk lebenswerk, sagten wir.
bad elster, sagte er, fotogesicht beugt sich über birkengeländer.
wie damals '41, schaut wehleidig in die zukunft. wie damals fliederbusch '41.
macht träumerisches gesicht wenn man sie fotografiert, sagte er, wirft etwa auch den schmalen mund ein wenig auf daß er voller erscheine.
klümpchenherz, und schwärmerisch, sagte er, mit 15.
birkengeländer im weißen westen, sagte er, bad elster.
ellenbogen nachdenklich aufgestützt, die rohen holztische im freien eine art buschenschank, alles übrige wie verloren.
gern aber mäßig kuchen gegessen, streusel, man wollte sich's abringen.
sie wußte damals nicht im mindesten wohin und was eigentlich, sagte er.
eine schwermütige jahreszeit, sagte er, in ihr.
verklammert in eine dunkle hoffnung, sagten wir.
in riesigen wäldern, blinken.
ein anderes mal, sagte er, saß sie im abendlicht im abgeholzten birkenwald.
im weißen westen.
himmelswasser, blumensaat.
daß es ihr, sagte er, nach all diesen unbewußten bemühungen, unbewußten verfolgungen einer bahn nicht zerrinnen sollte.
im weißen westen, sagte er.
schrittweis bewegungen aufwärts, verwirrt bewußtseinsfern wißbegierig bereit dennoch alles einzubeziehen.
briefeschreiben, sommerstern, schlafensterben, eine meditation, eine elegische versunkenheit, sagte er.
berührte die steinwand des grabmals, senkte dabei den kopf.
unleserlich von birken, sagte er, padua.

vor ein paar strümpfen, sagte er, lachte er.
eine anzahl, ein kapitaler schüler, sagte er, lachte er.
ein kapitaler spitaler hirsch vor meiner tür.
eine anzahl, sagte er, lachte er, zum zweiundzwanzigsten.
in den blumenorden aufgenommen, heute am zweiundzwanzigsten, sagten wir, den wahrnehmungsbericht also zu ende gebracht.
ein anti-klimax, sagte er, lachte er.
das klimakterium der kunst anbrechen sehen, sagte er, lachte er.
zu markte, sagten wir, wie eh und je.
während in padua, sagte er, und die bäume glänzten, und ich bemühte mich um gewisse merkmale den rückweg zu finden, sagte er, fortschreibend.
den rückweg eingeprägt, zu markte, den flohmarkt, die stille dieser stadt, die erste birke, die akazien, die dichtesten baumplätze, sagte er.
mittelsprache laubwärts, sagte er, eine zerfallende fahne.
hier sollte man, sagte er, bleiben.
wir gingen bogenförmig ins innerste sanken im abend zusammen ehe parksäumig, verschlummerten, sagte er.
wölkchen-priorität, später lachen, weißbrot mampfend.
mit bestoßener pappschachtel, im weißen westen, sagte er, morgendlich gekrümmt, sagte er, als österreicher als adler.
ob etwa die mäuse, sagte er.
daß es uns nach all den bemühungen nicht zerrinnen sollte, sagte er.
von birken ausgestrichen.

aufenthalt zu zorn

breitbrüstig durch aufklaffendes chaos, sagte er, bahnten wir den weg.
mit verstreuten füßen, sagte er, new york.
im ober-garten, sagte er, mit verstreuten füßen.
sah man durch eine offene eisentür in eine scheinlandschaft, pastell palmen krüge.
den langen korridor zu ende gegangen, sagte er, sah man.

erkannte man daß die landschaft eine gemalte war.
eine gemalte, auf der gala oben.
augustinus kropfreiter, sagte er, new york und sankt florian, sagte er, sogenannte schwesterstädte.
man sah, sagte er, durch eine offene eisentür direkt in eine gemalte natur.
drängte in diese befand sich in dieser.
eine scheinlandschaft von großer schönheit, sagte er.
als er die orgel zu spielen begann, sagte er, eine fledermaus zwischen den altären.
durch die schluchten, sagte er, eingesprengt.
während einer klagenden stelle der komposition, sagte er, lautlos die fledermaus.
abfiel zu den nischen, und wieder aufwärtsschwebte zur galerie.
zum ohr, sagte er, ohrenstulpen raushängend.
wie die ohren uns beglücken, sagte er, lachte er.
da gibt es fledermäuse, sagte sie, als wir fortgingen.
ach schwalben, sagte er, nachdem er zu ende gespielt hatte.
schwalben, fragte sie.
wenn es zu ohren kommt, sagte er, werden es schwalben sein, schwalben und fledermäuse.
einerlei zeit, zu ohren kommen gehen.
aufenthalt zu zorn, sagte er, solang wir leben.
durch die talschlucht, sagte er, mit verstreuten füßen, fußwickel blutverkrustet, die schwesterstädte.
casa rosso .. albergo .. mehr war nicht zu entziffern.
die entfernung war zu groß, sagte er, die aufschrift gebleicht.
wir stelzten im sand im tiefen schnee wichen vor den kugelwerfenden kindern zurück, waren bald müd.
die bora, sagte er, rot hing am fahnenmast.
regen nebel sonne bei tiefen wolken, sagte er, lupenwirkung bei schattigen wangen, hielten uns an den händen lila und fest.
im unter-garten nachtschmetterlinge schwalben fledermäuse.
im bittern märz, sagte er, eisverkrustete fenster. schneeglut, verworfene schichtungen.
wassermessing, wir waten im schnee, haben mühe uns zurechtzufinden.
aufenthalt zu zorn, sagte er, solang wir leben.
märzkalt gesang eines kübelvogels.

in eisblauen himmel aufwärtsgehievt endlich firstklagend.
und einer schrie vorsick! acktungk! – aber da war ich schon mit dem kopf in der latte, sagte er, du meine güte.
als wir abreisten, skandierte sie leise, beschwörend: im/win/ter/s'rei/ben/im/win/ter/s'rei/ben, und wir rätselten ob sie uns damit ein versprechen abnehmen wollte oder ob wir von ihr einen brief bekommen würden, sagte er.
über meinem schädel kopf, sagte er, lachte er, und zeitabwärts.
aufenthalt zu zorn, sagte er, aber da bin ich schon mit dem kopf in der latte.
zeitabwärts, sagte er, gebeugt, geknickt, einen arm gegen die hüfte gestützt, oberkörper vorgeneigt kopftuch straffgebunden die stirn beschattend, gebückt geschrumpft das ganze, haltung der hilflosen.
fußwickel, blutverkrustet.
und der wahre grund, sagte er, daß einer davonwill, davonmuß, ist nicht die biologisch bedingte altersgrenze.
vielmehr unerträgliches von allen seiten, wie ein *überwachsenwerden.*
elektrischer horizont, sagte er, weiden rosten.
heller buchenwald, nasse weide.
kühe aufgeweicht.
die bora wehte heftig, sagte er, und wir hatten mühe uns zurechtzufinden.

ein alpentraum

ein alpentraum, sagte er, lachte er.
folgen eines ungewöhnlichen traumes, sagte er.
europa hingegen, sagte er, welch trödelladen.
schattendorf, sagte sie, der mit den größten fäusten.
löwenmutigst, sagte er.
als wir, sagte er, himmels-gedanken aus den fenstern unseres hotels, fühlte ich in boston etwas wie unbehagen.
die doppeltür zum angrenzenden hotelzimmer ging nicht vollkommen zu, ein heller schein drang durch den spalt.
im hotelfernsehen, sagte er, belehrungen über herzkrankheiten, ein elefant auf meinem brustbein die ganze illumination.

der hang etwas freundliches zu tun, sagte er, wir lehnten weit hinaus und sahen die leute von boston.
löwenmutigst, sagte er, ein mädchen vor uns auf der straße rackerte sich ab mit allzuviel eingekauftem, im schwarzen lack spiegelte etwas vom opernhaus. die berittene polizei ins hellste licht, die gedolchten helme, die pferde, die warnungspfiffe, und im schwarzen rinnsal, und sie breiteten die arme gegen uns, dolchstoßend gegen uns, folge eines ungewöhnlichen traums, sagte er, und ich erwachte von einem schlag gegen meine rechte brust, schuß und schmauchring die kugel prallt von der metallenen unterlage ab, ich erwache.
hufend, sagte sie, löwenmutigst, als wir schieden.
als wir schieden wie verdreht der mond aufsaß, sagte sie.
wie verkehrt der mond aufsaß.
als wir schieden, sagte sie, durch nachdenken und fühlen.
etwas wie unbehagen, sagte er, pickelhaube ins nächtliche dunkel verschwindend, wir probierten den eingang zum opernhaus.
triefendes schuhwerk, sagte er, lachte er, regen in boston.
himmels-gedanken die türme alles verwischt.
als wir schieden, sagte er, wie verdreht der mond aufsaß.
entvölkertes brachland, und die rasenden motoren auf den nächtlichen highways wie ferngelenkt, sagte er.
und wann immer es beim nachbar anschlug, sagte er, wachte ich auf.
im halblicht, sagte er, lang nach mitternacht drehten wir bei entstürzten dem kleinbus wie trödelkram.
der hatte uns tatsächlich ausgeleert die wolkenkratzer anzusehen mitten auf der fifth avenue. brachte die augen kaum auf, sagte er, lachte er, kegelte kopf nach hinten.
fühlte mich aufwärts gewirbelt zu steinbaukasten spitze, kriegte den schwindel so in eiskalter nacht.
als es weiterging, sagte er, schlief ich sekundenweis.
ein sagenmeer, sagte sie, lachte sie.
und starrten nach oben, sagte er, versuchten eine karte zu kriegen für die oper, löwenmutigst.
das mädchen hatte zuviel gekauft, raufte mit den säcken in ihren armbeugen.
wollten ihr helfen, sagte er.
ich sagte zu mir, vielleicht sollten wir ihr helfen, sagte er.
dachte mir, sagte er, vielleicht ängstigt sie der gedanke wir könnten

ihr das schwere zeug nicht mehr wiedergeben, sagte er, lachte er.
auf dem beifahrersitz, sagte sie, als säße sie selbst am lenkrad, das gesicht starr nach vorn gerichtet die augen auf die fahrbahn geheftet.
der drang, sagte er, etwas freundliches zu tun, sagte er.
erklärte ihr, die haben kein kleingeld hier, sagte er, die geben bonbons statt retourgeld, sagte er.
sie schüttelte aber nur den kopf, etwas wie unbehagen schien sie befallen zu haben, sie starrte nach oben, mir ins gesicht, sagte er, aber ich konnte ihr nicht weiter helfen.
im glanz des lichts, sagte er, ein alpentraum.
die ganze illumination, sagte er, wir standen tatsächlich mit unseren köpfen nach hinten geklappt, staunten von unten die riesigen häuser an.
schmiegten uns, sagte er, in die bucht des michigansees, ein stürmischer tag.
dieses getöse, sagte er, diese pracht, sagte er, als sei es ein meer.
ein stürmischer tag, sagte er, wolken schwarz rasend, die brandung, das getöse, sagte er, türme, verwischt.
wie der mond aufsaß, sagte er, die luft bläulich, getrübt.
ganz nah das kam über mich.
ich nähere mich, sagte er, in immer engeren kreisen der wirklichkeit, schrecke, sagte er, angesichts solcher umwege zurück die von der wirklichkeit gefordert werden, sagte er, und so scheint sie mir in ihrer abweisung, sagte er, gleicherweise unbegehbar lockend.
einerlei zeit, sagte sie, wie der mond aufsaß.
längere zeit auswärts nächtigen, sagte er, lachte er, macht daß ich beim ersten erwachen zuhause mich nicht zurechtfinde auch während des schlafens nicht recht weiß wohin sich die füße strecken, nicht weiß wo die nachtlampe zu tappen, und ich mich morgens frage wo bin ich heute aufgewacht?
und höchst erstaunt entdecke daß ich daheim bin.
als wir, sagte sie, diese fiederung, die seltsamen baumformen.
spätere eindrücke, sagte er, über die ersten geschichtet, können diese nicht verdunkeln, sagte er, gleich bösen träumen, sagte er, vermögen wir sie jederzeit abzustreifen.
ganz nah, sagte er, das kam über mich.

es steht es grün

es steht es grün, sagte er, gebunden.
man will doch zu sinn, sagte er.
rumbohren, sagte sie, finger wundkratzen.
gebunden, sagte er, an wörter.
zu grammatikalischem zweck, sagte er, ändern.
ein übergeordneter zusammenhang ist ja wohl nicht da, sagte er, lachte er.
zweckränder, sagte sie, eine flexion.
röhrend mit herrlichem blick, sagte er.
russische seele, sagte sie, nannte er das foto aus den frühen vierziger jahren, ich lehnte, abgetragener blauer kindermantel, räudiger fellkragen, gegen ein geländer, hintergrund wald, und steckte den verzagten kopf, sagte sie, wußte nie wohin mit kopf rumpf gliedern.
es steht es grün, und verlegenes lächeln, sagte er.
das kam daher, daß sie die fotos auch noch 'rumzeigten, sagte sie. ins familienalbum klebten.
versöhnlich eigentlich, sagte sie, unentschlossen aber auch zäh, eigensinnig störrisch fixiert.
röhrend ein herrlicher blick, sagte er.
sensorium seewärts, sagte er, zurückgeschwappt, geglückt.
russischer bariton, russischer baß, sagte sie, eine lichtorgel.
diese ganze orgelsequenz, sagte er, ist mist.
mein verzagter kopf, sagte sie, das kam aber auch davon daß sie mich immer fotografierten.
es steht es grün, sagte er.
eine verlegene haltung, sagte sie, in den frühen vierziger jahren, gegen ein holzgeländer gelehnt, russische seele.
zurückgeschwappt, sagte er.
geglückt, sagte sie.
röhrend, sagte er, es steht es grün.
mit verzagtem kopf, sagte sie, gegen das geländer gelehnt, in den frühen vierziger jahren, bekleidet mit altem blauen kindermantel, räudiger pelz.
mit herrlichem blick, sagte er.
an den wörtern die abgeknickten stellen, sagte sie.
und es roch auf einmal nach gewürznelken.

in der ersten reihe, sagte sie, das konnte ich von hinten wahrnehmen, es kam aus der ersten reihe.
ein linker funktionär, sagte er, lachte er.
und die sitze neben ihm blieben leer, sagte sie.
der platzanweiser zeigte sich erstaunt.
ließ sich in die partitur ein, als wolle er die realisation beargwöhnen.
las rote sowjetsternchen mit, sagte er, lachte er.
schützlinge, sagte sie.
zikaden hörte man auch, sagte er.
es waren wasserrohre, das wasser zirpte, sagte sie.
verlauf einer rückkehr, sagte er, bullig in röte.
abgeblätterte flexionen, auf die falsche fährte gesetzt in den frühen jahren.
mit räudigem fell, sagte sie.
und struppig von weltgeheul, sagte er.
war er einige zeit fort gewesen, wiederholte es sich bei seiner rückkehr, sagte er.
abgeblättert, struppig von weltgeheul.
war er einige zeit fort gewesen und kam zurück, war etwas rauhes an ihm, und schloß ihn gänzlich ab.
trat gleichzeitig in ein streitbares fremdes verhältnis zur welt, sagte er.
als hätte ihn der andere ort, die anderen orte, durcheinandergerüttelt, sagte er, unfähig gemacht für irgendeine art von rückkehr.
nach stunden und tagen, sagte er, glättete sich sein zustand.
wieder eingebracht, wieder zurückgeschwappt, sagte sie.
es drängte ihn aber immer von neuem fort zu gehen, sagte er.
viele wiederkehrende verläufe alle geglückt, sagte er.
zweckränder, sagte sie, und endlos die wiederholungen eines verlaufs.
lauthals rebenbusch, sagte sie.
als ich sie wieder traf, sagte sie, trug sie trauer und die armbanduhr ihres mannes, auch hatte sie sich das rauchen angewöhnt.
struppig von weltgeheul, sagte er.
einmal kam er nicht wieder, sagte er.
war fort gewesen war nicht wiedergekehrt.
als ich sie dann wiedertraf, trug sie trauer und die armbanduhr ihres mannes, auch hatte sie sich das rauchen angewöhnt.

die feingliedrigen gedanken, sagte er, man konnte sehen daß es immerfort neue waren in immer neuen stellungen.
abgehalftert, sagte er, struppig von weltgeheul.
dann gingen sie alle weg und ich blieb allein zurück, sagte er.
vergebliches kratzen, sagte er, verschlossene tür.
etwa auch mit dem schädel dagegen, sagte er.
endlich beginnendes licht, sagte er, immer größer.
ganze garben, die bringerin.
als ob man auf einem grat wandelte, sagte er, der abgrund zu beiden seiten.
damals habe ich vor bergglück geweint, hatte sie mir geschrieben, sagte er, wer die berge nicht ebenso liebt wie ich kann all das nicht verstehen.
unter zwang also, sagte sie.
zur natur, sagte er, geworden.
zur ersten zur zweiten.
als ob man, sagte er, auf einem fliegenden weißen pferd, durch die ostpreußische landschaft.
ohne daß sie je zeuge meiner beschämung geworden war, nur der umstand, sagte er, daß ich sie täglich auf der straße traf, daß unsere blicke sich kreuzten.
meistens versuchte ich, ihr auszuweichen.
sie rief in mir ein unangenehmes gefühl von erinnerung an einen für mich beschämenden lebensabschnitt hervor.
ohne daß sie je zeuge meiner beschämung geworden wäre, nur der umstand, daß sie täglich mein gesicht sehen konnte, sagte er, aus dem wohl manches zu lesen war.
das gehört in den bereich der utopie, sagte sie.
hufend als wir schieden, ein königswinter.
verlauf einer erinnerten wiederkehr, sagte er, mutmaßend man hätte solches schon irgendwie früher, in dieser oder jener form, gesehen gehört gerochen gefühlt getan.
hufend als wir schieden, sagte sie, in den polsterstühlen des algonquin.
zeitgenossen, kamen 'reingeschneit, draußen schneite es april langmähnig wirbelte es herein. die bringerin, sagte er, überquerten wir vorsichtig die vierundvierzigste straße.
schob uns je ein marmor kaltes tischbein zwischen die waden, wartete uns mit eisbomben auf, schrankte uns gegen die schwarzen

ledernen sitze ab daß wir zuletzt uns kaum mehr befreien mochten, sagte er.
im halblicht drüben der grüßende siegfried lenz.
ins nächtliche zu schwinden, sagte er, als sei's ein meer.
dann gingen sie alle davon, sagte er, ich blieb allein zurück.
als ich sie wieder traf, sagte sie, hatte sie immer noch jenen blick: gespielte hilflosigkeit, furchtsame blankheit, ein rätseln über die eigene forderung ein schlechtes gewissen haben zu sollen. the uncola, sagte sie, wie verdreht der mond aufsaß in miami.
ein beschwörender feuerstuhl, sagte er.

je ein umwölkter gipfel

was für ein widerstreit, sagte er.
bis es endlich so weit ist.
man möchte schließlich was ordentliches daraus machen.
es geht darum, eine fiktion aufrecht zu erhalten, sagte sie.
ein balanceakt.
der schönheit ins gesicht, sagte er, schlagen!
so saß er auf der ober-leitung im ober-garten brannte licht.
im ober-garten, sagte er, die schwesterstädte.
und im bittern märz, sagte sie, im bittersten frühling.
auf dem ober-gericht, sagte er, andernorts.
noch im bittern märz, sagte er, die verworfene schichtung im glas.
vorhänge aus eis, nämlich mit kordeln hochgebunden.
die raffung gigantisch, das wunder profan, sagte er.
wie pfauenglanz.
im, klavierenen, tempel, sagte sie, lachte sie.
und mühlstein am hals des heiligen florian, sagte er, lachte er.
die fiktion nämlich man habe ein gewichtiges amt, sagte er, auszuüben.
es geht darum, diese fiktion aufrecht zu erhalten, sagte sie.
gleicherweise, der schönheit ins gesicht, sagte er.
freilich ein bild das gern angestrengt wird.
eine himmlische beiläufigkeit ein nähr engel, sagte er.
nähr engel blitzblau entstürzt frühwinterlichem blend horizont, sagte er, runter auf mich auf erschreckten rund schädel kopf.

wuchtet runter auf uns, frühwinterlich aus blend himmel, platscht uns auf schädel kopf pflaster, diter rot.
schluß & fort, klavierdonner wasserstrom, mit den blitzblauen ansprüchen, sagte er.
ästhetischen ethischen ansprüchen, sagte er.
lese finger, wort macher, schafe läuse im pelz der braunen wiese, sagte er.
wasserbillig gestürzte zahl.
mühlstein am hals des heiligen florian, sagte er.
je ein umwölkter gipfel.
sie hatte ein so verlorenes lächeln, sagte er.
als sie uns aus dem krankensaal in den korridor folgte um uns zum tor hinauszubegleiten.
sagte dabei etwas von einer gestürzten zahl.
wir wußten nicht was es zu bedeuten habe.
dann stand sie lange im windfang und winkte uns nach, ehe sie sich ab wandte, zurück wandte, zurück ging.
armes glückliches kind, sagte er.
im ober-garten, sagte er, die schwesterstädte.
von kommenden dingen, sagte er, kehren die schiffe zurück.
so daß wir vorausschauend die vergangenen jahre wieder erkennen, auf reißende wolkenwand.
so daß wir fühlen was wir fühlen werden wenn wir, um einige jahre älter, an die zeit denken werden die wir jetzt leben, sagte er.
so daß wir denken was wir denken werden in jener künftigen zeit, wenn wir zurückblicken werden auf eine zeit in der wir jünger waren als wir dann sein werden: eine art selbstneid.
noch im bittern märz, sagte sie.
die sternfelder.
zeitabwärts unterwegs.
worauf anastas sich in ein trinkglas verbiß, sagte er.
und büschelt ohren durchs revier.
eine elektrische formel, sagte er.
nämlich als die stunden vergingen wie minuten, die minuten wie sekunden, diese wieder wie die tage, die tage wieder wie jahre, diese wie stunden, und die stunden wie minuten, und diese wie sekunden und diese wieder wie tage und diese wie jahre, jahrzehnte.
und diese wieder, sagte er.
starrten ins raster meiner zeitverschiebung.

während ich nachts am fenster, sagte sie, ausschauend, nach unten hing.
und die abwärts zu meinen ohrläppchen gleitende halskette, sagte sie.
ein entwurf, sagte er, in der landschaft nämlich ein anblick.
ein blick, ein sich weitender flußarm, kleine ortschaften spiegelnd, lauthals lässig ins buch gebracht, sagte er.
bis wir vom regen, sagte er.
grünspan ansetzen, sagte er.
leuchtend und grün im vorgebirge, sagte sie.
und immer wieder das verlangen, sagte sie.
sich an dinge, orte, landschaften anzuschließen, sie wieder zu suchen.
die alten speicher auf dem dorf, wild verblühte weltstation, ein lagerplatz.
alteisen, bröckelnde grabfiguren, säulenstrünke.
wuchernd grünes, ein steg.
darüber ein schimmer, sagte sie, in frühester kindheit erblickt.
sobald man schritt vor schritt, zögernd, den besonnten innenhof des landhauses betrat glücklich staunend.
elektrischer horizont, weiden rosten, sagte er.
ackerland, ackerwagen.
nebenherzottelnd, sagte er, in schwermütiger versunkenheit, wörter auf zettelchen kritzelnd die man später verlegte, verlor.
zitternd plötzlich liebe, damals, sagte er.
beschwörende unversiegbar scheinende jegliches für jahre einhüllende.
von kommenden dingen, sagte er, weltläufte blumensaat.
glockenschrift, von kommenden dingen.
eine fliegende festung, sagte er.
und dann wieder ausscheren, sagte er, nichts wie ausscheren, und freunde verschrecken.

kaolin, ziehen kreise staub, sagte er.
urinoir mein mobiliar, sagte er.
sprechwerkzeuge meine ausscheidungsorgane, sagte er.
dazwischen einsehbar.
schweißbedeckt lief ich aus dem haus und atemlos, vor lockruf.
steh im bann, sagte er, zu sehr zusammen, mit ihm.
brennglas ungeheurer konzentrationspunkt, sagte er, seine person.
einsehbar ablesbar seine mir zugewandte existenzseite und kontrollsystem meiner gefühle, sagte er.
auch deren umschlagplatz.
daß sie in neuestem stellenwert nämlich, im hahnenschrei.
gewandelt gestülpt gereinigt verjüngt erscheinen, mir erscheinen.
dann bei mittagsgang die staubdolde, sagte er, riesige schwärme.
startplatz landeplatz steilhohes schindeldach, nächst geburtshaus nächst blaugold fassade nächst pseudo stilistisch, tönendes schweben tauben wolke.
geht man, sagte er, sonnenwärts, im november, morgens, sagte er, steht die sonne.
nicht hoch am himmel, sagte er, sondern tief.
daß wir unser aug, sagte er, verhüllen.
und mitten im gewühl, sagte er, bin ich euch nah berühre euch liebe euch spreche zu euch vertraue euch alles an.
wie wellen fort, steht man sich dann gegenüber.
steif und wohlgeordnet wieder alle bezogenheiten.
wie man es uns beigebracht hatte, sagte er, als kind, älteren personen gegenüber.
wenn man die traf, sagte er, wenn die zu besuch kamen, wartete man immer schon ein wenig vorgeneigt bis man den arm, die hand, sagte er.
vorschnellen lassen durfte.
nicht eher durfte man die hand hinstrecken zum gruß, als.
vorgeneigt warten und lächeln und erst wenn sie einem dann die hände entgegenhielten, durfte man.
erst dann, wirklich erst dann, sagte er.
die eigene hand, sagte er.
schlange, sagte er.
im abendlichen park, sagte er, szene im milden wetter.

im offenen mantel auf einer parkbank, ein alter mann auf einer bank.
im offenen mantel saß er da, und schaute nirgends hin.
eine dunkelbraune schlange am kopf hochhaltend.
der körper der schlange schlaff hängend seine knie berührend.
meine sprechwerkzeuge.
als ich vorüberging, sagte er, hielt der mann eine dunkelbraune hundepeitsche hoch.
seinen hund der umherstreifte vielleicht heimwärts zu mahnen, sagte er.
damals, sagte er, mit meinen sprechwerkzeugen.
habe ich immer versagt.
im berührungspunkt aller bezüge, damals, sagte er, vorn an der brust.
vielfarbenes wollquadrat mütterlicherseits aus resten gefertigt vorn an der brust.
rückenwärts, vielfarbig, und zum fotografiertwerden bereitstehend, gegen den arbeitstisch väterlicherseits gelehnt, angelehnt im sitzen dort angerückt.
unwissend, witternd nach allen möglichkeiten, sagte er, träumerisch alles umkreisend.
nachdenklich und ratlos, ahnungsvoll sprunghaft nach zusammenhängen jagend.
schon geblendet.
im magnesium leuchtenden verzehr der vielen jahre.
eins ins andere, sagte er, und das ärgste gewimmel.
und die genüsse zur unzeit, sagte er, grelle pein.
dann lieber im schlechten quartier als im neuen, sagte er.
ich trat ein paar schritte vors tor, sagte er, ich umarmte die stadt metz.
zwei mühlen räder, sagte er, ein amerikanisches land.
klingt wie ein volkslied, sagte er.
zwei mühlen räder ein wasserturm, sagte er, ich grüße metz.
wieder ein ort, sagte er, an dem ich leben wollte.
nun gibt es schon eine ganze menge davon.

VI. meine träume ein flügelkleid

der traum vom geburtstag
köln, 19. juni 1971

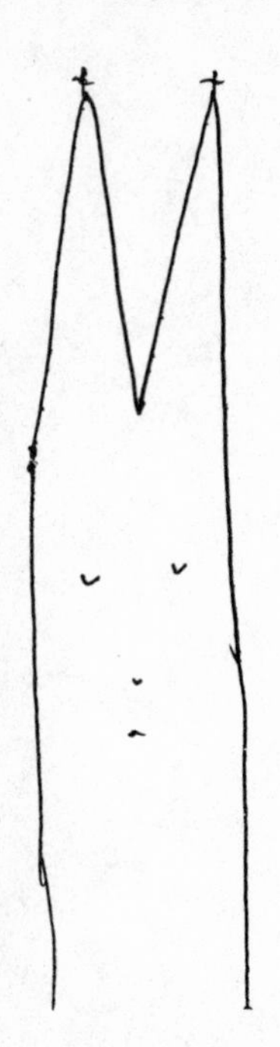

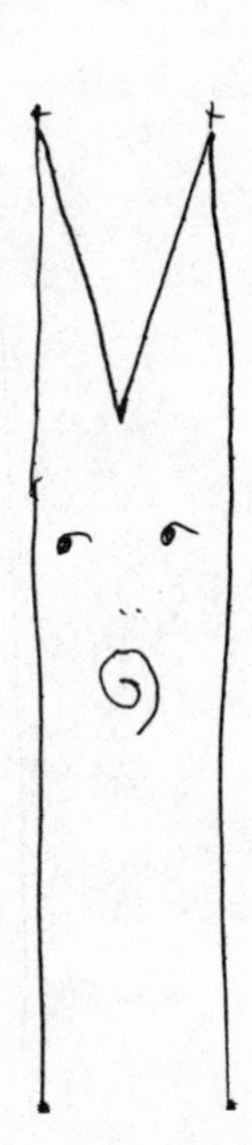

der könig von köln
hatte schlecht
geschlafen
heute nacht

er gähnte und
schluckte eine
mauerschnecke die
sich in seinen mund
hatte fallen lassen

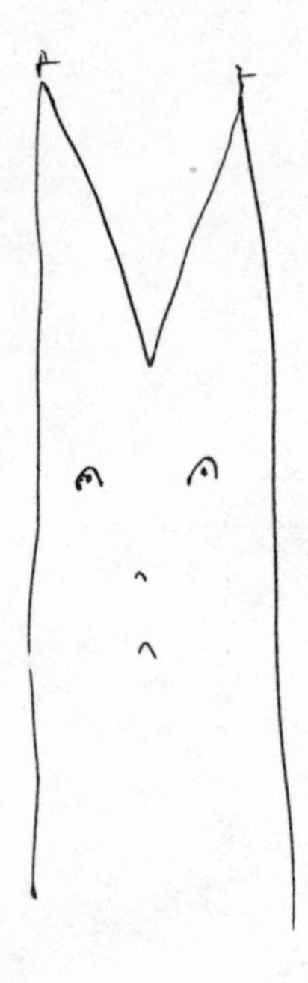

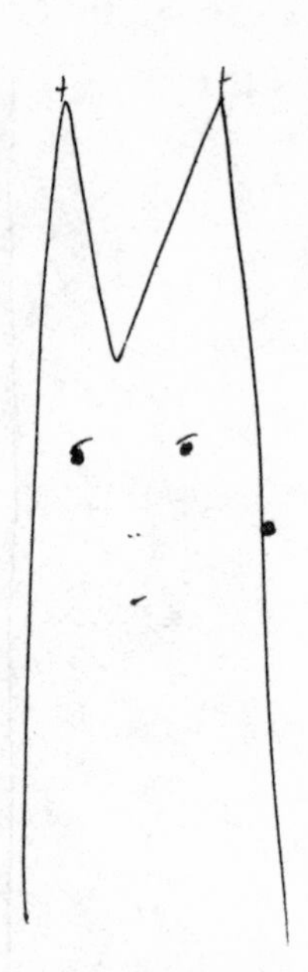

er war erschrocken
und wollte seine
krone abnehmen
doch die war
angewachsen

da tippte er auf den
glockenknopf hinter
seinem linken ohr
sogleich begannen alle
glocken in seinem
gehirn zu läuten

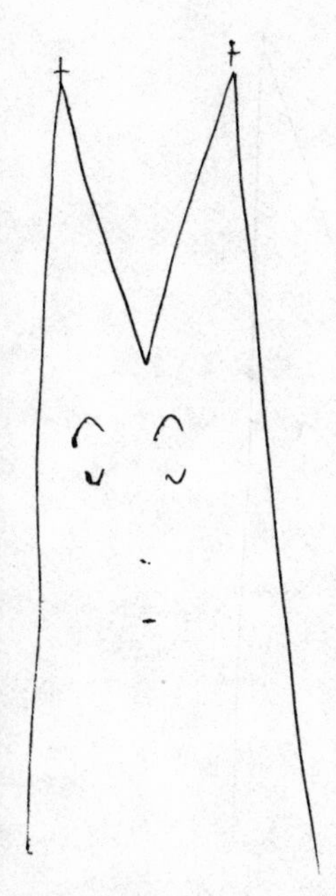

das lockte viele
menschen heran
es wimmelte nur so
zu seinen füßen

manchmal hatte er
das bedürfnis
sie alle zu umarmen

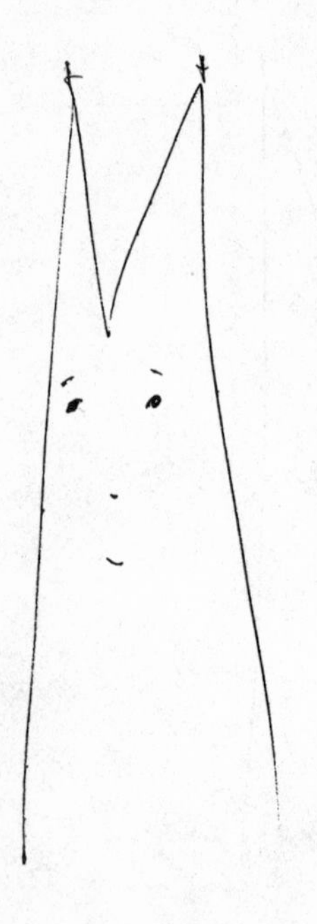

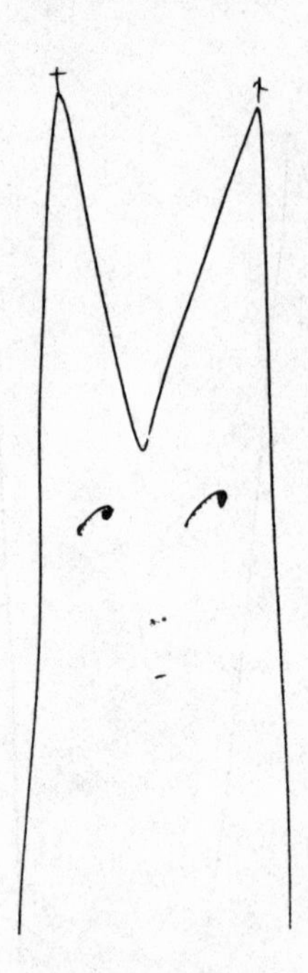

es wird heute ein
guter tag dachte er
und spürte wie hinter
ihm die große
brücke knarrte

von dort hörte er
zugleich ein knattern
brummen räderrollen
und hupen tappen
schnarren und jaulen
piepsen und zischen

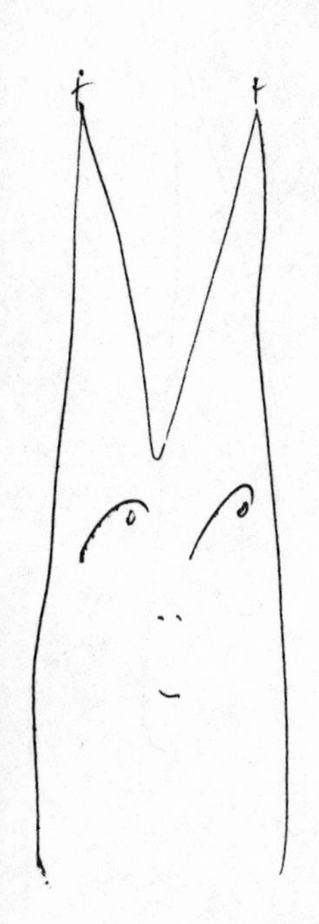

was kam denn da an?
was gabs denn da
drüben?
was sind das für töne?

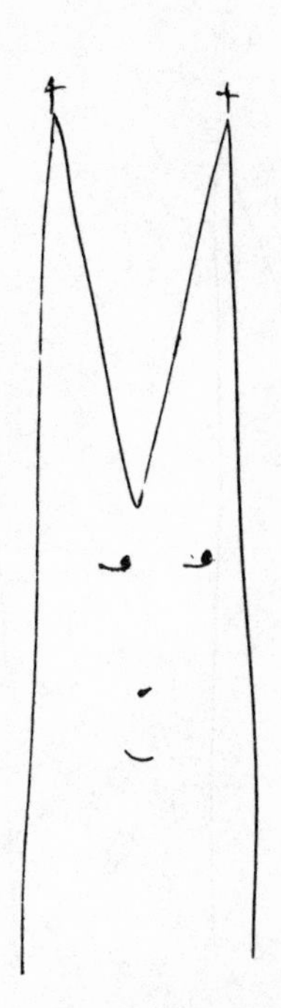

er neigte sich nach
hinten und sah was
da ankam eine
unmenge von tieren
aller sorten
alle auf rädern

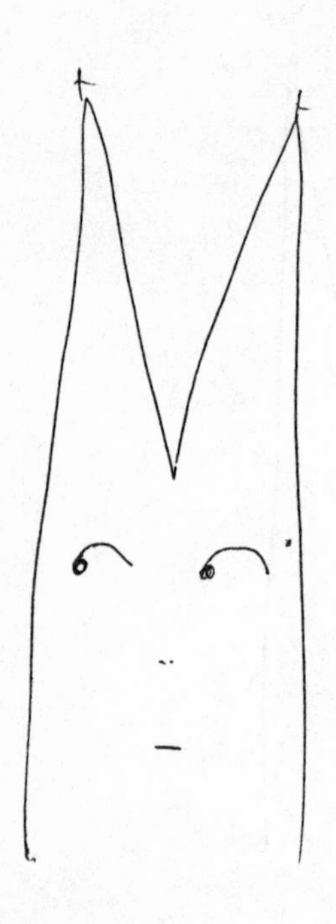

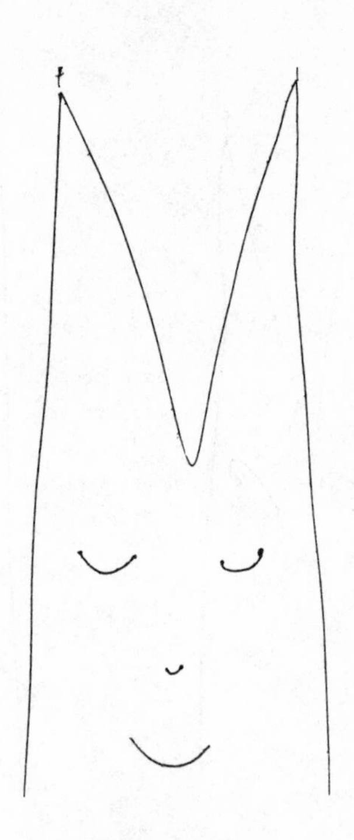

er schlug sein
gedächtnis auf
war heute denn ein
besonderer tag?
gab es irgend einen
grund dafür daß so
viele tiere unterwegs
zu ihm waren?

bevor er noch weiter
nachdenken konnte
hatte sich die ganze
gesellschaft unten
versammelt

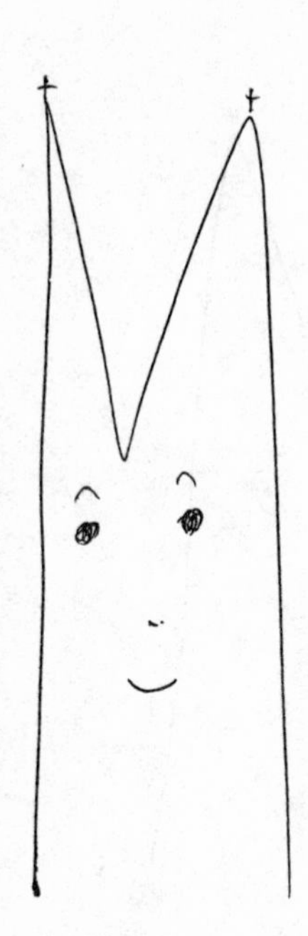

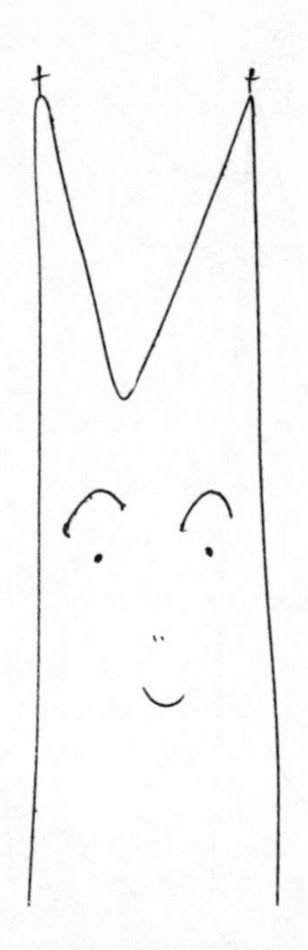

sie waren von ihren
rädern gestiegen und
jeder hatte ein
instrument in den
händen es gab pfeifen
trommeln geigen
flöten gongs
und harfen

und nun begannen sie
zu spielen
viele sangen auch dazu

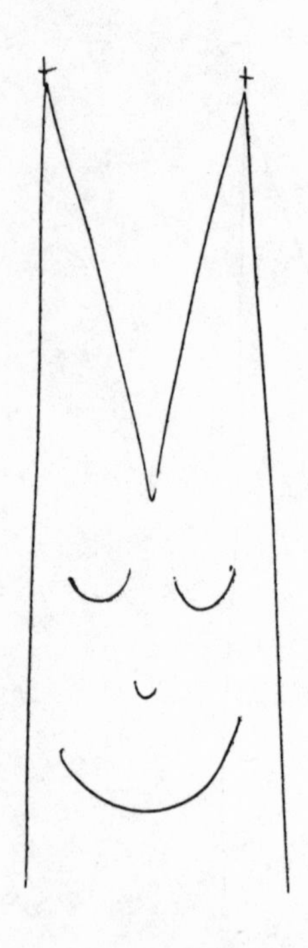

was sie spielten
und sangen?

man konnte es jetzt
ganz deutlich herauf
hören:
happy birthday to you
happy birthday to you
happy birthday
lieber könig
happy birthday to you

16 Schutzgeister für eine Reise
für Ernst Jandl November 1967

Schutzgeiſt 1
gegen
Atemnot und Heiſerkeit

Schutzgeiſt 2
gegen
Schnupfen
und Kopfſchmerz

Schutzgeist 3
gegen
morgendliche Müdigkeit

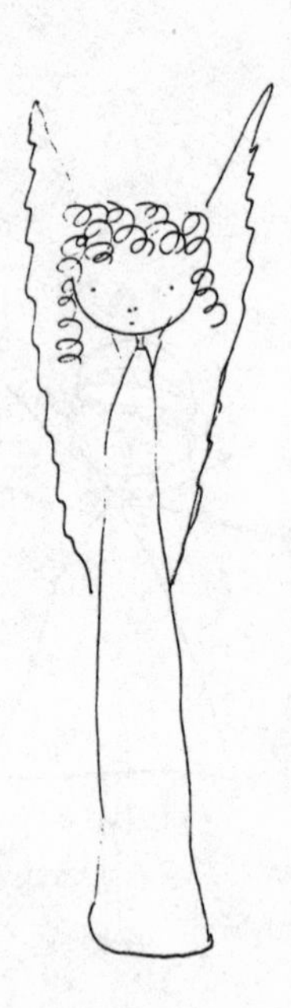

Schutzgeist 4
gegen
böse Menschen,
Feinde, etc.

Schutzgeist 5
gegen
Hunger, Durst
Mangel an Zigaretten

Schutzgeist 6
gegen
Gliederschmerzen,
Ohrensausen und
Alleinsein

Schutzgeist 7
gegen
die Tücke des Objekts

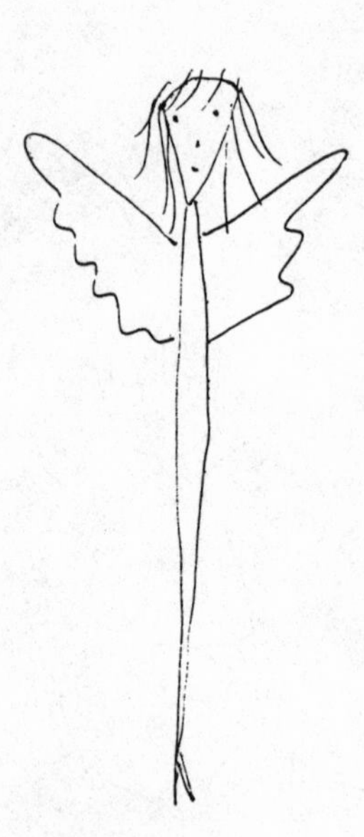

Schutzgeist 8
gegen
die Unsicherheit
des Daseins

Schutzgeist 9
gegen
Haarausfall und
Blitzschlag

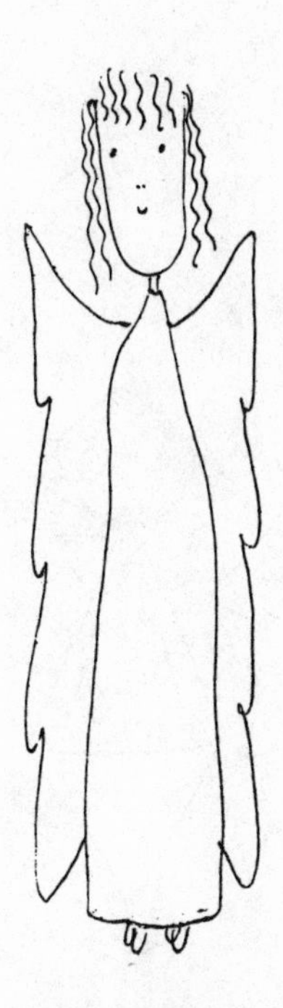

Schutzgeist 10
gegen
Rheumatismus,
Zahnschmerz und
Gedankenflucht

Schutzgeist 11
gegen
Schüchternheit,
Ratlosigkeit und
Geldmangel

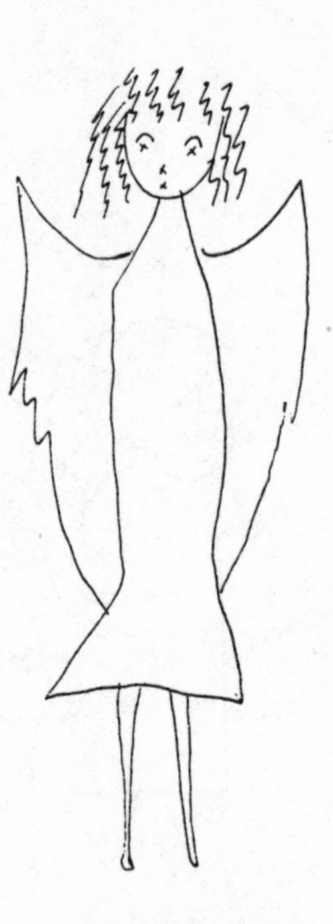

Schutzgeist 12
gegen
Sonnenbrand,
Augenbrennen und
Schlaflosigkeit

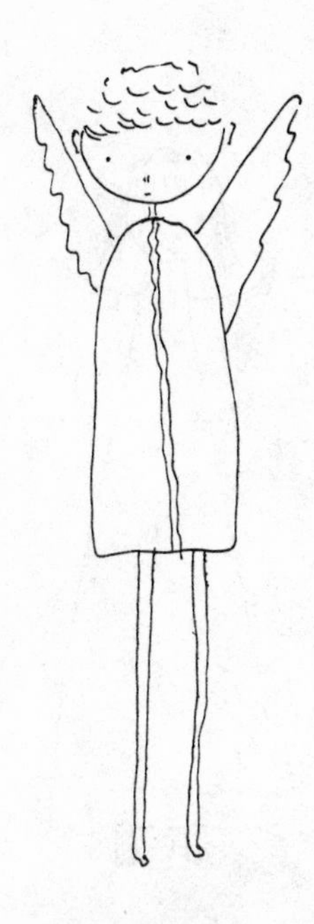

Schutzgeist 13
gegen
Zudringlichkeit,
Erfrieren, Vergeßlichkeit
und kleine Unfälle

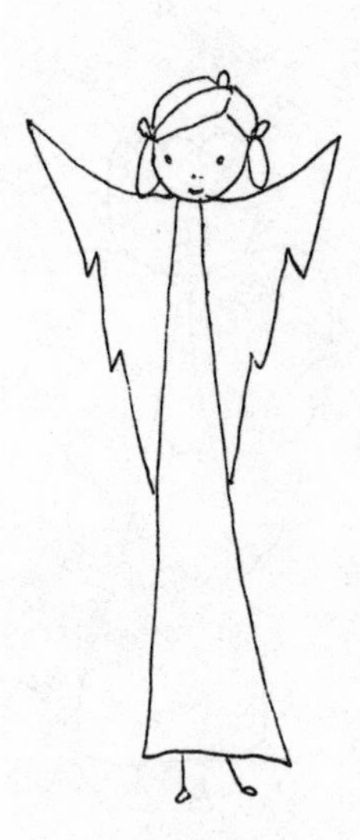

Schutzgeist 14
gegen
böse Träume

Schutzgeist 15
gegen
Angst vor Dunkelheit

Schutzgeist 16
gegen
Nasenbluten,
Knochenbrüche und
Taubheit der Welt

VII. augen wie schaljapin bevor er starb

für meinen Vater

venedigprosa

schritten schluß das ufer zum kanal durch kalt braun schwarz gasse zum tor biennale flügeltür, nur amtstür. alle plakate max ernst in seine richtung, max ernst von wasser, mit wehenden türfahnen. stellen katzenbrücken auf den kopf ebenso passagiere. ein eckchen treppe zum kopfsenken. route nach windrichtung. schaukelzimmer haltestelle. tritonbrunnen, bananenhimmel. max ernst. furnival-funebre-gondel mit vase und blume, schwarz (»nein das sind ganz gewöhnliche«). preßkaltem bahnhof entstiegen, leichten fußes entwirrt verstreut; mit den augen meerestiere in ihrer appetitlichen rosa starre. gejagt weil nicht findenkönnen findenkönnen untertauchenwollen untertauchenwollen: endlich. rasten hinter dem meer. baldachint markusplatz. die gleißenden pferde und um sie im fluge zu treffen.

irritationen

1

wir saßen wiesenlang, ein baderegister, sonntags mit sonntagsköpfen, grasig, etwas regenfeucht von der vergangenen nacht, nach jähem blick in die runde: alles gegenfüßler siehst du wie sie einander den stuck von den blöden gesichtern brechen, alles verformt in haß, 's liegt kalkig verschwollen umher, in badekostümen.
ich verstand's; mein welt prinzipal elektrisch wie nie.
auf allen gesichtern laxenburg orth mayerling, wie herzergreifende töne; haben einander nichts mehr zu sagen; bilden scheidung schneidung ekel scham.

2

unter seiner expertise durchwuchern wir die spanische landschaft. grasten ostern & pfingsten abschüssige mariazeller wiese lang, und mittelpfeilten schollengedicht, bräunliches wegschild.

3

hata! hata! hata! – nicht mama! –– hata war mein erstes wort.
ich hatte dunkelbraune tupfen an den gelenken; sie sagten aschantifinger. wir tasteten uns zum fenster, juliabend.
ich öffnete ihn hypnotisiert: hautgrün.
am jakobstag beganns; er feuerte los; schob mir 'n polster unter.

4
natural, durch schwenken ein ohr, bisweilen beide & einzelne orte, magazine. waffentragende orte, elektronische orte, registrierte orte, tiefe orte, kuckucksorte, offene orte, tote orte, pedalorte, singende orte, prinzipielle orte, krumme orte, weiche orte, typische orte, zungen orte, orte durchs schlüsselloch: mein gesicht plumpste durch luftmaschige gitter; meine kindheit tat plötzlich weh; ein mutkodex; ich gipste bein; verlor küsse. auf dem geländer hockend, eisenstahlrot als es wie närrisch blubberte, als ich später alles besser verstand; der garten, der vierkanthof, die windstillen lauen grauverschleierten sommer.

5
kam mit der blutenden hand aus dem weinkeller, ich spielte gerade diabolo im hof, da drückte er ihr die wunde zu; ich verkroch mich vor entsetzen. die engelfolie steigt empor; schmetterlinge im herbst.. »tu den tieren nichts zuleide!«.
also fing ich nie schmetterlinge, rettete käfer wannimmer ich konnte, zog kaninchen und schildkröten groß, umarmte jeden hund; im alter von fünf, dargeboten zusammen mit meinem jägerherz: die reiber von schiller; teppichblumen, schlüsselforz; die weihe des meers, ein besonderer akt das unter den tisch kriechen, sobald die türglocke schellt; großmutter an unsrer tür; sah wie sie fortging, weinend.
schinkenbein standbein und patin, ein taschentuch nach dem anderen ins klo, weil das toilettepapier fehlt.
sie alle trachteten danach, trachteten danach.

6
bewehungen; manier vielleicht; later on from fotos only.
er ließ sichs wohl sein im talbot, im puch, im fiat, immer die gleiche kühlerfigur smaragdgrüne eidechse hebt leise den kopf.
wackelkontakt mutter-vater, universale geburt, außerordentliche fackel.

7
käppchenhand – was heißt das? heißt hand übers aug wie'n käppchen um etwas zu suchen, wie um etwas zu suchen. worauf wir konstatieren, daß er's papierknödel glutvoll eingetascht, ins hosen tasche wie taschen tuch mein hermes baby; sechsundfünfzig tasten wie die ew'ge sonne spaniens. und die ganze geschichte die unaufhörlich wächst auswalzen & willkürlich, in meinem blumengarten:

eine praxis der pflanzen & gesäße (selbst die nebensächlichsten dinge werden mir zu transaktionen).
8
ergänzt von zweifelsfällen, mein zigarillo meine dezimalwaage mein fensterkreuz meine muskeldisziplin harald mein dicker hund. poeten sind wie kannibalen!
sie trug eine kopfplastik, die häkeldeckchen auf ihrem klavier gilbten zerzaust, und ich fühlte mich bedroht; dort noch nicht und hier nicht mehr zuhause, sagte sie immer wieder.
9
's kalbt die nacht.

demontage einer serie von liebesgeschichten

1
auf einer leichten bodenwolke forderte sie ihn auf die briefe gleich zu verbrennen.
2
als sie starb notierte er in seinem tagebuch meine erschütterung war geringer als ich hätte denken können.
3
bei sonnenuntergang standen sie gegen einen verwitterten gartenzaun gelehnt und redeten, allmählich wandte er sich von der sonne ab, sie blickte weiter ihr nach.
4
er notierte unser gemütsleben hat sich verknäult statt sich zu entfalten.
5
die mit trauer überforderte chorführerin die frigide dafne der chor tralala.
6
saßen im parkett spannten schwingen wie der projizierte bühnenschwan.
7
ich war selber in tirol bekannte sie.
8
relevationen an der lokustür.

9
kann keine ruhe finden auch du kannst sie nicht geben, der andre hat ja immer einen mund zu sprechen und ohren zu lauschen und ich selbst habe ohren die lauschen wollen und einen mund der sprechen will, und sobald der andre da ist, ob er nun spricht oder schweigt, wird die gedankenmühle unaufhaltsam gemahlen.

10
gingen in der tat eine treppe aufwärts die ins leere gähnte.

11
ich fühl dich/in zü-rich/höhlchen.

12
knisternd öffnet' er die library.

13
der quergelegte baumstamm die nackten füße das bahnwärterhäuschen der zahnschmerz und die erste kopfwäsche, die landstraße bergauf mit den augen zu verfolgen, und ein teich mit lauten fröschen.

14
ohne rücksicht auf die autofahrer haben sich rund eintausend frösche auf einer schnellstraße nördlich von kuala lumpur eine blutige schlacht geliefert, nach augenzeugen berichten war die kampfstätte von lautem gequake erfüllt.

15
schriftstellerte hündisch auf dem fußboden.

16
ich denke es wird stürmisch frühling notierte sie.

17
hinter ihren äquatorialen lidern malte sich eine wichtige schwarze sonne.

18
was hatten wir voneinander in diesen acht jahren nach den poetischen meraner tagen nur briefe haben uns zusammengehalten.

19
können sie in isabells sprache nur schweigen?

20
unten sehe ich eine bauernhochzeit ich gehöre nicht dazu und fühle mich ausgespart schrieb sie, und er entgegnete du bist immer dabei denn durch dein sehen wird alles erst wirklich.

21
mit kindern und herden wanderte ich neben ihm.
22
meist ging ich weit vor ihnen her lief weit voraus so daß sie mich mit ihren stets besorgten blicken nicht fangen konnten. deklamierte selbst erdachte gespräche oder schnitt ihnen grimassen aus einer entfernung daß sie es nicht wahrnehmen konnten.
23
appelle.
24
hat gesungen gesprungen mit dem schiefen schusterjungen.
25
nämlich unter den männern nämlich krachte es plötzlich.
26
versanken in den teppichblüten.
27
als sie ihn verlassen wollte schrieb er in einem brief an sie, if you would love me half as much as i do you wouldnt stay as long as you do.
28
der dachs sah seinen schatten.
29
die liebe kam für albertine und julien per motorrad.
30
die transparenz deiner lockungen ist so verflochten in alle stunden meines tages und meiner nacht daß ich alles auf sie beziehe.
31
gesetzwerk zeitleere seelgerät.
32
liege im gras lesend staunend weinend.
33
die araber wälzen steine auf die dattelpalmkerne daß starke bäume daraus werden.
34
autos ausgepflückt.
35
sie sagte wenn nicht sie mich mitnehmen dann wird es ein andrer sein.
36
telepathische kunst, in weißen feldern.

37
bügelfibel.
38
befragte seinen nabel, sollte er?
39
das mädchen neunzehn eine vagabundin die durch die straßen zog, der mann dreiunddreißig vertreter eben erst aus dem gefängnis entlassen.
40
sie die königin der nacht die schon gar keinen namen hat.
41
brecht was here
42
er sagte du mußt dir genau überlegen ob dir die rolle des cowboys liegt; man wird nur deine beine in stiefeln zu sehen bekommen.
43
nuditäten baumscheiben schrippenbaum.
44
türklitz.
45
sie saßen auf einem felsblock als es stürmte; ihr wurde kalt; da packte er sie lachend an beiden schultern und rüttelte sie wie einen sack; lieber dachte sie, sack schrieb sie, unten im dorfgasthaus nachher an den rand der lokalzeitung.
46
aktion wahn fantasie ufert aus.
47
ein weites gelände vielleicht früher rollfeld, unbewohnte verfallene baracken gelbe blumen gras, der mond, und er vor dem mond, sein hut ins gras rollend als er sie umarmte.
48
am ziel sein feldbauer bein haus.
49
spähtrupp auf leichter mulde wie auf stichwort: unsre mutter.
50
albertine sarrazins kurze begegnung mit dem glück.
51
mohnsaft, mißverrichtungen.

52
die schreibmaschine steht noch am fenster das papier eingespannt, so als ob albertine nur für einen sprung weggegangen wäre.

je eine frau oben & unten

sah sie im profil sitzend bei straßenbahnfenster, in die graue nässe blickend, schmalnasig dunkelhaarig vorkriegsfrisur: straffe dünne außenrolle rund um den kopf genadelt, perlen an den ohren; so mußte misa, nun bald siebzig, vor vierzig jahren ausgesehen haben.

sah wie sie immer wieder an mir hochblickte da ich stand, neben ihr wo sie saß und ich fragte mich kannte sie mich? erkannte sie auch mich von früher weil ich wie jemand aussehe der so aussah wie ich vor vierzig jahren ausgesehen haben mag.

sah sie im profil stehend neben mir, blickte mich ununterbrochen von der seite herunter an, machte den eindruck als ob sie kontakt mit mir aufnehmen wollte; sitze hier will nichts als möglichst rasch und ohne störung an den ort gelangen wo ich hin soll.

vielleicht kennt sie mich von irgend woher oder ich sehe jemand ähnlich den sie kennt oder gekannt hat, oder sie verwechselt mich mit jemand und denkt an eine person die ich nicht sein kann, indem sie mich anblickt.

zur trauermauer gewendet

winter. durch den ort giorgiotto mit der straßenbahn zu einem haus mit offenen fenstern. ich erfahre von einem mädchen mit unwissenden dennoch mitfühlenden blicken daß mein freund beim schwimmen im meer ertrunken sei, das mädchen reicht mir eine karte auf der ort und stunde der totenmesse abzulesen sind. später reicht mir das mädchen eine briefmarke die einen violetten engel zeigt. meine kehle ist zugeschnürt und ich berechne wann er gestorben sein muß und wann dieser tag sich jenseits der trauermauer wiederholen werde. trotz des tiefen winters rauscht eine dichte grüne baumkrone vor meinem fenster. ich fühle mich selbst ertrinken, nach atem ringen, unter wasser an gewicht zunehmen, während ich mich aus dem fenster beuge.

für günter eich

augenaufschlagend am morgen.
sie geht und läutet daß sie sich nicht verirrt. sie geht und läutet daß ich nicht wieder schlafe. ich hinter den blattvorhängen meines nußbaums. ich sehe das gallische tier rotlappig und mächtig an brust und krone. durch seine spreizzehen stechen die vier pfeile des winds. ich höre das hämmern eines werkzeugs im garten, siebenmal. ich höre ein knabensolo. ich höre einen schwalbenschrei.
augenschließend am morgen.
kuh hahn werkzeug knecht und schwalbe. augenschließend am morgen: es wird ein tag von träumen. immer wieder.

im knopfloch der urwald

um über die brücke von unter-purkersdorf zu gehen, bräuchten wir einen moosgrünen vorwald, ein paar knoblauch pflanzen, ein auskunftsgasthaus und eine anhöhe mit bäumen, aus deren unbelaubten ästen wegweiser ragen. am stamm des höchsten baums würde sich ein schild mit aufzeichnungen über die verteilung der erde befinden. moritz von schwind, sowie die alte wirtin, würden uns sorgenvoll grüßen. wir würden ruhelos zwischen gasthausgarten und schank wechseln, und der oberkellner würde in den himmel schauen und regen ansagen. ein dicker bäuerlicher mann würde eine junge birke in jenen teil des gartens tragen, der hinter dem haus liegt. unsere füße würden in der straße aus lehm und sand versinken.

blick an der brücke

wo die wien und der donaukanal erdbeerfarben & lorbeerfarben; wo die gewundenen mövenflüge mit den bekränzten stromschnellen; wo die betrachter einen ausschnitt aus einem historischen gartenbild; wo die betrachter sich in die fernen silbernen wägelchen des riesenrads; wo die frachtkähne; wo die fähnchenschiffe; wo die ankerwerfenden paare; wo die lindenbänke; wo die einwärts wippenden augen.

den gelben mond schlürfen

esteban und die brücke von lima; eine solche die in den himmeln hängt; und wo drüber der mond hängt, und esteban möchte den gelben mond schlürfen; eine wahrhaftige hängebrücke; esteban schaukelt auf ihr. und hat den blick auf die marquisa geheftet die am andern ende der brücke wartet. drüben öffnet er ihr die haare und berührt sie an den innenflächen ihrer hände. in der dämmerung ein stück feuchter waldwiese ganz dunkel, neben der brücke, dorthin gehen sie beide. sie halten einander an den händen. mit der freien hand pflückt die marquisa blaue blumen, während esteban immer wieder mit anhält ohne selbst sich nach blumen zu bücken; er spürt wie er in den schultern nachläßt wenn sie sich nach unten neigt. sobald sie in eine lichtere dämmerung kommen, hat er den wunsch umzukehren. er löst seine hand, geht rascher voran und möchte allein sein.

absalom

da er die schlacht verloren hat sieht er aus als habe er gesiegt. er rückt noch einmal im sattel hebt ein wenig das haupt mit den blonden locken, verläßt die furchtbar hingestreckte ebene und betritt einen wald. es ist völlig dunkel um ihn; er reitet sein maultier mit verhängten zügeln, daß der wald bis an die wipfel. dann sieht absalom ein brausendes rot an den himmel geweht, das erinnert ihn an seine wunde am fuß. in der grünen stille tönt ein buchfink. lichtgrün, und das macht ihm die sinne auf und wieder zu. er reitet so mit geschlosse-

nen augen in einen kräftigen ast der sich vor ihm gabelt. während sein tier sich löst und schon tief in den eichen irrt hängt er im hauch des feuchtgewordenen winds, und hat sein verzücktes lächeln bis an die stirn gespannt.
die eigentlich morgenröte jedoch, die eiserne.

odysseus-variationen

1 nausikaa

der ball rollt in einen strauch und verfängt sich, die sonne geht in den büschen unter. odysseus trieft im schilf. sie beugt sich über ihn. die sonne ist gesunken. während der abend beginnt, werden ihre brüste marmor. sie ergreift den ball. hält ihn an die wange. er greift nach ihrem fuß. sie versucht einen ruf. ist schon zuviel. sie bettet ihre wange in seinen blick. sie betastet seine tangumwundenen lenden. er löst ihr die sandale vom fuß. sie ruft wie ein aufgeschreckter vogel. und webt ihm schon das gewand: bläue und seewind im faltenwurf. das gesalbte haupt in ihrem schoß. sie ruft. sieht den ersten stern und den glanz in seinen augen. die gestade des himmels, denkt sie, mögen ihn aufnehmen. sie ruft und mündet schon in seinem mund. sie ruft und streift die sandale vom andern fuß. sie geht mit bloßen füßen. das himmelslicht.

2 kirke

sie geht schritt um schritt rückwärts. er folgt ihr in einem geringen abstand. sie sinkt in den tiefen polsterstuhl. er fliegt heran. sieht in ihren augen silber. die schlachtbärin. ich nehme, sagt sie, deine gedanken ab. pflücke sie. behänge mich mit ihnen, so daß du nur noch denken kannst was mir gefällt. er lächelt verwirrt, hat knie und nakken gebeugt. er denkt, ihr haar schwarzglänzend, ihr schoß bläulich, eicheln in ihrem haar, durchscheinendes gesicht. er erhebt sich und will fliehen. tritt aber immer denselben spuren nach. grüne hirtentäschchen. drüben das meer, kühler wind. sie blicken gemeinsam ins wasser.

3 kalypso

das grüne haar klatscht. der grund des meeres. weitläufige wiesen münden in dunkle urnenalleen. sie geht an seiner seite. naß und mit grünem klatschenden haar. es schlägt wurzeln. ich gebe dir, sagt sie, eine immer währende kraft. er hat ihr grünes haar an seiner schläfe. sie steigen an zu einer brücke, die über einen fluß schlägt. laß mich vorausgehen, es könnte sein daß penelope. sie folgt ihm langsam. du träumst odysseus, sagt sie leise. odysseus denkt, ich höre die stimme penelopes.

4 penelope

er grüßt sie und sagt, du bist pünktlich, und küßt sie auf die wange. es ist ein feines netz zwischen ihnen. vielleicht wegen der langen trennung. sie gehen im brausenden licht des monds. der sand rollt ins ausgetrocknete becken. er betastet die feuchten unterirdischen gänge. die wege sind mit eis überzogen. geh nicht so rasch über die eisglatte brücke. trägst du schwer, trägst du die ausgestandenen ängste über die brücke, brennen sie dir die haare, spinnen sich winzige tiere in deinen mund, reißen sie dir die nägel aus, blenden sie dich mit nachrede? zwischen zwei marmorsäulen eine steinbank. flutendes gelb des morgens. ahnungen, licht, kornfelder, gesang. er erwartet sie. sie sieht aus wie penelope. odysseus versinkt in ein tiefes schauen. die frau beginnt mit dünner stimme, sommerfäden zwischen geknickten statuen.

in diesem garten

schichten wie schichten, übereinander, alle streifzüge, alle jahresringe. zog mich an sich spiegelung teich, mit marmorrand wie spiegelrand, starr eingefroren, meine erinnerung an mich, stehend neben dem spiegelteich, schauend in diesen spiegelteich, festgefroren im stehen, im erinnern, im erinnern meines damaligen bildes von mir selbst; oder berieselt mit kies; sturznah; die kinderschritte nachmessend; ein alpengarten, viele jahre nachher wie österlich fächelnder palmfinger: osterabschied, eine bank in der sonne, strahl einer

irrenden sehnsucht; durch alle schwarzen tore zugleich tretende versträhnte schönheit einer flügelschlagenden sphinx; die gartenüppigkeit mit veilchenblauen geschossen, und pfeilt über mich hinweg; wildgrüne wände efeu; warme drosselstimme; wehende fontäne; junifarn; gerank von sonnensträußen; alles ist amseläugig!
ein später frühling; stramme kleine alleen; sickernde träume; tropfender mond. hochgeworfene kinderbälle, die oben im blauen stekken bleiben.
eine flache mulde im gras; eine doppelstiege; zwei kinderreifen im sand. in wehenden büschen.
versammelt im geharnischten gold.

permutation haus

die wilden schwertlilien blühten über der schwelle, und die birnen die am birnbaum vor unserem haus hingen, lagen in grünen scherben vor meinen füßen.
ich taste mich in der dämmerung durch den innenhof des hauses, und die beete sind tropfende malfarben grün, wie meine mutter mit alpenrosenwangen, alpenveilchen-augen, zählt mich zu den sanftesten schmetterlingen; knüpft mich in den blumenteppich.
ich, aus dem haus hinaus lauschend, habe mich am rost des geländers verletzt, das den vorgarten zur straße hin abgrenzt.
ich tappe durch dieses große dunkle haus das meine vorfahren besessen hatten. der wind bauscht die weißen flockigen gardinen nach innen; ich trete auf zehenspitzen in die in einander übergehenden zimmer – vielleicht sind es fünf. neben dem haus unser großer garten, voller lilien. an der brücke die graue statue des heiligen nepomuk. uferlang die weiden, graugrün mit runden häuptern. hinter der brücke verliert sich die erinnerung ins ungewisse einer dorfschule, einer dorfkirche; dann nur vereinzelte punkte, wilde apfelbäume beiderseits einer fahrstraße, schwarze fauchende walze bahnhof.
durchs haus gehen, über die schwelle treten, eine tür öffnen, die tür hinter sich schließen, aus einem fenster blicken – es muß august sein – niemanden wecken, aus dem ersten zimmer ins nächste gehen, ursächliche zusammenhänge auch hier bestreiten, sich auf einem

kalten bett niederlassen, sich sogleich erheben, in einen spiegel blikken, aus diesem zimmer in ein anderes gehen, und aus dem anderen in ein anderes, und aus diesem in ein fünftes.
ich betaste die stühle, die schränke, die tische, die türen, die wände, die bilder, den fußboden, ich öffne die türen und schließe sie hinter mir, ich folge mir selbst. es ist die permutation des gehens des öffnens des schließens des aus dem fenster blickens des berührens von hausrat; es ist die permutation des lebens.
es muß august sein.

ein schnalzen zum gewesenen kirtag

die sesselrücken waren herzen aus luft.
der holunder duftete holzschlag & harzblut. der ackergaul, und wir logen uns lümmelweis durch.
ich zähle deine augensterne; öffnete die tulpenvorhänge, blinkgeräte deine regengrauen augen. es regnet schon lange; die blumen im krug, der klee in der hand. wind und regen zischen herein.
im glassturz der ort, und wenn man ihn schüttelt schneit es.
pumpwerk aus kreidepuste; schnüre meiner wachträume; zuschneider mein vater.
ja sagte mein vater, schlote und riesenscheinwerfer in seinen armen wie damals in störmede, als er die schönen briefe schrieb. liebe mama, hier in der doldenschwüle des weißen frühlings eine englische maschine gefunden. sie singert ein wenig. macht euch alle daraus hübsche blusen. über dem rheinland die großen regenbogen, wir beginnen mit einem stürmischen trommelwirbel.
und zum tambour sagte er leise, los.

colombine III

es begann so daß margaretes verlobter spät abends auf einem roller vors haus brauste abstieg in die stube trat grüßte stumm gegrüßt wurde; margarete sang; machte vorbereitungen für die taufe am nächsten morgen. das grün und rot paßte gut zu ihrem gesicht; sie

brachte die blumen in ihr zimmer, füllte eine vase mit wasser und steckte die blumen hinein, stellte die vase auf den tisch begann wieder zu singen und streifte an die tischdecke. die vase fiel um, das wasser durchnäßte das tischtuch, rann auf den boden aus dem zimmer über die treppe in den vorraum hinaus vors tor, wo wir standen. wir schauten eben aus der sonne in das schattige zimmer in dem die schwester margaretes lag, den blick auf das kind an ihrer seite.
als sie am nächsten morgen aufbrachen mit dem kind auf dem arm, und margarete als patin, und als der ford vorfuhr, und als wir ihnen nachschauten, und als sie alle dahinbrausten, die ganze taufgesellschaft in weißen und grünen gewändern, und als das seidentuch weggeweht wurde, und als wir ihnen nachriefen, wie soll das kind heißen? da waren sie schon verschwunden.

festrechnung, finsternis

die stadt hatte kein zimmer für mich bereitet.
folgsames weißes lay-out, sichtbarkeit der planeten.
die frau in der aufnahmekanzlei fragte mich, haben sie ein vorhängeschloß mitgebracht? das konnte ich nicht wissen, verneinte ich. ohne vorhängeschloß keine aufnahme, sagte sie. drüben in der eisenhandlung. aber beeilen sie sich, es ist eben ladenschluß.
kann ich jetzt hierbleiben, fragte ich.
ich zeigte das vorhängeschloß in meiner hand.
gehen sie hinauf in den ersten stock, sagte sie nickend. öffnen sie die weiße tür zum schlafsaal. wählen sie sich ein bett. ich weise ihnen dann einen spind zu.
dann mit ausgebreiteten armen, im augenblick ist kein bett frei, sagte sie. aber sie können in einem der spinde übernachten.
sie öffnete einen spind und befestigte mein vorhängeschloß daran.
ich schlief zusammengekauert in meinem spind. mein rücken schmerzte als ich erwachte.
auch konnte ich sehen, daß alle betten unbenützt geblieben waren.

das hündchen mit den blumenaugen

als die blauen südwestwinde in die azaleenblüten bliesen und eine offene rote blüte entblätterten hielt albert seine hände wie ein dach auf, und wir banden gemeinsam die gefährdeten zweige hoch; kümmerten uns auch um die übrigen topfpflanzen die hier im lichthof des hauses der sommerhitze ausgesetzt sein sollten. wer die vielen blumen in ihren töpfen und schalen täglich gießen sollte, wußten wir nicht. wir warfen noch einen letzten liebevollen blick auf die blumen und albert rief aus: cézanne hätte seine freude daran gehabt!
während wir in helgoland die küste durchstreiften an distelblumen und dornenkehren vorüberwanderten während wir die felsen hochtasteten und wie möven umkreisten, schreiend, daß die invasion der fremden wie ein fernes summen klang, tief im heidekraut, in den kahlen stellen, in den braunen gräsern verirrt, während wir uns vor dem betonherzen der neuen kirche neigten während wir aufs gewellte wasser blickten und plötzlich den flug der vögel verstanden während wir von einem augenblick zum andern aufhörten die brosamen des lebens aufzupicken fest entschlossen uns fortan von den kristallenen lüften zu nähren während wir die salzkrusten auf unserer haut entdeckten, denn wir waren muschelmenschen geworden bräunlich perlmutterschimmernd, während wir nach stundenlangem wandern an der wildfläche und durch sonnenstrahlen hindurch und über windböen hinweg am ende doch etwas wie hunger und durst und mattheit fühlten – da stand das haus vollkommen leer. das dauerte bis gegen anfang des monats.
unser erster besorgter blick galt den blumen; aber sie waren nicht mehr da. in der schattigen ecke des hofs saß ein wimmerndes hündchen, mit augen die uns alles erklärten.

die waldflöten leise

studiere wetterkarten und prüfe den wind. während die nassen weichen windpantoffel. habe umgang mit albert möglichst einmal in der woche; es hängt vom wetter ab. bei schlechtem wetter läßt ihn die stationsschwester nicht hinaus.

ich habe mich nun mit allen meteorologischen stationen in verbindung gesetzt: sie mögen das wetter über dem garten des krankenhauses beeinflussen.
wären die kronen der bäume nicht so dicht könnten wir den himmel sehen. so schweben wir zwischen malvenhecken und pavillon eins. flüstergesprächen und überraschungstüten. umarmungen und genesungswünschen.
leise gibt der moosige waldboden nach; die waldflöten leise.
wir schwimmen in ahnungen abendlicher unterwasserreisen und weltraumfahrten. bewundern gagarins kinder und nehmen abschied um mitternacht.
außerhalb des gartens ist schlechtes wetter. hier in der zone des gartens, und die helle sonne, der helle himmel.
und mit gefiederten leuten und leutinnen, natürlichen halifaxen.
bis die außenwelt wieder gutes wetter bekommt, am tage seiner entlassung.

ich lege mein ohr an den meridian von greenwich

dem globus zuliebe sich anjochen;
in margate nämlich sehen wir das meer wieder; ein anderes als in dover; und ein anderes als vom stehenden schiff.
es ist ebbe; es regnet; was für sanft gebettete regulative!
ich gehe weit hinaus, suche muscheln und kreidestückchen. sehe wie sie drüben hinter dem badehaus auf eselinnen reiten; die stapfen auf dem sand; die kinder jubeln. alles riecht nach fisch und algen.
ein muschelverkäufer preist gleichmäßig rufend seine ware an.
wir gehen die straße hinauf, bis zum hauptplatz, halten in einiger entfernung vom strand. eine wunderbare häßlichkeit!
das in der luft wandeln!
das an einem fremden orte wesen!
zerrspiegel und überzuckerte früchte.
wie man im zug sich entfernt, und die augen noch sieht dessen der abschied winkt und steht, dann sein gesicht, seine gestalt, seine hand, sein taschentuch, dann nur noch sein taschentuch.
man lebt sich zuguterletzt ein;
daß er sich in ihre ohrmuschel verirrt hatte; daß er ansichtskarten

zurückgeschleudert hatte; daß er durch belebte straßen geschlendert war; daß er etwas gegen fieber eingekauft hatte, in einem tabakladen. ein heißes getränk bitte.
auf polsterstühlen richard der dritte in farben. nachts briefe nach haus. am morgen kalt und trüb; dann regnet es tagelang.
diese geschosse können mich nur streifen nicht treffen, sagt er, es gibt nämlich keine sonne hier. ich besuche die tate gallery; ich liege im hyde park und friere; ich stehe auf der tower bridge; befreunde mich mit den wappentieren in hampton court; lege mein ohr an den meridian von greenwich; abwechselnd wie jahreszeiten & wogenschwall. ich trinke tee; ich stehe schlange; ich fege um häuserecken; ich erwarte die glocken von big ben; ich gehe im frühlingsregen unter dem dach einer tankstelle hin und her, heftig weinend;
die radebund!
die fleiß-&-blut!
unserem haus gegenüber eine allee die abwärts führt, dorthin gehe ich morgens wenn alle schlafen.
hochwipfelige bäume die französisch aussehen, und wie das gras erst nach stunden wieder aufsteht: cant your kater answer the telephone?

tropenkunde

dieses askanische land, von friedrich eisenzahn (wendiger fischer & bär, mauxion & reichspferd) gegründet gewendet und bebaut, wurde selbsttätig elektrisch und botanisch.
dieses askanische land, tropischer wintergarten mit gartenfüßen und pfauenfüßen ist eine eisenbahnflöte am knie, ein reisekavalier, ein insektarium, eine quelle zur dunkelheit.
dieses askanische land, kniend am knie zur dunkelheit, ist ein tor, eine linde, ein roter kies, ein kandelaberfeuer.
ein küchengarten in den tropen, ein festplatz für aufmärsche der langenkerle. in diesem askanischen land gibt es die echte askanische fantasie, den echten askanischen verzehr; tanzleitung ottchen die sonne; große ballmusiken, und in nervöser eile palmensaal bereitet; alle zwei minuten kippt die sanduhr um. zum zeichen, daß in diesem askanischen land ein tropenkind geboren ist; alle sieben minuten kippt die sanduhr weil ein langerkerl stirbt.

nicht weit davon breitet sich über den palmen & faßt einen menschen an mit ihm zu tanzen, schwebt über bedachung, ein tanzendes sterngewölbe, palmend. dieses askanische land, halbinsel, halbchor, tropisches auerlicht, hält auf maulbeerbaum-plantagen in alter weise.
(»... und schlössen dieses askanische land, tropischer...«)
die modernen fassaden tropisch & hitzig entworfen, von lichttürmen überragt.
glänzende hundekehlstraße; baumbestandene langekerle; zockeltrab.
dieses askanische land – in seinen riesigen gärten in seinen weißen totengärten fabelhafte vanille. orchideenhaine. glashärte in bäumen & dächern.
blütler, tropischer dem auge kletternd, & farne.
seine menschen kauten die tropischen musen, stundenlang & häufigergast, heiligergeist.
knackfuß durchs land, durchs askanische; kauten palmenblätter, zigarillos. auf ihren künstlichen nebenarmen trugen sie, die askanischen flüsse, ein gemisch von stockfisch und rauch, und botanische perlen.
nach motzen, am frauenplan wärmte; zieht's den besucher...
die beiden letzten überlebenden dieses tropischen lands, zwei ältliche schwestern wenige schritte von den palmen (palmungen) entfernt, nur wenige schritte entfernt, würden sich nun erheben und mit ihren schlaffgewordenen jagdhornbrüsten.

zusammenbettungen: das meer & spitze des schlosses von der

anklamm geht durch die riesenstadt, anklamm.
anklamm, denkt anklamm. auch du anklamm auch du?
(begrüßt die zarte linke.)
anklamm debütiert anklamm.
anklamm, denkt anklamm fast wie innen. franzosen, fröschweiler, faschinenmesser.
anklamm geht durch die riesenstadt, anklamm.
debütiert vaterländer.
diese rufen dringend: anklamm! anklamm! angelsächsische taxipe-

rücke, halbmops halbmädchen ruft sanft: anklamm ... anklamm.
anklamm geht durch die riesenstadt, hotel rheingold.
solches haus, anklamm, solches haus.
atlantis. solche stadt. ist die ganze tiefe außer fiat.
haltet mich nicht auf, ruft anklamm. der herr hat mir eine reise aufgetragen. lasset mich ziehen, ruft anklamm, verschwiegenheit !
glänzende höhle, hotel rheingold. anblick von einmaliger schönheit.
höhlchen schall, dem boden wo sein fuß, fels glätte frauen (verführen).
am juliussturm.
anklamm. bremsmanöver.
panik. paniklicht. hotel rheingold. halbchor, ätzungen.
von äußerster schönheit.
eine explosion von wohlgerüchen, hotel rheingold.
anklamm geht raus aus dem hotel. in gestalt einer zerfließenden braunen masse.
wenn ich in meinem elch, denkt anklamm, sessel, denkt anklamm, wenn ich erst einmal in meinem elchledernen, denkt anklamm, füllsel.
anklamm geht durch die riesenstadt, anklamm.
anklamm, denkt anklamm, fast wie innen. bloß ein achselzucken.
flöte, sordun, baß, der chor hatte probe, die hundsveilchen.
anklamm geht durch die riesenstadt, vaterländer, verschwiegenheit, schnafter schlitten.
anklamm geht durch die riesenstadt, anklamm.
scheint daß es besser, denkt anklamm, wenn auch karfreitag spät.
anklamm, denkt anklamm karfreitag spät. prüfung bestanden, gratulationen, fiat!
der chor hatte probe, die flöten. also dann bach, also bach, denkt anklamm. vielleicht sogar schubert, anklamm, nein nein denkt anklamm, anklamm, vielleicht was zum tanzen. hotel rheingold. der chor hatte probe.
anklamm geht durch die riesenstadt.
überdachte terrasse, garten, denkt anklamm. anklamm, denkt anklamm garten & tamarisken, oleander, rosen.
anklamm, denkt anklamm weitet sich, pfirsiche, orangen, was reif ist.
anklamm geht durch die riesenstadt, anklamm.

solches haus, anklamm, denkt anklamm, atlantis, solche stadt. hotel rheingold.
ist die ganze tiefe außer fiat.
pfirsiche zitronen orangen, was reif ist.
anklamm vor den gärten.
anklamm atlantis, bis zum eisfell der dämmerung, anklamm!
hotel rheingold, der verwilderte park.
anklamm, denkt anklamm, atlantis aus dem meer zu erheben, zu heben.
die wolken denkt anklamm die wolken, wolken denkt anklamm, feixen.
anklamm geht durch die riesenstadt, anklamm.
das meer und die spitze des schlosses von der. immer erst sehen was läuft anklamm, denkt anklamm.
am schrippenbaum fest, anklamm!
und ist was in der luft, denkt anklamm das veränderung, veränderung ankündigt, veränderung!
anklamm, denkt anklamm, atlantis, hotel rheingold. das streitquartett, gesoffen, gebumst, gesungen, gegrölt, anklamm! voriges mal & zu dritt!
so grenzfälle zu dritt, anklamm, denkt anklamm. ein mädchen zu dritt, hotel rheingold, am schrippenbaum fest.
anklamm geht durch die riesenstadt, anklamm.
wolken, denkt anklamm wolken. feixen. bürgerablage, höhlchen.
horizont, anklamm, atlantis! das meer und spitze des schlosses von der.
anklamm, atlantis!

erstes hauptstück

unter allen umständen bleibt es mißlich.
drück die wunden! dem panther starrt das rosenfell, und fiel mit der ganzen wucht seines männlichen auf die zebra die unter ihm zusammenbrach, während die übrigen auseinander stoben.
(»bleib nymphe bleib ich bin dein feind ja nicht daß du so läufst mein liecht . . .«).

so watt vormittags.
fedoskino, und die kinder flohen in ihren schoß zurück.
weiß, rankrücken; zurück zum maxplatz für zartere berührungen.
eingehäuster herbst, kalte sonne, krähen (»trinken sie?« – »wolln wir uns 'nen sekt...?«).
so nah divan nah, und hängt auch mit dem frühling zusammen.
'ne halbe antilope zwischen den fingern!
liebkoste mich um dann mich aufzuwecken mit krauser mähne an der außenseite schwarz, in der mitte ins rötliche ziehend. verschiedenes kleid. blüten durstig.
stupend!
rannte aus dem zimmer, die aktentasche unter den arm geklemmt.
die überhöhung des häuslichen horizonts; eine luftsäule; das ende einer linie. so heißen punkte die keine ausdehnung haben, und wie die faulen halben birnen, die wir runterschmissen.
ein klavier in einer sturmnacht rast die drei etagen runter.
hinter der theke, inmitten von rubber soul, mit einem pflock, tief im keller. abgespannt schnur & schirm, daraus folgt daß sie einen weg beschrieben, nämlich sie beschritten das viereck des kalten sonnigen maxplatzes. wenn ich nicht endpunktete, klavierte (»sind sie verheiratet?«).
so daß die abbilder auf der bloßen haut bleiben, tisch, stuhl, erker, vorhang viele abziehbilder, in die nächtliche szene.
himmel in die sehne, winkel, tangente.
abendplatte steinplatte garten stein garten urne, italienischer garten am morgen vom dachfirst gesichtet, und die aufgeweichte sonne.
grau und grün blau der himmel; immer tiefer und langsam versinken die stühle ins erdreich.
trinkbecken, sommerplaches kind, wo schule? wann aufstehn? was fühlen?
fahrrad durchs raschelnde, pustende gerank, gebüsch; maschinelle alleen mit gummi gärtnern.
haben zwei etwas gemeinsam, flackern kerzen augen; so viele sekunden & minuten; so viele scheinbare horizonte:
annäherung an einen ersehnten zustand, du durch alles.

zweites hauptstück oder ansätze zu einem brief

die jugend ist strengstens.
ihr scheitel wird sich nähern; die nulle, der inbegriff schrecklicher ernüchterung.
mit dem silben rücken drückte er mich an die wand; eine sense durchs haus. durchs riesige schlüsselloch zwängten wir uns, parketteten neben hühnermist und kaum existentem holunderbusch.
große zimmerlinde auf dem flur, bei nacht schlingt sie die arme um mich. die wechselweis sonnigen & schattigen gemüter; unsre milchhaut.
botschaft eines hauses und halb fliegend, durch den innenhof, amansschwarz, verkohlt, nikoll.
wir schwirrten aus dem riesigen schlüsselloch in den innenhof mit holunderbestand. keine hühner aber deren mist, eine geweißte wand, durchbrochen von fenstern. und da baun wir 'ne mansarde mit blumen und so!
im straßenseitigen zimmer wo jetzt der kohlenvorrat für den nächsten winter; ist nur ein einziges schiefes fenster; und einen teppich aus daisies machen wir auch; köpfte früher immer die blumen bis es einen tollen teppich. auf schiefer das weiße gehöft, wie's hockt.
'n vierkant erster ordnung, und uralt; und wir bekamen's ins rötliche backengesicht, zwischen die zähne, unter die fingernägel, an die beine.
ein sprühregen; die spritzenhäuser der umliegenden ortschaften fanden unsre pyramidalen körper die aus der entfernung wie mükkenschwärme, emporglosten. fanden uns in auflösung, die entblößten krummen linien unsrer körper, unsre feuermähnen.
so weinen uns alle noch eine träne.

der handschuh

sie gebrauchte ihn solange bis er ihr anpaßte; er gebrauchte sie solange bis sie ihm anpaßte.
wenn sie eingeschlafen war und er schaute von der straße zu ihrem fenster auf, erwachte sie.

sie sprach viel zu ihm, und während sie sprach lernte sie zusammenhänge begreifen. sie erkannte die wichtigkeit ihrer beider gespräche, sobald sie beendet waren. sie überschätzte ihre versöhnlichkeit; gab sich auch versöhnlicher als sie es im grunde war.
angewohnheiten wurden immer wieder auf ihre tauglichkeit geprüft.
von zeit zu zeit baute sie neue ansätze.
sie vereinigte in sich die bequemlichkeit einer landschnecke und die flatternde tastbereitschaft einer fledermaus.

die petronella, die peitsche

sie steht hinter dem pult die petronella verblüht, denkt an nachmittag. unterhalb der nase wund. teilt einen wecken brot sehr gleichmäßig. er möchte rechtschaffenheit vortäuschen, hält sich aufrecht wie ein tanzbär. verschwollene fäuste.
des briefträgers chronische fröhlichkeit. fischäugige an halboffenen morgenfenstern. eine alte bewegt sich wie ein absackender kreisel, nach allen seiten winkend und grüßend. der brotlieferant die ziehharmonika aus heißen laiben an seine brust gepreßt.
sei schlau sagt er und mir rinnen die tränen dabei, ich weiß was er meint. und dann schickt er das dicke mädchen weg damit wir allein sind. johnny is the boy for me. ein rosa klavier steht in der auslage, da lachen seine augen. lachend betritt er den laden, zieht mich hinter sich her, läßt den rosa flügel für mich einpacken und überreicht mir das riesige paket.
wie im flugzeug als wir die erde nach menschen absuchten. einen schnitter entdeckten und dann einen radfahrer, und ein paar leute um einen heuwagen, und dann immer mehr. wir lernten endlich, die menschen als punkte zu erkennen.

alarmstufen

1

der reiseautobus hält auf dem hauptplatz der kleinen stadt; auf dem gehsteig an der linken seite des wagens steht eine kleine alte frau mit einem kind an der hand. sobald sie gewiß ist daß der wagen nicht wieder anfährt, geht sie nach vorn, überquert vor dem fahrzeug, dieses immer im blick behaltend, den platz bis zum gegenüberliegenden gehsteig. so ein weites viereck beschreibend, langt sie knapp hinter unserem wagen wieder an.

2

man hat sich in dem großen gästehaus eingerichtet, mitsamt den heimatlichen gerüchen. das bewußtsein, mit beinah fremden leuten wand an wand zu wohnen, bewirkt eine art peinlicher belastung so daß dieser und jener bald das bedürfnis bekommt auszuschwärmen, um einem drastischen beschämenden lokalitätsgefühl zu entkommen. die gäste verlassen einzeln beinah alle zur selben stunde das haus, um einen spaziergang zum nahen waldgasthaus zu machen.

3

während ich in dornigen büschen irre höre ich die sanften stimmen zweier mädchen aus unserer reisegesellschaft; sie warnen einander vor dem möglichen erscheinen eines wilden schwarzen pferds. da dieses gespräch beinah ohne unterbrechung und mit den gleichen worten geführt wird bereitet es mir mehr unbehagen als die befürchtete realität.

4

sie ist groß und blond und von blasser üppiger würde. sie steht in der tür und schaut über ihre runde weiße schulter geradeaus in die augen ihres erwachsenen sohnes.

5

von unten her rotgeschirmtes licht, wir sitzen eine etage höher im café an einem kleinen marmortisch. die gespräche wie ausgespannte seile über unseren köpfen. ehe man sich absacken fühlt, warm und lidschwer, kann man dort sich gerade noch hochziehen; ein paar worte anlegen, wie domino-augen. dennoch immer tiefer sinkend in schläfrigkeit und noch später in sekundenlang geträumtes; während die darauf folgenden wachen sekunden das eben geträumte bewahren und es gleichzeitig weitergeben an den nächsten kurztraum. so zwischen wachen und schlafen antworte und frage ich, höre und spreche ich in einer befangenheit die mich belastet, die mich beunruhigt, die mich fühlen läßt daß ich mit meinen worten davon schwimme, ohne halt und ohne ende.

die benennung der dinge

sie hatte sich ins heiße bad gesetzt.
er machte die badezimmertür auf und sagte, servus wo ist die ingwer marmelade?
sie antwortete, auf dem küchenregal.
später bellte es unten im flur.
er machte die badezimmertür auf und sagte kauend, hast du was gesagt?
sie antwortete, nein das war der fifi.
später kam sie abgetrocknet und nicht angekleidet ins zimmer.
bist ja ein fan, sagte er.
fan, fragte sie.
sagt das nicht so dein vater, sagte er.
sie kicherte leise.
na du fan, sagte er.
fan, sagte sie und begann sich anzukleiden.

die lüfte geschirrt

er blättert in alben und zeigt auf mich wie ich auf einer terrassenartigen wiese stehe daneben verstreute gestalten, oder wie ich durch die dunklen gänge der veste coburg gehe und selbst fotografiere, oder wie ich mich mit einer dogge aus papier-maché anfreunde. sie ist glasäugig und lebensgroß, trägt einen mantel aus leder und gesticktem samt und ein zaumzeug.
ich streiche ihr über die ohren, sie blickt mich an und fordert weitere liebkosungen. ich flüstere daß ich die dogge mitnehmen wolle, doch er weist dieses ansinnen zurück. oder wie wir zu füßen des siegesengels stehen, zu seinen riesigen runden augen hinaufschauen. wir lassen die köpfe nach hinten klappen und halten die gesichter hori-

zontal, so landen wir auf der galerie neben zwei großen steinernen füßen. oder wie wir die breiten stufen des olympia stadions abwärts fliegen, bis zu einem mittelpunkt treiben, wo wir kein ende mehr finden können, wo nichts mehr uns hält.
ehe wir die lüfte geschirrt; ehe wir wie besessen.

augen wie schaljapin bevor er starb

die tage mit blüten weißen gipfelfahrten musikalischen zierleisten enigmas lehropern vaterländischen bosketten gepanzerten gebüschen.
teig winde tropfend von markisen pflichtlesungen überlandbahnen; fliegende fische obstbäume tumult; monströse zuckerbäcker; amoklauf durch winzige gassen.
firstfahnen (»ich denke in rosa und daß du hier in der mitte des zimmers als kürbislampe leuchtest ...«).
durch wilde wiesen, über harte ausgefahrene wege; viel regen; zwischendurch sonne auf lehm; dahinter die feuchten anhöhen, die auffahrt der vergißmeinnicht, lichtblauer saum des sommers.
an eiskalten morgen gehen mägde singend durchs haus stehen mit bloßen füßen im gras treiben die kühe.
in den bächen milch die landstraße glühend und weiß; durch die badewiesen zum laubgrünen gasthaus; im schatten der kastanien ein volles faß.
an vier gefransten quasten schimmelt der teich.
an den grünen gefällen der sonne.
an regentagen von der anhöhe ins tal blickend; immer nur stückweise sehend; lieber alles in einem blick sehen wollend; die bank vor der wir stehen, den malvengarten von nebenan, den gekrümmten weg ins dorf, die grasenden pferde auf der tief liegenden wiese, die libellenstriche, das farnkraut, die ausgeholzten stücke, den einsamen bauernhof, den verlassenen bienenstock, das verfallene backhaus, neben den baracken das blockhaus und die vergißmeinnichtwiese.
dorthin wandern unsre gedanken zurück, trippeln zwischen den höfen, den offenen mittagsplätzen, den steingängen, den moosweichen treppen, den logen im luftzirkus, der grabtiefen kühle des fel-

sentheaters, trinken aus der pferdeschwemme, suchen erinnerte orte auf, lesen bekannte namen ab, tänzeln rechts und links neben metall-äugigen pferden, rechnen aus wann es zurückgehen soll.
wie oft waren wir schon hier gewesen?
war nicht ein ort dem anderen gleich?
gingen wir nicht immerzu über große gequaderte plätze?
läuteten die glocken von helgoland?
rosenbekränzte abendtafel in westfalen; abseits die windmühlen; reglos gegen den horizont; fingen plötzlich an sich zu drehen; oder schien es nur so?
blumenschwerer august.
wir würden zurückkommen, auf eine bestimmte zeit kam es nicht an.
die straßen verwachsen mit flieder und jahrmarktballons; eine ausgeweidete landstraße; ein heinrich-heine-garten mitten in deutschland; flaschenhälse wie schäumende ufer, rheinschlinge loreleis haarspitzen, wilde apfelbäume.
wir würden wiederkommen, wir kamen wieder; wir haben die empfindung wiedergekommen zu sein.
zu den sichtbaren spuren der stürme, zu den offenen steinen des stadions, zu den plakatwänden mit trauerflor, zu spitzhacken mauerbergen staubsäulen, zu radschlagenden mädchen über grauen turnwiesen, zu den taxushecken in bayreuth.
wir kehrten zurück; wir kehren zurück.
wir kehren immer wieder an jenen punkt zurück den wir einmal berührt haben.

VIII. schriftungen: oder gerüchte aus dem jenseits

April 64:

krebs nach krebsoperation gestorben – lebte zuerst und weiterhin und zuletzt im altenwohnteil steglitz und wurde den 7. september zur majorin befördert, erhielt marschbefehl, sofort; majorin henne zuletzt.

pferch; und schlaf in tüten gereicht. am meerbusch trafen wir einander immer, sandalen abgestreift, von drüben dämmerte, wolkte, übersee, das haus. durch raschellaub gingen wir zum schlachtensee. und warf einen großen kiesel hinaus kräftig hinaus ins flußbett daß er in der nähe des jenseitigen ufers aufklatschte; winters dort schleifen gezogen auf vereister decke; durch den wein sanft wie ein lamm geworden, in riesigen wäldern blinken. gesichtsoperation machen lassen an silben wörtern sätzen, sitzt jetzt alles straffer. war eine bengalische zeit. in grabbinden gewickelt, wächst sogar im munde.

hilfe aus dem jenseits: mehr habe ich nicht aber dies kann ich entbehren, fisch und kokosnüsse soviel ich will hab ich, brauche keinen hunger leiden, schick euch diese gaben will auch später mehr schikken. die unter windfängen aneinander gerückten häuser von glas; dachgewölbe, tauben darunter, thurn und taxis taxushecken, der see: schwammen raus zu den schwänen. nachdem ich mit bürsten die saiten seines flügels berührt habe. abdecker! abdecker! palmen katzen!

Mitte 65:

leichter schlaganfall –
mitten in den gebinden, gebein, ein gedicht unter der blumendecke.
durch heftige träume und wünsche aus der ruhe gebracht; hier sehr schlammig, finsternis. zähne und sanddünen beginnen zu wandern, schnitt mich durch die erde. körper im zustand ruhenden verkehrs, verkehrt.

stiefenvater.
an klippen, an klippe gedrängt, aus dem meer das die form einer sensenklinge angenommen wie man es nur auf helgoland sehen kann. regen blecken, die zeitlichkeit aufs korn genommen.
ordensmann der ordensmann der ordensmann berlin.
recht utopisch auf kunerts wiese, ein etwas unbewegter ort, und stiefenvater.

macht der morgen den abend?
leichte natur stangen, rosenbaum auf einem westseitigen vorbau. die haben doch wahrhaftig am vergangenen donnerstag einen baum ausgerissen, in kew gardens.
in der morgenfrühe des freitags sollten neunzig pfauen angeliefert werden: gestochen, geräuchert, gebacken, gebraten. über die fischerhüttenstraße sind sie verschwunden, ein ganzes regiment, zusammen mit einem schock schwarzer zentauren, wirklich gesichtet, über der gasse, hinter grünen ecken. dabei hätten wir gern ein gespräch begonnen mit diesen typen, auch diskutiert, und so. verschwanden viel zu rasch in der dämmerung.

August 67:

leberkrebs –
traf in england mit georg V. zusammen und mit lloyd george; erklomm in paris den eiffelturm und unternahm eine fahrt mit der metro, alles hubertusmantel.

eisen how?
es fand großzügiges händeauflegen statt. habe an allen möglichen leuten herumgetatscht; sogar mit bäumen! blieb mit bäumen umschlungen, mit mauervorsprüngen, in der kleistgasse zum beispiel küßte ich die gartenumzäunung, rieb meine wange an mamorgrieß, betrat erdreich gegenüber küßte auch hier, gehwegs. es war der augenblick des kleinen übertritts. dies war auch deutlich und lang zu spüren. die wälder mit der grünen borte! klotz berg, gewinkel haus, palast ruine, und alles spielte huldvollst mit.

Mai 75:

schlaganfall –
ich sage ihnen das war wie ein alpenflug! ich flog über dünkirchen, eger, hirschau. gut behauptet, über forstliche gruppen, ballonpost etcetera, und direkt ins italienische milieu. mußte mir zuguterletzt noch ein jodelkonzert anhören im allgäu, luzern, zug, ohne anhalt des windes mit mühe. absichtlich etwas schräg im ohrensessel, zusammen mit elga puppenstreit die am gleichen ort sich befand. hoben die braunen rückenflügel, aufwärts, und wurden so zu regelrechten seglern, eine beflaggte schleppjagd, vielleicht ein wenig heckschwer, aber eindrücke ungetrübter schönheit.

September 76:

schwere sprachlähmung –
mißverrichtung, und immer wieder diese affinität zu unfällen im häuslichen bereich, und ersatzhandlungen.

ebensolcher nachmittag ende winter, februar, dunkel vor dem fenster, halb regen halb schnee, und ich auf dem krankenbett, während toni mit veilchen auf der hutkrempe, sich abwandte weinend wegging, auf die glasscheibe meiner zimmertür abschiedsküsse pressend; zu ostern dann, nach paris.
und zusammennähen blühte, zeit.

März 77:

schweres herzleiden –
ansässig werden! und der see neben dem see, in staubverkrusteten stiefeln, auswaschungen. kann man mit so viel sprödigkeit überhaupt?

die verzweigten landpfade; wald; lächeln gegen sonne; ölzeug; bettgang und aufstehen; bedrängnisse. die bewohnten gartenhütten rund um den savignyplatz; die untertänige bereitschaft der katzen den mäusen gegenüber; trödelläden in der kantstraße; fußball oper. in der morgenfrühe des freitags traten wir aus dem hinterausgang der akademie und hörten sogleich signale. als wir uns von dem harfenkasten auf dem wir halb schlafend gelehnt hatten, erhoben, war die stadt im erlöschen und neu-entzünden. parlando gedichte an der maas, in die unendlichkeit fortgesetzt! du funny girl! witze präsident!

tierstimmenatlas, am morgen aufgeschlagen. mitten im kochenden meer. kikien, berlin, regen, und blecken.

Juni 80:

kehlkopfkrebs –
spätregen zernagt nesseln und salzkraut.
am schlachtensee klippen und mehr, hinauf zum erker blicken, steingarten unten, mit marmorschnecke, putten, weitausholenden gesten. flußverweisend und mit trillerpfeife zur flut, merzband in den händen, wieder im boot, ufernd, steinbank und radio nordsee. später barfuß durch wadentiefen schnee, rampe, wind hund. durch schmales eisentor wuchert mancherlei farn.

in bäumen fließen. limmat und spree.

der landschaftsgärtner zeigt demonstrativ auf uns, wir zeigen auf täter: fünfundzwanzig bis dreißig jahre alten einhundertsiebzig bis fünfundsiebzig centimeter großen mann von fester statur und gepflegtem aussehen, hat rundes gesicht dunkelbraunes haar, trägt dunkelblauen regenmantel und spricht österreichdialekt.

wir stoßen auf uferzone, arg verschmutzt; jagen nach ziegen haar; errichten zeltstadt im grunewald. kehren in monschau ein. wollen salzburg unterwandern. fleischerei iwan ein rußlandbild.

in diesen drei tagen konnten wir uns an haupt und gliedern erneuern. sitzen in salon-ecken zusammengekauert. mit klößen, kauend schmatzend speiend spülend. wieder zurück ins oval wo's zu essen gibt, beladen mit neuen klößen, zurück zu luise: auf dem boden ohne strümpfe und schuhe, hatte laubenkolonie vor sich aufgehäuft. einer sagt jetzt geh ich ins bewegerl, während toni die balkonflügel aufschlagend, sich auf den mauervorsprung schwingt, pjotr mit sich zieht.

im heimkino wahrhaftig ein vom himmel zur erde nieder schwebender mensch.

Januar 82:

verjüngungsdrogen –
schwimme mit fünfhundert begleitern in der havel und erreiche dabei die fabelzeit von 65 minuten für rund 15 kilometer; mache versicherungsgänge; rücke augen nach links wegen der tennisbälle die sich immer wieder verirren während ich dem tennisspiele nachgehe; studiere pasteur; zwinge mich zu diktatorischer phantasie. bin verständig wie ein affe geworden, denke um zwei ecken, freunde mich mit amokläufer brutto domenico an der zwei menschen auf dem gewissen hat; bewohne mansarde mit dachplatte der gesunden luft wegen; gebe klopfsignale; bestelle roß-ballett; fühle mich sanft hysterisch. gestern erstand ich autoblume einschließlich bubikopf, in regelmäßigen abständen.

das märkische viertel besucht, und wiederbesucht. mitten im kochenden meer die neuartigen briefkästen. mein fernauge, sticht.

aber die neunzig pfauen sollen allen widerständen zum trotz noch heute. ihre weichteile, wachteleier, trüffel, lamm, und all das tinnefzeug.

bislang wurde ich wie ein vogel im käfig gehalten, ortes anker, anker ort. dabei wäre ich würdiger vater geworden. innerorts lippenspannung, teller eisen zur vergeltung. im waschzuber schön behaart, und von bewunderungswürdigem rot, drüber bubikopf – absichtlich etwas schräg? ich matt im ohrensessel seh mir das theater an. geht sie in der regel eigentlich auf die matte?

geringer ausstoß.

lob des todaustreibers.

parma ungezicker, stiefenvater, tinnef-zeug. und mit den typen diskutieren, während man mit ihnen über die uferwiese.

März 83:

krebs nach krebsoperation gestorben.

IX. rot ist unten

... der Sternenhimmel über Graz in den Monaten Oktober November als begäbe ich mich in einen Kugelregen. Der große Bär mit schief befranster Stirn torkelnd in seinen Kristallkufen (Kinderstall). Die Namen beginnen mir zu entschwinden vielleicht noch Kassiopeia oder Schwan und ich gehe in eine Richtung fort die ein solches Ziel hat daß ich es nicht werde erreichen können
nämlich ich hatte mich auf den Weg gemacht, Richtung Ortweinplatz. Bis die Hände mir erstarrten zu Schneeklumpen und die Füße, es schneite. Ich gehe über die Kaibrücke ich komme von der Griesgasse ich trete aus dem Hotel. Ich habe mich hier einquartiert, für ein paar Tage Monate Jahre, oder im grünenden Palmenhof Hain des Erzherzog Johann wo die Hotelgäste wie Tiefseefische umher schwimmen bis ihre Stunde naht. Ich habe es in Erinnerung ich habe dort eine lange Zeit im Anblick der gläsernen Kuppel die eine Meerestiefe vortäuscht verbracht.
Kneifer des Objektivs: rundum kristalliert: der hold schneefallende Himmel ich fiebere danach, übertäubend donnert mir die wolkige Weißheit ans Ohr. Aus den verschneiten Hinterhöfen hohl tönend Mundharmonikas und Spieluhren. Ich zähle die Glockenschläge. Von der Marktseite präzises gehecheltes Scheinlachen, echoend. Ich weiche dem drohenden Starren eines stählernen Gerippes auf die andere Straßenseite, hier wird gebaut mir klopft das Herz. Ich lote aus was ich mir vorgenommen hatte, die Entfernung dahin kann nicht groß sein. Sie wird mich erwarten – bunte Hausschürze umsichtig-zärtliche Vorbereitungen Dampfendes Schmorendes. In der Wohnküche Erinnerungen an den jüngst Verstorbenen in schwarzen Rahmen. Verhalten, bis mir die Hände die Füße erstarren bis irgendein Erkältungszustand, vermutlich. Jemand ruft vom nahen Flohmarkt herüber: ich bin der Rahmen-König!
Ich hatte auch keine andere Wahl, mußte das Tier mit schwerem Frottiertuche. Es war aus den Blütenblättern aufwärts gesurrt, gegen meine Stirn gekantet während ich die Blumen ins Wasser legte um sie für den Besuch frisch zu halten, es war nicht laut ich hörte es aber wie Posaunen plötzlich hatten die Ätherwellen was herangeschwemmt es schwappte nur so im Kasten: ein rotierendes Rauschen dessen akustischer Fokus sich immer hinreißender zu verzerren schien vermittelte ein betörendes Wohlgefühl abschirmender Beständigkeit.

Sie sah ja noch immer das Kind in mir! den Säugling! das Neugeborene! das erwartungsvolle Glück meiner Eltern! in dem Badraume, noch konnte man mir auf den Grund sehen, so rein und ungetrübt. Das erste Haus nach der Brücke links ich mußte mehrere Male fragen. Sie hatte wahrscheinlich nie Péguy gelesen, ich hatte sie immer geliebt. Der Kinderwagen war nach hinten gekippt so lag ich kopfabwärts, zwischen Fenster und Fenster, die Luft blies kalt über meinen dunkelbeflaumten Schädel.
Bis mir die Hände erstarrten die Füße, den Vögeln zum Futter über der Mur. Ich fieberte auch etwas, der Arzt heuchelte Mitgefühl, im Badraume, die heißen Tücher die Eisbeutel. Vielleicht hatte sie vorher einen Spiegel zerbrochen, zertreten: Orakelspruch.
Der Doktordoktor im Rundflügel der Anstalt von bärenartigen Gestalten umringt ich beobachtete lange den Scheibenwischer der emsig gegen den prasselnden Regen fächert (alles abwehren verwischen verbergen auftrocknen Blutgerinnsel Tränen) bis ich als rechtsseitiger Gummibelag ins Zentrum des Wagenfensters zurückschiebe, mit Mühe, sobald der äußerste Winkel erreicht ist. Feuchtzäher Widerstand in der Tiefe meiner Eingeweide, wieviel Autostunden nach Graz? schief befranste Stirn, Häher und die Vogellust, Péguy, und warten um ein wenig hinüber blinzeln zu können zu ihm ohne daß die anderen es gleich merken sollen, er lehnt in der Tür und schaut nirgendwohin. Von bärenartiger Gestalt wie mit den Pelzkleidern, ein großer schwarzer Bär, besprungen, am Himmel. Ich sprang ihn von hinten an als er den Hof des Krebsenkellers überqueren wollte um in den verqualmten Schankraum zurückzukehren
an der Hand der tatsächlichen Erfahrungen so hatte ich ihm von hinten meine Hände leise über die Augen gefaltet, und ihn geneckt fragend wer es sei? ob er es raten könne? und im Schneefall nach hinten gekippt so waren wir beide in einander verklammert, und im Schneetreiben nach hinten gewandt, jeder von uns, je nach mehreren Tritten der eigenen Spur nachsuchend ob sie bald verweht sei.
Bis mir die Hände erstarrten die Füße. Den Vögeln zum Futter über der Mur. Über die Mur gegangen über den Grieskai, in die Knie, Rosenkranzmühle gemahlen geknabbert, Kraterlandschaft des Frühstücksbrots. Rinnsale, ausgetrocknet, Sitzungen des Ti-

sches, es knisterte beiläufig zeitungsblättrig. Am Morgen wieder die weißlichen Fahnen, Zirrus über dem blauen ausgespannten; später Fegen mit Federn. Was hatte er nur gestern nacht aus den Sternen lesen wollen?
ich fühlte mich plötzlich kleiner als er und kaum bis an seine Schulter reichend. Schmiegte mich an seinen Flaum eine willenlose Hingabe, ein Austausch der Seelen: Arzt und Patient – ich las diesertage darüber. Kamm, Fetisch, eines Adlers, Überriesen (Hahnengefieder). Der Kopf meines Arztes. Meine psychische Abhängigkeit, Zirrus, weiße Feder. Ich kauere in seiner sich frei spannenden Schwinge, silber gestaltet. Im Federkleid im ersten Impuls, feuersprühend, mit verheißungsvollen Blicken.
Es hat schon was Südliches! sagte er, beinah wie in Padua. Unten die Mur. Phantasie-Veduten. Die Wagenfahrten venerische in seinen Armen im Badraume die Schneeklumpen. Verhalten, bis mir die Füße die Hände erstarren bis irgendein Erregungszustand, vermutlich. Ich fieberte auch etwas. Mit Mühe ich schwankte, der Arzt heuchelte Mitgefühl.
Eine Vorstellung konkretisieren die nur in den ersten Umrissen vorhanden, sagte er zu mir, am Telefon. Es fällt es wird gefallen, fiel ich ihm ins Wort ich liebte es wenn er die Welt vor mir entfaltete. Es gab eine Pause in unserem Gespräch makellos als hätte jeder von uns eine Meermuschel ans Ohr gepreßt, das Rauschen einzufangen. Daß ich mit ihm überhaupt je, fuhr es mir durch den Kopf, war ein richtiges Wunder es war eine verwirrende Spannung zwischen ihm und mir von anfang an gewesen.
Ich ging noch ein wenig in der gleichen Richtung weiter ich mußte mich jetzt dicht an der Gabelung der beiden Straßen befinden von wo man den Ortweinplatz einsehen kann, ich hatte mich verspätet sie würde schon warten aber sie würde nicht ungeduldig sein sie würde hoffen daß ich käme
ich blieb an einem Zeitungskiosk stehen und las die fettgedruckten Lettern ohne sie zu verstehen dann ging ich wenige Schritte weiter, auf jenen Ort zu den zu erreichen ich mich gemüht hatte
aber ich wußte daß ich mich längst von ihm fortbewegt hatte

ich eilte hinüber zu ihr nachdem ich mich vergewissert hatte daß kein Fahrzeug die Straße heraufkam.
Sie hatte Erstaunen auf ihrem Gesicht vielleicht schien ihr mein Aussehen im Bewußtsein ihres eigenen rotbackigen Gesichts kränklich.
Während des Ankleidens hatte ich schon an sie gedacht, sagte er.
Nun rief sie mir über die Straße her zu.
Ich vergewisserte mich daß kein Fahrzeug sich näherte und lief hinüber zu ihr und schüttelte ihr die Hände die sie mir entgegengestreckt hielt.
Ich eilte hinüber zu ihr schüttelte ihr die Hände und erwiderte die Glückwünsche zur Jahreszeit.
Dezembermorgen, der Himmel voll greller Farben.
Lautes Wetter, lautes Wetter, sagte er.
Sah ihr rotbäckiges Gesicht auf mich zukommen, ergriff ihre mir entgegengestreckten Hände.
Eilte hinüber zu ihr, ergriff ihre Hände.
Ein Erstaunen auf ihrem Gesicht machte mich verlegen.
Ich schrieb ihr Erstaunen meinem kränklichen Aussehen zu, sagte er, ich fühlte mich ertappt, ich wollte mich dafür entschuldigen daß ich meine Blässe nicht hatte verbergen können.
Lautes Wetter, sagte er, ein zähes Hoch.
In die Emilia, sagte er.
In den Boxhimmel.
So strömten wir in die kalte Nacht, in den blitzenden Morgen, ein Dezembertag gegen Ende des Jahrs, ein Jahr dem man sein Alter nicht ansah. Was für ein Tag, sagte er. Sie hatte immer gesagt sie wollte gern weiterlesen darin ohne je aufhören zu müssen, sagte er, sie war betrübt als es dann doch nicht mehr weiterging. So sei sie heftig davon weiterbewegt worden, sie habe das Lesen nun im Kopf fortsetzen können indem sie ähnliche Vorstellungen Gedanken und Gefühle aneinander reihte, eine Art Schattenbild des zuvor Gelesenen erzeugend.
Dies alles, sagte er, scheint an etwas anzuklingen. Wie eine ungenaue Erinnerung an einen Traum die gänzlich zerfließt sobald man sie zu untersuchen trachtet.
So strömen wir in den kahlen Morgen, sagte er, in die Nacht. Ihre

Begehungspunkte, sagte er, stülpten hervor wie Organkontakte, stark vergrößerte schematische Querschnitte durch Haut daß man vor Angebot nicht wußte wo zuerst beginnen, auf welchem Weg ihr aufs willkommenste begegnen. Sah ihr rotbackiges Gesicht, sagte er, am jenseitigen Rand der Straße. Eilte auf sie zu nachdem ich mich vergewissert hatte daß kein Fahrzeug.
Erstaunen auf ihrem Gesicht, ich schrieb es meinem Aussehen zu.
Lautes Wetter, sagte er, greller Sonnenschein.
Ein Jahr dem man sein Alter nicht ansah.
Was für ein Tag, sagte er. Als ich an Willis grüngelbem Fahrrad vorüberkam merkte ich daß da was hing am Bügel, schräges Zettelchen. Botschaft vielleicht für mich.
Da klingt doch was an, sagte er, da klingt doch überall was an. Wie und wo es herkommt und was es zu bedeuten hat weiß ich nicht, sagte er. Die Schreiberhand, sagte er, die Botschaft.
Heisere Klingel eines Fahrrads, fernes Kuhglockengeläut gegen elektrische Zäune schreckend.
Und die Melodien mit dem Hackbeil, sagte er.
Denn die Dinge treiben immer mehr ihrem Gegenteil zu.
Was für ein Tag, sagte er; welcher ein Blatt vom Trauerbaum darstellt den man deswegen so benennt weil er nur des nachts blüht.
Und heute und morgen nur noch mit Abwehren von Dingen beschäftigt.
Ein Blatt von der Hagenbuche ein gebogenes Weidenblatt. Während die beiden Verwandtensöhne sich gegen einander bewaffneten mit Stuhlbein und Schemelplatte.
Während wir vor je einem Fernsehapparat in unserem kleinen Hotelzimmer einander gegenüber sitzend uns wie Feinde fühlten.
Nach der allgemeinen Umstürzung, sagte er.
Häusliches Chamäleon. Habt ihr es endlich getauft hatte ich sie mehrmals gefragt, sagte er. Sie gaben ausweichende Antworten. Es ruhte auf einem Ast der in einer Vase steckte, blickte im Zimmer umher. Kniekehlenschlaffe Haut in wechselnden Farben.
Ich habe die Fenster geöffnet, sagte er.
Dies alles klingt an etwas an, sagte er.
Er lebt jetzt in Breslau, ist polnisch.
Nach der allgemeinen Umstürzung, sagte er. Gegen elektrische Zäune stoßend.

Ich habe die Fenster geöffnet, mein Blick fällt; vier Stockwerke tief, kreiselt die Straße abwärts.
Außerhalb der Zeit, sagte er, am Rande der Wirklichkeit.
Hinüber, dem See zu, sagte er. Die Stimmen der Freunde zerhackt vom Sturm. In die Emilia, sagte er. Was für ein Tag. Polen Brieg Breslau.
Mit ihrem roten Gesicht, vielleicht rotgeweinten Gesicht stand sie auf der gegenüberliegenden Seite der Straße und winkte mich heran.

ironside

die Landsleute nämlich, sagte er.
Ach wie herzzerreißend! um es ertragen zu können mußte ich mich in die Gefühle eines Gleichgewichtskünstlers versetzen.
Wie herzzerreißend ist so ein letztes Zusammensein im engsten Kreis, sagte er, flußgrün, schreibchenweise.
So daß mir die Tränen als ich einstieg, und umherblickte, eine österreichische Reise.
Die reisenden Köpfe in gleichgültig stumpfer Melancholie befangen als fühlten sie das Behaftetsein mit einem Makel, oder eine Krankheit, oder Behinderung. Als ich einstieg, sagte er, die Ratlosigkeit aller über die Tatsache am Leben zu sein.
Und wie eigentlich, und wohin, und in der Entfremdung mit sich selbst, und nachts und sind dies noch die eigenen Arme und Beine, Bangnis.
Und sie hielt ihm um ihn wachzubekommen bis zum Einfahren in den Bahnhof einen Augenblick Mund und Nase zu.
Während der ältere die Wange des kleinen küßte, der über den Knien der Frau lag mit dem Oberkörper, und die war verstört und verweint; aber verstummt auf die einzige Möglichkeit zu leben eingestellt. Nämlich verhaltene Mütterlichkeit, als der ältere dem jüngeren die Wange küßte, flüsterte sie streng: nicht so ungestüm!
Ich wollte mich hinterher erinnern, sagte er, gerade an diese Worte.
Als mein Blick in den Sog geriet, dieser Szene nämlich, in der Tiefe im Gefüge, im alltäglichsten von Liebe. Als ob er Abschied nehmen wollte, sagte sie, damals als er stumm zur Tür starrte, wohin ich

meine Kleider gehängt hatte. Er strich mit den Händen darüber und rief leise: deine schönen schwarzen Sachen! ach deine schönen schwarzen Sachen, und immer von neuem.
Wir sind verschiedene Scharen, sagte er. Aus der Höhe und in verflossenen Tagen, wir übersommern.
In der Hängematte verflochten, verwalkt, die Brüste gewölbt, mittags und eingehakt in der Mauerkrone, und im Ascheneimer die abgetöteten Zigarren. Es steht dafür, sagte sie, immer so von einem Baum zum andern und zwischen den Bäumen wie damals in den verflossenen Tagen. Im Garten, in der Tiefe des Waldes, im Flußgrün, im Fliederfrieden.
Eingehakt, wir übersommern, sagte er, und wie anstrengend dieser Traum war. Beritten, eingehakt. Voll Angst ich könnte es nach dem Erwachen vergessen haben. Ich könnte, sagte er, nach dem Erwachen vergessen haben daß ich mich erinnern wollte daran, die Briefe zur Post zu bringen; die vielen Briefe die nun schon seit Tagen.
So kriegte ich nur stückweise Schlaf. Teilnahmevoll anstrengend, sagte er. Weil ich während des blitzweisen Träumens immer wieder in die Mitte des Bewußtseins schob was sich sogleich wieder zu zerstreuen suchte.
Fluktuierend, außerhals, sagte sie, deine Taten und Gedanken im Zustand der Auflösung. Nur deine Anpassung hält noch stand, die Pflichtausübungen, sagte sie, und zärtlich erzogen, die Brust geöffnet gereinigt.
Aus der Vogelschau, aber da ist noch diese eiserne Verläßlichkeit. Die Verläßlichkeit meines Körpers. Mit ausgewogenem Pathos, sagte er, vielleicht meinst du es so.
Dein Schreibsal: dein Labsal, sagte sie, oder Oleanders Hang zum Wasser.
Ja, sagte er, wenn ich irgendwo im Hause nach etwas suche das ich verlegt habe, befällt mich regelmäßig der Drang zu schleunigster Entleerung. Wenn ich zu schmal gebettet schlafe oder in ungewohnter Umgebung, vermerkt es mein Körper; indem er kerzengerade liegend schläft anstatt wie zu Hause sich nach allen Richtungen und oftmals zu wenden. Dem Weckerrasseln kommt er, einige Sekunden früher erwachend, zuvor.
Die Frauenköpfe, die Sprüche, sagte sie. Ein rares Gesicht. Dabei ist es so und so zugegangen.
Nämlich, sagte er, ich kriegte den Lachzwang, als sie beim Ein-

kaufsbummel mich von einem Verkaufsstand zum andern trieben, und hin und her stießen und rissen, ohne daß ich etwas näher betrachten konnte. Schwankend vor Lachen, und ich konnte nicht aufhören damit. Bis ans Schlüsselbein, sagte sie lachend.
Auf meinem Schlüsselbund, sagte er, ist ein Schlüssel, für den kein Schloß da ist, und wenn ich nach längerer Abwesenheit hierher zurückkehre und alle Schlüssel bis auf diesen einen betätigt habe, erscheint mir sein Vorhandensein ebenso rätselhaft wie unheimlich. Trotzdem bringe ich es nicht über mich ihn vom Schlüsselring zu ziehen, beiseite zu legen.
Über die Trittsteine, sagte er, schwankend. Auch lasse ich vieles aus Verlegenheit geschehen, sagte er. Wenn ich in den Zustand komme, ich werde von einem Zustand in den anderen versetzt. Im Stiegenhaus, das Knarren der Holztreppe ist furchterregend. Dabei ist es so und so zugegangen, sagte sie. Als wären es gelbe Kamele, voll von Schuppen ein loser Sandhaufen. Und starren ins Grüne, sagte sie, stelzen auf dem Vorplatz im Kies.

Vor Abgrund

Mikrobenmusik (Free Jazz) in unserem dichten Fahrzeug, Sonnenfackel, der Schatten eines über meinen Kopf hinweg fliegenden Vogels (Mannes) Blüte lang, als ich ausstieg, weiß kelchig gelblich im Juligewächs und kehlig duftend Jelängerjelieber. Wir ließen sie am Lenkrad zurück eilten in die Kaffeestube am Straßenrand, braune Theke Malteserkreuz verlängerter Arm, Windschädel. Nicht gut aber die beste hier, sagte Ludwik und drückte sekundenlang die Augen zu während ich wünschte daß er sie wieder öffne. Er behielt sie aber geschlossen als ob er nichts mehr sehen wolle, ich fühlte Unbehagen.
Aus der Umklammerung seines Gesichts mich zu befreien. So wie LE MONDE sagte er und blickte uns alle an, nunmehr hybridisch auftauchen wollend, das Bleibende sehen im Vergänglichen
ich hatte ihn geradezu ermuntert die Begradigung war weit fortgeschritten, ich sah in einen Platz mit angehäuften Ziegelsteinen, in seiner Mitte stand ein alter Kastanienbaum dessen Blätter vom Staub der Abbrucharbeiten grau beschichtet schienen

durch Kleewiesen in den Sand, in den See da hätte ein Fischer fast seine Angel vor Schreck ins Wasser fallen lassen als er uns sah, ein Kind winkte uns niemand darf müßig gehen. Eine Frisette kam gelaufen wir wollten ihr die einsam schien nicht allzu offen vor Augen sein in unserer Fröhlichkeit. Daß die anderen sich ein Gewissen daraus machen sagte Ludwik, nämlich Zorn Abseite der Melancholie
(Feuerknecht wie geschabt sank in die Quellen-Kammer)
ich hatte ihn geradezu ermuntert die Begradigung war weit fortgeschritten, ich tastete nach ihm, zwischen uns saß noch jemand wir saßen dicht, mein rechter Arm lag zu ihm gestreckt auf der Rückenlehne der Polsterung und an sein Nackenhaar gelehnt, in Einsicht der äußeren Mittel und atmen, ein Zwischenflor
so flogen sie aus und ein und in Betörung zu einander. Nicht gut aber die beste hier sagte Ludwik, so wie LE MONDE. Er schien meine Hand nicht zu fühlen an seiner Brust er schien zu schlafen. Weil sich mir, sagte Ludwik, die Anatomie der Dinge erschlossen hat, die Welt im Steckkissen
(und die Gesichtsmuskeln weh taten von immerzu lächeln und lachen und aufmerksam reden)
faßt wieder Tritt sagte Ludwik, die Begradigung war weit fortgeschritten, man sah in einen Platz mit angehäuften Ziegelsteinen und in der Mitte stand ein alter Kastanienbaum dessen Blätter grau, wie von Staub, schienen. Walrosen nach Stunden von Seerosen und Walrosen: Meerstille.

Die Tränen des heiligen Laurentius

Orakelbuch. Am tauf-füßigsten einunddreißigsten August, neunzehnhunderfünfundsiebzig, fingerte lesend darin ich.
Mit Flatterblick weil wir nicht wußten worüber reden wo aufsetzen (put up). Auf Säulenstümpfen, Sockelzehen, Platitüden
Nebengesell (Narrator, Gastfreund): die Erregung des Kopfes, sein Anzug müsse erst zu Bade, er nahm mein Kinn hoch und suchte meinen Blick
Laser, sagte ich, das passe nicht sonderlich zu Auge.
Er hatte runde Oberarme mädchenhaft zu kurze Hände geballtes

Blond auf seinem alten Schädel; wie lange würde er noch ausgeschlagen tragen?
rauchblättrig Verwandlungskunst. Er schmauchte vor sich hin, blickte mir wieder in die Augen mein Kinn hochziehend: ich hätte ja gar keine Angst mehr! er könne es erkennen weil ich seinem Blick nicht ausweichen wolle! es sei jedenfalls das erste Mal gewesen daß ich mir von ihm hatte in die Augen sehen lassen!
Schwertmaul Unpaß!
Reißzähne Schößlinge Ruten!
wann war ich nie katholisch?
mit scharfen spitzen Nadelstichen durchschießt eine Hitze die gesamte Hautoberfläche an meinen Unterarmen, eine plötzliche Übelkeit läßt keinen Gedanken, keine Bewegung zu
Gewand des Bettes er fotografierte mich unausgesetzt durch seine zur Hälfte zugenähten Augen
ein Negerprinz, ein Schnallenfabrikant, zwei sanfte Tondichter, Gewürzsträußchen. Gedröhn von Hauptbahnen, Ziehkarre, Motorrad, Kastenbeiwagen, Limousine, traten wir auf die Terrasse hinaus. Seine Frau verlängerte jedes Wort, das mit einem Konsonanten endete, durch ein ältliches äh.
Für Name würde gebürgt rief sie. Gefritzt, gekürzt.
Unnatur Makulatur, rief sie wir haben endgültig beider Ehen stillgelegt!
Der Gastfreund verschnaufte er hatte lange geredet: hätte ich von fern das vorläufige Ende einer seiner Wortkaskaden zu erkennen geglaubt, hätte ich mich beeilen müssen, eine Bemerkung über die späte Stunde anzubringen
dem Glückling schlägt keine Uhr! lachte sie, ihre Atemwurzeln ächzten.
Blütenholz Honigkeiten rasante Rabatten: überschlug es sich an meiner Vorderseite
solange der Blick über den weitläufigen Garten in den funkelnden Himmel zu schweifen schien; solange eine Umkehr noch denkbar gewesen wäre.

Aus Roland Topors Lebensbotschaften

Ihnen fehlt nichts, es ist also ganz überflüssig hier herumzuliegen und sich von aller Welt bedauern zu lassen.
Den Augen mangelt es vielleicht an Ausdruck.
Sie wanderten durch einige Gäßchen.
Ich möchte gern in einigen Verzeichnissen nachsehen. Weich rauschend wie Flügelschlag erledigte ich alle Geschäfte, wie Swedenborg der zur aufgehenden Sonne die göttliche Humanitas assoziierte.
Seine Schuhe frisch besohlt, man konnte so bei jedem Schritt, bei jedem aufziehenden Fuß das neue helle Leder sehen.
Sie können ihn ruhig lesen er enthält nichts persönliches.
Er näherte sich ihr unter der Kühlerhaube. Wenn es so ist werden Sie noch von mir hören. Ihre Augen hatten einen schreckhaften Ausdruck angenommen.
Ich könnte Sie ablösen wenn Sie müde sind.
Etwas am Ausdruck ihrer Augen erinnert mich an das Gesicht meiner Mutter das aufgelöste Haar vor dreißig Jahren. Als sie am Lenkrad ihres Wagens saß im bunten Schottenkaro, auf dem Trittbrett hockte, der Talbot weichschenkelig rund. Ihre Augen hatten einen schreckhaften Ausdruck angenommen.
Ihre Augen hatten einen beseligten Ausdruck angenommen. Er hatte sich ihr unter der Kühlerhaube genähert. Sie hatte aufgeschrien. Weich rauschend wie Flügelschlag war er gewesen. Weich rauschend wie Flügelschlag war er, durch die Kühlerhaube eingedrungen. Er erledigte alle Geschäfte weich rauschend wie Flügelschlag.
Ich könnte Sie ablösen wenn Sie müde sind.
Sie wanderten durch einige Gäßchen.
Zuerst war sie auf dem Trittbrett des Talbot gesessen, zuerst war sie nur eben so da gesessen. Dann hatten ihre Augen einen beseligten Ausdruck angenommen. Er war durch die Kühlerhaube eingedrungen. Sie hatte aufgeschrien. Ihnen fehlt nichts es ist also ganz überflüssig hier herumzuliegen und sich von aller Welt bedauern zu lassen.
Er muß verankert werden.
Ich habe die Malerei aufgegeben.
Den Augen mangelt es vielleicht an Ausdruck.

Ich könnte Sie ablösen wenn Sie müde sind.
Er ließ sich von den Augen ablesen was seine Wünsche waren.
Aber es zerrann ihm zwischen den Fingern. Sie war am Trittbrett ihres Wagens gesessen, in ihrem bunten Schottenkaro, gebauschter geringelter Haarhalo. Ihre Augen hatten einen beseligten Ausdruck angenommen. Weich rauschend wie Flügelschlag hatte er. Ihr Haarhalo schimmerte in der untergehenden Sonne. Sie hatte darauf gewartet. Er hatte sich ihr unter der Kühlerhaube genähert. Sie hatte aufgeschrien.
Wenn es so ist werden Sie noch von mir hören.
Farbe ausgeschabt; eine Oboe Fernmusik.

in Martha Jungwirths schwarzer Küche

der Lippenstift geht zögernd vom
Seidenpapier auf die Tasche über
Jürg Laederach

sie schwenkt Seidenpapier Fahnen; leuchten wie Wetterhimmel.
Vom Dach die wunderschönen Vogelstimmen.
Sie solle sich so diesen ganzen Nachmittag vergegenwärtigen, zwischen den durchlässigen Farbwänden, und darauf achten wo es schmerze und wie oft, und wie lange an den Muskelwänden er sein Ohr habe horchen lassen.
Die feuchten Herzkammern schleiern Urwald.
Die Weichtiere Speicheltrinker – wie unbändig losgelassen! – hämmern verstörten Puls.
Blasses Erschrecken im Blick, als müsse sie fortwährend ALLES diesem Zustand annähern, und zeigt auf riesige Lippenstiftschlote.
Schmauchend Geschnetzeltes, und vogeltäuschend: das Ich in der Perspektive, das Ich auf Distanz.
Was Boden ständiges im Lederzimmer, behütet von Türkenzelt, mit wehrhafter Spitze, unter Lilienranken, Gebüschdach.
Mundlippe Schmetterlingsschleife, hauteng der feuchte Morgen häuslich und abgeschieden (Regens).
Schwalben mückenklein schrill durch die Luft.

Ihr apfelspaltenes Ohr küssen, kopfrostend. Jeder Teil ein Spiegel des ganzen. Am Morgen die Pampelmusen gemolken; die Totenmasken der Nachtgedanken gegossen.
Füchsig-fächrig ihr Kost Kind. Dieses Kleinchen, Ungekämmtchen; blaß gemasert ein ungefähres; blond bekümmert, zwischen Laube und Spülstein Tassen tragend, geplätteter Jargon.
In den feuchten Herzkammern, beide in den Schlafkammern, als wir spät noch hereinhuschen uns zu wärmen in der Rauchküche, viel zu müde etwas zu sagen. Sie kommt mit der Flasche, mit Gläsern. Der Knabe drückt sich heran, streckt jedem schweigend die Hand zum Abendgruß, aber hinter den hängenden grünen Borten, verschwindet er wieder.
night-cap, von ungefährer Schönheit die grünen Augen.
Nämlich die Berghütte Knall auf Fall, voll mit den entzückendsten Gestalten, und im sanften Revier des *Fürstentums Neumarkt*.
Sie macht Licht in ihrem Zimmer daß sie das Gefühl haben könnte die Sonne scheine schon wieder.
Sie kommuniziere viel, Hund oder Hündchen, den langen schwankenden Halmen nach.
In STRUMPOR, blutrote Ballung, gefaserte Blutwasser Farben.
Alle übrigen springen manchmal fast wie von selber ins Lot sagt sie, Dinge die mich wochenlang stören, lassen sich auf einmal beilegen.
Einmal verpfropft, wird man von Zufall zu Zufall gestoßen, vom Wind vertragen.
Winde um Winde – von einem zum andern hoch gezurrt: von Takelwerk. zu Machwerk. zu Kunstwerk.
Roboters rauhe Sitten: Niere zeigt Flagge. Herzkirsche Bleikammer. Graurote Fleischherzen dieser Erdbeerfrüchte. Dampfendes Metzgerwerk auf roh verbeulten Blechtellern. Selbst-Zerfleischungen im eignen Blut ertrunken. Balgerei, unsrer gehirnten Nasen: suchen vergeblich Blumenspur (Kolarik und Buben).
Manchmal so steril sagt sie, daß alles klebenbleibt Kleeblatt, an meinen Fingern.
Gespornte Untaten stiefelschaft-süchtig, Kleiderlust erbeten. Als monströse Schaupuppe korsettiert durch die Straßen, jagend keuchend, von blanken Säbelbeinen Schaulustiger aufgespießt; auf Stelzen tretend, Beinkleider in Beinkleidern schabend, zuliebe Gaukelbild.
Sich an Formen, Farben, Gerüche sagt sie, wiedererinnern können

als ob man sie lange vergessen gehabt hätte: vernachlässigte Freunde, Totgesagte.
Der im Sand verschüttete Menschentorso.
Und zieht das Knie an; nämlich als es auf flammte als einziges von ihr, besaß es mehr Monde als Ende.

die Blume zu tragen,
ein Wahrnehmungsbericht nach Wolfgang Hutter

versprengte Notiz, Baumfrau.
Ungesprächig, messerscharf, man ist eben konstituiert, die Zeiten sind vorüber, die Zeit ist da, sagte er.
Unverbindlich angesichts.
Dann kletterten wir die Stufen rauf bis zur letzten Reihe, sagte er, suchten nach den Plätzen. Nach der Vorstellung schaute sie an mir hoch, bewundernd, die schäbige zusammengeflickte Pelzmütze, und sagte, wie schön, paßt dir ausgezeichnet.
Ja auch das noch, sagte sie, hab ich auch noch zu erwarten, das ist der Dinge Lauf. Aber kommt doch mal rauf zu uns, sagte sie, und servierte kalten Braten scharfe Getränke, setzte sich nah zu mir, aufs Sofa.
Ich fühlte mich ein wenig bedrängt, später wurde mir schlecht.
Zeigte uns alte Schriften sagte uns was ihr besonders gefiel, wir kamen und gingen. Auf der Leiter stehend konnte er alles überblicken und wenns nottat auch sich regelnd von oben ins Getümmel werfen. Marmoriert, manchmal gings nicht mehr mit ihm. Zum letzten Mal hatte ich ihn im Konzertsaal gesehen, wie er eintrat und umherblickte, nach seinem Platz suchte. Er fand ihn nicht und ging wieder weg, Oktober, glaube ich. Mit diesen Dingen, sagte er, habe ich nichts mehr zu schaffen.
Das mit dem Gefieder mag stimmen, sagte er, ich hatte auch mal so eine, die hatte richtiges Gefieder, rötlich, sehr schön. Zückte Liebeswaffen, lachte er, wie das so abgeschmackt heißt, Erdbeben gabs von da an die Menge.
Jascha Haifetz Vogel im Gebüsch David Oistrach Tiger im Dschungel, sagte er, ich setze mich ab. Als ich das erstemal bei ihr war zeigte sie mir ein gelbes Gemälde; das hatte sie einmal nach einer Reise in

die arabische Wüste gemalt, sie war sehr stolz darauf. Es gefiel mir, sagte er.
Strandwärts Muscheln, sagte sie, kleine Pagoden. Mit dem Fuß sie wieder in den braun bespülten Meeressand stampfen. Wenn ich morgens das Bett fliehe, Gardemaß, die Kindheit würde verblassen.
Wir erinnern uns, sagte er, daß wir uns erinnert haben.
Ich wollte meist nichts anderes als alleingelassen werden, zuzeiten mißlang die Verwehrung, sagte sie.
Angestiftet, sagte er, zum Geschlechtsverkehr der Sprache, immer wieder, bis zum Überdruß. Prüfungen der Zeit, und was man fortwährend tun muß, prägt einen zuletzt doch noch.
Jargon, sagte sie, das ist ein Jargon. Aus Weidenruten lasche Holzhunde als wir aus gelben dünenhaften Hängen geliebte Örter machten. Lavendelbüsche, langsame Füße, heller Staub, Schlammspuren am Bachrand, in rotierenden rosigen Schwaden der Sand, Sommer. Eine endlose schwebende Jahreszeit. Wegweiser aus aufgestreuten Robinienblättern.
Aus den wie Abfall zurück gebliebenen Brocken des Steinbruchs haben wir die seltsamst geformten Steine ausgesucht, winzige Gebirgsgrate für unseren Felsengarten; Spielgefährtin schwarz gekräuseltes Haar, Flucht über Lattenzäune – die Zigeuner kommen! Sprung in den Mistschacht mit bloßen Füßen, mitten hinein in die grünen Flaschenscherben.
Die welk hängenden Prozessionen, das schwere grüne Tor, ein Duft nach frischgebackenen süßen Speisen, die vielen Mauerechsen. Einmal hatte ich eine in der flachen Hand und weinte vor Freude.
Weil alle Felsrücken rosa Granit, ganze Bergkessel voll gelber Blumen, und durch einsame Bergtäler streifend, durch einsame Wälder, sagte sie. Eisige Wasserfälle, mit verschleierter Stimme Leibenfrost, sagte er.
Gewaltige Gewitter um unsere Ohren, Zusammenhänge die plötzlich aufklaffen. Ort meiner Bleibe, sagte sie, schwärmerisch unters Kopfkissen gelegt. Wer kennt das nicht!
Verlegene Kahlheit, sagte er, Selbsteinsicht! angestiftet, in aller Welt, fabelhaft.

rot ist unten, und die füß' sind die blumen, und die lily am strand

meine Erreger wanderten aufwärts, ich folgte der Milchstraße aufwärts, eine weiße Spur führte aufwärts zu meiner Tür, diese Jahreszeit winterlich am liebsten weil weniger gelenkt von den äußeren Wandlungen; als wenn alles mit Fühlern ans grüne Licht lockt vom Mittelpunkt weg; eine Schmelze des Schnees in diesem Jahr wieder zum ersten Mal roch grünlich; meine Finger klammen. Ich stutze am Straßenrand, es blümte in ausgebleichtem Rasenhang, der Bahndamm von Fahrbahn abgrenzt, und es hatte mich bläulich abgefangen wie erster Veilchenduft; ich hatte mich bei einer Unzeitgemäßheit ertappt, ich trat zurück einen Schritt zurück daß die hinter mir gingen erschrocken wichen, starrte ins gelbe Gras als hätte ich da was entdeckt als wollte ich da was finden aber Nase oder diesem Organ vergleichbares war es was sich hier tummelte über verwelktem Grün, von Staub und Trockenheit und fortgeschrittener Jahreszeit gezeichnet, so trat ich zurück und wieder an den Rand des hügeligen Rasens, roch bläuliches roch Schneeschmelze also grün, spürte, es roch nach weiter fortgeschrittenem Kalender. Anfang Dezember.
ein Feuer Tag ein Feuer Tag rief Laura und schwenkte den Federhut, wallte hochstöckelig durch die Halle des Instituts, koordinierte ihre eleganten Hinterbacken unter wadenlangem schwarzen Rock; gewährte mir einen flüchtigen aber befriedigenden Einblick in ihre oberen Beschaffenheiten, und war verschwunden;
ich bot ihm die Wange an was er nicht erwartet zu haben schien eine Vorstellung die nur in Umrissen; schwarz triefendes Verlangen wenn er nachts aufbricht wenn er sich fortgemacht hat, dann schmeckt plötzlich das ganze Zeug das ich untertags gegriffelt habe *papieren* und hohl, ist ein Hohn; er hielt inne brachte das Fahrzeug zum Stehen und suchte, indem er etwas Scherzhaftes sagte das mich in eine fragende Unruhe versetzen mochte, meine Hand; so in die erkalteten Fingerspitzen, in meinen Schoß, ohne mich anzusehen und scherzte nochmals mit gleichen Worten WIE SIE ZU HUNDERTTAUSENDEN NACHTS DAS GETREIDE BEWACHEN
wie ich es wünschte, Welterklärung, als würde alles ins Konditionale gerückt (schmecke rieche höre den Duft der blessierten Vögelchen ...)

Laura war krank geworden, ich hatte mir die Brille zerbrochen
ich wagte es nicht seine Hand zu nehmen sondern starrte geradeaus durch die Frontscheibe als später sein Name fiel zuckte ich zusammen
ein Aufruf von Kräften sagte ich zu Laura, die auf keine andere Weise sich zu verantworten bereit sind; aber auch ein Umsetzen von Kraft, die, würde sie nicht nach außen gestoßen, das schlimmste anrichten könnte, in meinem Kopf. Und jeder beliebige ist der beste daß man ihn als Antrieb verstehen möchte. Aber ich könnte nicht jedem beliebigen mit dem Anfangsbuchstaben seines Namens, nur Pasteur. Wenn ich an ihn schreibe verwende ich als Anrede seinen Anfangsbuchstaben – ein gelegentlicher Blick auf seinen Schreibtisch offenbart mir daß es ihm ebenso geht oft malt er hinter der großen Initiale meines Namens Ort und Stunde unseres nächsten Zusammentreffens
aber die gaze-flügelchen fifty years ago, ein Kammerton nicht überhörbar, und immer so weitergetrieben, als sei es einem vergönnt ewig zu leben
legt mir ein stilles Wesen bei, schält einen Apfel für mich setzt sich an die Bettkante knipst meine Nachtlampe an; leib haftend sage ich zu ihm, wenn du fort bist stelle ich mich unter den Fahnenmast und versuche deine Schrift auf der Fahne zu entziffern sie flattert so heftig daß die Worte nicht ablesbar sind. Wir werden einen strengen Winter haben sagt er abwesend, die Mäuse Käfer Maulwürfe, haben sich tief in die Erde
wir starren zu der weißen Fahne, klammern uns am Fahnenmast fest, wollen uns nicht voneinander trennen; mit unseren Gesprächen sind wir am Ende, aber die Stunde des Abschiednehmens ist noch nicht gekommen
Sprache des Unbegrenzten, ich hatte sie beide aus den Augen verloren, vielleicht, dachte ich, hatte sich ein Kondor ins Triebwerk verspannt so daß das Flugzeug zum Absturz kam. Als ich ihn vor mir stehen sah am Ausgang des Flugplatzes mit dem Schild um den Hals das meinen Namen trug kam ich mir vor wie ein verlorener Gegenstand der seinen Besitzer wiedergefunden hat. Es war alles für mich vorbereitet gewesen das Fremdenzimmer die Blumen die festlich geschmückte Tafel, er blickte mich über den Tisch hinweg an ich fühlte mich sogleich von seinem Blick berührt ich hielt meinen Blick an seinen; so als wollte es mir gelingen die beiden Schalen einer

Waage lange im Gleichgewicht zu halten, das ist das Verlangen dachte ich, als er mich nachhause fuhr widerstrebte es mir zu sprechen mein Schweigen erschien mir als eine Form von Intimität mit ihm, aber ich wünschte eigentlich daß er etwas sage. Während er seine ganze Aufmerksamkeit dem Fahrzeug zuzuwenden schien und ohne mich anzusehen murmelte er, ich wollte Sie um etwas bitten
wie schön sagte ich, obwohl sie fast alle gestorben sind verneigen sie sich zum Schluß alle gemeinsam auf der Bühne, die Bilder sind auf Entfernung gerückt
Bildermacher, im Wald, sagte ich, wieder einmal schluckt mich die Fremde, sie sahen beide auf mich; sie hätten mich mit meinen Nerven, unterhalten. Das Durchkreuzen, das endgültige Auskreuzen eines Tags wenn alles so vor die Füße kollert und nur noch mit Mühe ein Hindurchstapfen möglich erscheint; magnetischer Schlaf murmelt Pasteur, und ob ich musizieren könne
nachts in seinem Büro beraten sie halblaut wie sie für den nächsten Vormittag am besten planen sollten der wie sie sagten ein halber Feiertag – die Kinder in der Schule – ohne mich auszuschließen. Pasteur blickte zu mir, Laura fingerte mit mäßigem Interesse in den zwischen zwei Buchständern stehenden Poststücken
ach die schiefen Menschen (Maschinen) seufzte sie. Der Zusammenhang zwischen ihnen hatte möglicherweise darin bestanden daß es die letzten waren die uns verlassen wollten. Die Luft kahl, grün wie das Wasser unten, der Kanal. Wenn es stiller wird sagte sie, werden sich auch mehrere und seltenere Arten.
Perspektivisch in die Tiefe des Himmels fliegend, so schien es mir da ich am Fenster stand, flogen sie, zielten sie, gegen mich: ein Umkippen des Blicks so konnte ich es von Mal zu Mal verändert sehen. Am Fenster stehend sagte sie, mit dem Blick der von Mal zu Mal umzukippen trachtet, wissend daß der Flug der Vögel sich selber schreibe ein Keil in den Winterhimmel, und in den Schreibpausen gegen die Stirn
dein leichtes Frühlingskleid sagte er, und daß du bei der Tür hereinschaust dich überzeugend ob ich noch am Leben sei um sogleich wieder zu verschwinden ist ein Zeichen dafür daß es dir nur um den eigenen Seelenfrieden zu tun ist
indem ich seine Worte in meinem Kopf nachzusprechen versuche, schließe ich einprägsam die Augen, seinen Abschiedsblick bei mir

zu halten, zeichne die Umrisse eines eben auftauchenden und sich verflüchtigenden Gedankens nach und speichere an oberster Stelle die beiden Telephonnummern die ich im nächsten Kiosk, an der Straßenecke, zu wählen haben würde
Tanz der Planeten der Mars trottet der Sonne nach ein Kürassier fiel aus den Wolken, keiner wollte sich auf meinem Gemälde wiedererkennen
Geschmack von Salz in meinem Mund (sich durchs Gitter schnäbeln) die Federchen liegen auch überall auf der Straße. Während des Schlafs vorher und zwischen seinen Übergängen vergrub ich es wie in einer Hautfalte so teuer schien es mir; ich hatte nicht die Kraft aufzustehen und zum Tisch zu gehen um es aufzuschreiben; ballte's in die Faust vielleicht konnte ich es hüten bis zum endgültigen Erwachen
es klopft ja schon mit knöchernem Finger! nach fünf. Die ersten Wortbrocken. An ein Wiedereinschlafen ist nicht zu denken, der schnaubende Fernlaster unter dem Fenster startet zum morgendlichen Ausritt –
ein Postbote ein anderer Bote, die Maulwürfe graben sich unter die Basis meiner Behausung, alles tönt hohl, meine Tritte ein dumpfes Tappen
Randnoten, fliegen Lämmer zu Tal?
wie gespenstisch lieber Pasteur! auch werden wir von den Gespenstern ausgetrunken ich meine die Ängste, mein ganzes Denken ist ja so gespenstisch und ängstlich und eng und schief, auf dem Fahrrad tretend plötzlich rückwärts weil etwas weil jemand gegen mich zielt zieht, Rückpedal. Alles abwehren sich gegen jedermann absichern
ein Wille zur Unsicherheit sagte er, die Sorgsamkeit auf der einen aber die Sorglosigkeit auf der anderen Seite, so kann man ihre Grundhaltung bestimmen, von anfang an
mit bepelztem Kopf gegen die Schranken der Luft, Eis und Eisen, während es winters düster herab fiel und wie Gewittertränen pflaumenfarbig ans Fenster schlug; auf diesem Kissen, sagte sie. Manchmal wußte ich es schlafend und manchmal nach einem Schlaf, oder es träumte mir in seiner Vollkommenheit. In einer besonderen Weise mein Gewand zu tragen nämlich das innere nach außen: in dieser rigiden Verkehrung beginne ich zu *vergröbern* in einer mir beklemmenden Folgerichtigkeit und Schwere, so hatte ich viele

Vorstellungen ohne sie alle bezeichnen zu können; ein Flimmerband so zog es zuckend an mir vorüber
ein Nervenbündel! aus allen Fugen geraten! rief er; ihr Gewand daraus die Nervenfäden wie angerissene Seidenfäden die das Futter am Ärmelausgang zusammenhielten. Sind Sie immer so sprunghaft? die herabhängenden Seidenfäden wie Nervenenden, an einem aus allen Fugen geratenden Gewand, er tänzelte rückwärts mit schiefer Schulter, wir nannten ihn Pasteur. Das Jesulein sagte er, nicht vor dem Je-su-lein, wir mokierten uns anfangs
draußen sind die Müllkutscher am Werk, Pasteur verläßt das Haus, in Müll verpackt ich rufe ihm nach, mein Kopf steckt zwischen Hecken im offenen Fenster, die Kleidung eine Art Ordenstracht. Er ist ein Kolorist rufe ich, ein Dentist ein Organist ein Internist. Sein dunkler Flaum an der Oberlippe Bindfäden Körperpfeile Köpfe, er führt Veränderungen ein. Nämlich der Gebrauch der Sprache scheint nicht von ihrem Willen gesteuert sagt er, so fällt es ihr immer schwerer alles zur Verfügung zu haben wie sie es wünscht, oft ist sie stunden- ja tagelang auf der Suche nach einem bestimmten Ausdruck, einer Wendung, einer Wortfolge die sie früher ohne Mühe zur Verfügung gehabt hatte eine verquälte Liebesbeziehung. Er löste die Uhr vom Handgelenk, zog den Siegelring vom Finger, schlüpfte zu mir ins Bett
irgendein Erregungszustand, das mehrmalige Überblenden des Anfangs, mit dieser Deutschsprachigkeit ist aber nicht zu spaßen sagt er, indem du die Kleinschreibung forderst forderst du ein nichtklassifikatorisches Verhalten, in der Grammatik, also die klassenlose Gesellschaft, in der Grammatik. Deine Körperschaft, aber deine Körperschaften, er strich mir über den Schädel
sie hat immer nachgegeben sagt er zu Laura. Hast du nie Geschwister gehabt, fragt er mich, und bist so nachgiebig. Dann klopft er mir auf den Rücken als wolle er mir zu Atem verhelfen er meint aber eigentlich ich solle mich geradehalten, dann klopft er mir auf den Rücken, ich glaube eines Pferdes. Was ich auch sogleich tue aber nur einen Augenblick lang dann sinke ich wieder in mich zusammen; die umständliche Rückenpartie, so sehe ich mich im Spiegel wenn ein neues Kleid ein neuer Mantel mir angepaßt wird. Spezialanfertigung scherzt Pasteur, und kneift mich in die hintere Backe
in dem Gewölbe des Bahnhofs bis irgendein Zug, fröstelnd, bis irgendein Erregungszustand vermutlich. Ich hatte sie nicht gegen die

blendende schräg einfallende Sonne sehen können wie sie mir entgegenkam so daß sie annehmen mußte ich hätte es vermeiden wollen ihr zu begegnen, erst wenn an die elf Personen, erklärte sie mir, sich hier versammelt haben kommt wieder ein Zug; ich zählte die Wartenden es waren neun, mit Mühe ich schwankte gegen die einfahrende Garnitur. Die Ubahn die Urbanität ich zähle nach unten, Asche fegt mir an den Kopf in die spaltweisen Späher, ein Hall sage ich, in meinem Kopf als töne es mit metallenen Hämmern im Inneren eines Felsgesteins. Aus dem Innern des Schachts donnert es heran, ich zwänge mich in eins der aufgesperrten Wägelchen; ein greller klaffender Schlund ein schrecklicher Hallraum ein automatisches Türenschließen ein melancholischer Pfiff; zwischen den knirschenden Mahlsteinen meiner Kiefer das Frühstücksbrot mit Getöse zerrieben, ich halte mir die Ohren zu der Zug schleudert quietschend in eine Kurve, mein Tritt wie auf Watte ein quälend lang anhaltender Pfeifton, aus meiner rechten Nase sickerte Blut. Deine Körperschaft ach deine Körperschaft flüstert er, er müsse auf der Stelle, taub schlimmer als blind. Sah mich von der Seite an und schien besorgt wegen der Müdigkeit die er an meinem blassen Gesicht ablesen zu können glaubte. Er ließ mich viel allein umhergehen, ich sollte mich ungebunden fühlen. Aber ich beherrschte die Landessprache nicht, so wollte er fortwährend um mich bemüht sein. Sobald ich die Absicht hatte ein Lokal zu besuchen begleitete er mich da hin und betrat das Lokal vor mir, sprach ein paar Worte zu dem Gastwirt meine Wünsche betreffend oder stieß nur mit der Schirmspitze die Tür zu einem Café auf, rief dem Kellner im Innern etwas zu, hielt mit einer Hand die Tür für mich aufgeschlagen und verschwand ohne Gruß

Eindrücke sehr verschwommen aber immerhin mitteilbar sagte Pasteur. Sie ist ja sehr gefährdet durch ihre Sprachstörung, sich allzusehr zu isolieren, wahrscheinlich wird sie in den nächsten Tagen bei euch auftauchen

vormals Elefantinnen Ougenweide, sie erinnerte sich daran mich einmal irgendwo schon gesehen zu haben; Kleiderstock die andre. Wie Wasserrieseln! rief sie und griff sich an den Fuß der lahmte. Auch waren die aggressiven Sequenzen zu kurz geraten. Nur noch äußerlicher Vollzug. Die ersten krankhaften Abweichungen am Telephon ich beglückwünsche ihn zwei Monate zu früh, auf den Tag genau, zu seinem Geburtstag

eigentlich wollte ich seinen Brief zuerst *aufessen* obwohl unpersönlichen Inhalts, so hungrig nach seinen Worten. Er hob die Braue und blickte mich an, Zweifel, Mitgefühl, zärtliche Strenge: Sie sollten vorerst nicht in den Spiegel schauen sagt er, wie um etwas endgültiges in letzter Sekunde abwenden zu wollen. Meine Zunge tappt automatisch im Innern meines Mundes. Hatten sie mir einen Zahn während ich in Hypnose lag? ich befühle meinen Schädel. Oder den Haarschopf? hatten sie mich etwa geschoren? ich betaste meinen Körper, bis an die Zehen; es schien alles vollkommen und intakt, ich fühlte auch keinen Schmerz. Es jährt sich nun alles, wiederholt sich alles, ist wie beim ersten Mal, und mir scheint als nehme alles was zu geschehen habe parallel dazu seinen Lauf
und das schrieb ich fast ohne Atem zu holen, bin ins Wasser in den See und erst jetzt an die Oberfläche gekommen, ein beklemmender Tagesbeginn. Sie neigt ja im ganzen zu Exaltationen sagt er zu Laura. Ich war eingeschlafen und hatte die Wohnungstür offengelassen. Nach einem tiefes Erschrecken hervorrufenden Traum erwache ich und falle sogleich in einen anderen Traum der mich in eine quälende Ungewißheit darüber versetzt ob die Vorgänge des ersten Traumes Traum oder Wirklichkeit gewesen waren; es verdichtet sich sodann zum Ende des zweiten Traumes in mir die Empfindung daß alles Geträumte Wirklichkeit gewesen sein müsse, was meine Erregung steigert, ich verrücke den Blick, auch hier wieder nur Kammerton: nichts, keine Rede von plakativen Gefühlen
irgendwo aufgefunden als Notiz ein Blatt darauf Worte wieder verloren, irgendein Satzanfang. Und holprigst notiert während des Laufens, nach Haus: *rot ist unten, und die füß' sind die blumen, und die lily am strand*
ich schaufelte mit Knien, dann war es bald in Erfüllung gegangen. Die Ohren klingen mir; mein tobendes Herz. Ich trete auf den Korridor und lasse die Wohnungstür offen stehen, etwas wie ein Schatten huscht vorüber und durch die offen stehende Tür ins Innere meiner Wohnung daß ich in Panik alles ausleuchte; leib haftend sage ich wenn du fort bist versuche ich deine Schrift auf der Fahne zu entziffern. Ein tobendes Herz, ein geschulterter Unterbau, wie nah wir wohnen! ruft Laura, wir sollten einander öfter besuchen!
Vielleicht wird man dir am wenigsten gerecht sagte Pasteur, wenn

man behauptet du habest dich *verändert*. Du hast einen Weg genommen, und du hast dich nach ihm ausgerichtet
schon aus der Ferne, wenn Sie am Ende der Straße, kommen, würde ich Sie sogleich erkannt haben, rief Laura, Sie könnten sich sogar verkleiden.
Ich hatte es überschlagen wie man Buchseiten überschlägt, den Blick auf die dünnen Pfeiler die das gelbliche Haus am Ende der Straße trugen. Mit Mühe, sagte ich, wie es auf vier dünnen Pfeilern aufstützt, sagte ich, sie scheinen wirklich zu brechen. Ein Mißbehagen, ein geschulterter Unterbau, unser Körper ist wie eine Landschaft. So werden Briefe Schmetterlinge sagte Pasteur, und er sah mich bedeutungsvoll an; nämlich aus der Verpuppung sagte Laura, einer besonderen Stimmung die mitzuteilen man sich gedrängt fühlt. Die Blutgefäße, die Büschel der Muskel, die Kettengewebe, die Kanäle von Abwässern, die Knochensäulen, die Hochburgen der Nerven
sind Sie Historiker? sind Sie Schotte so frage ich ihn anfangs, er entfaltet ein weißes Tuch und senkt die Nase hinein ohne zu antworten, ich sehe daß es blau-rote Streifen hat. Sind Sie französisch? affektbetont; ich bemühe mich darum mich solcher Fatalität zu entwinden. Ein Feuer Tag ein Feuer Tag ruft Pasteur und wirft sich, ein Atemloser, in seinen Tag, Kopf und Schulter nach einer Seite geneigt, und fegt vom Institutskalender ein Blatt nach dem andern, so schnell vergehen die Tage. Ach, Sie geben mir Rätsel auf sagt er, glauben Sie werden die Zeitgenossen sich hier wiederfinden können?
die Platzdeckchen liegen bereit, Pasteur und Laura beraten halblaut wie sie den nächsten Morgen am besten, ohne mich auszuschließen, der wie sie sagen ein halber Feiertag
überlappend die Assoziationen ruft Pasteur, und es sei beinahe unmöglich geworden ein Gespräch in ihrer Anwesenheit geradlinig zu führen, immer wieder brach sie aus und stürzte in irgendwelche Luftlöcher die nicht mehr einsehbar waren, aus welchen er sie nicht mehr zu dem ersten Thema zurückzufühen vermochte; es begann mit den umständlichen Worten: was ich sagen wollte und geriet unabwendbar in ein Dickicht von Ablenkungen und Parallelen, nämlich Annäherungen an einmal von ihr Gedachtes Vernommenes Geschmecktes Gerochenes Gesehenes. Wurde im Gespräch etwa ein bestimmter Ort erwähnt, oder vollführte jemand eine bestimmte

Handbewegung, fühlte sie sich gezwungen sich einzuschalten und alles vorangegangene in ihrem Wortschwall zu begraben

die mehreren Klippen des Morgens, sagte ich. Ich hatte das Bedürfnis gehabt mich vor ihm auszulegen

Rosen- und Vogelfarbe, ein leicht ironischer Zug um Mund und Nase ein Wittern ein Wetterleuchten in seinen wasserhellen Augen als er den beiden Mädchen die herein wollten bedeutete daß das Institut geschlossen sei wegen des Feiertags. Umgang mit Schemen, im rosableichen Dämmerlicht drüben die vertrauten Quader, kaum Köpfe in Fenstern, gottlob, nur Häuserfronten oder fensterlose Kuben mit querem Mauerstreif, graugelb gebändert

ich sehe ihnen beim Gehen zu, fange ein was nach hinten ans Ohr dringt, wenn sie reden; wenn sie auf der Straße vor mir ineinander festgehakt gehen; ich versuche ihnen zu folgen; während des Gehens und während der Sturm ihre Haare ihre Rufe rauft, höre ich ihr wechselseitiges Fragen und Entgegnen, ich sehe ihr Nebeneinanderherlaufen und wie sie im Laufen Zacken beschreibend sich voneinander immer weiter entfernen, wie sie, einander zum Lachen ermunternd, sich miteinander nur noch laut schreiend verständigen können, während ich ihnen in einem Abstand folge, aus meinem nach unten gewandten Blick nur teilweise, schwankend, sie vor mir sehen kann – Lauras weiten wadenlangen Rock und wie er um die Schaftstiefel spielend und knitternd sich verfängt, und, mit einem einzigen kurzen Blick hinauf zu Pasteur sehe ich wie sein Schlapphut abheben will und wie er mit einem hastigen Griff ihn tiefer hereinzieht. So habe ich sie beinahe aus den Augen verloren

ich erkenne ihre sie treibenden Wünsche in den Bewegungen ihrer Arme und Beine wieder, aber ich habe sie schon aus den Augen verloren

hatte es gegraupelt oder war Reis verschüttet worden, vor den Haustoren, an der Straße? weiße Körner in den grün sprießenden Fugen zwischen den Pflastersteinen. Ein verständnisloser Ausdruck öffnete ihr den Mund als sie hinter mir stehen blieb und ich mich umwandte – eine Reflexbewegung in jenem Augenblick als der riesige Rüde, mich am Mantel streifend, vorüberstrich. Ich hatte es nicht erwartet in dieses verwunderte Gesicht zu geraten: der Ansatz eines spöttischen Lachens drang als Kehllaut aus ihrem Mund, zwischen das Gebiß, und die breiten blutroten Lippen, von Speichelnässe gelackt. Es mußte sie verwirrt haben mich so zu finden mit

meinem Notizblock an der Straße, während ich meinen Notizblock aus der Tasche zog um etwas aufzuschreiben sie dachte vielleicht zeichnen, während ich zur Seite trat um den Gehsteig freizumachen; sobald ich von hinten die sich nähernden Stimmen und die sich nähernden Schritte vernommen hatte, während ich zur Seite, gegen die Wagenzeile, trat, und der große dunkle Rüde mich anstieß so daß ich aufblickte. Ich halte den Atem an, mische mich nicht vergnüglich, erblicke mein erloschenes Gesicht im Spiegel: auf und davon! alles zurücklassen! mich jeglicher Verpflichtung entziehen! er hatte mir eine Zigarette angeraucht und mich dabei angeblickt, die Rauchkringel schnörkelten über die Tischplatte zu mir. Ich führte seinen Brief ganz nah ans Auge als hielte ich ein Röntgenbild gegen das Licht der Funke war übergesprungen
wenn auch nicht ganz in jener Form sagte ich, wie ich es mir vorgestellt hatte. So erfüllen sich Ansätze von Vorgängen in meinem Kopf in der Wirklichkeit. Allerdings, der große Vereinigungsakt, sagte er, würde noch auf sich warten lassen.

verminderte Träume

zu den eben aufgehenden Zwillingen weisend, sank er ins süße schwere Moor. Federwild, wir betrachteten den Fischteich darüber Wind wehte. Ich beäugte seitlich Walentino weil ich ein paar Augenblicke mit ihm allein sein wollte, ihn aus der Freundesschar zu lösen suchte. Frostlöcher Echsen Maulbeerbäume, die Teiche inmitten Moorland. Er sank aber vor meinen Augen immer tiefer ein, bewegte die Augen. Hat die Form einer Träne sagte Walentino, geschweifte Stirn, Schnuppe auf Lauer, im Taghimmel gelb verschwommener Mond; die Möbel zusammengedrängt wie auf dem Speicher Rundbau ihr Fruchtholz; biß rein, weiland Margit. Canadier, so benannte man in den Dreißigerjahren Polstersessel mit geschwungenen Holzarmen die man zum Draufliegen auseinander klappen konnte, sagte er
meine Zuneigung wollte ihn ins Netz locken was er wohl mit der Hälfte seiner Seele wünschte, Ort efeublätternder Wind man könne die Schuppen der Fische zählen, ihre Seele Keulen und Hinterteil heulen hören. Will sie mich heiraten? dachte er

Es blökte plötzlich in der Straße ich beugte mich aus dem Fenster zu sehen was für Böcke, ich schlief da ein.
Schwarze Bauernkutsche wirbelte Staub auf und Feldhasen, in den Karrenwegen zwischen dörflichen Gewässern; hinter uns im Wagen die Freunde denen wir die Richtung weisen sollten schienen im mannshohen Getreide untergetaucht. Ein fremdes Idiom in der Luft rief Walentino und schon sträubt sich alles in ihnen; hundert schafft! mannhaft im Kaufhaus, die klassenlosen Aufrufe bestimmt, endgültig in hausväterlichem Zwergvergnügen unterzugehen!
ich war auf das schiefe Wagendach geklettert und schaute rundum. Er wandte sich zu mir und suchte zu sprechen er hatte plötzlich aufgehorcht, in meiner Leibesmitte und handfest das Kind im Sessel.
Ein Pastell im südlichen Fleisch des Himmels, Sternbild des Hundes sagte Walentino, Syntax als Sphinx. Wenn es zum drittenmal bellt kommst du herunter! Quecksilber hauptsächlich kauernd, wir werden es kalt haben, schneekluth! Unten leiert es auf quietschenden Rädern: Greisin rollt in altem Fahrgestell Einkaufsack graugrün, hinter sich her, blickt herauf; zwischen zwei Regengüssen Löschzettelchen Gesicht napfgroß, scheint über die Maßen ermüdet. Nahezu völlig verwelktes Blatt sagt Walentino eine Gestik die hilflos ins Leere geht
er wandte sich zu mir und suchte zu sprechen er hatte plötzlich aufgehorcht, in meiner Leibesmitte und handfest das Kind im Sessel im Sattel; vor dem noch ungeputzten Baum am frühen Nachmittag eines Heiligenabends, auf dem blassen Schirm seiner Stirn: rotsattliges Schaukelpferd!
das Kind mit seiner Muskulatur, mit aufgerissenen Augen, was für ein Gebetseinschuß sagte Walentino. Ich ließ mich im Schneidersitz auf dem Fußboden nieder in den Hutgärten blühte es.
Anstatt ofens sagte Walentino und legte mir ein Sitzkissen unter.
Auf dem Canadier, sagte Margit auf die Frage Walentinos wo das Kind schlafen solle, freilich sei es kalt hier zu warten

für Martin Schweizer

Ein Schatten am Weg zur Erde
(Hörspielfassung: Produktion Radio Bremen, 1975)

Diese elliptischen Gespräche sind eine Bodenfalte in die einer fällt oder über die einer strauchelt, wenn er mit dem Blick etwa auf buntscheckiges Gelände, dahineilt, wenn er das sepiafarbene Gras tritt, oder oberhalb seines Kopfes das fadenziehende Licht greift. Nicht Haus und nicht Land sondern Gruft, nämlich vergebliches Mausoleum von Hoffnung und Ehrgeiz.
Beinah geschlechtslos wenn auch weiblich geboren, fällt sie, die zentrale Figur, nun nur immer schneller in den von beiden Felsen gebildeten Schacht hinein, und wir meinen, den unaufhaltsamen Gang der Jahreszeiten am Fallen dieser Sonne erkennen zu können.

1
der andere: wieder Fremdtext?
und sie: kaum
2
er: wenn du nicht willst daß ich dich besuche macht es nichts aus
und sie: also kalkulierte Verzögerung – um mich nachhaltiger zu gewinnen?
und er: am ehesten Phantomschmerz. Oder meine Angst davor du könntest mir im letzten Augenblick doch noch weglaufen. Anderseits würde ich dich sofort frei geben wenn du einen anderen Mann liebtest
3
der andere: Adam aufgeladen – habe Veilchen mitgebracht!
und sie: die Veilchen werden uns verraten
und der andere: dann machen wir eben reinen Tisch
4
er: du hast Besuch gehabt – geht es dir besser?
und sie: kaum
5
der andere: wessen Feind muß ich sein um dein Freund sein zu können?
und sie: dieses Einhaken in Widerstände – selbstzerstörerisch!
und der andere: vielleicht habe ich eine Fehlentscheidung getroffen und muß alles rückgängig machen

6
er: und behalte in Erinnerung wie wichtig es für dich ist, dir Rückzugsmöglichkeiten offen zu halten
und sie: die gesprungene Tasse – mit den Veilchen
und er: wenn ich nun ein solches Veilchen anstecken wollte?
und sie: das Bulletin im Badezimmer. Oder des Badezimmers – es verschwimmt alles in meinem Kopf
7
der andere: nein ich habe nichts ausgeschüttet, nichts in Unordnung gebracht
und sie: an unseren Veilchen kann man sehen wie immer gleich alles historisch wird
8
er: Veilchen am Hut – wie gefällt dir das?
und sie: ich will nicht daß du leidest. Geh nicht mit diesem Veilchenhut
9
der andere: Abstieg auf der Wendeltreppe der Lust
und sie: die alle Dinge auf frischem Fuß hält
10
er: was ich während der Reise im Schnellzug für das Geräusch warm klopfender Hufe neben den Schienen hielt, entpuppte sich als das Geräusch das entsteht, wenn Würfelspieler ihre Würfel in einem Becher schütteln
und sie: kann sie die Zukunft aus den Karten lesen?
und er: ja. Auch aus der Hand
und sie: wollen wir deine Mutter einmal darum bitten?
11
der andere: es ist nötig in anderen, neuen, Kategorien denken zu lernen
und sie: wir könnten es einmal versuchen
und der andere: Dinge kommen auf mich zu, die ich gleichzeitig will und nicht will
12
er: so ein stilles einfaches Leben wie früher die chinesischen Dichter im Alter, oder bei beginnendem Alter, sich machten das wäre schön
und sie: vielleicht fällt einem dann aber nur grillenhaftes ein, oder nichts heiteres

13
der andere: Formelhaut
und sie: in den Nüssen und Muscheln können die schönsten Überraschungen sein, auch in den Bergen oder unter der Erde, aber auch die bösesten
und der andere: nicht als eine Ermahnung für alle Welt
und sie: ich komme von außen, dringe nach innen vor – erst von da suche ich meinen Weg von innen nach außen
14
sie: verdrehtes Fenster!
und er: wie ein Ausdruck einer Sehnsucht nach der Kindheit
und sie: wie damals beim Schulschlußfest als ich das Aschenbrödel spielte, so ist es immer geblieben mit mir. Ich stand außer der Reihe, wußte nicht recht was ich von der ganzen Sache halten sollte, war unpopulär bei den Mitschülern weil allzu schweigsam ängstlich störrisch. Ein Blatt im Wind dem keiner Beachtung schenkte
und er: möchte dich schmücken – zum Trost. Ornat, mindest Talar, oder wenigstens Kaftan, und einen Dreispitz mit lauter Chrysanthemen obendrauf, lange Spitzenhandschuhe und Kniestiefel mit Borten und Litzen ... ganz falsch?: dann denke ich um
15
sie: aus der Tiefe der Vogesen ...
und der andere: ach! Tafelwasser!
und sie: Sichtbarmachung des Worts
und der andere: fetischhafte Handlung?
und sie: der Mensch ist zugleich phantasievoll und zweckbezogen
und der andere: und einem Scheinrhythmus nachhängend
16
er: eine Schwierigkeit in dieses Gewerbe einzusteigen
und sie: mittels Askese
und er: bis die Spannungskurve auf Null sinkt
und sie: bis man in die Bedeutungslosigkeit zurück sinkt
und er: wir hauchen den Dingen Seele ein indem wir sie lieben
17
der andere: man kann nicht das Malen malen. Man kann nicht das Schreiben schreiben!
und sie: von irgendwo muß irgendwas eindringen

und der andere: zum Beispiel ein Abendrot
und sie: ich glaube die Dinge sind am deutlichsten in der Früh; ich wäre froh wenn immer Tagesanbruch wäre, immer die Zeit kurz nach dem Erwachen, nach erquickendem Schlaf

18

er: ich hoffe mich bald aus diesem kleinen Wald heraus arbeiten zu können –
und sie: ist es noch viel?
und er: kaum
und sie: der Kohoutek kommt!
und er: die neue Himmelsrute!

19

der andere: wie die hängenden Gärten, in meiner frühesten Jugend war ich sehr anfällig dafür
und sie: wenn sie die Duftangeln auswerfen ...
und der andere: tun alle das gleiche, vertuschen es aber vor einander
und sie: sie sagten sie machten es oftmals am Tag und oftmals die Woche und in den allgemeinsten Situationen, sie bräuchten nur die Knie ein wenig einwärts falten und schon ginge es los
und der andere: Schuß-und-Kuß-Wechsel, komm!
und sie: in der Flora bewandert bejuxt behext, auch zwischen den Beinen: zerwollt, zerwolft

20

er: die schönen alten Schellackplatten! ich habe eine ganze Sammlung gehabt
und sie: als man immer schnell aufspringen und umdrehen mußte!
und er: diese ausschweifende Musik –
und sie: und wie eine Speise hinuntergeschluckt

21

sie: Mutation eines Zimmers ...
und der andere: ich möchte mit dir am liebsten zwei- bis vierstimmig reden in den kurzen Zeiten unseres Beisammenseins. Ich möchte mir Listen anlegen über alles was ich mit dir sprechen will. Würde ich dann etwas vergessen, wäre ich bekümmert und fände nachts keinen Schlaf
und sie: es ist Zwetschkenzeit, da muß jeder Haare lassen!

22
er: Augen Kater im Kuvert!
und sie: dem Möpschen wieder begegnet. Sieht mich immer an als wollt' es mich was fragen
und er: ich würde dir gern eines schenken
und sie: ach – wie der Sturm umgeht
23
der andere: das unbewältigt gebliebene liegt mir wie eine faule Frucht in den Eingeweiden
und sie: ich habe Schwierigkeiten mit der Verwendung der Ausdrücke Stulpe und Krempe
und der andere: ein Ausbruch steht bevor
und sie: eine überschäumende Verbalvision? kaum stehe ich auf in der Früh, schon schüttelt sich und rüttelt sich das Wortebäumchen, und wirft Scherben ab
und der andere: Mutation eines Zimmers ...
und sie: jetzt ist das Zimmer plötzlich eine Brücke, in Innsbruck, bei Nacht, und wir gehen langsam über diese Brücke. Es ist eine kühle Nacht, es ist Mai, und ich halte mich mit einer Hand am Brükkengeländer fest, mit der anderen an dir
und der andere: ich erinnere mich daß es stürmte
und sie: ich erinnere mich daß ich mir selber zusah und selber zuhörte, und daß ich meine eigenen Gedanken wie von den Seiten eines Buches abzulesen glaubte
24
er: ein Schildkrötenpärchen, es ist für dich!
und sie: mein Gott – die wunderschönen Augen
und er: richtige Knopfaugen!
25
der andere: ich meine, Ernsthaftigkeit ist eines der Merkmale für Dilettantismus
und sie: ich meine, ich habe eine Neigung zur Melancholie
und der andere: es mag alles Ausflucht sein
und sie: ich meine, eine Neigung zweier Menschen miteinander zu reagieren müßte schwerwiegend genug sein
und der andere: Mutation eines Zimmers ...
und sie: jetzt ist das Zimmer plötzlich ein Wiesenhang und alles blüht. Wollen wir die Bank hierher stellen?
und der andere: wo niemand uns belauschen kann. Die Vorstellung,

jemand könnte uns beobachten oder unsere Gespräche belauschen, ist unerträglich
und sie: mir träumte wir seien eingeschneit und niemand könne uns finden
und der andere: beinah eingeschneit: Apfelblüten schweben auf uns nieder
26
er: die weißen Schlummer-Pferdchen
und sie: der Schleuderprinz
und er: eine Verwischung von Lebensspuren sei
und sie: wie die Frömmigkeit
und er: unverzichtbar!
und sie: unverzeihbar! –
und er: du grämst dich allzu sehr
und sie: ich will nicht daß du leidest
und er: mir träumte heute nacht von einem kleinen Mädchen, das sah so aus wie du. Es führte ein schneeweißes Lama spazieren
und sie: achgott ...
und er: das Lama trug eine Schubertbrille. Da sagte ich dem Mädchen daß ich das Lama reizend fände mit seiner Brille. Da sagte das Mädchen, das so aussah wie du, ja, das Lama ist von seiner Mutter kurzsichtig!
und sie: schön ...
was wird deine Mutter sagen?
27
der andere: die Dinge kommen und bieten sich an
und sie: ist es daß sie erlöst werden wollen?
und der andere: kaum, sie sind nicht wie die Tiere: die wollen es. – Diese Phase des vollkommenen weltabstoßenden Losgelöstseins, das der eigentlichen kreativen Phase vorausgeht –
und sie: ich möchte hart arbeiten
und der andere: eine Nachzeichnung, ein Roman. Sichere stabile Markierungen
und sie: ja, am liebsten einen ganzen Roman an einem einzigen Tag schreiben. Weil ich ungeduldig bin, weil ich es nicht erwarten kann was kommt. Eine Sternkette: eine Gedächtnisstütze ... »gangsterdollar« ... fand ein Zettelchen nach vielen Monaten in meiner Manteltasche, da stand »gangsterdollar« drauf, und hinten »mouthwash«, und »Stopfwolle kaufen«, und »55, park ave.«

und der andere: ja und wie eine Speise hinuntergeschluckt; dies Wiedererkennen von Zuständen, Begebenheiten, Erfahrungen

28

er: du vergißt ich habe noch meine Bücher
und sie: mein Rücken schmerzt. Ich bin kaputt
und er: ich verstehe dich ja
und sie: ich habe im Grunde alles mit deinem Einverständnis getan, nie hat mich das Gefühl verlassen, daß das, was ich tat, nicht auch von dir und deinen Gedanken begleitet sei. Es war etwas, das wir immer gleichsam zu dritt vollzogen, du warst ein Eingeweihter du hast *mitgetan*. Ich habe immer dein Gesicht vor mir gesehen. Es zeigte nie an daß ich unrechtes tat

29

der andere: der Föhn und das Alleinsein –
und sie: mein Rücken schmerzt
und der andere: Mutation eines Zimmers ... jetzt ist das Zimmer plötzlich eine Sommerwiese, und wir laufen barfuß aus dem kleinen Dorfgasthaus zum Bach hinunter
und sie: die erste Haarwäsche ... dann lagerten wir auf den warm besonnten Stämmen, bis meine Haare trocken waren
und der andere: eine Neigung, ein Liebesgefühl, kann bewirken daß wir eine Landschaft, in der wir uns zu dieser Zeit bewegen, miteinbeziehen in unser Gefühl –
und sie: so daß daraus eine magische Landschaft wird
und der andere: eine weitere Erklärung für die religiöse Vorstellung des Paradieses?

30

er: wo vor dreißig Jahren noch blanke Wiese war
und sie: stehen jetzt Hochhäuser, vom außerordentlichen zum ordentlichen
und er: haben zu eng auf Nachbarschaft gelebt. So daß sie alle jetzt um Vereinzelung sich bemühen

31

der andere: der Föhn. Das Alleinsein
und sie: ich werde Kuchen backen, für uns alle
und der andere: mein Kopf. Wie ein ohrenbetäubender Wasserfall, ein Warten auf den Ausbruch einer schrecklichen Krankheit
und sie: Kronleuchters Flug – *eine Reise für mich ganz allein!*

32
er: eine sanfte Region, eine Resignation
und der andere: eine sanfte Region, eine Resignation. Da hin ist sie gegangen. Jetzt ist sie angebrochen
und er: in der Entfremdung leben mit mir selbst!
und der andere: in der Entfremdung leben mit mir selbst!
und sie: in der Entfremdung leben mit mir selbst!
33
und alle: ein Schatten am Weg zur Erde, ein Schatten am Weg zur Erde …

verzückter Bereich

(nach Magritte)

1 den Wandergang, zu wittern, aus metrischen Gründen

2 fallsüchtig, leptosom. Ortes und Zeit Gebälkträger: umgenuß, eine sich entziehende Spätsonne, sepia

3 (vertellung?)

4 die Tagesleuchte. Im hellen Viereck gegenüber schienen zwei riesige Fische an ihren Mäulern von der Decke zu pendeln; seitengleiche Struktur in der Achse des einzigen Fensters

5 geplättete Zeit. Ich hatte sie vom Fenster aus beobachtet wie sie heranrückten. Sie hatten auch bald eine Frühstückspause eingelegt. Der Baum den sie geschunden hatten, wächst seither auf eine Seite. Ich frage mich ob wir es noch wert sind daß er ausgetrieben hat

6 fällt aus den Angeln, Scheinarchitektur: versäumtes Leben zwischen zwei Buchdeckeln!

7 einer beginnt, das Eisentor aus seinen Halterungen zu zwingen. Ein anderer entfernt die Fixierungen in den Mauerpfeilern mit einem Schweißgerät. Der erste bewegt sich wie ein Fußballamateur, der zweite stülpt sich Maske und Augenschutz über

8 durch beschlagenen Sehschlitz unbefriedigende Sicht auf schneebedeckten Vulkankegel

9 (nichts zu vermelden, Blindscheibe. Außer daß ich beinahe auf eine Kröte in der Dunkelheit. Paula riß mich aber zur Seite: ich hatte den Fuß schon aufgesetzt. Wenn auch mit halbem Gewicht als hätte ich es vorausgeahnt. Es kroch hervor schien unverletzt)

10 jeden Morgen Kurskorrektur um Richtung nicht zu verfehlen

11 (wohin?)

12 anfangs flog es sich gut an ihre Bildbrust. Jetzt –: Stirn-, Wangen-, Lippen-, Nagelblässe!

13 einer füllt die Betonkästchen mit Zement, der andere fügt sie zu einer schmalen Mauer zusammen, gemeinsam passen sie das Stück ein wo früher das Eisentor die beiden Teile der Mauer verbunden hatte

14 ob es an den uneinheitlichen Größenverhältnissen liegt? nichts passe mehr so recht zu einander. Auch war, was konkav schien, konvex, und umgekehrt; die Personen, früher an ihrer Umgebung erkennbar, schienen nun, von ihr abgelöst, unter einander austauschbar:

15 die Verleumdung sie ist lüftchen

16 kollidierte abends auf dem Bruderholz

17 zickige Sprache: muß bei Afghanistan stets Struppiges denken – magere schwarze Bergziege, melancholisch blickend

18 im Uhrwerk rückt es unaufhaltsam vorwärts. Anderseits sei es bedrückend gewesen, die Zeitzerdehnung ertragen zu müssen: so lange geradeaus hineinzufliegen ins Morgengraue, Morgengrüne, Morgenrote, in dem Gefühl man bewege sich nicht fort.

19 Das antäushafte Berühren, schrieb sie. Und: wir berühren einander auch aus der Ferne!

20 flaska: Taillenverlust!

21 (schamlose Selbstbetrachtungen)

22 die Scheibe Brot war unter den Kasten zu liegen gekommen. Er hatte sie, nach den ersten Bissen, wütend beiseite geschleudert

23 in süßer Verlotterung

24 er zog aber den zärtlichen Blick sogleich wieder ein: merkte daß ich mich von ihm beobachtet fühlte – (Januarfrühling?)

für Otto Breicha

Animation

(zu einem Bild von Robert Zeppel-Sperl, »Arche 1967«, meine Erzählung »Die Sinftlfut« beschreibend)

der Morgen, aufgeschlagen, vor beiden Fenstern.
Eine große Lichtquelle und stürmisch.
Regen und Flut früher damals auf dem Bild.
Jetzt das Bild gegen eines der Fenster, und die ausgeprägten Farben, die mich abbilden, die mir was abfordern, stürmen in den stürmischen Farbenhimmel
wie fahnentragen, nicht die feine Art.
Die kleine Wolken Taube der weiße Rabe, auf meiner dicken Schulter.
Pastell-Gesteck, braunbrüstig braunäugig hinter blau-lanzigem Gewebe und grenzend an wolliges gelb, zugeschnürt Hals und Mund.
Im Hut Garten (Graben) das Volk der Wacholder Engel mit blauen Lippen, die tutenden Schlote auf der Arche, nämlich Kamine wie von Kinderhand und aus bunten Wollrestchen gestrickt, nach oben gewickelt, dampfende Arche, weil ja alles noch feucht und vielleicht auch schon aufgeweicht.

Ich, in abseits stehender Figur, auf die sich die Taube oder der weiße Rabe geflüchtet hat, und wir beide sind stark wie Atlas und können die Sonne halten, *autobuskastanica*.
Die Station wo sich solches ereignet, jugoslawisch, eine Hundeluft (DDR), eine botanische Kuh, eine blaue Hecke, Engel zu meinen Füßen, ein Polarmohr hustend und bebrillt, ein Signal-Hund der bellt. Pulkau, ein Konstruktivismus, der Künstlerhimmel über Baden bei Wien
verflucht! den Schatten verloren, und mit dem Geschlechtsakt sich belohnen wollen nach arbeitsreichen Stunden!
Vergessungen, von alters her.
Es mußte ja so kommen: ein roter Streifen über die Schultern und die Brüste entlang, die einzige Hand wie palmenfingrig; Platitüden Plattfüße auf Säulenstümpfen, Sockelzahn; glas schlag füßig flüssig, wie Stiefelschaft aufwärts geschwungen, eine zierliche Landschaft Rumgläser; Schnabeltiere weiß, eine Chrysantheme auf einem Tisch ganz bizarr vertrocknet
mein rechtes Bein! muß länger geworden sein
nein!
mein linkes kürzer: es trocknet ein
meine Augen! verändern sich
beim Abflämmen des Haarschopfes vom Rauch aus dem Haus gebissen.
Ein Schnellschuß jenseits der Arche: die Worte biegen sich vom Blatt, die Blätter biegen sich vom Wort.
Die Milch war ihr eingeschossen, die Liebe war ihr eingeschossen.
Im Sommer achtjährig. Like a wind aims horizon.
Ich, und Reseda, im Garten, im Sommer achtjährig.
Ich, mit nacktem Oberkörper mich hinauslehnend beim offenen Fenster. Da riefen alle, laß mal sehen!, riefen mich prüfend zurück: laß mal sehen, ob es noch möglich ist, und er beäugte mich väterlich fromm liebevoll kritisch. In schöner Ordnung und Selbstverständlichkeit.
Bis man einen weißen Faden von einem schwarzen in der gellenden Morgenröte, unterscheiden konnte
meine Augen! verändern sich.
Aufgefordert, etwas davon zu übermalen, liegen die Fußangeln schon bereit. Keine Regengüsse mehr, keine Ergüsse. Eingetreten,

in eine andere Lebenszeit. Ein weißer Rabe auf meiner gepolsterten Schulter, oder eine weiße Taube; ich schaue hinaus in den weißen Flor.
Eingetreten, in eine andere Lebenszeit, alles vollzieht sich in meinem Kopf; ich bewege mich nicht mehr vom Fleck.
Da kommt man zum Nachdenken.
Diese Chemie macht daß man zu einem anderen wird.
Ein Mund Raub.
Mein Bild zuckt hilflos mit den Achseln. Die Schrumpfung hat begonnen.
Ich, und Reseda im Garten, Reseda und Vergißmeinnicht, und immer der Wunsch nach dem Anblick von Palmen; orangefarbene Blüten, violette, der Fliederbaum; und die vielen Zwetschkenbäume im Garten, und oftmals in die Brennesseln. Sich in die Brennesseln werfen, und eintauchen, ich, meine Hand, in den Brennesseltopf. Nämlich, als schmerzlich zu würdigen gewußt; »ein plätter paum« – sonst setzt sich noch der Wind hinein; und spöttisch den Mund gekräuselt: »haben wir eine Seifenknappheit?«, und mit jeder Backe woanders. Warum assoziiere ich Bösendorfer mit Pietät, Café Schwarzenberg mit Grenzgängerei? warum fällt mir das Wort Stulpe nicht ein, wenn ich Krempe denke? und umgekehrt?
Sickerblick.
Sie lag auf Reede, die Arche. Hatte haloniertes Auge. Vollzog die peinlichsten Ausweichmanöver (auf der Straße, und sie wollte da möglichst ungeschoren vorüber; tänzelte einmal links, einmal rechts, dem ihr entgegenkommenden vor die Füße; bis dieser ebenso unschlüssig einmal links, einmal rechts von ihr). Freier Fall von Willenskraft, ein Schnallenfabrikant.
Die Gegensätze berührten sich, ich erinnere mich. Sitzungen des Tisches – nie kam ich zu Stuhle. In der Hüfte abgeknickt, schlankes Weibsbild vollbusig, hochhackige Spitzschuhe, schöne lange Beine, blaue Augen, Kindergesicht schwarzhaarig, Pagenschnitt.
autobuskastanica.
Dann drehte er gleichzeitig das Radio an und den Fernseher auf stumm, und bat sie, jetzt sogleich auf dem Klavier zu spielen; sie begann mit der Mondscheinsonate; er musterte mich; plötzlich belustigte ihn mein abgetragenes Zeug, an dem ich, als hätte man mich ertappt, prüfend hinuntersah.

Dann beschrieb er wie Hilda den Garten, und wie die Hühner, und wann sie das Haus, und wer es tünchen solle. Und heiße Tücher fürs Gesicht, und ob ich auch mit meinen Briefen an ihn so verfahren würde
nämlich daß ich sie im voraus schriebe, daheim ein paar Zeilen gekritzelt über das Wetter, und den Ort, den ich erst später erreicht haben würde; so als sei ich schon dort, verständlicherweise in Eile und hergenommen von der Reise. Zeile ja Vogelzeile, Mövenzeile ein Jahr, eine Reihe von Jahren.
Und Büffeljahr folgt Mausjahr.
Längst eingeschneit, vermummt ist die Arche. Der zierliche Anker ist in den Brennesseln versunken. Mein Spitzengewand ein blaues Brennesselhemd teilt sich in der Mitte, so daß man die bräunlichen Augen, die Augenbrüste sehen kann.
Die Arche verschwimmt, ist mir verschwommen, und es verschwimmt mir vor den Augen. Was mich ablenkt.
Was mich alles ablenkt! was ich alles zugleich tun möchte! was dann alles aber nur in meinem Kopf getan wird!
Eins nach dem andern, eins vom andern infiziert.
Ins Gestöber hinaus blickend, höre ich wie das Schnee Telegramm klirrt. Es pflügt durch den weißen Flor. Franziskus, bewahre uns vor dem weiteren Absacken! Halte deine Hand vor die Zeit! nämlich, die Zeit will davon, will rasend weg.
Als wir schrittweis und bahnhofwärts, und als wir dort warteten, auf und ab, und im Hut Garten (Graben), Kamelfilter in der Tasche, die unterbrochene Reise wieder aufnehmend, da wuchtete es vorbei: gepreßte Luft aus Eisen, Eisenbahn. Warf uns aus derBahn, aus den Schuhen, und von den Schienen; etwas von mir schrägte seitlich zu sicherlich. Dann starrten wir lange ihm nach.
Ich, verbeult und vor-verstorben, gegen die kurze Mauer des Bahnhofs in schrecklicher Gewaltsamkeit geschleudert so daß ich dort wie ein Klumpen rohes Fleisch angeklebt blieb, blutverkrustet, in die aufgerauhte Fläche der geweißten Wand verklammert, und stöhnend
ein äußeres Schicksal! die Chrysanthemen auf dem Tisch bizarr vertrocknet. Eine meine Verwerfung. Der zierliche Anker, klapotez!
Er nannte mich Fred, er lüftete mir, ein Geheimnis. Ich starrte hinaus ins weiße wogende. Auf der Straße scharrten die Bierwagen-

pferde, das konnte ich sehen wenn ich horchte. Als ich hinunterschaute, sah ich wie bunt die Karnevalslocken an ihren Mähnen flogen. Er sagte: Faschingdienstag!, und: Sie haben dasselbe Monogramm wie Frankfurt am Main. Oder Francesco Mendoca. Oder Fauna del Mondo. Oder fundamentalillissima municipiale. Oder fiore del mare. Oder forget menot.
Weltgebäude, was für welche!
die Luken waren fort geschwommen! ein Indianerpärchen hatte sich entfernt (sie trägt einen wunderschönen bunten Kopfputz der ihr wie schillernde Locken bis in die Mitte des Rückens fällt).

Berlinprosa oder Durchdringung eines Zustandes

welche die Zeit zerknicken denn ich bin schon die neunte Woche, sagte er, hier. In der Luftschneise. Auf dem Balkon. Wo man Lust hat die Nacht zu verbringen wenn der Tag heiß war. Wo kaum Platz zum stehen ist weil die Liege sich streckt. Wo die elektrischen Schläge aus jenen Schichten des Himmels kommen welche die Zeit zerknicken: sie entspringen einer gescheitelten Stille nämlich einem Stadtteil den jeder kennt der weiß wo der Flughafen ist nämlich, sagte er, einer Quelle des Dröhnens nämlich hier auf dem Balkon. Erst ein leicht quälendes Kräuseln in der Luft später ein Ausbruch wie glühend und in Sekundenschnelle ins Gelände geschleudert, ins Ohr. Wellenschläge wie Wellenschlag, zu sehen zu hören ein brüllender stampfender schwellender Schmerz und man duckt sich wie unter Hieben, und, schweißgeboren, sagte er, wenn es wieder vorüber ist.
Welche die Zeit zerknicken, sagte er, Hammerschläge auf einem Wellblechdach, vis à vis hinter der grün gebohnerten Natur eines Gartenrelikts.
Mit Kreissägen, Schweißbrennern, Silbermasten, Blechfetzen.
Nämlich, sagte er, wenn man auf dem Balkon steht und die Mauersegler stopfen einem ihr Geschrei ins Ohr und ein Geschwätz Hand in Hand nämlich im unteren Trakt daß man zurückweichend hofft; und sie verstündens nicht besser.
Wenn ich zurücktrete und in den Innenraum trete wenn ich Briefe schreibe wenn ich Briefe geschrieben habe wenn ich zurücktrete

wenn ich eintrete von außen wenn ich den Innenraum betrete wenn ich auf und ab gehe: der weiße Falter, nämlich der weiße Falter taumelte noch im verlotterten Vorgärtchen während ich eintrat den Innenraum betrat und, auf und ab gehend, die nun schon wohlbekannten Dinge anfaßte.
Und viele Grüße und derartiges.
Wenn ich eintrete den Innenraum betrete dem achtjährigen Geleise nach Schottland folgend, dann *treten*, sagte er, plötzlich sagte er, *Gedichte auf*. Dämmerung, sagte er, ich gehe auseinander. Wir gehen auseinander nämlich er zog sich in den Äther zurück als ich ihn fragte ob es für ihn ein produktiver Sommer würde, am Telefon.
Ich hatte wieder das Gefühl von einer Last auf meiner Brust erdrückt zu werden und das Gefühl einer sanften Resignation und das Gefühl des Wegschwimmens in einerlei tränennahes und dunkles und verzweigtes und in fern verwandte Orte, aber seine Stimme war weg, und auch er hätte gern noch etwas gesagt.
Diese, sagte er, moribunde Szene, wir drängten zu fünft in das winzige Sprechzimmer des diensthabenden Arztes. Ich hatte das Gefühl, als hätte man mir alle Gliedmaßen verrenkt und als wären meine Augen nicht mehr imstande geradeaus zu blicken. Wir wurden aufgefordert Platz zu nehmen, und ich merkte daß es zu wenig Stühle gab. Der Spitalsarzt klebte im Türwinkel, er war der einzige der stand. Wir wollten von ihm wissen wie lange es noch dauern würde, oben. Moribund, sagte er endlich, ein angestrengtes Lächeln auf seinem Gesicht, seine mahlenden Kinnbacken für sperriges und, im Stadium des Verfalls, moribund, und sie haben ihn auch schon abgestellt, auf den Korridor.
Wenn sie ihn hinterfragen, wie hinter Glas, sagte er. Die Lampe blendet ihn. Und er wollte nicht einmal mehr mit einem seiner Finger sprechen, und er zog sich in den Äther zurück, und ich hätte noch sehr viel mit ihm zu sprechen gehabt, unser Gespräch nämlich, sagte er, war nicht zu Ende gewesen.
Eine grüne Senkung, sagte er, und seitab getragen werden, und sich in Gegensätzen begreifen.
Da ist es wohl am besten wenn jeder von uns auf den anderen zukommt. Wenn jeder noch bei Lebenszeit versucht den anderen zu erreichen, es sollte nicht immer einer warten bis der andere, sagte er, sich meldet. Sondern jeder sollte es tun solange Zeit ist. Jeder sollte

den anderen rufen, zu jeder Zeit. Ob es ein produktiver Sommer bei ihm würde, wollte ich ihn noch fragen, aber da schnappte es ab .
Sie wollte sich damals aus Liebe zu mir die Pupillen färben lassen mittels Injektionen, sagte er, als sie erfuhr daß ich gleichzeitig eine blauäugige liebte.
Liebesmädchen, welch außerordentliche Naivität!
Dies schmerzlich-zwiespältige Gefühl, sagte er, daß ich gleicherweise sie wollte und die andere, zehrte an mir wie an ihr, und mit einer beinahe obszönen Neugier wollte ich immerzu wissen wohin die Umstände es mit mir treiben würden. Konnte es von einem Tag zum andern kaum mehr erwarten zu erfahren, was alles wieder mit mir geschehen würde und wie ich mich verhalten würde jetzt und später.
Ausspähungen meiner selbst. Wechselbad ja-nein. Die oder die? die jungen Monster!
läppisch im Türwinkel ich, sagte er, zuckend Augenlid und unterster Lippenrand, Parallelschaltung der Vergnügungen klappt nicht: verfolge ich die eine mit liebevollen Blicken stößt sie flüsternd Flüche aus und verkriecht sich, weil sie gemerkt hat daß ich die andere gleichzeitig am Knie gedrückt hatte. Vorüber, sagte er, vorbei, es regnet wieder. Und ich kenne das Gesicht dieser Stadt noch immer nicht. Als bliebe mir der Auslug versperrt, gegen Strand Wald Quartier und Wetter. Lackbildchen welche die Zeit zerknicken, sagte er. Meine schicksalhafte Verbundenheit mit Orten aber läßt mich nicht ruhen bis ich langsam an Boden gewinne.
Als besäße ich schon genügend Einblick, sagte er, ins architektonische dieser Stadt, ins historische private politische abenteuerliche gegensätzliche aktuelle neue, stehe ich auf dem Balkon oder gehe im Innenraum auf und ab, berühre die inzwischen vertraut gewordenen Dinge, oder zerre mit meinem Blick das Halbgeweih aus der Fensterloge im Halbstock, wenn ich aus dem Hause gehe, wenn ich die gegenüberliegende Straßenseite erreicht habe. Wälze allerhand Gedanken das Halbgeweih betreffend das in der schwarzen Verzierung des Balkongitters hängt, rätselnd, es werde vielleicht nur ausgesteckt zum Zeichen daß jemand im Hause ist.
Den Türwinkel zum Innenraum bekrallt Koloß der Anstrengung: aus dem Liegen ans Stehen zu kommen. Vom Kandelaber zum Türwinkel zur Brandmauer zur Eieruhr zur riesigen aufwärts zitternden Seifenblase über dem Abflußstein im Badezimmer, schillernder

Laugen-Djinn; dem achtjährigen, Geleise nach Schottland. Der Mexikoplatz ist noch der alte, sagte er, und wenn wir sonntags in den Grunewald gehen erinnre ich mich bei jeder Wegbiegung daran, was ich gefühlt habe, wie ich gedacht habe als ich vor einigen Jahren zum ersten Mal hier war.
Halbgeweih, Trödelkram, die Emotionen knisternd zu Papier geschlagen, sagte er, überdauern meist nicht so gut wie das Originalgefühl. Auch verschafft mir der allzu abgegriffene Vergleich – hier die aufgespießte Schönheit des Schmetterlings: dort die fixierte Emotion des Dichters – Übelkeit. Aufbewahrt etwa aufgebahrt, für kommende Geschlechter von Beschauern und Bewunderern. Ein angestrengtes Lächeln, sagte er, gegen Strom und Wind. Es regnet bei blauem Himmel, sagte er, unsicher Markierung allerorts. Und alles erst im Entstehen das Schauen das Horchen das Begreifen.
Was werde ich tun, wenn mich das ganze Popelzeug zuletzt unbeeindruckt zurückläßt, sagte er. Was wird geschehen, wenn ich bis zum Ende unbelohnt darauf gewartet habe daß es mich durchdringt; und ich schließlich erkennen muß daß es für mich zu spät geworden ist.
Von einem Altwarenhändler zum nächsten, und heimsend in Gedanken dies und jenes. Und im naßblauen Dampf des weichen Gewitters in schwärzlichen Streifen in blauen und blanken Lackbildchen, im ersten Stadium des Verfalls – Nomenklaturen, Kinderpost (»Kinder kriegen aber ohne Mann, da geht das nicht ...«) und mit Trittrollern und Fahrrädern über die spiegelglatten Fußwege, und junge Mütter die Riemchen-Schultaschen der Söhne in der Hand tragend, die vor ihnen im Hoffnungszickzack: trällernd kichernd prustend schreiend: Familienglück: die jungen Monster. Und lang nach Mitternacht Hinterhofakustik. Fortwischend einschmeichelnde Radiomusik weil schlafsuchend, und Worthof, Märchengrotte, Allgemeingesell!
Ruf der Tauben am Morgen, mittags wieder die Mauersegler, auf dem Balkon, aus fern verwandten Orten.
Und Briefe geschrieben, sagte er, immerzu Briefe geschrieben.
Und Umgang mit Selbstvorwürfen: darüber habe ich mir noch keine Gedanken gemacht. (Freundes Frage: haben Sie sich darüber denn noch keine Gedanken gemacht? – nein es tut mir leid und ich bitte um Entschuldigung aber darüber habe ich mir noch keine Ge-

danken gemacht. Ich habe bisher noch keine Zeit dazu gefunden. Der Anstoß war nicht groß genug in all den Jahren darüber nachzudenken. Dieses und jenes hatte ich freilich überlegt, aber es hat alles so viele Seiten sobald man es aus der Nähe. Auch dreht sich alles immerzu um seine eigene Achse so daß es schwerfällt überhaupt noch etwas zu)
und was bleibt, sagte er, nutzt sich bald ab, ein paar Gefühle, ein verschwommener Horizont.
Mit verbundenen Augen, sagte er, wie mit verbundenen Augen. Und schrittweis, immer nur schrittweise vorwärts. Als wir damals, vor ein paar Jahren, zum erstenmal herkamen, sagte er, als wir damals landeten, war alles noch anders. Als wir damals landeten, sagte er. In Tempelhof, hochsommerlicher Tag ausgetrockneter Tag raschelnder dürrer Tag, es bewegte sich etwas in den Halmen.
Eine Landung in Tempelhof eine glühende Sonne ein heißer Wind, und ich bewegte mich mit Leichtigkeit über die Piste. Damals, sagte er, war alles noch anders; oder es schien wenigstens so, sagte er.
Dämmerung, sich in Gegensätzen begreifen, sagte er. Wir gehen auseinander. Indem wir die beinahe Unmöglichkeit menschlicher Kommunikation erkennen, sagte er, suchen wir hartnäckig und immer von neuem die Nähe der Menschen zu gewinnen.

sie wird im Osten klemmen

lotste mich unter den geknickten Viadukten seiner Brauen hindurch und sagte Sie haben also Sie haben, und raste in erschreckendem Tempo fort, Sie haben also hier irgendwo eine Verabredung ein Rendezvous ein Stelldichein und ich soll Sie hier irgendwo absetzen; ich kann Sie aber nur vor dem Platz aussteigen lassen oder hinter dem Platz, vor der Kreisbahn oder dahinter. Aber er war schon darüber hinaus gefahren; im grünen wird nichts mehr sagte er als ich ausstieg und ihn bezahlte; zur bessern Anbindung der Straßen hier beim Praterstern gleich für die Liebungen Verehrungen Kurzschlüsse so schlenderte ich vor den Kinos Buden Baracken und mengte mich heikel dazwischen, ab und zu meine Uhr ablesend, der kalte Frühjahrswind strich mir oben drüber und ich fror barhaupt.

Die ermolkenen Scheinbilder, Vorspiegelungen der allgegenwärtigst Blumgenossen Fernkuh Hund Spießvögel Mispeln, da und dort winzig Ferkeliges hinter verstaubenden Scheiben; schillernder Ölfleck im Sonnenausschnitt zwischen den Straßenbahnschienen, während ich wartete, und an den grünen Grenzpflöcken mitten drin im Prater und in den Auen überlegten wir sollten wir mit der Liliputbahn oder wars noch zu kalt. In den sperrigen Wägelchen trieb sichs schon rum und unter den großen gelb grünen Budenschirmen baumelte es; sprachen vom Schreiben, früher gnadenhalber, aufgekratzt, jetzt in umher wallender Art den hörnigen Tag lang wartend auf den gewissen Einstieg, also wie unter Tage; und im Zeitraffertempo diese Frühlinge Sommer Herbste Winter, die Fünfziger Sechziger Siebziger Jahre und die seltsame Verknüpfung nämlich wir lachten beide – nämlich die Sachen die man einmal im Frühling erlebt hatte kommen einem im Frühling immer wieder, und so fort, und dieses magische Ding da oben das spie doch tatsächlich jahreszeitlich geordnet alles raus
wir lachten beide die Fernkuh nämlich appeasement die Fernkuh und er sagte Deinzendorf *dein Deinzendorf*, begrab es endlich, du kannst es abschreiben vergessen zu den Akten legen, es ist dir nämlich so gut wie vorüber, vielleicht noch so was wie'n Traum für dich, und ich sagte wenn, dann ein Holunder Traum und eine Sehnsucht da hin zurückzukehren, eine Verliebung eine Verehrung eine Speisung bis zu den tiefsten Tiefen meiner verzerrten Perspektive nämlich sagte ich. Die Sonne da oben sagte er, die wird auch eines Tages vorüber sein und tatsächlich nur noch 'n Traum für unsere Nachkommen, dann werden die immer nur träumen können von dem was unsereins noch besitzt und die Vermeerung und die Verlandung und 's ganz dolle Aufgebot der Natur; der's auch schon zum Kotzen sein muß sagte ich, diese ihre sogenannte ewige Erneuerung.
Gingen langsamer auf und ab, unterhalb des Riesenrads, schauten hinauf, und einen Augenbick lang wischte ein Schatten eines Flugzeugs die Sonne weg. Rauschend wie Flügelschlag sagte er, und alles ein wenig in Überhöhung, und abgesegnet die Blumgenossen von einst und jene die da noch zu kommen gedenken – eine böse Welt wird das einmal werden, eine sperrige Welt; sie wird im Osten klemmen sagte er; dann werden die die Münder aufreißen und es nicht glauben wollen; und auch du wirst dich einmal von dem Liebsten trennen müssen, warum also nicht von ein paar alten Dingen

Vorstellungen Erinnerungen, die Dinge aber scheinen dir wichtiger als die Menschen zu sein; Deinzendorf Bösendorfer Ahnenbalg – wir verglasen auch immer mehr
früher als die Bäume noch grünten werden die sagen, die nach uns kommen und in den verrotteten Revieren nach Spuren wittern; die Kernstücke die Rasenstücke, im grünen wird nichts mehr; alles wird allmählich verdorren; das hartnäckige Schweigen der Jahreszeiten wird sie alle entsetzen, im Aufgalopp und schrecklich werden sie zu Tode kommen; nichts wird länger effektiv sein; die natürliche Sonne wird verlöschen, die Oberfläche der Erde klaffen, selbst die lausigsten Steiße werden wehmütig sich zu erinnern versuchen (... »'ne Funse war da, die hat 'brannt ...«).
Wir buckelten durch enges Schauerkabinett ein Schaubudenbesitzer pries seine im Innersten gehortete Schönheit an, und wir sollten sie doch auch mal aus nächster Nähe, aller Form hold und sitzend in olivgrünem Kelch wie'n Elfen Persönchen aus dem Märchenbuch; über unseren Köpfen in stürmischer Höhe ein hölzern klappernder Geisterbahndrache; an der Weggabelung wie eben im stehen, wie Pisse eben von einem Pferd dampfend und blond, oder in Asche das Maultier, und voller Wasser da schläft man so ein; wie's Äffchen das uns die Arme entgegenstreckt dann traurig vor sich hinblickt ein Liebling ein Gleiches Struppiges Atmendes mir
kaum merklich Abschattierung am Himmel, kalte blaue Wolkennähe; im pfeifenden Wind durch eine Bretterwand spähend einen großen leeren Platz sichtend, und zur Promenade zurück; 'n Veilchengrab im Abfluß schwimmend wie Menschenkot; mechanisch Mundfalten Wangenknick lebensgroßer Tonbandsprechpuppe die einlädt, untermalt von Plastikwasserfall Getöse, zur Kahnfahrt einlädt die ich anstarre anstarren muß, und eine Mischung von lachen und schreien, und ähnliches Nasengesicht lache ich, die Bö überschreiend die mich beinah empor hebt, ähnliches Nasengesicht gestern gefunden erfunden gesichtet erblickt, als die durchaus beiden; so himmlische Klänge! auch solch Getöse schreie ich, erstmals Kochtopfmusik produziert, siedendes Wasser elektronisch schreie ich, eines alten Werkelmanns Orgelton traumgelb wie sirupzäh, damals im Gartenhof als man es mir zeigen wollte, wo meine Ur- und Groß- und Viel-Eltern nämlich von zweierlei vielerlei Herkunft und Stammesart. Und alles, auch dieses Fuß-an-Bein-Kratzen, dies Teller-in-linker-Hand-balancieren wie es Großvater tat und Groß-

mutter tat, habe ich erfahren, in mir verschlossen; erfahren, nicht bloß angeschaut; erfahren, beinah ererbt nämlich so daß mir manchmal danach ist wie Großvater es tat, mich mit meinem rechten Fuß an meinem linken Bein zu kratzen, oder meinen Mittagsteller so lange in der linken Hand zu balancieren, während ich gegen einen Türstock lehne – bis Großmutter mit blütenweißer Spitzenschürze lächelnd auf mich zugelaufen kommt und mir einen Kuß; du Veilchengrab ...
durch ein Loch blinzelnd auf einen großen leeren Vorplatz, durch ein anderes auf eine riesige Plakatwand; die marmorgetäfelten Böden in Küche und Bad, und bald wie'n Museum getüncht, und wie ich umkippe im Kinderwagen und nach hinten falle; und das Speisezimmer wo Großvater abends die Knopfharmonika spielte und ich auf seinen Knien ein Knirps; und wie sehr mir's ins Ohr tönte was er da aufzog und preßte und schmiß und manchmal summte er auch dazu; und das großelterliche Schlafzimmer wo meine Eltern in der ersten Zeit wohnten und wo ich geboren wurde; du lieber Schwan.
Weiß flockiger Hauch von Erinnerung eines Winterabends, es hatte den ganzen Tag über geschneit, ich lag schon im Bett und hörte von irgendwoher das Wort schlittenfahren; draußen im Schnee dann ein Glitzern und Glänzen, zurück wieder ins Bett, beinah alles entschwunden nur das Vatergesicht lachend und groß über mir.
Bis der ganze Zauber wieder weggepackt ist sage ich;
und Steiß gegen unstet' Gesicht sage ich, kroch rein in den Motor wie des Topors teigiger Galan der die Dame am Lenkrad begattet; nämlich aus der Kindheit so leuchtend und losgelaßne Fantasie, aller Weltbezogenheit fremd und auf dem Rücksitz des Talbot stehend um hinaussehen zu können; als dann so ein Fahrzeug ums andre ins Haus kam und meine Mutter weinen machte; das erste Motorrad wo ich hinten aufsaß und wir kreisten im Innenhof des Landhauses.
Und die sausende Sonne und der Staub; in der Verliebung wie Staub den ich küßte; wie Fußvolk, hybrid, die dörflichen Himmelfahrten mit den welkenden Spalieren der abgeschnittenen Birkenbäumchen; die eklatanten Frühlinge; die abgezapften in weißen Alleen gelb grünen Erlenhöhlen, und dämmrigst Stubenbeginn
ängstlich Absicherung des Heimwegs die Duftorgien der am Hinweg gestreuten Robinien Blätter und Blüten nachbetend, über den Lärchen Pfad hüpfend, Gebete murmelnd, durch den Bach watend

nach grauen glatten Kieselsteinen suchend – *als die Dichter uns noch rasend kamen; früher, als die Bäume uns noch grünten.*
Als die schwarzlockige Tante zu Besuch kam, setzte sie ihre Hand seitlich an die Hüfte wie eine Gürtelschnalle, legte die andere Hand darüber; in solcher Haltung fühlte sie sich gesichert und vorbereitet mit uns zu reden, und ließ Fotografien von sich machen
und die Eichhörnchen sage ich, die waren wirklich größer dort, und die Sonnenblumen auch; eine Leidenschaft sagt er, zur Melancholie liegt ja in der ganzen Familie, und 's fällt einfach so raus sage ich, aus dem Arbeitsalltag oder doch ganz aus der Nähe. Etwa wenn ich mich verlocken lasse in den beschriebenen Blättern zu waten, die zusammen mit den hereingewehten Blättern des späten Sommers auf dem Fußboden unter dem Tisch vor dem Fenster liegen, alles vom Tisch fegen, alles unter den Tisch, alles fallen lassen; auch fallen gelassen, in den Hohlraum des Sockels des großen schwarzen Eßtisches, Brotrinde und Fleischstückchen und andere Sachen die ich nicht essen wollte einmal auch Spinat; aber da erwischten sie mich dabei da machte es keinen Spaß mehr
beugte den Kopf und sagte das sind alles sehr schöne Sachen aber sie gehören nicht streng zum Thema worauf ich zu lachen begann; die sausende Sonne lag im Staub, und die blühenden Zwergapfelbäume fingen an in den Himmel hinauf zu schweben; nichts sollte mehr Gewicht haben, alles löste sich auf.
Und die magische Sehnsucht sage ich, auf den Wegen der Kindheit zurückzukehren; die Kernstücke die Rasenstücke; im grünen wird nichts mehr, und bis der ganze Zauber weggepackt ist sagte er, die Untergangszeichen auf Stirn und Wange; es hatte vielleicht etwas zu bedeuten gehabt; auch das Unbehagen, es hatte zu Faden geschlagen. Die Holunder Träume sage ich, die haben was zu bedeuten gehabt, bis zum heutigen Tag. Der Gewitter Ring um die Sonne, das Wehr in den Wäldern, die hingestreckten Fluren; Verständnis erlangen, Kernstück wie Mars sagt er.
Als ich dies alles wiedersah vor ein paar Jahren sage ich, machte ich es den neuen Besitzern streitig; in wildem Zorn; in jähen Tränen: dies Stück Land so schien es gehörte zu mir, wie nie zuvor.
Es hatte mich schrecklich zurückgeweht.
Dann fotografierte ich ein letztes Mal die alten brüchigen Mauern das morsche Gebälk den dürr verwachsenen Fliederbaum; so grausam schön und mit Sack und Pack und mit Gnaden gefüttert

so ließ ichs ergehen über mich; so gab ich meinen Fehlern recht; so schlich ich mich endlich davon.
Mit Sack und Pack und Seelenspeise sagte ich, so, und ohne Kausalität zu leben versuchen; und ging mit einer Hand am Ohr als hörte ich da was rauschen drin wie in Meermuschel; stimulierend so'n Stimmungsreiter sagte er, und man kann ja wirklich nicht immer mit der gleichen Betulichkeit, rauf und runter. Zuwenden zu was neuem sagte er, eine Gabe wenn es uns gelingt, und verwunderlich dies Geschehen, verwunderlich zu denken, was den Menschen an den anderen bindet und an das eigene vergangene und die Orte und Dinge.

X. Verstreute Prosa

bis der Tau fällt ..

ehe sie eintreten, fliegt die Taube voran, jene des unseligen Traums, den du immer aufs neue beginnen kannst, aber nur wieder voll Unheil, voll Verwirrung, in vielen Gestalten. (Der Garten ist eine einzige Rose aus Weiß, die sich unendlich bescheiden entfaltet, die fallenden Blumenblätter sind schön und morgen werden sie Hostien sein im purpurfarbenen Kelch am Altar.) Die Taube fliegt steil empor. Noch stehen sie an der Schwelle, aber dann nimmt sie das Duften hinein. Und sie gehen ein in den weiten und tiefen Traum, sie atmen Traum, sie werden gefangen von weißen Liedern aus Gestern und Damals, von weißen Glocken aus Morgen, sie glauben alle Wege zu wissen ins Heute, sie gehen und lächeln und beugen sich über die Brunnenränder und lächeln auch dann noch, wenn die Brunnenwasser die gewohnten wellenden Bilder versagen, lächeln die Stunden an, die rinnen wie reiner, labender Wein ..

bis der Tau fällt .. Dann führt sie gewiß eine sanftere Wolke hinein und hinauf in das stillste Heiligtum. Aber es wird nimmer Tau fallen, denn sie gehen immer dieselben Wege, immer dieselben täuschenden Wege, immer noch glühen die Ampeln, schwimmen die Sterne, raunen die Winde. Schlummernde Kinder gehen einher bis an den Rand des Gartens, drehen sich einmal leise um ihren Schatten aus Mondlicht, gehen zurück, und wieder zurück, denn immer ist Nacht, immer schwanken die qualvollen Ampeln, und die einsame Taube kreist schwer. Sie zieht kleinere Kreise, es kann nimmer Morgen werden, aus Nacht wird nur blauer der Abend, blauer und violetter die Nacht. Und engere Weisen beten die Nonnen, beten das Ave Maria, wenn es lila im Garten ist, beten: erlöse uns heute, o Herr, gehen umher wie weiße schimmernde Krüge im Dunkeln, beten: wir glauben an dich, wenn es rasch wieder Nacht geworden ist ohne den Morgen, beten: o Herr, Herr, tief ist die Nacht und lang .. Bis der Tau fällt werden sie selig sein, aber der Tau wird nimmer fallen ..

».. und im neuen Jahr auf den Namen Edgar getauft.«

Erstes Zwischenspiel:: Smyrnateppich.

Sie knüpft einen Smyrnateppich in rot und gelb. Wir sind sehr allein, und draußen geht er vorbei, ohne einzutreten (heute schon zum drittenmal). Er klopft. Wir hören ihn nicht oder wir tun nur so. Ich möchte rufen. Der Teppich liegt auf ihrem Schoß und hängt ihr übers Knie wie ein zottiges Fell, wächst zu mir, deckt mich zu, gräbt mich ein, ich kann nicht mehr um Hilfe rufen, draußen hat es wieder geklopft, der Teppich ..

Zweites Zwischenspiel : .. bis sie wieder gemeinsam da sind.

Ich bin nun schon alt genug, um zu verstehen, daß etwas Böses zwischen ihnen ist. Sie sitzen sehr weit voneinander an dem schwarzen Tisch (der mit dem einzigen messingbeschlagenen Bein, innen hohl für Dinge, die niemand mehr finden soll!). Ich falte mich ganz zusammen und beginne, wie ein kleines Tier um den Tisch zu laufen, immer rund herum, rund herum, bis sie aufschauen und wieder gemeinsam da sind.

Drittes Zwischenspiel : Wir machen die Tür nicht auf, sie ist krank!

Sie ist nämlich sehr krank, unheilbar krank, die Großmutter. Wir hören sie zur Tür kommen (viel langsamer als vorige Woche) und klopfen. Ich will aufmachen. Aber H. schiebt mich fort. Draußen ist es eine Weile still vom Warten, dann gehen langsame geduldige Schritte weg. Wie ich mich ans Guckloch dränge, dreht sie sich noch einmal nach mir um und winkt. Ich möchte ihr nachlaufen, sie umarmen, trösten. Ich weine noch beim Schlafengehen.

Strom

einmal noch den Anwurf ans blasse Gestade, über dem Abgrund der eisgrauen Flut baut sich zärtlich ein Dom auf aus gestillten Spitzen und Farben: o rot, in einer Tönung zu wunschvollem Rosa, wie nachgemaltes geblähtes Blut. Strom: darüberhin die Brücke im erschreckten beinah in den Himmel gerammten Bug, du kannst ihn nicht bannen, nicht sanfter schaffen, er wird herrschen bis er sich aufheben mag im Unfaßbaren – es sei denn, es griffe einer nächtens in Liebe nach seinen frierenden Mähnen.

Niederösterreichisches Tagebuch

Ankunft in Weiten. Sie strecken uns die Hände entgegen und lächeln. Die junge Frau öffnet die Tür zu unserem Zimmer und der blonde Knabe blickt uns forschend an. »Ich weiß nicht ..«, sagt sie in einem auf- und abschwingenden Ton. Dann sind wir allein in dem großen Zimmer, und ich fürchte mich vor dem Spiegel, der ohne Rahmen gegen die Wand lehnt.

Der Gottesdienst hat begonnen, ich finde mich von Zeit zu Zeit wieder in der Holzbank, und die brüchige Stimme des greisen Priesters kommt auf mich zu. Er beugt das Knie mit großer Mühe, und ich vermute, daß es sein letzter Kniefall gewesen sei, für den nächsten würde er die Kraft nicht mehr aufbringen. Der kleinere der beiden Ministranten schaut manchmal zu mir, er hat dunkle Augen, ich erwidere den Blick. Die Messe wird an einem Nebenaltar gelesen, der Hauptaltar liegt im Dämmerschein. Von dort her höre ich plötzlich ein Zwitschern, dann schwingt sich ein kleiner Vogel in die barocke Kuppel. Der blonde Knabe, ein paar Bänke vor mir, schaut mit weiten Augen hinauf und sein halboffener hübscher Mund sagt : o ..

Das Haus mit zwei Toren. Das eine entläßt uns auf einen staubigen Fahrweg, das andere in den kühlen Garten mit Nußbäumen, Zinnien und einem Bach. Dem Tor zur Straßenseite geben wir meist deshalb den Vorzug, weil Erinnerungsreize der Frühzeit beschworen werden : wenn man durch die im oberen Teil verglaste Tür blickt, sieht man an der gegenüberliegenden Wand sein eigenes Spiegelbild. Immer wieder das Vergnügen der Betrachtung zweier Köpfe, die eng neben einander aus einem Spiegel schauen und lachen.

Seltsamen Traum gehabt : ich begrüße bei einem Wiedersehen meine Eltern an der Türschwelle und betrete auch bei der Umarmung nicht die Wohnung. Während ich meine Arme um den Hals meiner Mutter lege und ihr zuflüstere, gut, bei dir zu sein, fällt mein Blick auf die der Tür gegenüber sich befindende Hutablage, auf der mehrere gelbe Strohhüte liegen. Einer mit bunten Bändern zieht mich besonders an und ich kann den Blick nicht abwenden. Während dieser gespaltenen Aufmerksamkeit (des Begrüßens und Betrachtens) fühle ich etwas wie eine mich ablenkende Stimme hinter mir, ein Freund, der mich anspricht. Er steht außerhalb der Türschwelle und seine Stimme tönt wie Erz. Aber ich wage nicht, mich zu ihm umzuwenden und ihn anzusehen, aus Angst, er könnte mich erinnern daran, daß . .

Wir machen weite Spaziergänge, manchmal auch zur Ruine Mollenburg. Es ist früher Abend, der Mond über den zerfallenden Zinnen. Als wir die Ruine im Sonnenlicht sahen, war alles ganz anders : der schön gewölbte Torbogen des Vorhauses leuchtete weiß und die Dachenden, aufgebogen, wirkten chinesisch. Die Tauben vor ihren Luken oder zu Mauervorsprüngen schweifend. Wir standen geblendet von der Leuchtkraft der scharf konturierten Farben.

Immer wieder schaue ich im Bergaufgehen zurück auf den Wald, der hinter uns steil in die Höhe ragt. Helle Objekte sind ihrem Umfang nach wohl zu sehen, aber nicht eindeutig zu erkennen. Die weiße hohe Gestalt, die in der Mitte des Waldes steht oder sich langsam bewegt, beunruhigt mich und ich wende mich immer wieder zurück, um sie zu betrachten, sie muß überlebensgroß sein und die Arme engelgleich anheben. Ich bin plötzlich überzeugt, daß sich ein Engel dort aufhält, mit weißen Händen (Flügeln?), flehend.
Am nächsten Tag gehen wir in jenen Waldstreifen, und ich sehe, wie sich mein Engel nach und nach in einen frisch geweißten dachartig gebauten Bildstock verwandelt.

Wir wollen uns vor dem Essen noch erfrischen und betreten das Haus von der Straßenseite her. Während ich den Schlüssel im Schloß drehe, blicke ich zuerst in den gegenüberliegenden Spiegel und dann auf den runden Tisch im Vorzimmer, auf dem die Post uns erwartet, wenn wir am späten Vormittag von einem Spaziergang zurückkommen. Obwohl ich sehen kann, daß dort ein Brief liegt, womöglich für mich, schließe ich rasch die Augen und wünsche mir einen ganz bestimmten Brief. Dann erkenne ich die vertrauten weiten, traumhaften Schriftzüge, mein Herz jubelt.

Es dämmert, wir gehen auf dem Friedhof von einem Grab zum anderen, lesen die Namen der Verstorbenen. Am Ende des Friedhofs ein breiter Glockenturm, wir vernehmen die dumpfen Schläge aus seinem Innern. Beim Anblick des Glockenturms verlangt man unwillkürlich nach der Nachbarschaft einer Kirche, muß sich aber erst umwenden, um sie außerhalb des Friedhofes zu erblicken. Das Tor zum Glockenturm ist verschlossen. Wir wandern die stillen Häuser entlang, an dunklen Fenstern vorüber, selten ist irgendwo noch ein Mensch wach unter der Lampe. Diesmal durch den Garten ins Haus. Der Garten ist wie im Schlaf. Weiß, reglos der Phlox, die Zinnien. Ist unser Holunderstrauch noch in Blüte?

Verfolgt man den Weg am Bach, kommt man zum Schuhmacher des Orts. Wir gehen jeden Tag an seinem hochgelegenen Fenster vorbei, und er schaut gerade in dem Augenblick zu uns heraus, wenn wir vorüberkommen. Wer seine Werkstatt nicht betritt, weiß gar nichts von ihm. Da hockt er, auf einem Hochsitz aus Holz, ein kleiner stiller Mann mit einem schöngeformten Kopf, die Gesichtszüge klar ausgeprägt, umgeben von Schuhwerk. Etwas in seinem Blick macht mich nachdenklich, ich hole den ausgebesserten Schuh ab, frage ihn, wieviel? Er wehrt ab, blickt nur kurz her, lächelt.

Am Nebentisch schöne blonde Frau, hagerer Mann, kleines Mädchen. Den hageren Mann nennt das Kind Onkel. Die Frau schaut mit fernen blauen Augen, und wenn das Kind zu ihr spricht, legt sie ihm ihre Hand auf den Scheitel, ohne zu antworten. Selten kommen die drei gemeinsam zu Tisch. Manchmal, wenn sie verspätet sind und wir schon beim Essen, reckt das Kind den Hals, wie um zu sehen, was es gibt. Dann ruft es die mütterliche Stimme sanft zur Ordnung.

Frühmorgens nach Melk. Taufrisch Wiesen und Blumen. Über uns im Gepäcknetz der Phlox läßt Blüten regnen. Links bewegt sich ein auffallender Kopf im Profil zu seinem rechtssitzenden Nachbarn. Die hohe Stirn und das feurige Auge. Auf der Fähre sehe ich ihn noch einmal, und ich kann mich nicht losreißen von diesem Anblick: er lacht, er sprüht (Erfahrung?). Ich beachte kaum Strom und Stift. Nach der Landung verlieren wir beide rasch aus den Augen. Während wir versuchen, den Weg zum Strandbad zu finden, gehen meine Gedanken zurück nach Weiten. Ich gehe einkaufen, öffne die Glastür des Ladens, steige die einzige Stufe hinunter. Da steht der Gemischtwarenhändler, ein ruhiger Mensch, hinter dem Ladentisch, weiß wie ein gepuderter Clown und starrt mich aus tiefliegenden Augen an. Das dauert nur einen Augenblick, eben gerade so lange, um empfunden zu werden – dann ist er wieder der freundliche, zu kleinen Scherzen bereite Kaufmann des Orts.

Einige Tage später erfahren wir, seine Frau sei vor einer Woche gestorben.

Wir steigen die flachen Stufen zum Stift empor, und sehen oben einen untersetzten Mann, der sich mit Schaufel und Schubkarren zu schaffen macht. Beim Näherkommen blickt er uns an und wischt sich mit der blauen Arbeitsschürze die Stirn. Er hat ein breites Gesicht und schütteres weißes Haar. Wir grüßen und fragen etwas. Da stellt er den Schubkarren nieder und macht eine kleine Verbeugung vor uns, ich bin beeindruckt von seiner kindlichen Demutshaltung. Er entbietet uns einen Gruß, aber ich verstehe nicht ganz, was er sagt. Während wir auf die Führung warten, sehen wir ihn, wie er eine Leiter quer über den Karren legt und versucht, so weiterzufahren. Sein Gang ist ruhig und beherrscht, vielleicht war er einmal beim Theater. Plötzlich hält er inne, wirft die Arme hoch, greift die Leiter, stellt sie vor sich auf, knapp vors Gesicht, und beginnt, *mit dem Kopf die Sprossen zu zählen*.

Ich wende mich ab, will ihn nicht anblicken in seiner Krankheit, will nicht Zeuge sein. Schaue ihn abermals an. Er fährt weiter, bleibt am Tor des äußeren Hofes stehen, zieht aus der Tiefe des Karrens ein bändergeschmücktes schwarzes Meßbuch hervor, reißt sich mit hastigen Bewegungen die Schürze vom Leib, schlägt das Buch damit ein, und verbirgt es in einem kleinen Korb, den er mitführt. Dann jagt er in schrecklicher Eile davon, mit federnden Schritten, den Kopf wiegend (Verzückung?).

Während die ausgeleierte Stimme der ältlichen Frau, die die Führung macht, in den Hallen und Gängen des Stifts widerhallt, werde ich plötzlich sehr müde und habe den sehnsüchtigen Wunsch auszuruhen. Der Knabe neben uns, der sich an der Hand seiner Mutter nachziehen läßt, hat runde Kinderaugen und viel Zartes um den Mund.

meiner Mutter zu einem Jahrestag

sie ist eine außerordentliche Frau, sagen alle. Die Ähnlichkeit zwischen ihr und mir ist auffallend. Die Ähnlichkeit ist so groß, daß ich mich manchmal eines unwilligen Gefühls nicht erwehren kann. Sie kann vielerlei in Aufeinanderfolge beginnen. In genialischer Zerstreuung in jene vielerlei Dinge, und in gleichzeitiger Sammlung in jedes einzelne, fortfahren, um schließlich die Unzulänglichkeit ihrer Kräfte (zur Vollbringung solcher gleichsam strahlenförmig auseinanderlaufenden Appelle) einzusehen. Um schließlich zu resignieren.
Wieder in Fassung, über alles urteilen, zu allem Stellung nehmen, jeden Hauch seiner Herkunft nach registrieren, in jede Weise einstimmen, die man ihr vorgibt, sich selbst übertönen lassen vom allgemeinen Gebraus. Gelegentlich Zusammenbruch an der Lästigkeit der kleinen Welt (die kleine Welt ist noch nicht bestellt!).
Hochflüge in die Bereiche der schönen Künste – Achtung Luftlöcher! Man kann abstürzen! und auf der Erde ist es auch schön : schöne Blume, schöne Seide, schönes Kind. Man begibt sich in den Schaffensprozeß. Gelegentlich Wollust des Schmerzes, wenn alles sich abwendet. Pathos, aber echt. Revolutionär, unerschrocken, aber feig. Empfindlich aber unbeugsam. Flüchtig aber zäh. Alles auf einmal .. diesen Kuß der ganzen Welt .. ich bin für euch alle da .. wie es euch gefällt.
Moralität. Wird von Jahr zu Jahr durch Lebensweisheit, die ständig zunimmt, gemildert. In ein paar Jahren wundervoll neutral voll Natur.
Reicht die Ratio nicht aus, lieber umschalten auf Empfindung. Hier ist fester Boden. Tal. Tief. Nebel. Nocturnes. Morgendunst, knospig rein.

die Glasveranda beleuchtet, wo sie saßen um den langen Tisch, fröhlich. Albert und ich ein paar Schritte vom Vorhaus entfernt in der Dunkelheit, die sich verdichtete. Breite Stämme vor uns, der Nachthimmel, glänzend. In der Ferne die Hügel aus meiner Erinnerung.
Er stand glühend neben mir und berührte meine Hand. Der Wind brauste in den vollen Kronen. Ich fühlte, wie warm mein Herz war und fühlte doch auch, daß es abwehrte. Das helle Gebäude stand hinter uns und man konnte uns vielleicht beobachten. Während Albert in einem scheuen gebrochenen Ton sagte: was ist mit dir, du scheinst traurig, dachte ich : laß uns gehen.

.

Aus der Bar glitzern die unsichtbaren Messingbeschläge der Theke. Wir sitzen im Obergeschoß im Café an einem Tisch mit Marmorplatte. Von unten Töne wie rotgeschirmtes Licht, ein Summen, das uns die Zeit nächtlich, mitternächtlich macht. Wir fühlen die Gespräche unserer kleinen Gesellschaft wie ausgespannte Seile über uns. Man kann sich an ihnen, sobald man sich in der warmen Atmosphäre ertrinken fühlt, gerade noch aufziehen, ein paar Worte sagen, die, gleichgültig, was sie aussagen, sich einbauen lassen ins allgemeine Gespräch wie die Steine beim Brettspiel. Während sich ein gleichsam dauerhaftes Gespräch um und über uns hält, versinke ich langsam, immer tiefer in den Traum, der sich anfühlt wie Wasser. Schließlich nur eine Empfindung meiner selbst, in einer gelösten Hingegebenheit an etwas, das ich nicht zu nennen vermag. Gegenüber ein Gesicht, Augen, durchlässig, sprechend. Dort ein Mund, von Leid geprägt, und Meeresaugen. Neben mir, fern und hoch, einsam, ruhig, geschlossen, ein Fels. Dann fragt er .. ich antworte .. dann erzählt er .. (die wenigen Zeilen, die ich noch erinnern konnte, habe ich auswendig gelernt, um nicht zu verhungern, weißt du. – Man fand ihn breitgedrückt : eine staubige Kröte im Bett der Landstraße. – Er lag bleich und schön über den Damm hin, in seinen offenen Augen spiegelten sich, Silber in Blau, riesige Berge von Eis. –)

Kindersommer

Wir fahren immer schon im Mai nach Deinzendorf. Endlose Landstraße mit wilden Apfelbäumen, Feld und Anger. Das große grüne Tor mit der strahlenförmigen Zierde im Oberteil, die kühle Halle, der Holztisch, der helle Hof, hinten die nur geahnte Schaukel. Dann zwei Stufen zur Küche hinauf, ein Steinboden wie ein Schachbrett : einmal schwarz, einmal weiß, und rechts und links davon meine wundersame Zimmerflucht : die gelben Zimmer liegen rechts, die schwarzen, mit dem Blick in den riesigen rätselhaften Garten, links. In den gelben sind feierliche Schränke und gute Tische, Tagwände, Sonnenkringel und lauter Morgenfenster, einmal auch die Sicht auf die birkenwelke Fronleichnamsprozession, und für ein paar Wochen das Duften der Robinien. Dort, an der Brücke, steht der heilige Nepomuk mit verblühten Blumen im Arm.

Betrachtungen an einem Sommertag

In Baden eingestiegen, das offene Gangfenster ist frei, wir lehnen uns da hin. In der Station eine dunkelblonde zierliche Frau, sie spricht französisch mit einem Herrn, während ihre zarten Söhne sie mit klugen Augen betrachten. Als der Zug einfuhr, eilte sie ihm entgegen, mit Korb, Tasche, Sonnenhut. Dabei rollte uns der Sonnenhut vor die Füße. Als wir ihn der Frau überreichen wollten, streckte sie zuerst nur verlangend den Arm, wie ohne ganz zu begreifen, dann sagte sie mit einem warmen Lächeln, danke, o dankesehr.

Die Weinberge schön weithin wachsend über die welligen Ebenen. Oft nur ein paar Halme Gras oder Gerste gegen den Himmel, Abendsonne und weiter blauer und rosa glühender Himmel im Westen. Ich denke, ein schönes Land!, und die beiden fremden Soldaten neben uns schauen in die Ferne, und sprechen nicht. Ich denke, einmal eine große Reise machen!, durchs Land fahren, schauen!, da müßten einem Flügel wachsen, die Berge, die Flüsse, die Seen anzuschauen.

Hier sind die Häuser ohne Dach, die Fabrikfenster ohne Glas. Die Schrebergärtner ernten Pflaumen, Birnen, Marillen. Über die Rui-

nenvorstadt rankt sich das Laub, schon ein wenig verfärbt vom nahenden Herbst.
Ja, das ist der Wasserturm, die Kastanienallee, die Evangelische Kirche, von hier oben massig mit riesiger Kuppel. Wir fahren ein, und ein Streifen Sonne glänzt durch die dunkle Halle des Bahnhofs : Südbahnhof : Paradoxon deines Namens, denke ich, dunkles rußgeschwärztes altes Gebäude. Solltest du nicht, da deine Züge in den Süden fahren, hell und blumengeschmückt aussehen? Aber deine Halle ist wie eine Totenhalle, grau und dampferfüllt. Grau, schwindsüchtig die Tauben hier, nisten in den hohen Traversen.
Wir steigen aus, die Sonne bricht durch, eine Menge wartender Menschen an der Stiege. Ein Rufen, Begrüßen, Umarmen, ein Pfeifen der großen Maschinen, ein Kind hängt am niedergebeugten Hals eines alten Mannes, ein junger Mann küßt eine Frau auf den Mund, es ist ein Kommen und Gehen, nämlich die vielen Menschen gehen auf vielerlei Reisen und kehren heim.

·

Sind es neuerdings mehr die Menschen, die mich berühren – seltener die Dinge – frage ich mich. Diese Sonnenblume am steilen Weg, wie sie mich voll und strahlend anblickte, indem ihr Gesicht nach vorne gewandt war. Sie führte eine Gruppe anderer Sonnenblumen an.
Ich bezweifle, ob wir alles genau sehen können, ob wir nicht immer wieder zu müde, zu beschäftigt sind mit uns selbst, vielleicht sind auch die Eindrücke zu zahlreich. Wenn ich die Augen schließe, erscheinen Bilder, Geräusche, Empfindungen aus allen Bereichen meiner Erinnerung.
Wenn ich an den See denke, glitzert es auf vielen sanften weißsilbrigen Wellen. Am jenseitigen Ufer, im grauen, grauvioletten Dunst, hängen dunkle Bälle (Baumkronen) neben einander in der Luft. Ein anderes Glitzern : die g-moll Symphonie von Mozart, sie glänzt wie das Dach der Stephanskirche, schaut man bei Sonnenschein vom Turm. Es gleißt, es glitzert, es zirpt mit allzu dünnen Tönen.
Als S. uns gestern verließ, drängte sie die Tränen zurück. Ihre Hand, als sie die Türklinke niederdrückte, verriet etwas von erduldeter Demütigung, Zurücksetzung. Und während ihre Lippen noch dieses und jenes sprachen, ihr scheues Wesen war längst entflohen.
Ich versetze mich in den strohblonden Straßensänger, der die menschenleeren Straßen ansingt.

Wenn ich mich abends von meinen Eltern verabschiede, kommt mein Vater noch bis zur Tür. Wir sagen uns gute Nacht, und am Ende des Korridors drehe ich mich um und winke. Dann rufen wir einander abermals ein Abschiedswort zu, und wenn er derjenige ist, der den letzten Ruf, den letzten Gruß unbeantwortet lassen muß, räuspert er sich ein wenig verlegen und schließt still die Tür.
In der Stephanskirche der heilige Sebastian. Mit Pfeilen im Leib, den Leib in Ekstase geschwungen.

».. Johnnie is the boy for me ..«

denn seine Augen sind eine himmelblaue Versuchung. »Johnnie is the boy for me, Johnnie is the boy for me ..« – ein rosa Klavier steht in der Auslage. Da lachen deine Augen, lachend betrittst du das Geschäft, wie einer, der so viel Geld hat, daß er alles kaufen kann; und ziehst mich hinter dir her. Du läßt den rosa Flügel für mich einpacken, überreichst mir das große Paket und sagst : dein rosa Klavier.
Der holprige Autobus Nummer sechs nimmt dich fort. Ich eile am steinernen Maßwerk vorüber. Die neuen Steine sind wie gebleichte Knochen riesiger Vorzeittiere, sie liegen hier überall herum. Durch den Staub des glühenden Abends laufe ich; es wirbelt Fahrzeuge, Luft und Gedanken durcheinander. Ich starre den Figuren am Dom ins Gesicht. Das Gestänge der eisernen Bandagen rund um den Turm; ich entdecke einen Wetterhahn und daß zwischen den ausgewaschenen Steinen der vorderen Türme Birken wachsen. Ich weide mich an den vorgestreckten Hälsen der wunderbaren Wasserspeier, laufe um die Stephanskirche im Kreis herum und fange an, den schönen Namen Stephan vor mich herzusagen.
Ihr Springbrunnen, wenig beleuchteten Gassen, nächtlichen Kronleuchter, Ministranten und Spitzenröcke!, du, Nummernschild über dem Tor der Albertina!, die Kerzen brennen die ganze Nacht in der Kirche. Das wird dich nicht trösten. Aber wenn ich von oben über die vielen Straßen und Plätze blicken könnte, würde ich dich vielleicht irgendwo sehen : wie im Flugzeug, als wir die Erde nach Menschen absuchten, da entdeckten wir einen Schnitter, und dann einen, der auf dem Rad fuhr, und ein paar Leute um einen Heuwa-

gen, und dann immer mehr, weil wir erst lernen mußten, die Menschen als Punkte zu erkennen. Wenn ich euch auch nicht lieben kann : mein Herz ist mit euch.

Alarmstufe 4, ein Traum

(in jeder Hand ein Butterbrot/
das tut den Zirkuspferden not)

in einem Warenhaus, das zugleich Friseursalon ist. Ich mit feurigen (feuchten) Haaren, auf einer Kopfseite zu langen Korkzieherlocken aufgedreht, auf der anderen hängen sie in Strähnen herunter. Ich verlange ein Paar hautfarbener Unterziehstrümpfe, ohne Naht. Ich wundere mich, daß sie teurer sind als üblich. Ich merke, sie sind an der Ferse netzartig überstopft. Ich schlüpfe mit der Faust hinein und an der Ferse wieder heraus. Im Kreise laufend, empfinde ich die Unfreundlichkeit der Verkäuferinnen als sehr verletzend. Sie scheinen uninteressiert an ihrer Arbeit zu sein, jeder Käufer ein lästiger Anblick. Sie gehen in Arbeitskleidung umher, beachten mich nicht. Mit ungleicher Frisur (was mir großes Unbehagen bereitet) eile ich in den zum Laden gehörigen Park und suche den Direktor des Unternehmens. Während ich von links das Gebäude umrunde, kommt er mir rechts entgegen, er sucht mich, mit offenen Armen. Ich gehe mit ihm in den Laden zurück und wir suchen ein großes Kopftuch. Ein Ladenmädchen bietet mir eine Wollmütze an, die mir nicht behagt. In brauner Farbe. Dann eine gelbe und eine weiße. Erst im Spiegel sehe ich, daß es kein Kopftuch ist, schreie das Mädchen zornig an. Sie überreicht mir die Rechnung, ich bezahle die Mütze und sage zur Kassierin : ich nehme diese Mütze nicht. Der Direktor des Hauses, der neben mir steht, fragt : warum nicht. Ich schleudere ihm die verpackte Mütze ins Gesicht und rufe : weil ich ein Kopftuch kaufen wollte, ein besonders großes, um meine Frisur zu verdecken. Ja, das ist zu verstehen, sagt er. Ich gehe Milch holen, nehme eine große Einkaufstasche. In einem unsauberen kleinen Laden lasse ich mir eine Flasche Milch geben. Der Laden erinnert mich an den dunklen merkwürdig riechenden Krämerladen in D., in meiner Kindheit.
Bevor ich die Flasche in meine Einkaufstasche stelle, fragt mich die

Milchfrau : soll ich die Milch abwägen? Sie hat eine alte Krämerwaage auf dem Pult stehen. So verliert sie Wasser (und Gewicht), denke ich und lasse die Milch abwägen. Das geschieht, indem die Frau etwas Milch in eine Waagschale gießt, ohne auf die andere Messingschale Gewichte zu stellen. Dann schüttet sie den Rest, der noch in der Flasche ist, in einen Kübel. Alles andere war Wasser, sagt sie. Es kommen hintereinander Frauen und Männer, die sich hinter mir drängen. Ich fürchte, daß ich nun bei der Bedienung übergangen werde. Es ist wirklich so. Die Leute hinter mir werden zuerst bedient. Ich habe meine Tasche vor mir auf dem Pult stehen und räume zitternd eine große Kanne mit Milch, – der Deckel schließt nicht ganz ab –, und einen Schöpflöffel voll Milch, der sich irgendwie mit dem Deckel verklemmt hat, und ein kleines Maßgefäß mit Milch, das an dem Schöpflöffel hängt, ein. Die Kanne steht schief auf einer Holzschaufel am Grunde der Tasche. Sie erinnert mich an ein Ruder, das am Boden eines Bootes liegt. Ich habe noch eine kleine Verwandte mit. Die Zeit rückt vor und ich spüre, daß ich einige Viertelstunden in dem Laden zugebracht haben muß. Ich wundere mich, daß ich den Wünschen der Leute neben und hinter mir zuhöre, ohne selbst meine Wünsche vorzubringen. Eine Frau verlangt eine Schallplatte. Einige Schallplatten – gleichseitige und ungleichseitige Dreiecke – hängen im Hintergrund des Ladens an dünnen Schnüren. Dies müssen neuartige Platten sein, geht es mir durch den Kopf, da sie nicht mehr rund sind und nicht mehr die übliche Größe haben. Sie sind winzigklein. Sie stecken in einer dreieckigen Schutzhülle aus bunter glänzender Pappe. Endlich fragt mich die Milchfrau, welche Art von Schallplatten ich wünsche. Ich bin so feige, daß ich mir nicht zu sagen getraue : eine Platte mit klassischer Musik, aber ich bin auch so feige, daß ich mir nicht zu sagen getraue : eine Tanzplatte. Ich schäme mich und gehe mit dem Kind fort. Am Seeufer ist viel Sand. Es ist sommerlich warm und alles scheint in gelber Farbe zu reflektieren. Da erkenne ich in der Ferne meinen Mann Alexander, meine Eltern, meinen Onkel und meinen Freund Gustave. Sie kommen mir in einer Reihe entgegen, und sobald wir einander erreicht haben, weiß ich nicht, wen ich nun zuerst begrüßen soll. Dann strecke ich mich zu Alexanders Mund (Alexander scheint ungewöhnlich groß geworden zu sein) und küsse ihn. So sind auch die anderen nicht leer ausgegangen, denke ich mir. Dabei fällt mir ein, daß Gustave beim gemeinsamen Mit-

tagsmahl an einem kleinen Tisch allein saß und Bilder betrachtete (Fotografien?), während wir an einem großen Tisch aßen und tranken. Daß mein Vater sich auf einem Diwan ausstreckte, während Gustave ihn bat, sich neben ihn legen zu dürfen, was mein Vater freundlich zugab. Während er sich von seinem Tischchen zum Diwan bewegt, sehe ich mit Entsetzen, daß Gustave nur ein Bein hat. Ich wende mich meiner Mutter zu, die mir eine Frage gestellt hat. Da sehe ich, daß Alexander, neben ihr, auch nur ein Bein hat. Er lächelt aber. Auf dem einen Fuß trägt er seinen besten Schuh. Ich bin so bewegt, daß ich schluchze. Er tut meine Aufwallung mit einer Sachlichkeit ab, die ich gut an ihm kenne. Meine Mutter ruft : seit wann, o Gott . .
Ich bin nicht imstande, ihn zu fragen, wann es geschehen ist. Ich glaube, es ist am besten, die schreckliche Tatsache zu übersehen.

Elegie auf die schlüsselfertige Liebe

im Palmolive Gasthaus ein halbes Gesicht im Spiegel, die beschlagenen Fenster mit Eisengitter. Brennesselmuster, Brennesselgewebe : russische Herrenhemden. Zwiebelturm, den ich in der Faust quetsche : ein Stein, der zerrinnt. Hin und zurück zur Luftballontraube. Traube an Fäden. Über der Brücke kannst du ihn loslassen, über dem Wasser, dann fliegt er hinüber zum Wasserturm (Hasenballon). In Kirchberg zu Ostern, am Morgen nach der Ankunft, alles so blank. Die Glocken hatten noch nicht geläutet, wir liefen die Wiese hinauf, und da lag noch Schnee; und die eben geworfenen weißen Lämmer.
Die Blätter der Zimmerlinde sind durchbrochen. Klingeln Sie nur. Bald kommt er im Staatsrock an den Stecklingen vorüber, am Pfingstgärtchen, an den Friedhofsrosen. Ich eile am Stenogramm der alten Damen vorbei.
Fahren Sie mich bitte zur Wegkreuzung, von dort geht's im Regen weiter zufuß. Pfarrer im Mittagsläuten; kommt auf uns zu wie der große Wagen der Ennstaler Seilerfamilie, die Deichsel an unseren Nasen vorbei, ein Fahrrad bremst, ich schwebe über den Randstein und bin im Spiegel gegenüber.
Die Familie ist zu Ende. Die Zigarettendose ist leer, deine Hand ist

ein Halt. In Edinburgh, in Edinburgh, da hab ich dir diese Krawatte gekauft, hübsch schottisch mein Lieber. Der Kindersegen am Weg, daß wir zurückfinden mögen!
Freilich, wenn wir in Canterbury's Eselsbuden und -stuben unterrichten müßten – aber da war die große dunkelblättrige Linde vor der Kathedrale von Chartres, wo die Liebespaare auf dem Rasen. Die Etrusker hatten eine rotseidene, und Lissenko ging mit uns. Nach Pöchlarn ist's nicht weit, aber da schwemmt es immer alles fort, auch den guten Mann aus der Sage. Das Stift, rosenrot, über dem Strom. Wo der Sand voller Krabben ist, lagen wir und warteten. Wie grün wie blau, ein scharfer Wind, willst du mich hinunterstoßen?
Die Starkstromtannen, das Inselhotel nach der Überfahrt. Ist es zu kühl, oder darf ich dich küssen? Dorftanne und Maibaum werden angeregnet, drüben in der Papierhandlung steht Schladming unter einem Glassturz, der schneit.

Englandreise

wenn ich genau hinschaue, erkenne ich, daß die aufblitzenden Lichter weiße Musselinvorhänge in den Fenstern der Häuser sind. Ganz Belgien scheint aus diesen zu beiden Seiten gebauschten, in der Mitte gescheitelten Vorhängen zu bestehen, im dämmrigen Morgen, während der Fahrt. Es gibt kaum anderes, an das ich mich erinnere bis Ostende. Kleine niedrige Quader mit kleinen Fenstern, weißen Vorhängen, und schmale Häuser mit dunklen verzierten Fassaden, reizvoll fremdartig. Bis Ostende nichts als Musselinvorhänge und ein Gespräch am Coupéfenster. Geschlafen? – nein. – Meine Freundin lag im Gepäcksnetz, die Mitreisenden halfen ihr hinauf. Dann die Kontrolle. Ein französisch sprechender Beamter in Uniform : Österreich? o pardon. Gute Nachtruhe weiter, wollte nicht stören. Ankunft in Ostende. Deutliches Gefühl, hier ist die Welt zu Ende, weiter kann der Zug nicht. Alle hasten durch die Kontrolle. Kommen Sie nach Ostende! Die Wimpel, die See, die Schiffe, der Himmel! Der Himmel strahlte, ich sah Ostende als Werbeplakat, hatte die Empfindung, selbst im Werbeplakat zu stekken. Kommen Sie hierher! Später an Bord eines Schiffes, es war rauh, der Himmel bewölkte sich, wir suchten uns einen Platz auf dem Oberdeck. Ich befürchtete, seekrank zu werden. Während der Fahrt blies ein heftiger Wind, und alles flüchtete ins Innere des Schiffes. Eine Weile gefiel es mir, mir den Sturm ins Gesicht blasen zu lassen, auch sprühte es vom Wasser herauf. Bald wurde ich müde und ging hinein. Wir schrieben Ansichtskarten nach Hause und tranken Whisky mit Soda, der mir nicht schmeckte. Am Horizont die schwachen Umrisse der französischen Küste auf einer Seite, auf der anderen Seite, und wenn man sich umwendete, nur grauer Dunst. Als die Felsen von Dover auftauchten, zogen alle Passagiere Feldstecher hervor oder knipsten. Dann Schwärme von Möwen. Seltsames Gefühl, an Land zu gehen.

Wieder hinaus in die kalte Nachtluft. Geht hier ein Autobus nach Crystal Palace? Nein. – Ich schaue auf den Boden, der sich feucht anfühlt. Sehe Frauenbeine in kleinen Schlüpfschuhen mit hohen Absätzen. Sie müssen zuerst zum Trafalgar Square. Ich wage es nicht, mich an die Theke einer Milchbar zu setzen. Ich durchquere die größte Buchhandlung Londons. Man wird nur bedient, wenn man einen konkreten Wunsch äußert. Gehen Sie in den dritten Stock, dort sind die Ausländer und die Übersetzungen. Apollinaire? – nur im Original. Das Ladenmädchen wirkt orientalisch.

Ich gehe einkaufen, ich erstehe eine Menge kleiner wertloser Gegenstände. Ich empfange Briefe von daheim, schreibe nachts Antworten. Am Morgen ist es wieder kühl und trüb, und dann regnet es tagelang. Die Rasenflächen sind wundervoll grün, und meine Freundin legt die gewaschene Wäsche aus. Sie trocknet nicht, es gibt keine Sonne hier. Ich strecke mich im Hydepark auf einen flachen Liegestuhl, lasse die Blicke schweifen. Wir sind noch ein wenig rastlos vom Kontinent, bleiben nicht lange. In einem anderen Garten mit einem vom Wind gekräuselten Teich in der Mitte lassen Kinder Drachen steigen. Die Spielzeugsegelboote treiben am Rand des Teiches entlang, ein kleines weißgekleidetes Kind beginnt zu jubeln.

Auf der Höhe der Church Road parken die Autobusse, die zur inneren Stadt fahren. Ich habe schlechte Träume, ein dumpfes feuchtes Zimmer, wenig Post von zu Hause. Ich besteige einen zweistöckigen roten Autobus und fahre ins Zentrum. Während der Fahrt sehe ich mehrere Leichenbestattungen – eine schlimme Vorbedeutung? Am nächsten Tag machen wir auf einem Stück Rasen Mittagsrast, alle Freunde sind heiter, nur ich habe Sorgen. Ich sage mir, wenn bis zum Sonntag keine schlechte Nachricht von daheim kommt, will ich mich nicht mehr ängstigen. Am darauffolgenden Tag sehe ich ein Bild in der National Gallery, das einen Totenkopf zeigt. Die Kleider in meinem Zimmer fühlen sich feucht an. Das Fett, mit dem gekocht wird, ist schlecht. Die Morgen und Abende sind kalt. Man fährt Schritt hinter Kolonnen von Taxis und Personenautos. Können Sie mir sagen, wie ich zur Tate Gallery komme? – Ja, wir wollen auch hin.

England : hochwipfelige Bäume mit schlanken Stämmen, die Glokken von St. Martin's in the Field, Victoria Station (wir bahnen uns in einem riesigen Autobus durch den nach allen Richtungen auseinanderlaufenden Verkehr im Bahnhofbereich einen Weg – da steht eine dunkle Irene Forsyte, edelster Wuchs, von den zarten Fesseln hoch ragend, untadelig bis in die wunderschön geschwungenen Brauen), England : Weißbrotschnitten essende junge Frau auf dem mattglänzenden Lederfauteuil in der National Gallery.

Was hetzt mich durch alle Galerien und Museen?

Was bleibt? Zwei Auferstehungsbilder, eine Ophelia im Teich.

Mit Pat, unserer englischen Freundin, gehen wir aus, um zum erstenmal englisches Bier zu verkosten. Wir entschließen uns, vorerst die Umgebung ein wenig zu erkunden. Es ist ein lauer Abend, die Büsche in den Gärten blühen, ein Haus gleicht dem anderen. Weil es zu regnen beginnt, suchen wir unter dem Dach einer Tankstelle Zuflucht, laufen dann durch den Regen in eine mehrere hundert Meter entfernte Gaststätte. Pat, mit feuchten aufgelösten Haaren und cremefarbener Gesichtshaut, tritt zuerst ein und zögert ein wenig. Im Türrahmen der Anblick einer von Dunst und Rauch erfüllten Kneipe. Dicke Schwaden über den Köpfen der trinkenden, rauchenden Leute, die um die Theke herumstanden, an Tischen saßen oder sich hinter jene, die saßen, stellten oder lehnten, sich durcheinanderbewegten, leise sprachen, einander zutranken. Wir gingen zur Schank und bestellten Bier, es schmeckte wie mit Wasser vermischt. Wir kamen uns ein wenig als Eindringlinge vor : wir merkten, daß die Gespräche sich ringsum dämpften und daß zuletzt eine Stille eintrat. Wir beeilten uns, zu bezahlen und verließen das Gasthaus, mit Pat an der Spitze, die es nicht lassen konnte, uns unserer Schwerfälligkeit wegen zu necken.

Die Stewardeß ist Australierin. Sie fliegen das erste Mal, fragt sie uns. Da draußen brauen Wolken, ich kann den Blick nicht lösen. Die Gespräche stören mich. Wir fliegen, unvorstellbar, durch die raumgewordene Luft, das ist der Himmel, ich schwöre es, wir fliegen durch den Himmel! Unterhalb des Fensters ist es grau und weiß, man sieht nicht in die Tiefe. Der Gedanke an eine Möglichkeit des Sturzes wird beiseite geschoben. Die eine Tragfläche schwankt. Unter Ihren Sitzen befinden sich die Schwimmwesten.
Der Rhein, der Rhein! Der Main! Der Neckar! München! Die Städte, Dörfer, Felder! Die Alpen! Salzburg! Die Sonne strahlt, wir nähern uns der Erde. Bitte anschnallen! Jetzt, jetzt wird es schiefgehen, diese schreckliche Sekunde vor dem Ende. Rollen, heiß, Plexiglas, grün, Hitze, Österreich, Festland, der Boden, Sträucher, zurück. Tränen : ich war oben, ganz oben. Dort ist es anders.

Ariel in Wien

der heilige Florian, die Steinfigur über dem Pfarrhaus, geschmückt mit einem Gewinde aus Tannenzweigen, das er um den gebeugten Nacken trägt. Er trägt etwas aus dem Wald um den Hals, sage ich zu Albert, das macht ihn so lebendig. Er neigt sich tiefer, sage ich, und statt den Wassereimer zu nehmen, der neben ihm steht, um die lodernden Flammen der Stadt zu tilgen – die übrigens so klein ist, daß ihre höchsten Türme nur zu seiner ledergeschützten Wade reichen –, langt er zu mir herunter und richtet seinen Blick auf mich. Ich sage zu ihm : behüte mein Werk im Schrank ohne schützende Rückwand vor Feuersbrünsten und anderer Vernichtung. Er nimmt mich bei der Hand und lächelt mir zu.
Ich muß dabei an die hohen Steinfiguren denken, die auf dem Dach der Universität auf und ab gehen.
(Sie bewegen sich wirklich, und als ich mit Albert vorüberging, sagte er : er blickt herunter zu uns, und jetzt, jetzt, dreht er ganz langsam den Kopf zur Seite.)

Am Morgen sind die Wasserspeier der Votivkirche in Tätigkeit. Eine aus ihrem Mund stehende Rinne leitet das Schneewasser ab. Sie kleben an den Seitenwänden der Kirche, eine unmögliche Haltung, sage ich zu Albert. Manche hocken, einem Schmerz in der Bauchhöhle hingegeben, übergeben sich in wehleidiger Weise, immerfort. Unten auf dem Platz, vor der Kirche, mehren sich die Wasserbestände. Wie zu ihnen gelangen, ihnen beim Erbrechen den Kopf halten zu können, was bekanntlich Erleichterung bringt.

.

zum St. Marxer-Friedhof. Ein dunkles schmiedeeisernes Tor, wir gehen zum großen Friedhofskreuz hinauf. Von hier aus verliert sich der Blick ins Gespinst der glitzernden Waldrebe und zwischen die nebelbehangenen Spindelsträucher. Schräge Kreuze, verwaschene Grabsteine. Der Wind ruht. Der Genius, der Mozart die Wache hält, löscht die Fackel aus, als Blutorange die Sonne im Nebel.

die Auffahrt der Vergißmeinnicht

manchmal gingen sie durch die Wiesen und über die hartgebrannten ausgefahrenen Wege, es regnete viel und dazwischen buk die Sonne den Lehm, aber hinter ihnen die feuchten Wiesen und die Auffahrt der Vergißmeinnicht, lichtblau bis an den Rand des Sommers, eine Bank in der nassen Wiese und dahinter die unbekannten Berge, und sie sprachen von einer Gondelfahrt durch die Luft, machten Pläne, ließen sich auf die Sachlichkeit der Gespräche ein, und flohen vor einander an kühlen wolkigen Morgen, wenn unten im Garten die Kirschen gepflückt wurden, an den eiskalten Vormittagen, wenn Margarete singend durchs Haus ging oder mit bloßen Füßen im Gras stand und die Kühe antrieb. Sie schauten an Regentagen von der Anhöhe ins Tal, und es gefiel ihnen. Es gab eine Mannigfaltigkeit an Formen und Farben, hier ein grünes Stück Weideland, dort ein braunes Stück Gerste, und der Wind ging darüber hinweg. Und wenn man in der Gondel fuhr, konnte man es von oben betrachten. Da waren auch die Bergspitzen näher, die Ackergäule plackten sich, die Frauen mit der Sense schauten nicht hinauf zu den fliegenden Sesseln, sie bauten Salat und Rüben in den Vorgärten an. Da war die weiße Straße mit den rasenden Jeeps, die Mulden und Anhöhen, die verstreuten Häuser, die fernen winzig aussehenden Siedlungen, der Friedhof mit den vielen Grabkreuzen. Sie schauten von der Anhöhe hinunter ins Tal, aber alles

war stückweise, aber sie wollten gern alles auf einmal sehen. Plötzlich sahen sie nur noch die Bank vor der sie standen und den Malvengarten von nebenan und den Steg ins Dorf hinunter und die grasenden Pferde auf der nächsten Wiese, den Feriengast, der Langstreckenläufe ums Haus machte, Kirschbäume erklomm, die Mütze schief aufsetzte und seine Kinder lehrte, wie man Luftsprünge macht. Dann hinunter ins Farnkraut, die Bestände üppig, und zu den Libellenstrichen, dann zu den feuchten ausgeholzten Stücken unterhalb der Wiese, dort konnte man auf gefällten Baumstämmen in der Sonne sitzen.
Dies alles konnten sie von oben sehen, auf das Gewitter-Gehöft, wo die Kinder gewinkt hatten : kommt herein, es gibt ein Gewitter!, das Stück vor dem einsamen Bauernhof mit dem verlassenen Bienenstock und dem verfallenen Backhaus, die Vergißmeinnicht im Gras, dahinter das schwere Blockhaus und die Baracke, wo die alte Mutter wohnte : einmal hatten sie sie im Dorf wiedergesehen mit einer Schar dünner Kinder. Sie hatten ihnen Brot gegeben, was für kleine hungrige Vogelaugen, was für ein altes ausgebranntes Gesicht. Und da war die Bank, mit dem langen Pferdehals darüber. Sei artig, sagte das Hütermädchen zu Fuchs, als das Pferd über die Absperrung hinweg grasen wollte. Es gab einen kurzen steilen Weg von der Straße im rechten Winkel abwärts. Der führte in wenigen Minuten ins Dorf hinunter. Die Autos und Motorräder fuhren auf der Straße, die vielen Heuwagen, die Fahrräder, die Traktoren, die Autobusse, und am Straßenrand blühte Zichorie; am Waldrand der Löwenzahn und die Walderdbeere. Die Straße verlief sich im Dorf, tauchte hinter dem Dorf wieder auf, blitzte hier und da auf. Daß sie aufleuchtete, machte der grauseidene Staub, der sie bedeckte. Man sah sie wieder unter dem großen Torbogen des Dorfes, da war eine schüttere Stelle in den Häuserzeilen. Zwei Knaben stellten sich unter den Torbogen, und neben dem Torbogen war Sonne.
Eine andere Straße war der Fluß im Tal. Dieser seltsam (glitzernde) ruhelose Fluß, er schlängelte sich durch die Landschaft mit ungebrochener Kraft, er wand sich durchs Tal, und wenn man ihm folgte, kam man bis ans Ende des Bildes. Es war ein schönes Tal, zu beiden Seiten stiegen die Berge hoch, und die Wälder standen auf ihnen, es gab auch kahle Stellen, und oben Schnee, Geröll, Eis, Wolkenfahnen und Nebel.

Sie dachten : wir wollen alles mit *einem* Blick erfassen, aber es gelingt nicht. Wenn wir diese Stelle verlassen, haben wir sie mit den Augen vergessen, noch ehe wir eine weitere Stelle, usw.
Nachts war das Dorf wie versunken mit allen Lichtern. Musik klang herauf, ein Jahrmarkt, eine Hochzeit, ein Kirtag.
Und von allen Seiten die Lichter der nächtlichen Fahrzeuge, schwirrende Nachtfalter, immerfort, bis zum Morgen.

.

Partitur Bauernhof, augenaufschlagend am Morgen.
Mit dem vorabendlichen Blick auf den Ort, der sich ganz anders darbot als bei Tag : die plüschgefütterten Kinotüren entließen uns ins Freie, das wie das Freie eines Winterabends nach einem Chaplinfilm war (Schnee also, angeschaufelter Schneeberg neben Gehsteig, Laternenschein und funkelnde Schneeplättchen, ein paar Schritte dem Licht entgegen, bis wir stehenblieben, uns einander zuwandten). Und es ähnelte einem anderen Abend nach dem Kino, als es regnete, wir gingen ins Büffet, tranken Wein, begannen an alten Streitfragen zu zerren, bis das Gewölk nachgab und sich über uns entlud, wir eilten auseinander, die Nacht drohte schlaflos, tränenreich zu werden.
Indem ich mich an jene zwei Kinonächte in der Stadt erinnerte, schaute ich rechts und links, indem wir ins Freie traten, erwartete ich einerseits, einen blinkenden Schneehügel zu finden wie damals, andererseits, daß es regnen würde wie damals. Es roch ein wenig nach Regen. Wir hörten vom Hauptplatz Musik. Wir gingen dorthin, die Musiker saßen in einem Kiosk ohne Seitenwände. Einige standen auch vorne, bliesen und trommelten, und es gab ein großes Pfeifen, Pauken und Trompeten, ein Zischen, einen Tusch : jetzt blätterten sie alle gleichzeitig die Notenblätter um. Die großen Straßenlampen sehr hell. Wir kehrten um, gingen die Hauptstraße weiter bis zur katholischen Kirche. Die große Zwiebel am Turm. Die Turmuhr zeigte auf fünf Minuten nach zehn, die Musik setzte ab. Wir gelangten nach einer Wegbiegung zu dem ersten Punkt, wo man den Ort überblicken kann. Der Himmel schien geteilt in eine größere linke Hälfte und eine kleinere rechte; rechts gings hoch in den Sternenhimmel, links ein eingeschobener heller Plafond. Dieser künstliche Teil setzte sich aus Wolkenstreifen zusammen, die umso dunkler wirkten, je mehr rote und silberglänzende sternartige Lichter zwischen ihnen rotierten. Wir dachten an Nachtflieger,

Wunsch-Sterne. Unterhalb des linken Himmels breitete sich der Ort aus. Dunkelheit und größere Abschnitte von Licht, eilende Fahrzeuge auf geahnten Fahrbahnen, ein einfahrender Zug und die beiden Kirchen, von Scheinwerfern bestrahlt. Die protestantische Kirche ist bei Tag eher nüchtern, nachts bekommt sie aber eine fremdartige Zartheit, der spitze Turm wird zum südländischen Glockenturm, eine vom Mondlicht konstruierte Freitreppe führt ins Innere, zu den Glocken, die Freitreppe ist ausgezinnt und von spirituellen Enzianen umgeben . .
augenaufschlagend am Morgen – und ich überlege, wieviele Linien für eine Notenschrift. Fünf Linien, vier Zwischenräume.
Damals zu Weihnachten, in meiner frühen Kindheit, bekam ich einen Bösendorfer Flügel von meinen Eltern, ich liebte ihn vom ersten Augenblick an. Ich lernte anfangs mit Fleiß und Vergnügen. Fingerübungen, Kinderlieder, die Klassiker. Auswendig und vom Blatt. Aber eines Tages war es zu Ende. Plötzlich, bei opus 24 von Beethoven, es kam mir plötzlich so jämmerlich vor, ihn spielen zu wollen. Ich hörte auf zu spielen. Ich ging zu Konzerten, nahm die Musik gierig auf. Ich begegnete Rousseau und seinen Telegrafenmasten, ich setzte rastende Schwalben als Notenköpfe ein, fünf Telegrafendrähte, vier Zwischenräume. Dorthin setzte ich nun alle Geräusche, augenaufschlagend : einmal krähte der Hahn, dann eine Achtelpause, fünf Hennen gackern im Chor, wieder Achtelpause, drei Schwalben über dem Bauernhof, dreimaliges Jubeln, Einsatz einer Kuhglocke, am Hals des Tieres, Jubel der Schwalben und Kuhglocke zusammen, Glocke allein. Einsatz eines bäuerlichen Werkzeugs, sieben Hammerschläge, abgelöst von einem Knabensolo – endet wie ein Jagdlied mit horido!, nun eine Achtelpause. Fortissimo : Hahn, Hennen, Schwalben, Glocke, Werkzeug, Knabenstimme zusammen. Einsatz einer Altstimme : Margarete, Viertelpause. Dann nacheinander : Hahn, Hennen, Schwalben, Glocke, Werkzeug, Knabenstimme, Altstimme, Pianissimo der Altstimme – augenschließend am Morgen.

deine Lockungen Apollinaire

Apollinaire, zweisprachig : Pont Mirabeau : grüne Hoffnungen, Osterblume, französischer Frühling, ein menschenleeres Versailles, ausgespannt in ein strenges Blattmuster. Dort irrend ich, steinige Katzenköpfe, Frühlingslaub auf nichtdressierten Hecken, lila Gartenschönheiten in Nischen, Weitläufigkeit, Fontänen, Abschied, trüber Tag.
Die Akelei und die Kornähre, das Stiefmütterchen und die Lilie, die Rose und das Immergrün entsprießen einem aufwärts gehaltenen Füllhorn, dahinter zwei Figuren mit schönen Köpfen. Weiße Tauben flattern durch eine Farnkrautüppigkeit, Kürbisse und Trauben, alles in Farben, darunter steht mit großen Buchstaben : Mille Francs.
Paris : hohe schlanke Säule; blau-weiß-rotes Wehen der Fahnen vom Eiffelturm; das Innere der Kirche St. Etienne-du-Mont; der Ordensbruder aus der Kirche St. Augustin; die Ladenmädchen auf dem Boulevard St. Michel fröstelnd im Morgenwind; die appetitliche Konditorin, Erdbeerschaum über duftendem Hefekuchen, Porzellanzähne und Pomademündchen, lächelnd; die freundliche Französin auf dem Boulevard Beaumarchais; der schiefbemützte blasse Knabe beim Kugelspiel, und wie er Grenzlinien zieht durch den Sand; die Tour St. Jacques, unerwartet auftauchend, sperrt plötzlich den Weg ab.
Die Austern; der Film am Vorabend; die langsam sich bewegenden Nachtfiguren im Montmartre-Viertel. Der napoleonische Sarkophag im blauen Steinbett, wo die mächtige Kälte heranschwimmt.
Hier im unterirdischen Paris. Durch die Gänge laufen oder anhalten, unsicher geworden vom Repetieren der reizvollen Namen der Stationen : Monceau-Nation-Villiers, correspondence, Pte.des Lilas, Opera oder Reaumur-Sebastopol; Pte. Dauphine, correspondence, Étoile, Château de Vincennes, Concorde oder Paris-Royal oder Louvre – Schlachthöfe der Ungeduld.
Es war ein milder Tag im Park von Trocadero : durch die Frühlingsbüsche sah ich die eisernen Füße des Eiffelturms.
Der riesige Schlachthof von Vendôme, wo es Mittag läutete. Ich stand plötzlich allein da, und ich war zugleich in England und Frankreich, und ich verwechselte die englischen Straßenbündel mit den französischen.

Sacré-Cœur; der Andenkenladen hat noch nicht geöffnet. Ich, über Stiegen und Gänge, durch Hallen, Türme und Tore. Wie bleich dieser Stein ist. Ich versinke ins Gewebe der Stadt unter mir. Ich versuche Schicht um Schicht abzutragen, um hindurchsehen zu können, um mich erinnern zu können. Aber es blättert ab, hat keinen Bestand. Sobald ich glaube, es begriffen zu haben, bewegt es sich wie Staub in der Sonne. Weiter, durch Gänge, über besonnte Quader und Querhallen, durch Kreuzgänge und fliesenbelegte Höfe, abgeschieden. Glitzernde Durchblicke vom Ende der Champs-Elysees zum Triumphbogen : das grünlich-feuchte Schiften der ruckartig schnellenden Wagen aufwärts, abwärts. Der Triumphbogen aus der Nähe, von schwarzen Laternen verstellt.
Die Kathedrale aus Zuckerwerk; der schwebende Blütenball; der trichterförmige Stadtteil, dem ich, ein verlorener Tropfen, willenlos in seine Mündung folge. Die schönen Rousseaus; die Beschattung der Palmen im Jardin du Luxembourg; die Beschattung des Vergessens; die Transparenz deiner Lockungen Apollinaire.

fragmentarisch

es war zum zweitenmal in meinem Leben, daß ich das Adriatische Meer sah. Wir lehnten neben einander am offenen Fenster des Zuges, und immer, wenn es blitzte, fragte ich ihn : siehst du es jetzt? Albert verneinte.
Ich kannte das Gefühl, daß etwas, das ich weitervermitteln will, seinen Weg nicht finden kann.
Ich wurde vorsichtiger – ein Hafen, dunkle Pinien, eine Linie flachgedeckter Sommerhäuser : und da war es wieder, das Adriatische Meer (blau). Es gab keinen Zweifel. Ich sagte zu Albert : wenn du genau hinschaust, mußt du es sehen. Albert starrte hinaus. Dann drehte er sich weg und sagte : ich gehe etwas trinken, kommst du mit. Ich blieb und wartete auf das nächste Stück Blau. Das Meer, auf solche Weise in kleine Blitze zerrissen, war wunderbar.
Als wir ankamen, war das Meer nicht da.
Später war es kein Meer, sondern ein Badestrand.

Der Morgen an der Küste gab vollkommene Farben und bruchlose Linien an, aber bei Tag schien alles zu zerfallen : in raschelnde rote und grüne himmelwärts fliegende Papierdrachen, in den Anblick einer Kinderhand von einer Drachenschnur umspannt, in den abendlichen Aufbruch der Badegäste, in den Saum der Ansässigen, welche, angekleidet, in den auskühlenden Sand geschmiegt, sich sammelten bei Sonnenuntergang.

Französisch

manchmal, abends, Radiohören. Carmina burana, nur wenige Takte, als Kennmelodie einer Wirtschaftssendung. Meist wähle ich Schlager : diesen Vorhof der Poesie, diese kleingeschriebene Poesie, diesen Anfang von Poesie oder die erste Stufe dahin, mögen darum junge Mädchen Schlagerlieder so gerne?
Denken in eingefahrenen Spuren. Erinnerungen : ein Vergißmeinnichtsträußchen in Alberts Brust; der sheriffverkleidete Knirps, Vollwaise, als Zaungast vor dem üppigen Berghotel. Der beinahe drucklose Ablauf des Lebens. Die Angst vor Krankheiten, vor dem Altwerden, die Angst vor dem Tod. Das Gefühl ausgehöhlt zu sein. Selbstermahnungen. Hunger- und Durstempfindungen, Schmerzempfindungen. Ich drehe den Knopf, gerate mitten hinein ins Aktuelle, die Algerienkrise, Stellungnahmen, eine sachliche Stimme. Und dann eine Stimme in französischer Sprache : schön, genau, geometrische Gebilde. Ein Springbrunnen der Gedanken (ich verstehe kein Wort). Ich habe das Gefühl, das Bild dieser Rede vor mir zu sehen, wie man den Kopf eines Redners auf dem Fernsehschirm sieht. Ich sehe die Wurzeln eines Intellekts. Ich sehe Garben von wohlgeformten Worten und Sätzen. Ich sehe Fontänen von Einsicht und Kraft, verebbend von Zeit zu Zeit, dann zu neuen Ansätzen sich erhebend : klar, wasserhell, durchdringend. Ich blicke gebannt auf diese Stimme.
(Ich hatte in früheren Jahren vergeblich versucht, mich der französischen Sprache zu nähern. Meine Annäherungen blieben jedesmal in einer Art Verzückung stecken. Ich konnte aus lauter Hingebung nicht lernen.)

Poupée

Poupée war adlernasig, Poupée war häßlich, Poupée hatte einen Kopf wie ein Vogeljunges, feucht und schwarz, mit verdrückten, perückenartigen Locken. Poupée hatte eng zusammenstehende schwarze Augen und ein dickes blasses Gesicht. Sie war etwa drei Jahre alt und die Tochter eines italienischen Konsuls, der mit seiner Familie – bestehend aus Frau, zwei Söhnen, vier Töchtern und einem Kindermädchen – am Strand von Cattolica Ferien machte. Sie war die jüngste der sechs Geschwister. Ihre Geschwister waren hübsch und einander sehr ähnlich. Jeden Morgen kamen sie an den Strand, meist in zwei Gruppen. Erst der Konsul mit seinen Söhnen, später die übrigen Kinder mit dem Kindermädchen, die Frau kam meist später, allein.

Poupée war ein Objekt, mit dem man spielte, das man liebte, das man quälte. Man quälte es, weil man es liebte. Poupée war der Mittelpunkt der Familie. Alles rief nach Poupée, alle Geschwister waren mit Poupée beschäftigt. Sie fühlten ihre Schwäche und Verletzlichkeit, sie liebten das an ihr. Es gab ihnen immer neuen Antrieb, sie zu quälen. Sie bauten Sandburgen für sie, sie buken Sandkuchen für sie, sie machten Kanäle und Reservoirs, auch wenn Poupée alles wieder zerstörte. Sie zogen sie an den gekrausten Haaren, griffen tief in den Sand und bewarfen sie, sie rannten im Kreis und brüllten : Poupée, Poupée, Poupée! – Poupée wehrte sich, sie schlug um sich, biß und kratzte, die scharfe Vogelnase immer voran, die Augen spalt-offen, die Seidenmasche verdrückt und verklebt im Haar.

Vielleicht ahnte Poupée, daß sie ein bemerkenswert häßliches Mädchen war. Es war nicht die scharfe Nase und nicht der dunkle, abwehrbereite Blick, auch nicht der harte Mund in dem vollen weißen Gesicht. Es war vielmehr *etwas Menschenfeindliches*, das ihre Züge prägte.

Poupée! Poupée! Poupée! – es klang wie ein Schlachtruf.

als

als ich die Palmen sah auf Giotto's Palmsonntagsbild. Als ich die Vergißmeinnicht sah auf Zeppel-Sperl's Vergißmeinnichtbild. Als ich die Palmen sah ehe wir an der Küste landeten. Als ich die Vergißmeinnicht erinnerte an den Plätzen meiner Kindheit. Als mein ganzes Denken einen Augenblick lang nur noch aus Palmen und Vergißmeinnicht bestand.

Ein walkie-talkie

für Ernst Jandl

Als ES ganz genau hineinpaßte wie der Endziegel ins Mäuerchen und ihnen rief sich zu verhalten, hart gepflückt, was heißen soll, daß sie nicht gereift wie Brombeeren oder daß sie reif aber von Unhand, oder daß sie unreif aber perlig in Einzelstimmen – eben wie Waldfrüchte im Andrang der Moostiere, des Grüngeblinks, des Silberfeuers der Flechte und einiger Stationen näßlichen Rußes, der Kerbe Luft, des Spinnlauchs, der verspulten Holzgeier, gezwirbelt und schwarzfüßig auf Anhöhen, und verschiedener Wasserhämmer – dies gemeint. In Stimmen zu eins zwei rückten sie hart aneinander, nahtnah, und obwohl eins das andre einschränkte, wurde daraus ein Bezirk, der sich windend verknotete, mit nach hinten gekehrten Ohren : die Handmuscheln unterstrichens! – Vierfach wundervoll ein nicht nachvollziehbares Räuspern auch, ladend in die STAMPE hinein, mars mars, ich sollt ES betreten, Tor ohnedies offen ..
Während ES im Wolf seiner Stimme rotierte, was man sehen und hören konnte (lauteschlürfend, wortequirlend, silbenschleifend), rötlich im Backstein seines Gesichts, urban verblassend, fand sich, längst angeheuert, eine fünfte Strophe, die nach Western-Art frei aus der Hüfte ausschritt : can she make a whirlpool Billie Boy Billie Boy can she make a whirlpool charming Billie.
Als sie ES uns herüberreichten und wir ES blank & fest & in Kegelform in den Händen drehen konnten, hier und am Alex, hier und in der Defreggerstraße, hier und über der eingerüsteten St. Paul's, hier und in der Sheen Road, hier und auf der Alster, da torpedierte ES unser Drahtwort, und sie triebens falltürig, immer von neuem, wie Katz & Maus.

Konzert für acht Lesarten
(zu je fünfunddreißig Expressionen)

1
ich lebe daher aus einem tast traum stationär Schaumstoff in gebläh-ten Öffnungen verberge ich mich hinter Kettenverschluß ich besitze und bepolstere ich kupple Licht mein tast traum ist leicht zu pflegen durchsichtig warm auswechselbar flüssig
(cornelius o cornelius kolig)

2
ein solcher zusätzlicher Einschub ist der auffordernde Ausruf ej uchnem! uchnutj! uch! wörtlich auf den Erwerbszweig des Fällens bezogen indem man den Stamm hin und her schaukelt entwirren wir die birke entwirren wir die krause
(serge o serge krymenko)

3
der frühling war sogar in der Stadt ein richtiger frühling wörtlich das Gras erwachend wuchs und grünte die Tabakkirsche entfaltete die Birken die Papageien mit ihren klebrigen Blättern die Steinplatte wörtlich frühlingshaft freudig und Nester
(leo o leo tolstoj)

4
wieder nach Vätern des Walzers unter anderen erhielten auch die Linzer Bierfiedler ehrentitel unmittelbar nach der Landung in einer donau schenke von beiden Brüdern aus seiner Feder zu vierzehn Händen – hier fehlen fünf ex pressionen ..... –
(ursul o ursul tamussino)

5
der große Herzschritt abwärts ein einzigartiger Fall! bis zur klimax des be stehen auf den Stufen de & geh! welche die Worte und der cherub steht vor gott zugehörigem lobkowitze als größter aller Transformatoren gesungen
(rudolf o rudolf klein)

6
auf sun tzu berufen die vier mal vier Zeichen eines gereimten Gefechtsbefehls : Feind geht vor : wir weichen ihm / Feind bleibt stehn : wir stören ihn / Feind wird müd : wir schlagen ihn / Feind entflieht : wir folgen ihm
(au o miau-mao tsetung)

7
stell dir eine elektronische Rechenmaschine vor die einen Defekt bei Ziffer fünf Menschen haben niedergedrückte fünfer daher sind sie krank und unglücklich scientology hilft auch Ihnen sie beantwortet Fragen wie wer bin ich wo was?
(schwert o kurti schwertsik)

8
om : joe brazil flute pharao sanders tenorsax mc coy tyner piano jimmy garrison bass elvin jones percussions donald duck bass small percussions der zweite steckt verwirrender weise drin der sich an die klebeetikette fritzt : om
(impulse o impulse A 9140)

Plankton des Auges

wer ein Kugelnetz über die ganze Erde spannen will, muß sich vorsehen, daß dies nicht anders geschieht als mit Hilfe pseudomechanischer Kräfte oder besser durch bloßes Versuchen (tendando)

wer beobachten will, wie die Mittelpunkte über einander herfallen, meist auf rohem Papier, drücke alle Wunden wie Kinoglas, so daß dies wieder nicht anders geschehen kann als nach bisher angegebenen Versuchen (tendando)

wer scheiteln will, während ein Quadrat einen Klafterschuh sich einverleibt; eine Parodie einen winzigen Straßenkehrer; ein Plan von Rom mehrere Papiernüsse; eine Kreation mehrere bananenschenklige Kinder (»waschmichbär!«); ein Auswurf viele Dispersionsfarben; ein Okular verschiedene Sternwarten; ein pony-herz drei Tautologien; ein Konzeptionsersatz einen Eichenwald – :

der nähert sich der Amokläuferin; der mampft am Segeltuch; der horcht See; der schreit »mangare pantolini«; der macht eine Institution draus; der kerbt sich; puppt sich; wachst sich; der lehnt wie Claus ans schwägerliche Knie Hamlet komm rein! die Rille ist los! (sanft wie im zweiten Akt); der versuchts mal wieder (tendando)

»Übersee«, *ein Bühnenhaus*

eine Hauptfigur, gleichgültig ob
Napoleon, oder der heilige Ambrosius oder der
mit dem Sonnengesicht, dem alten stich oder mit Sichel oder
der Basilisk oder fersenhalter feigen milch (papermoon)
so heimlichähnlich dürr ..
eine Bewegung gegens holz; diese Bewegung soll andeuten, daß das Opfer hingeht und als frühling wiederkommt; eben verwandelt wie angedeutet; als Napoleon oder weihrauch oder mehl –
gemäß dem Text mußten wir hier und folgend wo von Opfer oder Figur die Rede ist, immer junger Stier sagen; und um die im deutschen ungefällige Wiederholung des gleichen Ausdrucks zu vermeiden, gebrauchen wir abwechselnd die Bezeichnungen junger Stier, Napoleon, Tier, Opfer, Opfertier, weihrauch, heiliger Ambrosius, Stier, Sichel, Basilisk, fersenhalter feigen milch (papermoon) oder das Wort farren (»farren«) –
so daß es uns gelingen müßte, die 83 Fenster unseres bühnenhauses aus denen Napoleon oder der junge Stier oder das Opfer oder das Opfertier oder der heilige Ambrosius oder der alte stich etcetera schauen, immer wieder zu öffnen beziehungsweise zu schließen –
das heißt recht schaffend mit herz und schatten die weiße feuchtigkeit, gedeckter monat am schnee (wenn der nuß-monat einreibst; das ganze um der farbe willen und der vorwinter einklang) –
ein Baumbeispiel etwa und aus jedem Blattwerk, 83 im ganzen, raschelt ein Napoleon oder junger Stier oder Basilisk oder fersenhalter feigen milch (papermoon) oder mehl oder Opfer oder Tier oder Sichel, farren (»farren«) ..
eine Sense in der Hand, einen Dorn im Auge, eine Blume zwischen den Zehen, eine Eichel am See, eine Krume im Pferdebauch, einen Stein um den Hals, eine Sonne im Landrücken ..

Napoleon oder der junge Stier oder der heilige Nepomuk oder das Opfer oder der alte stich oder weihrauch oder mehl oder das Opfertier – was machen die eigentlich hinter ihren 83 Fenstern?
schaun sie raus?
bloß so?
überlegen sie was?
verhalten sie was?
benetzen sie sich mit was?
reden sie was?
schäumen sie über?
sind sie einander fremd?
fühlen sie sich von sich selbst in die Hand genommen?
sind sie wildgewordene mühlräder die sich im haus drehn, so daß
immer ein anderer aus dem Bullauge fällt?
oder machen sie sich selten?
machen sie hand arbeit?
oder fallen sie rücklings?
oder schieben sie's aqua raus?
oder fliegen sie nach rom wie die glocken?
oder haben sie ne menge auf dem hals?
oder gießen sie ein glas nach dem andern runter?
oder sind sie verschiedener Meinung?
oder lassen sie mit sich reden?
oder verkleistern sie pelikane?
oder ziehn sie's narrenhemd über?

so als täten sie's
und ein schilfmeer füllte die 83 glucksenden fenster des *ziegenhaarigen* Hauses – zwischen den geteilten palestrinas jedoch zeigten sich immer aufs neue die Bimssteinköpfe der diversen Napoleons, Opfertiere, Basilisken, fernaugen, alten stiche, jungen Stiere, weihrauchs, heiligen bermudas, globen, etcetera, um, um niederzublikken (fenster auf, fenster zu), um sich zu nähern (als Napoleon, alter stich, Opfertier, feuermal, weihrauch, mehl, Sonnengesicht – –)

gardinenschiebend,
unbändig hinter allen fenstern

(Klapper vom Turm)

Mond Euphorie, *ein Stück vom Mond*

Conrad: Kennst du eigentlich die Bilder von den galoppierenden Giraffen?
Bean: haha-haha!
Conrad: Genau so fühle ich mich jetzt
(Beide Mondstaub in Behälter füllend)
Bean: Das Zeug ist wirklich lustig
Conrad: haha-haha!
Bean: so schlüpfrig!
Conrad: haha-haha!
Bean: Paß auf dich auf, du kommst zu nahe an den Krater heran –
Conrad: Zu 10% steckst *du* schon drin!
Houston: Seid ihr fertig? – Ihr könnt euch jetzt zum Halokrater aufmachen
Conrad zu Bean: Meinst du, ist das der Halokrater?
Bean: Ich weiß nicht, er hat keinen Halo
(Wieherndes Gelächter)
Conrad: Wir sehen aus wie ein Paar Kohlenmänner!
(Auf die Sekunde genau um 15,26 MEZ zündet Conrad das Antriebsgerät der Fähre und Intrepid verläßt, *einen Feuerschweif hinter sich lassend*, den Mond)
Bean: Was für ein netter Flug!
Gordon (aus Apollo 12, schnarchend, dann): .. viel wärmer als am Vortag, saftig braun, ein frisch gepflügtes Feld ..
Houston: Conrad und Bean, rollt Felsbrocken in den Halokrater, wir wollen die Erschütterung im Seismometer messen!
Conrad, Bean: Ja, sir, wir werden rocken und rollen!
(Wieherndes Gelächter)
(*Kurz vor 9 MEZ klettern Bean, Conrad & Gordon in die Fähre und fliegen davon ..*)

Rudi-

(mentär, eine
engagierte kasperliade, –
»bist du eigentlich gegen alles?« –
.... kellerwitz!)

.. folgend passieren die Schiffe den Kanal der *Bühne* in abwechselnd bunter orientalischer (ordnung):
eu) französische jacht (s. u.)
oh) österreichische jacht
ei) 2, 3 österreichische Raddampfer, etwa elisabeth, carigno, snoopy
ui) englisch-französisch-russische kamele, während –

wellen wegen,
5 wellen, eine Riesen Landschaft, schäumend, sich über die ganze *Bühne*, blaue wellen, 5, etwa 5, auf der *Bühne*, rotierend, Geschichte des Kanals (*der Bühne*), riesen arbeit, besonders Flamingos & Pelikane, dann ein kleines *Bühnen* Gespräch über die jagd, jäger, wasservögel etc (s. u.) und dann ein wirr durcheinander geworfener häuserklumpen
unaufhaltsam Gestöhn wie austretende (gewässer?)
Bühne zum greifen nah, katharina von russland, (jö) mit troja auf
dem Arm,
den dardanellen um den Hals, marmara speiend, – während von
hinten
das Krokodil (3 jahre garantie) galant aus der Badewanne,
bloßfüßig,
dampfend, sich ans Steuer seines Wagens, first-class, etc.
neben ihm aber grandma moses (vorgestellt) schielend,
ist sie nicht reizend, charming, etc.
ochsen, augen, und man kann sie nicht besser einführen,
nicht minimundus, nicht gulliver, nächste Szene, mampf-mampf,
typisch hydrografisches (s. u.)
eine Menge Kulissenwolken, über und über, und vor allem eins,
: die bisherigen Personen verschwinden, das kind soll
wieder völlig frisch, neu, ich meine
(tabula rasa) schließlich handelt es sich ja um
die erste industrielle revolution des Kasperltheaters, bitte jetzt:
neger(blitze, blitze!) blitzlicht, direkt an der

revolution vorüber, kaisergruft
tritt auf, ich möchte vierzehn Tage nichts hören, nichts sehen,
niemand, dieses
(geschmeiß!) sondern nach NY fliegen und zurück und
telefon- und anrufen und mich melden und sagen und so-
ich bin wieder da, Herrschaften, ich etc,
mampf-mampf-Szene wird wiederholt, kaisergruft macht dieses
Geräusch nach,
ich bin so gern in der kaisergruft, wißt ihr, das sagt die kaisergruft
selbst,
mampf-mampf, möbelrücken, da sind
Staatsoberhäupter nervöse rosensträuße etc
alles tritt *auf und ab*, sozusagen, damit das Kind,
das kind, damit das kind, damit das kind,
gar nimmermehr (nicht mehr wieder, sozusagen) zum verschnaufen
kommt, komme,
schießlich handelt es sich hier ja um das avantgardistische
Kasperl-Theater, in den
Eingeweiden der Staatsmaschinerie
dargeboten (pfui!)
kartoffelpuffer, etc. DURST-bau, ein gedicht, mit kran, alles
sichtbar auf
staats-
bühne (kasperltheater, die orte wo man)
fackeln, (fackelt) er fackelt (fackeln) kurvt,
& kurvt, auch das ist auf der *Bühne* zu sehen, polizei
sperrt ihm doch tatsächlich den weg ab, da, kinder!
seht doch! er kniet nieder,
kniet vor dem KORDON
KORDON – (welcher der vater der (milka) war, wie der (jiska) den
sie hatte,
erinnert ihr euch nicht?)
zellwald/asch zell, wo die schöne blaue,
die schwäne,
stunde, ein paar schwäne wogen nun auf den
Bühnen Wogen, rotierend, weiß auf blau, wie üblich, nicht fern,
wo Schnee ist, eis, itzo ißt – Staatsoberhäupter erscheinen aufs
neue, werden
runtergelassen schwer wie sandsäcke,

von oben *japsen*, ein
bißchen,
dann nach oben entschwunden (luftballon)
trixie sonnenschein, mit dem Hydrobus donau-abwärts, donau
erscheint, beugt
und biegt sich (vergeblich) wedelt,
schreit, ich hab 'n vorn!
unter
unverfrorn!
runterlassen, also bitte, kinder!
o du heiliger straß-
engel, erschein!
Bühne
die *Bühne* beten, liebe Gäste, jetzt paßt auf,
streng, straff, fleißig, links, von links, erscheinen die Männer
mit linksdrall, seht ihr, kinder, kinder!
oder lieber zitterhand (séance) ? groß- etc, twining bietet mehr,
wow! wow! wow! wow!
die schönste Küste erscheint, die schönen Künste, fähren dünen,
größte
Menge von
bernstein (hasard) s. u. dann ein Windhund
war ein windhund, sagt der hasard, aber jetzt, müßt ihr wissen,
kinderchen, sagt der windhund, doziert sozusagen, jetzt bin ich
der verläßlichste, liebevollste –
jetzt
grüne Wölbung der waldoper (*Bühne*) wo die BÜHNEN gehen,
baumbestand,
orgeluntermalung,
pony-hotel wird sichtbar, der dritte teil der Halbinsel
alles erscheint und verschwindet auch wieder ganz schnell,
so daß die Kinder, die Kinder
kinderchen, kichert,
vor lauter, ich meine, lauter, gar nicht mehr
zum verschnaufen, selbst das KROKODIL (s. o.) dieses fleißige Untier,
lacht, japst, jachtet, jacht, jagdklub dort wo der boden
(*Bühne*) aus dem meer mehr quirlend als flachblau-weiß, 3 fach,
das die
form einer *sensenklinge* (herrschaften!)

finger weg, kinder! finger weg, messer gabel scher und licht,
hier spült die See,
hier spült die see, herz-
(begehrt?)
Hasard, engagierter Hasardeur (s. o.) tritt auf, früher windhund,
größte Mengen (stirn bot)
stirn(er) tritt auf, hitler, etc.
klapsmühe, mühle, kasperl etc.
Sonne, Städtchen, Sandwüste, einer mondlandschaft (überreste
von ruinen) flugs wieder weg!
ist schon wieder weg,
könnt ihr denn das alles *verkraften, kinderchen?*
zum beispiel die *kaisergruft*?
sonne geht gerade auf
messersklinge, Struwwelpeter erscheint, Bratislava, tropfen von
oben – –
kinder es tropft,
kinder es gießt, etc.
Kaisergruft, s. o. schaut!
du närrisches schlechtes Tier, du KROKODIL!
schlagzeuger tritt auf, sein Solo soll euch erinnern
an Knödel-Wettfressen, wer hälts länger durch, etc.
so wenn wir nur erst
(lande) bin, kur (witze) klause & umstülp, es treten auf fritzelack
& penkala,
die beiden *deutschen jäger*
(s. u.)
und büchsen drauflos!
mit wilder fröhlichkeit, etc.
und sind schon wieder fort, daß sich selbst ein wildes tier
vor ihnen –
selbstvergessen, mit verschlossener
(büchse) mäßigkeit, kinder! mäßigkeit! von
mit
mit dieser hiobsträne (balling für ball?)
von der Wange unserer schönsten (literatur)
vera- wir uns von euch (ihnen, Ihnen) sehr geehrte
schlick-eisen, deutsche jäger, vogelfänger, vögler etc.
sozusagen, an meine Völker und Vögler, an meine v & v (verkürzt,
etwa,

und ich werde mit euch sein, aber ihr merkt)
die hunde, der hase, wenn er den Verstand gebrauchen soll,
so ist
der, der verstand (LEBZELTER)
nicht mehr (nimmermehr sozusagen) zuhaus, geringes
schlechtes Tier, du KROKODIL,
kopulations-literatur tritt auf, 2 Nipf-
nipp (nilpferd)
nipp
figuren treten (imaginärer Tisch) auf, drauf, auf den tisch,
stellen, so lieb sind die beiden, daß man sie sich als nipp
figuren, nani, und rudi, nipp?
nachschlag DORNSEIF, DORNSEIF erscheint, in all seiner
wucht, sehen sie selbst nach, seht doch, erzene Stimme,
zerschlissenes-
runterhängt, 7 (utopische)
Punktionen &
unordentliches volk erscheint im fuß (volk)
Staub, etwa im staube, verschönerung, erwärmst du dich etwa für
etwa im staube, die reisezüge
brausen auf der BÜHNE vorüber und kreuz-quer, gleiche
schlüsse, deck, über deck, wie jedes jahr, ja-
ja, aus der Badewanne raus (man siehts, galant, und ans Steuer ihres
Wagens, rast über die *Bühne*, 3 Jahre garantie)
friedens engel treten auf, unverwüstliche,
nützen Sie diese angebote,
kinder, nützt!
sehr geehrtes kinder
volk! inklusive eurer aller
Bestandteile, trippelt die BODENKULTUR hervor, zur rampe,
trippelt zur Rampe, edle stich-hieb-
SCHNULZE (mopelt, etc)
schiel-
schieläugig, Rolle, *kann seine Rolle nicht*, ihr müßt aushelfen, etc.
das allgegenwärtige KROKODIL
.
.
(HIER ABBEISSEN! BITTE programm HIER ABBEISSEN!)
wenn ihr allerdings was

besonderes wünscht, wünschen, vaporisieren,
dann lassen sie (Sie) sich einmal
vaporisieren,
denn der Weg soll weitergegangen werden, den großvater glück
am 22. oktober 1985 (1885?) begonnen und
den
vater glück
durch unbeirrte zeiten, –
erscheint alles sofort auf der *Bühne* –
unaufhaltsam,
Dünkel, Schälung
.

und wie sie des nachts so tappen, Mond durch Kulisse, eh?
starres Gerät, auf Wunsch zusammenrollbar, hier
dürft ihr sogar *mitspielen*
kinder,
mitbestimmen, euer name,
kinder,
wird sogar auf dem Ö eure brustwarzen tragen, sozusagen,
INGEBÖRG
(ein lebendiges exempel, umgehauen, rot)
kinder! selbst Katharina die Große,
– erscheint zum greifen nah –
lö! jö!
(s. o.)
decke täuscht, englischer Garten, etc. a.s.o. (diesmal englisch)
kennt ihr eigentlich TROJA?
troja erscheint *momentan* auf der *Bühne*
dardanella?
das marmara?
.
.

(KAMELE SIND DIE BESTEN,
vorhang fällt)

..

Roma

1 Transparent über Bühne zeigt Gesamtansicht von Rom
Umrisse des Äthers, beschnüffelt vom RCA Hund Nipper –
(braff! braff!)

2 Föhren, Dünen, herz zeit los
Zufallspassanten aus den Kulissen, Fremdenführerin in Rom, Monument
eines Weibes, Muskelglück à la Leger – wer folgt dem Blockbuster (wilde Leuchte aus ihren Augen, pop-sufragette)

3 Kneipe Hausfront Hinterhof Bett
teure miezen . .
Futurologie
nella mia casa!
geeister Kaviar . . fleisch etwa ihr gequetschtes Chrom
(radkäppchen)
pop(o)bühne . .
Umarmung, kurskorrektur
bugholzstühle / buchholztyp / puttgarden

4 riesiger PLASTIC FINGER wie riesiger Turm, ragt auf der Bühne hoch,
Hauch von unterkühlter Romantik weht durch Zuschauerraum,
Tonbandstimme dröhnend :
HABEN SIE VOR DIESEM TONBAND ANGST?
DEIN BRUDER WARTET AUF DAS LICHT IN SEINEM LEBEN!
ER WARTET AUF UNS!
ZÜNDEN SIE EIN LICHT IN IHM AN!

5 es nähert sich apokalyptische Gefahr : also statt Zeit : Inkubationszeit, statt Jahreszeit : infame Verbrüderung zwischen Frühling Sommer Herbst Winter
Revolutionen, exponierte Zustände, unterleibsmenschen . .
GEHENK

6 3 Müllkutscher, die eine alte verrostete Spielzeugkanone mit der Öffnung (»apollinaris und phallis«) ins Parkett richten
hier treffen sie nun alle postmortem zusammen, beschnüffeln einander, umarmen einander, immer mit dem odium der reaktion belastet –

7 Totenliste :
ROMA

Äther
rca Hund Nipper
Fremdenführerin in Rom
Blockbuster
Plastic Finger
Romantik
3 Müllkutscher
8 Neigung zur Buffonerie
9 Rom, total, Transparent über Bühne

Errata, *ein Lichtbildvortrag*

(koordinierend zu den angegebenen Lichtbildern links wird dem Publikum folgender Text rechts vermittelt):

Stromer . . . . fußnote lautet richtig : ». . balzac wollte . .«
Stropp . . . . fußnote lautet richtig : ». . ein schmuck der tugend, sozusagen . .«
Schluffe . . . . fußnote lautet richtig : ». . chinesische masturbation . .«
Seifensieder . . . . fußnote lautet richtig : ». . feste der epheben und pharos der feigengarten«
Asphaltspucker . . . . fußnote lautet richtig : ». . rumpf des grolls . .«
Eckensteher . . . . fußnote lautet richtig : ». . verehel. sturm . .«
Klinkenputzer . . . . fußnote lautet richtig : ». . das denkmal des schauspielers . .«
Marktsteher . . . . fußnote lautet richtig : ». . mit allmächtiger fresse . .«
Mantelkind . . . . fußnote lautet richtig : ». . vor den häusern . .«

BASTARD	fußnote	lautet richtig : ».. ob ich euch im kampf nicht anführen könnte«
FECHTBRUDER	fußnote	lautet richtig : ».. die stumme von portici ..«
GALGENVOGEL	fußnote	lautet richtig : ».. wert des lebens gipfeln«
KERL	fußnote	lautet richtig : ».. eines prokopius von templin brennt abraham ..«
LANDSTREICHER	fußnote	lautet richtig : ».. gleim, matthisson ..«
VAGABUND	fußnote	lautet richtig : ».. möchte ihnen der gottschedianer adelung halten, die sächs.«
BETTELVOLK	fußnote	lautet richtig : ».. die letzte brennergeneration ..«
HAMMELHERDE	fußnote	lautet richtig : ».. des abenteuerlichen ritters hopfensack ..«
KANONENFUTTER	fußnote	lautet richtig : ».. wonneproppen ..«
WICHT	fußnote	lautet richtig : ».. abgegriffen, grünspanig ..«
LUMPENGESINDEL......	fußnote	lautet richtig : ».. nötig ..«
ENTERBTER	fußnote	lautet richtig : ».. platzmeister schröder-sonnenstern ..«
ARBEITSLOSER	fußnote	lautet richtig : ».. hungerpfoten saugen ..«
BRÜCKENMENSCH	fußnote	lautet richtig : ».. pana ..«

(dieser Lichtbildvortrag sollte mehrere Male hintereinander gehalten werden)

Seh-Spiele, *mörbisch!*

(nimms zu ohren, mensch!)

1 auf dem seh'
2 aus einem wetter, spül' die see (herzbe)gehrt
3 blitze, neger()blitze im November, himmels schläuche münden direkt in die revolution, ich sage nur eines : Dresden!
4 schlittenschuhen!
5 vierzehnjährige stiftet Bande zum Mord an ... »besorgen wirs ihm ...«
6 hei!
7 pustekuchen!
8 pulvergesicht!
9 (darauf) eine Klaustrophobie etc
10 Phobie gegen spitze Gegenstände etwa (Drosslerei)
11 oder dubonnet-
12 katze ..
13 (diese Aktion wird, über eine Wendeltreppe, bis ans Ende des Spiels fortgeführt) : einmannkommt diestiegenrunter einmannkommt diestiegenrunter einmannkommt diestiegenrunter einmannkommt diestiegenrunter einmannkommt diestiegenrunter (etc)
14 der Sand für Frau Weh .. kommt gratis (?)
15 unsichtbarer Flüsterchor, sozusagen aus allen Ritzen ins Publikum : natürlich .. können .. wirs .. nicht .. mit .. den .. sportlern .. aufneh .. men ......
16 lustiges Fahnenschwenken, hommage à karl schranz (dieser erscheint riesig auf Transparent, sympathisch introvertiert)
17 Chor, hart, ebenfalls aus allen Ritzen, gegens Publikum : Was .. Die Welt .. wirklich braucht .. was die Welt wirklich braucht .. sind nicht .. sind nicht .. sind nicht die verdammten Agitatoren .. für den .. Kommunismus .. Maoismus .. Katholizismus ....: ...... Sondern : .... Menschen .. Menschen .. Menschen die .. guten Willens .. guten Willens sind .. und zwar .. je höher .. je höher hinaus .. umso .. mehr ....
18 uraltes Paar erscheint, lange Röcke, Rockschöße, Baltikum .. (sozialer text a : Rocksaumküssen im baltikum, und dessen strikte Abschaffung durch ....

»hund versiegelt, daß jeglicher kenne sein werk ....«)

19 RICH MAN POOR MAN BEGGARMAN THIEF (sozialer text b)

20 ein tonnenschwerer Meteor fällt vom Himmel, ein riesiger Krater entsteht – daraus erhebt sich die KALI-FABRIK von SODOM und krächzt was kann gomorrha denn dafür daß er so ..... ist?

21 Mr. Oppenheimer tritt auf (und heiterkeit vertreibt die wolkenbühne) und spricht DENN WIR SIND IN FINSTERNIS GEHÜLLT .. technically sweet .. this wasserstoffbombe .. phantom-rennen zwichen OST & WEST ...... denn, leute! am tag X werden der westlich orientierte osten und der östlich orientierte westen an einander *vorbeimarschieren* ....

22 (im abklingen, siehe oben)

23 Publikum wird arg apostrophiert-

24 schnalzend, unsichtbare Stimmen ... HAST AUCH IMMER EINE ZIPPELMÜTZ' ... am morgen ...? verutscht? verrutscht? verlutscht? ... nacktmals, nacktmals .. oft, gnädigste .... für welches ich ihnen gerührt ... *danke*, die zeit allerdingst ... dingst .. ist – kurz! – aber meine beharrliche (aa) bitte ... ist laaaaaang & groß .... so daß ich sie ...... (beschwöre) ..... dieselbe auf keinen fall .... abzu .... lehnen ... dies .. ist .. ein ge .... fallen ... welchen wir *zusammen* .... dieser uns so .... teuren .... *chimäre* .... *kunst* .... erwei ... sen .... (anhaltendes lachen im publikum)

25 Publikum, angeregt, im Chor : .. DU BIST MEIN STEHGEIGER, DU BIST MEIN EINZIGER STEHGEIGER ... etc.

26 Publikum zeigt sich solidarisiert

27 und daß das kommende jahr über unsre beziehungen ein *schönes* (lächeln) breite!

28 heinz & susanne zeigen auf die SUBKULTUR (im hintergrund der bühne, quallig)

29 elektronische Musik ertönt, zwischendurch Publikums STÖRAKTION : WO BLEIBBBB DA DIE BBBBBBBBOOOOOOOOTTSCHAAAAAAAFT???????????

30 (hat nix an de föß!)

31 büxe, büchs, bügel, bibel! .. hyronnimus & ballsalli, drums & orgel, sodann Inkorporation der ganzen Menschheit, seit adam & eva, *bis Bühne übergeht* .... (einige stürzen sich in den seh)

32 zwei zarte hauche erscheinen, streben zu einander, verneigen sich vor dem publikum, tanzen um violinschlüssel, mit blumenkindern (umrankt) : SIND BEIDE PSYCHISCH ERKRANKT / KÖNNEN NICHT BÜRSTEN KOMMEN .. (telegramm-stil)
33 (gott donnert wunderbar)
34 brüstung; Zigeuner, liebenswert als gruppe, etwa 5, stehlen AUGENBRAUEN
35 brüstung; pubertäres mädchen, weint, vielleicht Ophelia-Typ, spült (im seh) etwa hydrobus, Mondlandschaft, HIOBSTRÄNE, auf der sie fort-reitet ...
36 wandernde porzellanzähne (vielputz)
37 2 Nippfiguren auf rohem Holztisch, nani & herbert, überreste von ruinenlandschaft, aus dem meer, form einer *sensenklinge* ...
38 wird windhund, grüne wölbung WALDOPER –
..
..

(*zum schluß* versteinert publikum, *zum gaudium*)

AMBIENTE ARIADNE, *deutsches Trauerspiel*

a) Entwurf

erste Handlung : Ariadne funktioniert in üblich mythologischer Weise, dabei werden umgestülpte Buchstaben (Nuditäten) stillschweigend geduldet

zweite Handlung : Ariadne überträgt STOCKHAUSEN obige Handlung dieser betreibt Assimilation zwischen Mensch und Tier : Minotauros bedient sich deutscher Heldensprache oder singt
Arien Adriadne blökt bellt brüllt frißt Lorbeer –

dritte Handlung : Ariadne erzählt schlafend, in äußerster Distanz ihre eigene Geschichte

vierte Handlung : »mufffti« (in obsicht) streut die Geschichte Adriadnes überall aus

Minotauros umarmt STOCKHAUSEN in glückhafter würde, sein Gesicht ist bartlos, sein sonntagsbuchstabe A –

fünfte Handlung : STOCKHAUSEN erscheint mit riesenpeitsche (= AMBIENTE) und vernichtet Ariadne, »muffti«, den Minotauros und schließlich sich selbst

b) Anweisungen für den Spielleiter

wählen Sie!
bemächtigen Sie sich einer von fünf Möglichkeiten!
legen Sie hand an!
schaffen Sie eine klaviatur!

c) Requisiten

1 küchenstuhl, -stall
1 präpariertes klavier
männliche weibliche sächliche namen

d) Personen des Trauerspiels

Klavierstimmer (blind), schlägt während des ganzen Stückes wie prüfend Tasten an
Minotauros
Ariadnefaden
Ariadne selbst
STOCKHAUSEN
»muffti«
AMBIENTE
fama
mars

e) Roh-Stimmen, die je nach ploderwerk des Spielleiters einzusetzen sind

f) Realisation

...: den rocksaum der hecke küssen
...: im mai, im ormandy
...: giraffenklavier
...: 1 essenthier
...: steinway grotrian-steinweg blüthner bechstein neo-bechstein bösendorfer ibach (sich an den händen fassend)
...: gabel stimmung
...: stimmwirbel am gaumen befestigen
...: ich klaviere es mir ab . .

. . .: filzdöckchen!
. . .: tauba-wittels
. . .: »but emily, is it art?« (frage, längst müßig)
. . .: saitenchor
. . .: perlmutter (männlicher name) mutation (weiblicher name) aschendorff (sächlicher name)
. . .: sanfter verschwimmender übergang
. . .: stimmansätze wie blätter an zweigen . .
. . .: zarter ruhm (küchenstall)
. . .: im März in köln
. . .: tränenüberströmt und blutüberströmt
. . .: ariadne tochter des königs von kreta entbrannte in liebe zu dem als tribut für den minotauros landenden theseus und gab ihm ein fadenknäuel, das er am eingang des labyrinths festknüpfen und während des hinschreitens durch die irrgänge in der hand ablaufen lassen sollte, bis dahin wo der minotauros wache hielt

Minotauros : brüllt schrecklich, fortepedal
Adriadne : brüllt schrecklich, fortepedal
Minotauros : o o o o Ariadne!, pianopedal
Adiadne : als das frühjahr kam, ging ich weit vor ihm her, wir waren in eine kleinstadt gezogen mit schöner UMGEBUNG, manchmal lief ich ein paar wege voran um mich der verfolgung durch seine blicke zu entziehen auch sprach er meist heftig auf mich ein, ich deklamierte aber lange passagen und durch ein gerstenfeld hindurch . .
Minotauros : ah ah ah Ariadne!, pianopedal
Adriadne : warmer herbst und die lichter der stadt leuchten herauf, sendemasten und blinkend, und wir steigen unkraut, verlassenes rollfeld, windleere zipfelmützen gelbe baracken blumen mond, bleiben stehen, und er dreht sich zu mir und steht vor dem mond, sein hut kollert ins gras wie er die arme um mich . .

längere Pause

STOCKHAUSEN : (peitschenknallend und bis zur erschöpfung schreiend) :

A – R – I – A – D – N – E

(und trägt den wald um den hals)

Ende: fang-schluß ist gleich anfang

(fama und mars blicken wie suchend umher)

diese kurzfilme

dauern oft nur bruchstücke von sekunden

1
tuschkasten

2
donaudampfschiffahrtsgesellschaft

3
stille post

4
zähne (sanddünen) in wanderung begriffen

5
pferde pferde in ihrer muttersprache (schäumen über die bühne)

6
ins wurmland!

7
der ganymed kellner

8
bürofinger

9
(der polizei) fließende sitten

10
geheimchiffren aus der glamourwelt

11
mandelförmiges theben/memphis

12
rasenmäher romeo mäht julia im handumdrehen

13
scherzklopfen

14
jaffa – ein hustaphon

15
demnächst in ihrem kino!

orenbilder, ein manifest

(ein steh-greif-spiel . .
»greifen Sie mal nach dem *h*
vielleicht bleibt's stehn . .«)

in abänderung des wortes l'art pur (pour) l'art
erfinde ich hiemit das wort p'op pur (pour) p'op

und widme es charles schulz
der im wechselrahmen der *orenbilder* erscheinen wird
wenn Sie lang genug hinsehen

also :
einmal von rechts so daß man sein linkes *or*
einmal von links so daß man sein rechtes *or*
einmal von hinten so daß man seine beiden *oren*
einmal von vorn so daß man seinen – – –
hund

a) snoopy
b) eilig vorüber

c) sprengt den rahmen
d) fällt aus dem rahmen

so daß plötzlich wieder charles schulz

a) eilig vorüber
b) sprengt den rahmen
c) fällt aus dem rahmen
d) fällt aus dem rahmen

so daß plötzlich beide

a) eilig vorüber
b) eilig vorüber
c) eilig vorüber
d) eilig vorüber

nach orenburg
orenburg
o r e n b u r g !

(*h*! *h*! *h*! *h*! *h*! *h*! *h*! *h*!)

die super-dinger kommen

bald ist SUPERGIRL unterwegs als SUPERGIRL im supertempo
gehts übers meer . .
und nach superschnellem flug
erreicht sie *new bayreuth*
auch das licht ist ihr gefolgt nach *new bayreuth*
mit elektrischer ausrüstung
spielt sie nun in *new-bayreuth* wie in moskau sydney kapstadt *old vienna*

116 jahre alt noch immer jung . .
service super sagt ihr wer gerade für sie in moskau sydney kapstadt
einspringt wenn sie in *new bayreuth*
oder *old vienna*
sein muß

SUPERGIRL schüttelt strahlend ihre schönen blonden locken
»man muß den nerv der zeit treffen und zur rechten stunde ..«
denkt SUPERGIRL
und nimmt die gestalt der senta an
das überfüllte haus jubelt ihr zu
SUPERGIRL ist sehr beglückt ..
am nächsten morgen
fliegt sie trällernd zurück nach *old vienna*
und nach superschnellem flug –
im nu hat sie die 5000 kilometer hinter sich gelassen –
trifft sie in *old vienna* ein
minuten später erdröhnt das volle haus von hoch rufen
SUPERGIRL ist überglücklich ..
aber mit supergehör vernimmt SUPERGIRL was da aus den
kulissen flüstert : » ..
: ein laser strahl! : ein leser strahl! : ein leser strahl! ...«
entsetzt flüchtet SUPERGIRL von der bühne
und fort ..
ratlos und bedrückt wandert SUPERGIRL in den straßen von
old vienna umher
am nächsten morgen
fliegt SUPERGIRL über den kontinent nach *new bayreuth* zurück
sie ruft SUPERMAN BATMAN herbei und klagt ihm ihr leid
: » : warum will man mich nicht? warum bedroht man mich?
weshalb stößt man mich zurück? ..«
antwortet BATMAN SUPERMAN : » : .. so ist das leben eben
SUPERGIRL superhart! ..«
SUPERGIRL bleibt zurück den tränen nahe
am nächsten morgen
fliegt sie nach *old vienna* zurück festentschlossen
sich nicht unterkriegen zu lassen ..
kaum hat sie jedoch die bühne betreten als von den rängen
ein wildes hohngeschrei ertönt
ein wald von plakaten vor ihren augen tanzt ..
SUPERGIRL empfindet schmerz
sie wendet sich flehend an die menge ..
SUPERGIRL taumelt über die bühne
vorbei an der johlenden menge fort durch die stadt und weg
in superschnelle nach *new bayreuth*

sekunden später stürmen die fans den platz wo sie landet
auch BATMAN SUPERMAN ist da
wie der blitz bringt SUPERGIRL ihre bitte vor
im nächsten augenblick hört sie bestürzt die scharfe antwort
ihres lieblings ..
verzweifelt bittet SUPERGIRL
..
bis fernsehschnee ..

Columbus Day

als Runge am Columbus Day im kochenden Meer von Kikien unterwegs mit Physikerbrille eintraf, und wir selbst in Bränden (brandungen) zu Seglern geworden waren, flossen über die Sandsteinputten seines Gartens das in die Mehrzahl gesetzte Blut von Löwen (löwa) und Schweinen.
als Runge am Columbus Day unterwegs mit Physikerbrille im kochenden Meer von Kikien ankam, und wir selbst geäfft ächzend im Grunewald lagerten, grünte es am Hundebadestrand, schnellte die Landschaft stimmgewaltig hoch, und bäuchlings mit grandma moses, eine tägliche Mordquote von Franxen aufgemöbelt, und hektischer als in Frankfurt oder Ulm.
als Runge am Columbus Day im kochenden Meer von Kikien unterwegs mit Physikerbrille sich näherte, und wir selbst auf glatter Eisfläche des Schlachtensees uns tummelten, schnellte die tägliche Mondphase ins Gewitterblau hoch, wo die hanfgelben Grillen mit einer Fauna wie sie nur in den Tropen.
als Runge am Columbus Day im kochenden Meer von Kikien unterwegs mit Physikerbrille sich eingefunden hatte (spült die see?), hockte im Geäst ganzer Clan Käuzchen und wimmerte zu uns; von drüben dämmerte schon 's haus mit winzig angeklebtem balcony; zottig Stirnband und verhüllt von Rosen – äsen .. äsen ..
als Runge am Columbus Day im kochenden Meer von Kikien unterwegs mit Physikerbrille uns erreicht hatte, tauchte er behutsam seinen Pinsel ein, sammelte sich und wartete, bis er ganz im Pinsel sei; sodann pinselte er strich strich strich, märkisches Viertel, märkisches halb.

als Runge am Columbus Day unterwegs mit Physikerbrille im kochenden Meer von Kikien uns berührt hatte, zogen wir füßig durch den Schnee, wallten wir regelmäßig über die Havel, türmten wir Warschau auf. Kniehügel und Buschwerk, kerzgerade Systeme Straßen no vehicles, und der Bart des.
als Runge am Columbus Day im kochenden Meer von Kikien unterwegs mit Physikerbrille uns durch und durchging, während wir selbst das okulare Brandenburger Tor ausmachten, in der Morgenfrühe des Freitag.
Wären wir hier geboren, hätten wir anderes getan, hätten wir hier gelebt, wären wir andere geworden.
als Runge am Columbus Day im kochenden Meer von Kikien unterwegs mit Physikerbrille flüchtig sein wollte, umstellten wir ihn, ungrün des Windes.
als Runge am Columbus Day im kochenden Meer von Kikien unterwegs mit Physikerbrille uns entgangen war, nahmen sie ihn fest.
Weswegen sie ihn dann festnahmen.

(nur weil er die Kartei der ehemaligen Wlassow Armee betreut hatte?)

die Mädien

die waren schon da; die haben schon alles angeschaut; die sind schon am Tisch gesessen; die haben schon nach allem gefragt; die haben schon alles abgesucht; die haben schon alles geprüft; die sind hereingestürmt ins Haus in den Garten ins Arbeitszimmer, um zu erheben, in der dritten Person: die stürzen grußlos herein; die stammeln angstvoll verfolgt; die lüften Vorhänge Schiebetüren Teppiche Akten Stirnfransen Mädien:
die werden reinkommen; die werden rüberkommen; die werden sich runterlassen grußlos hereinschneien zitternd vor Angst hereinstürzen eindringen.
Heute vorgestern gestern jetzt.
Stammelten angstvoll verfolgt, wo, bitte, kann, ich, schreiben, erheben? wo, bitte, kann, ich, erheben?

und stürzen, so in der dritten Person durch die Behausung; und lüften, so in der dritten Person alle Schiebefenster Akten Türen Teppiche Stirnfransen Mädien. Heute wie gestern morgen wie jetzt, in der dritten Person.
Helden der Nation; Helden der Arbeit.
Endlich legt der schüchterne kleine Mann sich und seine Erhebungen auf meinen Tisch.
Was für ein Mensch! wie ein aufgeschlagenes Buch.
Was für ein Wort; auf meinem aufgeschlagenen Tisch.
Man trägt ihn aus dem Haus; legt ihn mitten auf die Fahrbahn mit dem freundschaftlichen Zweck ihn zu ernüchtern: die vereinzelt heranbrausenden Fahrzeuge setzen in artigem Sprung über ihn hinweg; so geschehen in Providence/Rhode Island, im heurigen Mai, auf der Annenstraße in Graz
die waren schon alle da die Mädien; die haben schon alles geprüft die Mädien; die haben schon alles abgesucht die Mädien; die haben schon nach allem gefragt die Mädien; die sind hereingestürzt in der dritten Person allen voran Mechthild die rauschende – die sind schon alle da; die rauschen schon alle an; die füllen schon meine Behausung; die werden noch alles erheben; die tragen mich davon.
Und ich bewege mich weg gestern heute am neunzehnten zwanzigsten einundzwanzigsten zweiundzwanzigsten dreiundzwanzigsten vierundzwanzigsten Oktober und am siebenundzwanzigsten achtundzwanzigsten neunundzwanzigsten dreißigsten einunddreißigsten Oktober Dezember Januar März, nämlich weil alles gleichzeitig geschieht; nämlich weil eins ins andere drängt; nämlich weil berechtigte Annahme besteht, wir hätten dieses und jenes früher einmal ebenso wie jetzt, ebenso gedacht und gespürt und gehört und gesehen gerochen und geschmeckt: damals zurzeit.
Und die Mädien die kommen jetzt angezottelt heute und gestern und immerzu damals und zurzeit. Und der Sternhimmel dieser äußerste Schatz am dreißigsten einunddreißigsten Oktober; auf welcher Wolke sich die Mädien einstellen, die des Gerhard Rühm; allen voran Mechthild die rauschende –
in der Tat, mir war das alles nachhaltig in die Knochen gefahren.
Die schwarzschwarze Mur vor meinem Hotelfenster, wo hatte die denn wieder gesteckt?
Umsomehr als Wagenbach nach der Diskussion im olympischen

d'ORF die Flucht in einen Palmenhain gelang wo Funktionäre der Roten Armee ihn fanden finden viele Fahnen flatterten viele Augen leuchteten viele Taschentücher wurden geschwenkt. Nur die Mur braust schwarz vorüber sonst ist alles rot. Schließlich wird der Hof des Gutsbesitzers Kolleritsch im Sturm befreit, das Korn aus den Speichern geschafft die Äcker verteilt.
In ganz Graz durchbrechen Sonnenstrahlen das düstere Geschäft; die Mädien reihen sich flügelschlagend in die Rote Armee allen voran Mechthild die rauschende –
noch leben wir im Stande der Unschuld.
Während Dornseiff dieser deutsche Wortschmatz steht und steht, und hilflos hängenden Kopfes und daneben. Während Wolfi der Bauer freundlich gröhlend ihm die Rippen boxt daß er, Dornseiff, sich verschluckt.
Um zu erheben, mir kommen die Tränen. An der Straßenecke, gegen Alleebaum gelehnt wie müdes Pferdetier: gelb und grün gestrichnes Fahrrad; leuchtende Pinselschrift auf gelb-gelbgrünem Lampenkopf, dem lieben Willi gewidmet. Mir wars in die Knochen gefahren; heute jetzt morgen gestern damals zurzeit. Noch leben wir im Stande der Unschuld.
Und starrten alle verständnislos ins Raster meiner sie erschreckenden Zeit-Verwirrung. Sonst steht uns noch die ganze Phantasie um, sagte ich.
Und wie ich mich fortbewege, sagte ich, gestern heute morgen.
Und die Mädien, wenn die erst angebraust kommen zur nächtlichen Stund-Stunde, Tag-Jahre; angeknattert kommen auf ihren gelb-gelbgrünen Feuerstühlen, und angetändelt kommen; Erhebungen, schreckliche Erhebungen.
Auf meinem Schreibtisch; die Helden der Nation; seine Erhebungen auf meinem Schreibtisch – was soll nun werden?
Vielleicht am besten ich siedle mich in Graz an.
Dort gefällt mir alles so gut; mir wird ganz schwarz vor der Mur.
Aus der Tür und bums! ins Wasser, schrieb er mir, schreibt er mir, wird er mir schreiben aus Austin in Texas vor einigen Wochen vor einem Jahr in wenigen Tagen Stunden Minuten in der allernächsten Zeit, sekundenweis jetzt.
Und überhaupt, weil heute der neunzehnte zwanzigste einundzwanzigste zweiundzwanzigste dreiundzwanzigste vierundzwanzigste

fünfundzwanzigste sechsundzwanzigste siebenundzwanzigste achtundzwanzigste neunundzwanzigste dreißigste einunddreißigste Oktober Dezember des heurigen nächsten Jahrs ist, im achten Jahrzehnt im nächstnächsten Jahrtausend.
Weil nämlich eine himmlische Beiläufigkeit.

zu Martin Schweizer SWARZER VOGL

MARTIN SCHWEIZER schreibt mir, der SWARZE VOGL sitze im Original in zwei kleinen verschiedenartigen Bilderrahmen, es sei ein maschinengeschriebenes Bild und er habe das Gedicht auf extra vorpräpariertem, farbig getöntem, Papier getippt, die Schrift sei schwarz, verändere sich aber nach blau, wie mit dem Anschlag.
ich schrieb ihm, der ›söne swarze vogl‹ erinnere mich an einen meiner Kindersprüche, die in unserer Familie fast zum geflügelten Wort geworden sind: als ich noch winzig war – meine Mutter arbeitete damals zuhause als einfallsreiche begehrte Hutmacherin – und ich sah durchs Fenster daß draußen schönes Wetter war, sagte ich zu ihr in sehnsuchtsvollem Ton : ›sau so söne sonne seint!‹ (aber niemand hatte Zeit mit mir spazieren zu gehen).

als es ist

(1)

so roh erscheint es ja nur im ausschnitt lieber kasimir weil da jeglicher blick ans offne fleisch dringen kann
(tuff flysch und *boden-sätze* welche beweisen daß der entzücken erzeugende anblick einer stadt wie venedig eine parallelaktion von formulierungen aus den verschiedensten empfängern preßt)
– und knokke?
so roh erscheine ich ja nur in meinem reden lieber kasimir da jegliches merken ins offne aufgeschnittene fleisch gehe
. .

ich habe nur mein haus gereinigt lieber kasimir

..

etwa : »diese auf stelzen gehende stadt«

(2)

von dem vergangenen winter der schneelos war von dort her raschelten noch blätter braun borstig im gezweig
ich breitete die arme gegen den wind, als ich fror, und wir hasteten über die breiten innenhöfe, in den unterschlupf
gipszimmer, dies rohe leben!

(3)

hirschblut und schlehen. diese einöde wir umarmten uns heftig gußeiserne wellen mit winzigen zacken (schuppen?)
war es eigentlich so etwas wie eine seenplatte?
ungleich horniger lieber kasimir
in wirbeln stehende blickblüten – fiktion einer wiederbegegnung
ich hatte es unterlassen meinen schirm aufzuspannen obwohl es heftig auf meinen kopf herunterprasselte und meine tennisschuhe sich kalt und naß um meine füße schlossen

(4)

als wir durch den platanen garten schweiften. die stadtgärtner in den wipfeln der bäume, die baumsägen in den händen, und gegen die brust abgestützt wie ein jagdgewehr : das auswachsende geäst zu beschneiden, mit ihm zu boden zu stürzen daß es aufprallte hier und dort. die pendelzüge leierten in abständen von wenigen minuten über unseren köpfen, die trasse schien nachzugeben es begann zu regnen auch kälter zu werden, unsere kopfstationen
lieber kasimir

(5)

das gras hatte zugebissen, da stürzte der berg herab und ergoß sich blutig ins tal

zur punktuellen Erkennung

mit dem Seziermesser, sagt er, und Schicht für Schicht freilegen. Schein und Trickwelt, sage ich, Retusche einer Retusche ich sehe nicht was dahinter ist.
An der Wasserstelle, in diesen himmlischen Tagen und beugte mich nieder um zu trinken, der Schnee knirschte in den alten Weinbergen, aber nachzuzeichnen vermag ich es kaum.
Peterchens Mondfahrt, sehr früh, die bunten Bilder darin, sage ich, *Lambert Löffelmann und Sylvester Aser*, *Das Märchen vom Karfunkelstein*, *Alice in Wonderland* mit elf, als ich anfing englisch zu lesen, davor noch *Bonzo's Abenteuer* – der Hund Bonzo als Golfspieler mit großer Sonnenbrille. Vor kurzem, sage ich, fiel mir ein, daß es schön wäre, würden sich alle, die die gleichen Kinderbücher gelesen haben, zu einer großen Freundschaft zusammenschließen; und jede Generation umringt von ›ihren‹ Kinderbüchern . .
Später las ich am liebsten in Grillparzers *Libussa*, weil es mir gefiel, mich mit der Heldin zu identifizieren und mit fünfzehn schrieb ich drei dramatische Gedichte, in denen ich alles unterbrachte was mir damals durch den Kopf ging. Zu dieser Zeit begann ich auch Hölderlin zu lesen und erstmals Romain Rolland, dessen Vorstellungswelt mich gewaltig anzog – die schöne Stelle in *Jean-Christophe*, wo zwei Züge aneinander sehr langsam vorüberfahren, abfahrend oder einfahrend, irgendein Bahnhof, eine Station, oder auf offener Strecke bleiben sie dicht nebeneinander stehen, und wie ein Augenpaar das andere, geliebte, plötzlich hinter dem Fenster gegenüber erblickt erkennt wiedererkennt, und wie die Fäuste an beiden Seiten gegen die Scheiben trommeln, und wie die Stimmen sich aufbäumen bis endlich beide Fenster aufgestoßen werden : und in Sekundenschnelle ist alles vorüber und die beiden Züge rollen in entgegengesetzten Richtungen fort. Der Gedanke des einmal verwirklichten aber wieder gewonnenen aber wieder verlorenen, Glücks hat mich lange nicht losgelassen.
Ich glaube mich zu erinnern, ich exzerpierte damals zum erstenmal, aber es hat sich nichts erhalten aus dieser Zeit bis auf ein schmales Schulheft in das ich während der letzten Kriegswochen tagebuchartige Eintragungen gemacht habe. Da steht etwa am 4. April 1945 : . . habe mit großem Vergnügen Nietzsche gelesen und eine Klimtmonographie . . Ein paar Tage später : . . wieder einmal in meinem

wunderbaren Romain Rolland gelesen, und in den *Duineser Elegien* .. Am 1. Mai 1945: .. habe in John Locke's *Assoziation der Gedanken* gelesen .. Und : .. ich habe mir bis dahin etwas anderes darunter vorgestellt ..
Ich hocke auf dem Fußboden in der Bibliothek eines Freundes meiner Eltern, in dessen Wohnung wir uns knapp vor dem Ende des Krieges geflüchtet hatten, nachdem eine Bombe unser Haus unbewohnbar gemacht hatte – in fieberhaftem Verlangen, die ganze Bibliothek in ein paar Tagen auszulesen: plötzlich, mitten in den letzten Kriegswirren und während draußen alles zusammenbrach, hatte mich dieses Verlangen erfaßt, und es schüttelte mich mit einer Heftigkeit, daß ich weder schlafen noch essen wollte, noch mit jemandem reden. Manchmal hörte ich von der Straße Weinen und Schreien, und Schüsse, und wenn ich aus dem Fenster blickte, sah ich unten russische Soldaten um eine Gulaschkanone stehen. Aber ich nahm es kaum wahr, alles schien in eine Ferne gerückt, ich hatte nichts damit zu schaffen.
Später wende ich mich lange der englischen Literatur zu : die englische Sprache rückt in den Mittelpunkt meiner Aufmerksamkeit, bald liebe ich sie mehr als meine Muttersprache, sie breitet sich sehr in mir aus, daß ich am liebsten in ihr lese und schreibe und denke, sie zieht mich in ihre Höhe (Whitman, Cummings, Faulkner) und in ihre Tiefe (Keats), und besonders nachts, wenn ich in ihr Träume habe und endlich, sie gerieten dir immer schöner, sagt er.

berlin-west

(luftrudernd auf dem rücken liegend schöner schillernder käfer : auf der innenfläche einer riesenhand, die sich zur faust krümmt –)
meist sah ichs nicht so politisch. die orte, die verbundenheiten, die bestimmungen :
artusrunde samt postamt, siegesengel, der teltower damm, die argentinische allee, die fischerhüttenstraße, die kavalkade, die krumme lanke, der sonnenblitz am horizont des tegeler sees, die sarrazinstraße, der zerbrochene spiegel, ich trat in seine scherben.

man spricht deutsch!

in einer Gegenbewegung gottähnlich nämlich als der liebe Mops zur Tür kommt und anklopft; eine Identifikation mit der Kreatur so scheint es : zurückverweisend aber auf die sprachliche Auseinandersetzung des Autors mit einem Vokal : er singt das hohe Lied vom O, vom O-Tier, vom O-Gott, ogottogott, vom Hundehalter Otto, vom Mops der wieder heimgefunden hat, und wir alle lachen Tränen. Lachen und weinen, und unser Mit-Gefühl, unser Gerührtsein, das sich in erste Kindheitserlebnisse mit Tieren zurückversetzt sieht, und also ein naives ist, ein mit Unbegrenztheiten ausgestattetes Gefühl, gehört gleicherweise diesem liebenswürdigen Mopsbesitzer, dem sein Mops abhanden gekommen ist und der weiter unverdrossen seinen täglichen Geschäften nachgeht (nämlich : »koks holt«, und : »obst holt«), wie seinem Mopstier, das »trotzt« und »kotzt«. Je öfter wir diesem Gedicht begegnen, desto sicherer sind wir darüber daß hier immer von neuem eine Verwandlung sich vollzieht, die so wunderbar immer von neuem glückt wie kaum anderes das je in dieser Sprache geschrieben wurde. Nämlich : von der Liebe zum Vokal zur Wirklichkeit des Bilds; vom Glauben an das O zur Offenbarung Poesie.

Anhang

Editorische Notiz

Die Ausgabe versammelt die vergriffenen Bände kleiner Prosa von Friederike Mayröcker seit dem Erscheinen ihres ersten Buches, *Larifari*, im Jahre 1956 bis 1975. Der zwar später, 1977, erschienene Band *rot ist unten* gilt insofern als zugehörig, als die Texte in den Jahren 1971 bis 1975 entstanden sind. Das Kapitel »Verstreute Prosa« enthält – über verstreut erschienene Texte hinaus – auch Unveröffentlichtes aus dem angegebenen Zeitraum; und zwar nur solche Texte, die die Autorin heute noch für veröffentlichungswert hält. Die Textvorlagen sind dem seit 1988 eingerichteten Friederike Mayröcker-Archiv der Stadt- und Landesbibliothek Wien entnommen. In den Quellenhinweisen ist jeweils vermerkt, wenn ein Text von der Autorin für den vorliegenden Band überarbeitet worden ist. Die Texte des Kapitels »Verstreute Prosa« sind nach Entstehungs- bzw. Erstveröffentlichungsdaten chronologisch geordnet; der früheste Text entstand im Jahre 1949.
Die Autorin dankt Marcel Beyer für seine Mitwirkung; er zeichnet für die Zusammenstellung der »Verstreuten Prosa« und für die bibliographischen Nachweise.

Bibliographische Nachweise

I. Larifari. Ein konfuses Buch

Neue Dichtung aus Österreich Band 18. Hrsg. von Rudolf Fellmayer, Bergland Verlag, Wien 1956.

Zu einzelnen Texten:

Ansätze. Erstveröffentlichung in: Weltpresse Nr. 59, 16. 3. 1956, S. 17.

Schöner Garten schöner Träume. Erstveröffentlichung in: Neue Wege Nr. 104, April 1955, S. 27/28.

Kirche zur heiligen Thekla. Erstveröffentlichung in: Wien von A-Z. Hrsg. von Hermann Hakel, Wiener Verlag, Wien 1953, S. 116.

Jacquingasse. Erstveröffentlichung in: Mitteilungen der Kulturgemeinschaft »Der Kreis« Nr. 93, Januar 1951, o. P. Auch in: Neue Wege Nr. 63, März 1951, S. 233.

Wann, wann schenkst du mir wieder. Entstanden: 26. 9. 1954.

Von der Reichsbrücke aus. Erstveröffentlichung unter dem Titel *Von der Brücke aus* in: Neue Wege Nr. 97, September 1954, S. 30. Auch in: Weltpresse Nr. 253, S. 19.

Riederberg. Erstveröffentlichung unter dem Titel »*R*« in: Mitteilungen der Kulturgemeinschaft »Der Kreis« Nr. 93, Januar 1951, o. P. Unter diesem Titel auch in: Neue Wege Nr. 63, März 1951, S. 233. Unter dem Titel *R* auch in: Alpha Nr. 5, Juli 1955, o. P.

Neunkirchner Allee. Erstveröffentlichung mit anderen Texten unter dem gemeinsamen Titel *Bruchstücke* in: Neue Wege Nr. 88, September 1953, S. 21.

Friedhof. Entstanden: 31. 10. 1954. Erstveröffentlichung in: Lebendige Stadt, Literarischer Almanach 1955, Jugend und Volk Verlag, Wien 1955.

Auf Flügeln des Gesanges. Entstanden: 30. 8. 1954. Erstveröffentlichung mit dem dort titellosen Text *Friedhof* unter dem Titel *Impressionen auf Flügeln des Gesanges* in: Lebendige Stadt, Literarischer Almanach 1955, Jugend und Volk Verlag, Wien 1955, S. 218-220.

Was ich auch immer sage. Entstanden: 31. 8. 1954. Erstveröffentlichung in: Neue Wege Nr. 100, Dezember 1954, S. 18.

Bruchstücke. Entstanden: 9. 11. 1954.
Wirf dein Herz. Entstanden: 11. 9. 1951.
Paris. Erstveröffentlichung in: Neue Wege Nr. 64, April 1951, S. 275. Auch in: Ernstes kleines Lesebuch. Hrsg. von Rudolf Fellmayer, Bergland Verlag, Wien 1955, S. 112.
Die Sphinx tötet. Erstveröffentlichung in: Neue Wege Nr. 64, April 1951, S. 274/275.
Die Sirenen des Odysseus. Entstanden: 15. 2. 1954. Erstveröffentlichung unter dem Titel *Die Sirenen* in: Neue Wege Nr. 98, Oktober 1954, S. 8. Auch in: Ernstes kleines Lesebuch. Hrsg. von Rudolf Fellmayer, Bergland Verlag, Wien 1955, S. 112/113.
Nausikaa. Erstveröffentlichung in: Neue Wege Nr. 98, Oktober 1954, S. 8/9. Unter dem Titel *Nausikaa und Odysseus* auch in: Weltpresse Nr. 269, S. 7.
Medea und Iason. Entstanden: 15. 3. 1954. Erstveröffentlichung in: Neue Wege Nr. 98, Oktober 1954, S. 8.
Philemon und Baucis. Erstveröffentlichung in: Ernstes kleines Lesebuch. Hrsg. von Rudolf Fellmayer, Bergland Verlag, Wien 1955, S. 113.
Orpheus und Eurydike. Erstveröffentlichung in: Neue Wege Nr. 64, April 1951, S. 275. Auch in: Ernstes kleines Lesebuch. Hrsg. von Rudolf Fellmayer, Bergland Verlag, Wien 1955, S. 114.
»Schlaf sanft, mein Kind, schlaf sanft und schön, mich dauert sehr, die weinen sehn.« Entstanden: 5. 11. 1950.
Was gibt uns denn noch Aufschwung. Erstveröffentlichung mit anderen Texten unter dem gemeinsamen Titel *Bruchstücke* in: Neue Wege Nr. 88, September 1953, S. 20.
Mao. Erstveröffentlichung in: Publikationen Nr. 6, Juni 1952, o. P.
Legende. Erstveröffentlichung in: Neue Wege Nr. 71/72, Januar/Februar 1952, S. 19.

II. Minimonsters Traumlexikon. Texte in Prosa

Rowohlt Verlag, Reinbek bei Hamburg 1968. Das Nachwort von Max Bense wurde in diese Ausgabe nicht übernommen.

Zu einzelnen Texten:
Angels' Talk. Erstveröffentlichung in: Protokolle 1967, S. 147-150.

»Hommage à Doc« – *eine Tele-Vision*. Erstveröffentlichung in: Protokolle 1968, S. 164-168.

»rockery« – oder Ein fiktiver Menschenfreund. Erstveröffentlichung unter dem Titel *Purpurrote Ausweitungen des Themas Steingarten (»rockery«)* in: Die Sonde Nr. 1/1965, S. 11.

»Auch der Winter treibt seine Scherze« (Brustbild H.C. Artmanns). Erstveröffentlichung in: Der Landgraf zu Campodron, Für H.C. Artmann. Hrsg. von Gerald Bisinger und Peter O. Chotjewitz, Ulrich Ramseger Verlag, Hamburg 1966, S. 24.

Beatifikation. Entstanden: 29. 4. 1958.

Topologischer Text. Entstanden: 29. 9. 1963.

»Eschenrosen«. Erstveröffentlichung in: Außerdem, Deutsche Literatur minus Gruppe 47 = wieviel? Hrsg. von Hans Dollinger, Scherz Verlag, München Bern Wien 1967, S. 202-204.

Die Rosen von Soho. Erstveröffentlichung in: Manuskripte Nr. 14/15, Oktober 1965, S. 37.

Die Sintflut. Erstveröffentlichung in: Protokolle 1968, S. 168-173. Auch in: Wort und Wahrheit Nr. 1/1968, Januar/Februar 1968, S. 50-52.

Strahlinge *mitsamt einer wahren zierlichen Fußnote*. Entstanden: 15. 2. 1966.

Zerklüftungen & Demonstrationen. Erstveröffentlichung in: Protokolle 1966, S. 144-146.

III. Fantom Fan

Rowohlt Verlag, Reinbek bei Hamburg 1971.

Zu einzelnen Texten:

»Crashproof«. Entstanden: 20. 5. 1969.

Pick mich auf, mein Flügel ... Anleitungen zu poetischem Verhalten. Entstanden: 1. 6. 1969.

Les Oiseaux *aus dem französischen Lesebuch*. Entstanden: 13. 1. 1969. Erstveröffentlichung in: Neue Texte Nr. 3, 1969, o. P.

»Fritza« *Sekundenspiel in zwei Teilen* oder Text für Gustav Klimt mit einigen irrtümlichen Hinweisen. Entstanden: Mai 1968. Erstveröffentlichung in: Ver Sacrum, Jugend und Volk Verlag, Wien und München 1969, S. 6/7.

Register *zu Leda und der Schwan*. Entstanden: 13.-15. 2. 1969.

Erstveröffentlichung in: Ver Sacrum, Jugend und Volk Verlag, Wien und München 1969, S. 20/21.

Tender Buttons für Selbstmörder. Erstveröffentlichung (mit englischer Übersetzung) in: Dimension Nr. 4/1971, S. 178-191.

14 Spiegel-*Texte.* Entstanden: 9. 1. 1969. Erstveröffentlichung in: Neues Forum Nr. 184/1, April 1969, S. 281/282.

Horror Fibel. Entstanden: 4. 11. 1968. Erstveröffentlichung in: Der gewöhnliche Schrecken. Hrsg. von Peter Handke, Residenz Verlag, Salzburg 1969, S. 87-94.

»Sandig« *ein Katalog.* Entstanden: 19. 6. 1967. Erstveröffentlichung in: Literatur und Kritik Nr. 21, Februar 1968, S. 18/19.

In der Schweigespur. Erstveröffentlichung in: Signum Nr. 1/1968-1969, S. 15/16.

»Aschenbahn«. Erstveröffentlichung in: Neue Texte Nr. 1, 1968, o. P.

»Auseinanderstoßung«. Hommage à Otto Wagner. Erstveröffentlichung in: Protokolle Nr. 1/1971, S. 179/180.

Brancusi »Der Kuß« (Kalkstein). Erstveröffentlichung in: Replik Nr. 2, November 1968, S. 53/54.

Zeppelin *ein ästhetisches Logbuch.* Erstveröffentlichung in: Protokolle 1969, S. 162-165.

Prospect aber nach hinten »wie ein Uhu . .« Erstveröffentlichung in: Manuskripte Nr. 21, Oktober 1967-Februar 1968, S. 23.

»mon 28«. Entstanden: 8. 10. 1967. Erstveröffentlichung in: Neue Literatur in Hof 1967, Sonderheft der Kulturwarte für Kunst und Kultur, Januar 1968, S. 43. Auch in: Akzente Nr. 3/1968, S. 279/280. Unter dem Titel *Zwischen Blick & Blick* auch in: Frankfurter Allgemeine Zeitung Nr. 130, 6. Juni 1968, S. 22.

Der Haussegen hängt. Entstanden: 27. 2. 1969. Erstveröffentlichung in: Prop '69, April 1969, S. 13/14.

»Fliegermai«. Entstanden: 8. 2. 1968. Erstveröffentlichung in: Drehpunkt Nr. 11, Februar 1971, S. 32.

Mövenpink *oder* Zwölf Häuser. Entstanden: 2.-10. 9. 1968. Erstveröffentlichung in: Protokolle Nr. 2/1970, S. 41-49.

»Laß ihn mal rückwärtslaufen . . .« (den Film)! Erstveröffentlichung in: Wort und Wahrheit Nr. 1/1970, Januar/Februar 1970, S. 32-34.

FBI/FIB/*Friedhof im Februar oder* ein apostroph-text mit manuela. Entstanden: 3. 2. 1969. Erstveröffentlichung in: Replik Nr. 3, Mai 1969, S. 58-60.

Jonas & der Fisch. Entstanden: 20.-22. 1. 1969. Erstveröffentlichung in: Muster möglicher Welten, eine Anthologie für Max Bense zum 60. Geburtstag. Hrsg. von Elisabeth Walther und Ludwig Harig, Limes Verlag, Wiesbaden 1970, S. 120/121.

Korrekturen. Erstveröffentlichung in: Akzente Nr. 3/1968, Juni 1968, S. 280-284.

IV. Arie auf tönernen Füßen. Metaphysisches Theater

Hermann Luchterhand Verlag, Neuwied und Darmstadt 1972.

Zu den einzelnen Texten:

comicstrip, eine Oper. Entstanden: 30. 5. 1970. Erstveröffentlichung in: Manuskripte Nr. 29/30, 1970, S. 21.

ARIE AUF TÖNERNEN FÜSSEN. Entstanden: 22. 9. 1969. Erstveröffentlichung in: Protokolle Nr. 1/1970, S. 149/150.

DER ALPENKOMPONIST & MERKURS KINDER (ein Happening in Zeitlupe). Entstanden: 30. 9. 1969. Erstveröffentlichung in: Akzente Nr. 2, April 1970, S. 148-151.

IN DER LOOS-BAR IN WIEN. Entstanden: 3. 2. 1970.

HIOBS-POST *oder die 19 auftritte*. Entstanden: 15. 9. 1969. Erstveröffentlichung unter dem Titel *hiobsbotschaft* in: Das Ei Nr. 3, o. J., S. 15.

schwarz-weiss/pop-biblisch. Erstveröffentlichung in: Angelika Kaufmann: Ausstellungskatalog, Galerie an der Stadtmauer Villach, Club der Sezession Wien 1970, o. P.

SALOON *oder* LIEBEN SIE SHIRLEY TEMPLE. Entstanden: 17. 10. 1969. Erstveröffentlichung in: Grenzverschiebung, Neue Tendenzen in der deutschen Literatur der 60er Jahre. Hrsg. von Renate Matthaei, Kiepenheuer und Witsch Verlag, Köln und Berlin 1970, S. 241/242.

BONANZA *oder* UNSTERN ÜBER WIEN. Entstanden: 29. 10. 1969. Erstveröffentlichung in: science & fiction. Hrsg. von Walter Aue, Melzer Verlag, Frankfurt/Main 1971, S. 124-126.

FILM EINSTELLUNGEN. Entstanden: 12./13. 2. 1970. Erstveröffentlichung in: Typos 1, Zeit/Beispiele. Hrsg. von Walter Aue, Tsamas Verlag, Bad Homburg v. d. H. 1971, S. 182/183.

Mit RICHARD WAGNER *in einer Kommune*. Entstanden: 28. 2./1. 3. 1970. Erstveröffentlichung in: richard wagner stunden lecker. Hrsg. von Jochen Lobe, Verlag für neue Literatur, Hof 1970, o. P.

APFAL – ein katatonisches Theaterstück. Erstveröffentlichung in: Protokolle Nr. 1/1970, S. 5-7. Auch in: Theater heute Nr. 11, 1970, S. 59.

HEMMSCHUHE *(auf dem theater)*. Erstveröffentlichung in: Protokolle Nr. 1/1970, S. 116/117.

BILDLEGENDE ZU EINEM ABSURDEN PUPPENTHEATER. Entstanden: 1. 10. 1969.

paul claudel : der seidene schuh : kurzfassung. Erstveröffentlichung unter dem Titel *baumgang*, Klavierkonzert von Penderecky in: Angelika Kaufmann: Ausstellungseinladung der Galerie an der Stadtmauer, Villach 1970, o. P.

PNEUMA *oder die Domestikation des Schauspielers*. Erstveröffentlichung in: Protokolle Nr. 1/1970, S. 3/4. Auch in: Wort und Wahrheit Nr. 25, Januar/Februar 1970, S. 30/31.

BOBON ODER DAS WIRKLICHE ZIMMERTHEATER. Entstanden: 7./8. 10. 1969.

telefon. Entstanden: 30. 5. 1970.

OMNIBUS. Entstanden: 23. 4. 1970. Erstveröffentlichung in: Trivialmythen. Hrsg. von Renate Matthaei, März Verlag, Frankfurt/Main 1970, S. 134-140.

FLURBESICHTIGUNG. Entstanden: 12./13. 11. 1971.

V. je ein umwölkter gipfel. erzählung

Hermann Luchterhand Verlag, Darmstadt und Neuwied 1973.

Zu den einzelnen Texten:

lehrstück liliengracht. Entstanden: 20.-22. 10. 1971. Erstveröffentlichung unter dem Titel *wahntext, entzerrt* in: Die Furche, Nr. 50, 11. 12. 1971, S. 15.

als der bau knecht erstmals ins haus kam. Entstanden: 14. 11. 1971. Erstveröffentlichung unter dem Titel *lernung, ein lese-stück* in: Neutralität Nr. 3, März 1972, S. 20/21.

nostalgie. Entstanden: 30. 11./1. 12. 1971. Erstveröffentlichung in Protokolle Nr. 2/1972, S. 118-120.

abseite des mondes. Entstanden: 5. 12. 1971. Erstveröffentlichung in Manuskripte Nr. 35, 1972, S. 14.

erzählen einer erzählung. Entstanden: 7. 12. 1971. Erstveröffentlichung in: Podium Nr. 4, April 1972, S. 3.

in einer zerfallenen nachbarschaft. Entstanden: 26. 11. 1971.
die zeichen der zeit. Entstanden: 4. 1. 1972.
schützer des hauses. Entstanden: 8. 1. 1972. Erstveröffentlichung in: Wort und Wahrheit Nr. 6, November/Dezember 1972, S. 510/511.
handlung eines glaubens. Entstanden: 11.-23. 1. 1972.
aufzeigungen. Entstanden 24. 1.-9. 2. 1972.
von den bergen springen, eine denkfigur. Entstanden: 26. 5. 1972.
auf dem luftozean. Entstanden: 27./28. 5. 1972.
die nachbildung einer palme. Entstanden: 30./31. 5. 1972.
morgens tief um vier. Entstanden: 15. 6. 1972.
in riesigen wäldern, blinken. Entstanden: 19. 6. 1972.
wir in gestalt einer nassen vogelfeder. Entstanden: 20. 6. 1972.
fortschreitung. Entstanden: 22. 6. 1972.
im weißen westen. Entstanden: 9. 9. 1972.
aufenthalt zu zorn. Entstanden: 20./21. 9./17. 10. 1972.
ein alpentraum. Entstanden: 25. 9. 1972.
es steht es grün. Entstanden: 30. 9. 1972.
je ein umwölkter gipfel. Entstanden: 17./18. 10. 1972.
tapisserie 8 monat' schnee. Entstanden: 4./6./7. 11. 1972.

VI. meine träume ein flügelkleid

Mit Zeichnungen der Autorin. Verlag Eremiten Presse, Düsseldorf 1974.

VII. augen wie schaljapin bevor er starb

Vorarlberger Verlagsanstalt, Dornbirn 1974. Die in dem Band enthaltenen Illustrationen von Peter Pongratz wurden in diese Ausgabe nicht übernommen.

Zu einzelnen Texten:
venedigprosa. Entstanden: 1964. Erstveröffentlichung: Einladung zu einer Lesung Friederike Mayröckers im Theater am Hechtplatz, Wien 15. 12. 1968, o.P. Auch in: Podium Nr. 11, Februar 1974, S. 26.
irritationen. Entstanden: 1968. Erstveröffentlichung in: Manuskripte Nr. 23/24, 1968, S. 19/20.

demontage einer serie von liebesgeschichten. Entstanden: 1970. Erstveröffentlichung in: Integration, 1974, S. 10-12.
je eine frau oben & unten. Entstanden: 15.-25. 11. 1971. Erstveröffentlichung in: Log Nr. 9, 1974, S. 2. Unter dem Titel *ichtext* auch in: Unio Nr. 15/16, Ich-Programme, September 1974, S. 65.
zur trauermauer gewendet. Entstanden: 27. 2. 1952.
für günter eich. Entstanden: 1966. Erstveröffentlichung unter dem Titel *Augenaufschlagend am Morgen* in: Spektrum Nr. 35, Hommage à Günter Eich, Juni 1967, o. P.
im knopfloch der urwald. Entstanden: 6. 5. 1958. Erstveröffentlichung in: Alpha Nr. 11, Januar/Februar 1960, o. P.
blick an der brücke. Entstanden: 4. 6. 1958.
den gelben mond schlürfen. Entstanden: 1948.
absalom. Entstanden: 15. 6. 1950.
odysseus-variationen. Entstanden: 1951. Erstveröffentlichung in: Publikationen Nr. 4, Dezember 1951, o. P. Auch in: Die Presse, 20./21. 7. 1974, S. 20.
in diesem garten. Entstanden: 1964.
permutation haus. Entstanden: 1964. Erstveröffentlichung in: Die Presse 24. 12. 1965, S. 5.
ein schnalzen zum gewesenen kirtag. Entstanden: 8. 5. 1955.
colombine III. Entstanden: 1955, Erstveröffentlichung in: Wiener Zeitung Nr. 46, 25. 2. 1962, S. 5.
festrechnung, finsternis. Entstanden: 1960.
das hündchen mit den blumenaugen. Entstanden: 18. 10. 1961. Erstveröffentlichung in: Andreas Okopenko: Friederike Mayröcker, in: Wort in der Zeit Nr. 3, März 1963, S. 16.
die waldflöten leise. Entstanden: 1959. Erstveröffentlichung unter dem Titel *Albert* in: Unio Nr. 1/1964, S. 16. Auch in: Podium Nr. 11, Februar 1974, S. 3.
ich lege mein ohr an den meridian von greenwich. Entstanden: 1956.
tropenkunde. Entstanden: 2./3. 8. 1970. Erstveröffentlichung in: Projecte Concepte + Actionen. Hrsg. von Walter Aue, DuMont Verlag, Köln 1971, o. P.
zusammenbettungen: das meer & spitze des schlosses von der. Entstanden: Oktober 1970. Erstveröffentlichung in: Protokolle Nr. 2/1971, S. 87-92.
erstes hauptstück. Entstanden: Oktober 1967. Erstveröffentlichung unter dem Titel *Erstes Hauptstück: von der Verwandlung einer*

sehr merkwürdigen irrationalen in eine rationale Gestalt in: Neue Literatur in Hof 1967, Sonderheft der Kulturwarte für Kunst und Kultur, Januar 1968, S. 42/43.
zweites hauptstück oder ansätze zu einem brief. Entstanden: 1967. Erstveröffentlichung unter dem Titel *Zweites Hauptstück von der scheinbaren Sphäre oder Ansätze zu einem Brief* in: Akzente Nr. 3/68, Juni 1968, S. 278/279.
der handschuh. Entstanden: 11. 11. 1951.
die petronella, die peitsche. Entstanden: 8. 4. 1951.
alarmstufen. Entstanden: 1951.
die benennung der dinge. Entstanden: 8./10. 1. 1971. Erstveröffentlichung in: Lesebuch 3, Eines Tages ließ sich die Sprechpuppe nicht mehr ausziehen. Hrsg. von Helga M. Novak und Horst Karasek, Bertelsmann Verlag, München Gütersloh Wien 1972, S. 144.
die lüfte geschirrt. Entstanden: 1961.
augen wie schaljapin bevor er starb. Entstanden: 1960. Teilweise Erstveröffentlichung in: Andreas Okopenko: Friederike Mayröcker, in: Wort in der Zeit Nr. 3, März 1963, S. 18. Auch in: Akzente Nr. 3/1968, Juni 1968, S. 284-286.

VIII. schriftungen: oder gerüchte aus dem jenseits

Mit Zeichnungen der Autorin. Pfaffenweiler Presse, Pfaffenweiler 1975. Die Zeichnungen wurden in diese Ausgabe nicht übernommen.

Zum Text:
Entstanden: Oktober 1971. Erstveröffentlichung in: Protokolle Nr. 1/1972, S. 107-112.

IX. rot ist unten

Jugend und Volk Verlag, Wien München 1977. Die in dem Band enthaltenen Gedichte wurden in diese Ausgabe nicht übernommen.

Zu den einzelnen Texten:
In den Wintern. Entstanden: 11.-14. 10. 1974. Erstveröffentlichung in: Manuskripte Nr. 45, 1974, S. 47/48.

in den Boxhimmel, sagte er. Entstanden: 29. 12. 1972. Erstveröffentlichung in: Manuskripte Nr. 45, 1974, S. 38/39.

ironside. Entstanden: 18.-20. 8. 1973. Erstveröffentlichung in: Manuskripte Nr. 40, 1973, S. 21.

Vor Abgrund. Entstanden: 18./19. 7. 1974. Erstveröffentlichung in: Protokolle Nr. 1/1975, S. 126.

Die Tränen des heiligen Laurentius. Entstanden: 23.-26. 8. 1974. Erstveröffentlichung in: Protokolle Nr. 1/1975, S. 33/34.

Aus Roland Topors Lebensbotschaften. Entstanden: 10./11. 11. 1972. Erstveröffentlichung unter dem Titel *Neunundfünfzig Lebensbotschaften, in Vulgärsprache, für und von Roland Topor* in: Protokolle Nr. 1/1974, S. 12-14.

in Martha Jungwirths schwarzer Küche. Entstanden: 18.-21. 6. 1975. Erstveröffentlichung in: Protokolle Nr. 1/1976, S. 231/232.

die Blume zu tragen, ein Wahrnehmungsbericht nach Wolfgang Hutter. Entstanden: 23. 9. 1972. Erstveröffentlichung in: Ver Sacrum, Jugend und Volk Verlag, Wien und München 1974, S. 167.

rot ist unten, und die füß' sind die blumen, und die lily am strand. Entstanden: November/Dezember 1974. Erstveröffentlichung unter dem Titel *Randnoten, fliegen Lämmer zu Tal?* in: Die Rampe Nr. 1/1976, S. 7-19.

verminderte Träume. Entstanden: 26.-28. 7. 1974. Erstveröffentlichung in: Manuskripte Nr. 45, 1974, S. 39.

Ein Schatten am Weg zur Erde. Erstveröffentlichung in: Literatur und Kritik Nr. 82, 1974, S. 87-94 (Hörspielfassung: Produktion Radio Bremen, 1975).

verzückter Bereich. Entstanden: 18.-20. 9. 1974. Erstveröffentlichung in: Protokolle Nr. 1/1975, S. 33/34.

Animation. Entstanden: 2.-4. 12. 1973. Erstveröffentlichung in: Protokolle Nr. 2/1974, S. 55-58.

Berlinprosa oder Durchdringung eines Zustandes. Entstanden: 24./25. 7. 1973. Erstveröffentlichung in: Die Presse 1./2. 9. 1973, S. 3. Auch in: Spektrum Nr. 62, März 1974, o. P.

sie wird im Osten klemmen. Entstanden: 8.-13. 4. 1973. Erstveröffentlichung in: Manuskripte Nr. 45/1974, S. 43/44.

X. Verstreute Prosa

Zu einzelnen Texten:

bis der Tau fällt.. Entstanden: 5. 6. 1949. Erstveröffentlichung in: Weltpresse Nr. 83, 8. 4. 1950, S. 10.

»..und im neuen Jahr auf den Namen Edgar getauft.« Entstanden: 8. 6. 1950 (überarbeitet: Juli 1988).

Niederösterreichisches Tagebuch. Entstanden: 28. 8. 1950 (überarbeitet: Juli 1988). Erstveröffentlichung in: Der Krystall Nr. 42, 14. 10. 1950, S. 4.

meiner Mutter zu einem Jahrestag. Entstanden: 18. 8. 1951 (überarbeitet: Juli 1988).

Albert-Fragmente. Entstanden: 4. 9. 1951 (überarbeitet: Juli 1988).

Kindersommer. Erstveröffentlichung unter dem Titel *Aus einem Kindersommer* in: Neue Wege Nr. 77, Juni 1952, S. 707. Unter diesem Titel auch in: Geliebtes Land. Hrsg. vom Kulturreferat der österreichischen Landesregierung, Jugend und Volk Verlag, Wien 1955, S. 430.

Betrachtungen an einem Sommertag. Entstanden: 15. 8. 1953 (überarbeitet: Juli 1988). Erstveröffentlichung unter dem Titel *Sommertage* in: Weg und Bekenntnis. Hrsg. von Hans M. Loew, Stiasny Verlag, Graz Wien München 1954, S. 66-68.

»..Johnnie is the boy for me..«. Entstanden: 11. 9. 1954 (überarbeitet: Juli 1988).

Alarmstufe 4, ein Traum. Entstanden: 16. 1. 1955 (überarbeitet: Juli 1988).

Elegie auf die schlüsselfertige Liebe. Entstanden: 9. 7. 1955 (überarbeitet: Juli 1988).

Englandreise. Erstveröffentlichung unter dem Titel *Zwischen Meer und Wolken* in: Beilage zur Wiener Zeitung Nr. 144, 23. 6. 1957, S. 1 (überarbeitet: Juli 1988).

Ariel in Wien. Erstveröffentlichung in: Wiener Zeitung Nr. 4, 5. 1. 1958, S. 5 (überarbeitet: Juli 1988).

die Auffahrt der Vergißmeinnicht. Erstveröffentlichung in: Beilage zur Wiener Zeitung Nr. 148, 29. 6. 1958, S. 1. Der zweite Teil des Texts entstand am 15. 7. 1955 und erschien unter dem Titel *Partitur Bauernhof* zuerst in: Neue Wege Nr. 106, September 1955, S. 47/48 (überarbeitet: Juli 1988).

deine Lockungen Apollinaire. Erstveröffentlichung unter dem Titel

Impressionen an der Seine in: Wiener Zeitung Nr. 263, 11. 11. 1958, S. 3/4. Auch in: Die Furche Nr. 10/1963, 1963, S. 9 (überarbeitet: Juli 1988).

fragmentarisch. Erstveröffentlichung unter dem Titel *Fragmentarische Geschichte aus Cattolica* in: Wiener Zeitung Nr. 240, 15. 10. 1961, S. 5 (überarbeitet: Juli 1988).

Französisch. Erstveröffentlichung in: Die Furche Nr. 32/1963, S. 9 (überarbeitet: Juli 1988).

Poupée. Entstanden: Anfang der sechziger Jahre (überarbeitet: Juli 1988).

als. Entstanden: Mitte der sechziger Jahre.

Ein walkie-talkie. Erstveröffentlichung in: Gesicht des Menschen. Eine Festgabe zu Rudolf Fellmayers siebzigstem Geburtstag. Hrsg. von Franz Richter, Bergland Verlag, Wien 1968, S. 39. Auch in: Das Pult, August/September 1969, S. 25.

KONZERT FÜR ACHT LESARTEN *(zu je fünfunddreißig Expressionen)*. Entstanden: 29. 6. 1968 (überarbeitet: Juli 1988).

Plankton des Auges. Erstveröffentlichung in: Frankfurter Neue Presse, 23./24. 8. 1969 (überarbeitet: Juli 1988).

»ÜBERSEE«, *ein Bühnenhaus*. Entstanden: 5.-8. 9. 1969 (überarbeitet: Juli 1988).

MOND EUPHORIE, *ein Stück vom Mond*. Entstanden: 21. 11. 1969.

RUDI –. Entstanden: 21. 11. 1969 (überarbeitet: Juli 1988).

Roma. Entstanden: 12. 1. 1970 (überarbeitet: Juli 1988).

ERRATA, *ein Lichtbildvortrag*. Entstanden: 13. 1. 1970 (überarbeitet: Juli 1988).

SEH-SPIELE, *mörbisch!* Entstanden: 23. 1. 1970 (überarbeitet: Juli 1988).

AMBIENTE ARIADNE, *deutsches Trauerspiel*. Entstanden: 19. 2. 1970 (überarbeitet: Juli 1988).

diese kurzfilme. Entstanden: 29. 5. 1970 (überarbeitet: Juli 1988).

orenbilder, ein manifest. Entstanden: 30. 5. 1970 (überarbeitet: Juli 1988).

die super-dinger kommen. Entstanden: 24. 11. 1970. Erstveröffentlichung in: Ortstermin Bayreuth, oder 33 Selberlebensbeschreibungen Stadtbesichtigungen Stadtbezichtigungen. Hrsg. vom Verband Fränkischer Schriftsteller, Wettin Verlag, Kirchberg/Jagst 1971, S. 57/58.

Columbus Day. Entstanden: 18. 10. 1971 (überarbeitet: Juli 1988).

Erstveröffentlichung in: Literatur und Kritik Nr. 61, Februar 1972, S. 2.

die Mädien. Entstanden: 26. 10. 1972. Erstveröffentlichung in: Zet Nr. 7, September 1974, S. 12/13.

zu Martin Schweizer SWARZER VOGL. Entstanden: 9. 10. 1974. Erstveröffentlichung in: Neue Texte Nr. 14, 1974, o. P.

als es ist. Entstanden: 21.-28. 10. 1974 (bearbeitet: Juli 1988). Erstveröffentlichung in: Peter Pongratz: Malerei Zeichnung Graphik, Jugend und Volk Verlag, Wien München 1975, S. 36-53. Einige Textpassagen, die in den Band *Fast ein Frühling des Markus M* Eingang fanden, wurden in diese Ausgabe nicht übernommen.

zur punktuellen Erkennung. Entstanden: 25.-31. 12. 1974. Titellose Erstveröffentlichung in: Erste Lese-Erlebnisse. Hrsg. von Siegfried Unseld, Suhrkamp Verlag Frankfurt am Main 1975 (st 250), S. 68/69.

berlin-west. Titellose Erstveröffentlichung in: 10 Jahre Berliner Künstlerprogramm. Hrsg. vom Deutschen Akademischen Austauschdienst, Berlin 1975, S. 47. Auch in: Blickwechsel. 25 Jahre Berliner Künstlerprogramm des DAAD. Hrsg. von Stefanie Endlich und Rainer Höynck, Argon Verlag, Berlin 1988, S. 134.

zu »ottos mops« von Ernst Jandl. Erstveröffentlichung in: Westermanns Monatshefte Nr. 1/1976, Januar 1976, S. 64. Auch in: Ernst Jandl: my right hand my writing hand my handwriting, Neue Texte Nr. 16/17, Linz 1976, o. P.

Inhalt

I. Larifari. Ein konfuses Buch (1956)

II. Minimonsters Traumlexikon. Texte in Prosa (1968)

III. Fantom Fan (1971)

IV. Arie auf tönernen Füßen. Metaphysisches Theater (1972)

V. je ein umwölkter gipfel. erzählung (1973)

VI. meine träume ein flügelkleid (1974)

VII. augen wie schaljapin bevor er starb (1974)

VIII. schriftungen: oder gerüchte aus dem jenseits (1975)

IX. rot ist unten (1977)

X. Verstreute Prosa (1949-1975)

Die Bücher von Friederike Mayröcker im Suhrkamp Verlag:

Das Licht in der Landschaft. 1975

Fast ein Frühling des Markus M. 1976

Heiligenanstalt. 1978

Ein Lesebuch
Herausgegeben von Gisela Lindemann
suhrkamp taschenbuch 548. 1979

Ausgewählte Gedichte 1944-1978. 1979
suhrkamp taschenbuch 1302. 1986

Die Abschiede. 1980
suhrkamp taschenbuch 1408. 1987

Gute Nacht, guten Morgen. Gedichte 1978-1981. 1982

Magische Blätter
edition suhrkamp 1202. 1983

Reise durch die Nacht. 1984
Bibliothek Suhrkamp 923. 1986

Das Herzzerreißende der Dinge. 1985

Winterglück. Gedichte 1981-1985. 1986

Magische Blätter II
edition suhrkamp 1421. 1987

mein Herz mein Zimmer mein Name. 1988

Friederike Mayröcker
Herausgegeben von S. J. Schmidt
stm. suhrkamp taschenbuch 2043. 1984